On peut communiquer avec l'auteure par courriel à l'adresse suivante : *grenadine@vl.videotron.ca*

Visitez son site : *www.nadinegrelet.com*

TYPO bénéficie du soutien de la Société de développement des entreprises culturelles du Québec (SODEC) pour son programme d'édition.

Gouvernement du Québec – Programme de crédit d'impôt pour l'édition de livres – Gestion SODEC.

Nous reconnaissons l'aide financière du gouvernement du Canada par l'entremise du Fonds du livre du Canada pour nos activités d'édition.

Nous remercions le Conseil des Arts du Canada de l'aide accordée à notre programme de publication.

LA FILLE DU CARDINAL

DE LA MÊME AUTEURE

Le souffle de vie, Montréal, Éditions Quebecor, 1991.
La fille du Cardinal. Tome I, Montréal, VLB éditeur, coll. « Roman », 2001.
La belle Angélique, avec la collaboration de Jacques Lamarche, Montréal, VLB éditeur, coll. « Roman », 2003.
Les chuchotements de l'espoir, Montréal, VLB éditeur, coll. « Roman », 2004.
La fille du Cardinal. Tome II, Montréal, VLB éditeur, coll. « Roman », 2006.
La fille du Cardinal. Tome III, Montréal, VLB éditeur, coll. « Roman », 2007.
Entre toutes les femmes, Montréal, VLB éditeur, coll. « Roman », 2009.

NADINE GRELET

La fille du Cardinal
Tome I

roman

TYPO
Une compagnie de Quebecor Media

Éditions TYPO
Groupe Ville-Marie Littérature
Une compagnie de Quebecor Media
1010, rue de La Gauchetière Est
Montréal, Québec H2L 2N5
Tél.: 514 523-1182
Téléc.: 514 282-7530
Courriel: vml@sogides.com

Illustration de la couverture: Suzanne Duranceau
Maquette de la couverture: Anne Bérubé

Catalogage avant publication de Bibliothèque et Archives nationales du Québec
et Bibliothèque et Archives Canada
Grelet, Nadine, 1944-
La fille du cardinal: roman
(Typo Roman)
Éd. originale: Montréal: Éditions Mille pages, 1997.
L'ouvrage complet comprendra 3 v.
ISBN 978-2-89295-272-8 (v. 1)
I. Titre. II. Collection: Typo. Roman.
PS8563.R447F54 2010   C843'.54   C2010-941162-5
PS9563.R447F54 2010

DISTRIBUTEURS EXCLUSIFS:

• Pour le Québec, le Canada
et les États-Unis:
LES MESSAGERIES ADP*
2315, rue de la Province
Longueuil, Québec J4G 1G4
Tél.: 450 640-1237
Téléc.: 450 674-6237
*Filiale du Groupe Sogides inc.;
filiale du Groupe Livre Quebecor Media inc.

• Pour la Belgique et la France:
Librairie du Québec / DNM
30, rue Gay-Lussac, 75005 Paris
Tél.: 01 43 54 49 02
Téléc.: 01 43 54 39 15
Courriel: direction@librairieduquebec.fr
Site Internet: www.librairieduquebec.fr

• Pour la Suisse:
TRANSAT SA
C.P. 3625, 1211 Genève 3
Tél.: 022 342 77 40
Téléc.: 022 343 46 46
Courriel: transat@transatdiffusion.ch

Pour en savoir davantage sur nos publications,
visitez notre site: www.edtypo.com
Autres sites à visiter: www.edvlb.com • www.edhexagone.com
www.edhomme.com • www.edjour.com • www.edutilis.com

Dépôt légal: 2e trimestre 2010
Bibliothèque et Archives nationales du Québec, 2010
Bibliothèque et Archives Canada

Avertissement

Tous les personnages ainsi que les situations décrites dans ce roman sont purement fictifs. Toute ressemblance avec des personnes connues ou inconnues, existant ou ayant déjà existé, ne peut être que pure coïncidence.

PREMIÈRE PARTIE

Chapitre premier

Montréal, octobre 1946.

Il avait refermé la porte avec précipitation et il avait tourné la clé dans la serrure... S'avançant vers elle, il se pencha de sa haute stature et la prit dans ses bras avec fougue. Il sentait bon. Ses mains parcouraient son corsage, couraient le long de son cou, cherchaient les endroits où la peau était découverte, la faisaient frissonner. Chaudes, fermes et douces à la fois, elles reconnaissaient son corps avec sensibilité et précision. Il ne disait rien et elle aussi restait muette. Elle ferma les yeux et se laissa embrasser, offrant sa bouche à la sienne, dans un long baiser qui attisait la chaleur de leur désir. Elle sentait s'accorder le rythme de leurs deux respirations. Ils ne faisaient plus qu'un. Elle gémit doucement pendant qu'il la couvrait de baisers. Plus rien n'existait alors, ils étaient sortis de l'espace et du temps...

Prestement, avec aisance, il la coucha sur le lit et lui murmura quelques mots à l'oreille, en la caressant et en la déshabillant. Il faisait durer ces délicieux moments jusqu'à la posséder tout entière, jusqu'à ce que sa peau et la sienne, dans un ultime frémissement, se mêlent. Leur étreinte dégageait un unique parfum, un chant de joie aux saveurs voluptueuses dont les notes secrètes se répandaient dans toute la pièce. Il la gardait là, serrée tout contre lui, sans plus bouger pendant de longues minutes, prolongeant cette extase comme s'ils étaient tous deux enfermés dans une bulle d'une délicatesse incomparable. Gardant les yeux clos, elle pensa: « Je suis bien. Je n'ai jamais rien connu de plus beau. »

Il lui caressa les cheveux avec attendrissement. Ses mains s'attardaient en parcourant les longues mèches. Il l'embrassait encore, la regardait intensément et chuchotait à son oreille:

– Tes cheveux sont plus doux que la soie, tu es si belle!

Elle riait… Joyeusement, elle s'accrochait à son cou. Il riait lui aussi. Le contempler ainsi, dépouillé de ses attributs, spontané et nu, la ravissait. Elle admirait les muscles bien découpés de son torse et de ses jambes, la rectitude de son dos puissant et cet air de jeune homme amoureux qui se lisait sur son visage après chacune de leurs étreintes. Elle le sentait abandonné, totalement opposé à ce qu'il devait être auprès de tous ceux qui l'abordaient au long des jours. C'était son secret à elle, son cadeau inestimable qu'elle conservait avec un soin jaloux.

Rompant la magie, il se leva et se rhabilla lentement. Chacun de ses vêtements qui se trouvait soigneusement plié sur le petit fauteuil reprenait vie sur sa personne, formant un écran qui protégeait sa nudité originelle. Lorsqu'il remit son pantalon, puis sa chemise, il n'était déjà plus le même. Chacun des boutons qu'il attachait avec minutie renforçait la barrière qui se dressait entre eux. Mélancolique, Kateri le regardait s'absenter d'elle… Lorsqu'il passa sa soutane et remit en place sa croix pectorale, il avait repris son rôle de prince de l'Église. Jetant un rapide coup d'œil dans le petit miroir, il vérifia que sa tenue était correcte et rajusta son col immaculé. Puis il se lava les mains et sortit, après lui avoir une dernière fois caressé le visage, du bout de ses doigts devenus distraits. Il appartenait déjà à un autre monde... Dès qu'il eut refermé la porte, Kateri tendit l'oreille pour mesurer le son discret du pas qui s'éloignait. Elle remonta sa couverture, se retourna et passa les bras autour de son oreiller encore tout chaud en soupirant. Elle ferma les yeux. Le silence enveloppait l'édifice endormi. Elle n'entendait plus que le tic-tac apaisant du petit réveil posé sur la commode.

Kateri aimait cet homme. Elle l'aimait de toute son âme, de tout son corps. Son amour allait bien au-delà des apparences. Ces instants de plaisir la comblaient. Elle savait que pour lui aussi ils étaient indispensables. Tout son corps réagissait au moindre appel venant de lui, et elle sentait exactement dans le creux de son ventre quels étaient les moments où il viendrait la retrouver, les moments où il lui ferait un petit signe discret, au milieu des allées et venues, pour fixer leur prochaine rencontre sans que quiconque s'en aperçoive. Dans ses bras, elle se laissait aller et répondait sans honte et sans gêne à la passion de ces instants trop courts, volés au quotidien. Lorsqu'il était parti, elle s'endormait la tête pleine de soleil et le cœur ouvert en grand, ne cherchant pas à savoir ce qui arriverait le lendemain, ni les jours suivants. Il lui suffisait de savoir chaque jour qu'il la trouvait belle et qu'il la désirait.

Ce soir-là, étendue sur le lit de sa petite chambre blanche et simple à l'extrême, Kateri était heureuse.

Avant de s'endormir, elle laissa sa conscience se promener partout à l'intérieur d'elle-même, comme elle le faisait toujours. Cette habitude lui venait de la petite enfance et resserrait les liens entre son corps et son esprit. Elle entendait encore la voix de sa mère qui lui disait tendrement voilà bien longtemps : « Ne t'endors jamais, ma chère enfant, avant d'avoir pénétré à l'intérieur de ton corps ! Fais la paix chaque soir avec toutes les parties de ta personne afin que l'esprit y fasse son œuvre pendant ton repos. » Chacune de ses cellules était remplie d'une grande lumière comme celle que l'on voit dans le soleil couchant : rose et dorée. Son corps semblait léger comme un voile de dentelle. L'énergie y circulait dans les moindres recoins, fluide et vibrante. En paix avec elle-même, détendue, elle posa les deux mains sur sa poitrine dans un geste de gratitude et s'endormit très vite.

Des visages menaçants l'encerclaient, éclairés par une lueur blafarde. Des femmes aux cheveux blancs, qu'elle ne connaissait pas, lui répétaient en faisant de grands gestes :

– Kateri, tu dois partir, retourne au sein de ton peuple !

Tremblante, trempée de sueur, elle se réveilla brutalement et ouvrit les yeux. La panique s'était emparée d'elle pendant son sommeil. Que voulaient dire ces voix ? Qui étaient ces femmes ? Pourquoi les aurait-elle écoutées ? Rien ne lui laissait supposer qu'elles avaient raison. Ses mains étaient glacées. Elle alluma la petite lampe et jeta un coup d'œil au cadran dont les aiguilles marquaient quatre heures. « Allons, allons, rendors-toi, Kateri, ce n'est qu'un mauvais rêve. » Elle fit le signe de la croix et replia ses jambes sur elle-même, se roulant en boule au creux de son lit, comme lorsqu'elle était petite.

Quand elle s'éveilla, il faisait encore noir. Courbatue, tendue comme après un travail éreintant, Kateri avait le sentiment d'avoir lutté toute la nuit. Elle chassa bien vite les traces de son mauvais sommeil, s'étira pendant quelques instants et se leva. Elle ouvrit la porte de la penderie, sortit des vêtements de travail propres et fit minutieusement sa toilette. Puis elle noua ses longs cheveux noirs en une tresse qu'elle enroula au sommet de sa tête. Elle sortit, traversa le parc encore engourdi dans la brume matinale et longea le bâtiment de pierre grise. Les graviers crissaient sous ses pas. Une ou deux silhouettes se hâtaient de franchir la large porte pour échapper au vent cru. Elle traversa le hall d'entrée qui reluisait de cire, attrapa au vol la rampe de l'escalier et descendit prestement jusqu'à la cafétéria. Elle passa devant les tables familières. Quelques religieuses étaient déjà là, penchées sur leur bol de thé fumant, parlant à voix feutrée. D'autres arrivaient par petits groupes, toutes semblables sous leurs voiles bien ajustés. Kateri les salua. Elles lui répondirent en souriant et en lui souhaitant une bonne journée. Tout semblait si tranquille en cet endroit! C'était si rassurant! Il flottait une bonne odeur de pain chaud qui venait lui chatouiller les sens... D'une table à l'autre, les bonjours se croisaient, ponctués par le bruit des plateaux que l'on pose sur les tables et des chaises que l'on tire. Kateri alla s'asseoir près d'une fenêtre; Pierrette et Manon vinrent la rejoindre. Les jeunes femmes étaient toutes deux d'excellentes compagnes pour Kateri, mais Pierrette était sa vraie grande amie depuis le premier jour.

Lorsqu'elles étaient arrivées de leur village natal où le travail manquait, elles avaient trouvé une nouvelle famille entre les murs du couvent. Ce matin, elles papotaient joyeusement en dévorant de bon cœur le pain doré au menu du matin. Manon racontait avec drôlerie :

– Sœur Angèle, qui a attrapé un gros rhume, s'est endormie bien soûle hier soir, après avoir avalé trois ou quatre grogs pour faire passer son mal !

Espiègle, elle baissait le ton en pouffant de rire :

– Il nous a fallu la reconduire jusqu'à sa chambre ! La déshabiller et la border comme un petit enfant ! D'ailleurs, ce matin, elle dort encore et dormira peut-être jusqu'aux vêpres en ronflant de bon cœur.

Mettant les mains devant sa bouche, elle imitait le ronflement avec des yeux comiques ! Kateri riait et ses amies aussi lorsque la cloche retentit pour annoncer la première messe de la journée. Dans un bel ensemble, les religieuses, les novices et les jeunes filles se levèrent et se dirigèrent vers la chapelle. À l'intérieur, Kateri fit la génuflexion et se plaça dans sa rangée habituelle. Elle aimait le parfum âcre de l'encens que le prêtre dispersait dans un geste rituel avant de commencer son office et le calme qui régnait dans ce lieu plein de sérénité. Pour Kateri, la messe était une méditation qu'elle offrait en silence, dans sa tête et dans son cœur, à tous ceux dont elle était séparée.

Au couvent, elle se sentait privilégiée. On appréciait son dévouement et son savoir-faire. Venant des terres d'Oka, elle s'était sentie un peu perdue en arrivant dans la grande ville, cherchant où se loger et comment gagner sa vie. C'est alors que les sœurs de la Sainte-Famille l'avaient prise sous leur aile et avaient décidé de faire d'elle une chrétienne. Les religieuses, voulant ignorer les doutes que Kateri n'osait pas leur avouer, étaient fières de l'avoir convertie. Toutes l'encourageaient à répondre à une vocation qui leur semblait couler de source et être un juste retour des choses, persuadées qu'une petite Indienne pauvre comme elle serait comblée par leur dessein. Rien ne pouvait surpasser en prestige, dans la société canadienne-française, le fait d'entrer en religion… Depuis son baptême, on taisait ses origines, comme si le fait d'être née indienne était une tare lourde à porter. On la disait orpheline. Dans quelques mois, la jeune fille engagée voilà deux ans comme couturière, craignant de perdre le statut dont elle jouissait, prononcerait ses vœux de novice et se consacrerait, comme toutes celles de sa communauté, à servir les prêtres. Les vicaires et les prélats de l'archevêché voisin du couvent étaient bons pour elle. Kateri avait la chance de les voir fréquemment puisqu'elle confectionnait leurs soutanes, entretenait leur linge et brodait les chasubles. En échange de ses services, elle recevait un petit salaire et ne manquait de rien. Quant à Manon et à Pierrette, qui venaient l'une du Saguenay et l'autre de Charlevoix, elles avaient été confiées aux religieuses par leurs parents, ayant chacune une sœur qui avait pris le voile, et elles restaient au couvent pour parfaire leur éducation et apprendre un métier avant leur mariage. Manon était devenue un vrai cordon-bleu sous les ordres de sœur Louise, et Pierrette, qui aimait toujours prendre des initiatives, voulait tout savoir de l'entretien ménager.

Pieusement agenouillée, tournant les pages de son missel dans la tiédeur sécurisante de la chapelle,

Kateri se souvenait… Elle avait été touchée dès sa première rencontre en tête-à-tête avec le Cardinal. C'était à peine une semaine après son arrivée au couvent. Il était venu la voir pour l'essayage d'une nouvelle soutane. Intimidée, s'étant agenouillée pour marquer l'ourlet du vêtement, elle vérifiait consciencieusement la tombée des plis et lui avait fait remarquer avec respect :

–Prenez garde, Votre Éminence, de vous piquer avec mes épingles !

Lentement, il s'était penché vers elle et, lui prenant fermement le bras, l'avait aidée à se relever sans dire un mot. Kateri, bouleversée par la simple pression de sa main, l'avait regardé avec confusion tandis que se répandait dans son corps une chaleur étrange. Debout tout près de lui, troublée, elle avait senti passer entre eux le courant du désir. Le Cardinal la dévisageait si intensément que le rouge lui était monté aux joues et qu'elle avait baissé les yeux !

Les choses s'étaient déroulées ainsi lors de deux ou trois autres essayages, durant lesquels Kateri l'avait revu dans « sa » lingerie. Chaque fois, Son Éminence s'attardait et lui posait quelques questions sur ses origines. Puis, un jour, profitant de ce qu'ils se trouvaient seul à seule, il lui avait dit qu'elle était belle et il l'avait prise dans ses bras en murmurant qu'il irait la retrouver… quelle initiative inattendue ! Quel agréable petit choc cela avait fait dans sa poitrine ! Ces paroles l'avaient mise en émoi. La jeune fille revivait ces délicieux instants, ainsi que tous leurs autres rendez-vous secrets, lorsque la clochette annonçant l'élévation la fit sursauter. Elle se replongea dans ses prières.

Après le *Ite missa est*, les religieuses se dispersèrent. Kateri se rendit promptement à son poste. Lorsqu'elle pénétra dans la lingerie, son regard fit le tour de la salle familière qu'éclairaient trois immenses fenêtres. Déjà le jour se levait et, dehors, le soleil perçait à travers le feuillage des grands arbres qui frémissait doucement. Comme la demi-clarté de l'heure ne lui permettrait pas de travailler avec la précision requise, elle alluma la lampe et vit tout de suite l'ouvrage qui l'attendait. Sœur Marie-Anne venait de déposer à son intention deux corbeilles pleines de draps à retailler, une série de tabliers à piquer et deux soutanes à finir. Le linge posé par paquets remplissait les deux tables au fond de la grande pièce. Elle s'en approcha et fit un rapide calcul en souriant de contentement : elle aimait son travail! Toutes ici s'accordaient pour dire qu'elle était une couturière hors pair. Sans plus attendre, Kateri se mit à l'œuvre. Rapidement, elle sélectionna les bobines de fil, prépara les canettes et sortit les galons. Elle s'assura que ses ciseaux étaient bien aiguisés et qu'elle ne manquerait pas d'épingles. Ainsi, elle n'aurait plus à se déplacer… Elle s'assit. La machine ronronnait de plaisir sous la poussée de ses doigts agiles.

Kateri avait déjà bien avancé son travail lorsque sœur Marie-Anne entra dans la lingerie de son pas discret. La vieille religieuse était toute petite et ridée comme une pomme, avec des yeux d'un bleu de porcelaine intense, dont l'éclat était accentué par le voile noir qui enserrait son front. Elle s'approcha. Un large sourire se dessina sur son visage quand elle examina ce que Kateri venait de coudre :

– C'est bien, ma fille, c'est joliment ourlé. Pourtant, il va falloir laisser tout cela de côté pour aujourd'hui,

madame Pellerin nous apporte les aubes pour les confir-
mations, et nous n'aurons jamais le temps de finir si
nous ne commençons pas immédiatement.

– Mais, ma sœur, j'ai promis de remettre les
tabliers et les soutanes…

– Alors, il n'y a pas une minute à perdre, nous
veillerons tard s'il le faut. Je vais demander à Monique de venir nous aider.

Joignant le geste à la parole, elle fit aussitôt chercher la jeune femme.

Sœur Marie-Anne était catégorique. Elle se serait
fait couper la tête plutôt que de remettre du linge en
retard ! Kateri n'aimait pas trop se faire aider par
Monique, car avec elle on avait toujours des problèmes, celle-ci n'étant guère minutieuse. Il fallait bien
souvent reprendre les finitions derrière elle. Quelle
perte de temps ! De plus, sa compagnie tout au long de
la journée était épuisante. Nerveuse, elle parlait comme
un moulin, sans jamais s'arrêter, et son babillage fatiguait Kateri, plutôt encline au silence qui favorise la
concentration. Kateri pensa : « J'aime bien mieux
quand sœur Marie-Anne m'envoie Pierrette pour me
seconder. » Elle en était là de ses réflexions lorsque,
sans se retourner, elle sentit la présence d'une autre
personne. Ce n'était pas Monique, mais madame Pellerin qui venait d'arriver. Les effluves de son parfum la
précédaient, car elle avait l'habitude de s'en asperger
abondamment, sans doute pour qu'on admire partout
où elle passait sa richesse et son élégance.

– Bonjour, bonjour, on travaille fort ce matin ?

Kateri se contenta d'un bref salut. Sœur Marie-
Anne expliqua :

– Ma chère Suzanne, de l'ouvrage, nous en avons plus que de raison! Impossible de s'ennuyer ici, je vous le garantis bien. J'ai dû aller chercher du renfort.

Rayonnant de tout l'éclat de ses trente-cinq ans, Suzanne Pellerin avait épousé un avocat en renom très fortuné; elle s'ennuyait sans aucun doute, car elle était là presque chaque jour et consacrait tout son temps au bénévolat. On l'appelait madame Suzanne. Sa dévotion était exemplaire et lui valait les louanges de toute la congrégation et de l'archevêché. Suzanne, qui aimait diriger, avait été chargée d'organiser les cérémonies spéciales dans toute leur pompe et elle y déployait son énergie avec vigueur. On aurait dit qu'il lui fallait se sentir indispensable. Cette charmante dame mettait la main à tout ce qui se faisait. Elle était partout à la fois, guettant dans chaque regard la lueur d'admiration qui comblerait son orgueil. Si on faisait appel à elle, elle était d'une gentillesse condescendante. Elle avait une réputation de bienfaitrice et se rengorgeait sous cette douce auréole! Dès que Suzanne Pellerin se présentait, tout le monde voulait lui parler, attirer son attention, être dans ses faveurs. Celles qui n'avaient pas été gratifiées de quelques mots aimables se sentaient exclues…

Kateri, elle, ne cherchait pas à être parmi les élues, et Suzanne ne semblait d'ailleurs pas lui prodiguer beaucoup d'attention. Était-ce à cause de ses origines? Kateri n'aimait pas la voir s'affairer dans «sa» lingerie et critiquer tout haut son ouvrage. Comme pour lui donner raison, Suzanne, penchée sur une soutane à peine finie, remarquait au même instant d'un air entendu:

–Les boutonnières sont étrangement placées, habituellement elles sont verticales!

Kateri pensa: «De quoi se mêle-t-elle donc encore? Cette femme-là n'a jamais travaillé. On voit bien qu'elle ne sait pas de quoi elle parle!»

En effet, pour Suzanne Pellerin, l'univers se résumait à sa vie de femme oisive et trop gâtée. Elle avait une façon assommante de parler, avec un accent français terriblement pointu! On aurait dit qu'elle lançait sa voix en l'air jusqu'au plafond et que celle-ci aurait pu monter encore plus haut si on avait été sous la grande voûte de la cathédrale! Les mots sortaient de sa bouche comme des ballons gonflés à l'hélium et s'envolaient de tous les côtés, éclatant au son des syllabes les plus aiguës! Rien que d'y penser, Kateri, qui voyait les petits ballons de madame Suzanne défiler dans sa tête, souriait en silence… De plus, elle était très maniérée. On sentait que son sourire était forcé. Malicieusement, Kateri pensa: «Quand elle fait des façons aux prélats, on croirait entendre glousser une dinde lorsqu'elle veut montrer qu'elle est de bonne humeur!»

Suzanne Pellerin, appuyée nonchalamment à la table de coupe, s'écoutait parler interminablement. On avait l'impression qu'elle se forçait à rire et façonnait chacun de ses gestes pour impressionner son auditoire. Pourtant, il n'y avait pas grand public dans la lingerie, à part sœur Marie-Anne, Kateri et Monique! Kateri remarqua l'absence de son chaperon habituel: Joseph, un jeune homme simple d'esprit, qui la suivait comme un petit chien et lui portait ses paquets. Habituellement, il lui ouvrait la porte et l'attendait pendant des heures entières pour les quelques sous qu'elle lui donnait en plus des vêtements usagés que son mari ne portait plus. Cet orphelin, qu'elle avait soustrait à la misère en le mettant à son service, faisait partie des inconditionnels de Suzanne Pellerin. Il se serait fait couper un bras si elle en avait manifesté le désir. Mais aujourd'hui Joseph ne s'était pas montré et Suzanne n'en finissait plus d'étaler ses inquiétudes:

– Ma sœur, il me faut absolument ces dix-huit aubes d'ici jeudi soir pour la cérémonie de confirmation, les nouveaux surplis aussi, c'est très important. Je vous ai apporté toutes les mesures, voyez-vous? Évidemment, ma sœur, vous savez que je compte sur vous!

Sœur Marie-Anne qui ne savait comment la calmer, hocha la tête. Suzanne enchaîna sur un ton pathétique:

– Si vous n'y mettez pas du vôtre, nous courons à la catastrophe!

Sœur Marie-Anne la regardait avec des yeux ronds en pensant: «De quelle catastrophe veut-elle donc parler?»

– Vous les aurez, Suzanne, vous les aurez! Soyez sans crainte! Vous savez bien que Kateri y passera la nuit s'il le faut.

Sœur Marie-Anne ne craignait pas de s'engager. En quarante ans, elle n'avait jamais rendu les aubes en retard. Tout serait prêt. Kateri baissait les yeux sans rien dire. Préférant laisser parler sa bonne vieille machine pour toute réponse, elle se concentrait sur l'ajustement d'un col romain en soupirant légèrement. Suzanne lui jeta un regard noir:

– Oui, j'espère bien qu'elle va passer ses nuits à travailler pour le Seigneur! C'est ce qu'elle peut faire de mieux, cette…

Elle s'arrêta net. Sœur Marie-Anne la regardait avec étonnement, mettant cette manifestation d'impatience sur le compte de la panique qui s'emparait de tout le monde avant chaque célébration importante. On n'avait jamais vu madame Pellerin dans un tel état. Kateri, silencieuse, se leva et sortit. Incapable de soutenir plus longtemps toute cette tension, elle se dirigea vers les toilettes afin d'échapper à l'agressivité inexpliquée de madame Suzanne.

Lorsqu'elle revint à la lingerie, Kateri prit le temps de sortir les lourdes pièces de baptiste dans lesquelles elle taillerait les aubes. Ses doigts s'attardaient à toucher le tissu souple et délicat dont elle aimait le contact. C'était un vrai plaisir. Elle sentait la bonne odeur de serge et de draps neufs, sagement empilés sur les étagères. Sa dextérité était devenue presque légendaire dans toute la communauté. Elle prit ses grands ciseaux et les fit glisser habilement le long d'un patron sur la table de coupe. Ils faisaient un petit bruit très familier. Son corps suivait le parcours des deux grandes lames qui avançaient avec précision. Les mains de Kateri savaient toujours trouver la découpe parfaite pour transformer la pièce de toile en vêtement. Elle voyait déjà les enfants, revêtus de leur aube, alignés dans le chœur. Tous vêtus de blanc, ils recevraient du Cardinal le sacrement de confirmation, devant les parents et les amis réunis. Quel beau tableau! Kateri s'en réjouissait à l'avance!

Elle fut tirée de sa rêverie par une sensation de tiraillement dans le ventre. Aussitôt qu'elle y prêta attention, une douce chaleur se répandit dans son bassin. C'était comme si un minuscule feu d'artifice venait d'y éclater, libérant un sentiment de joie pure.

Elle porta les deux mains à son abdomen: « Se pourrait-il ? » pensa-t-elle. Toute la journée, pendant qu'elle travaillait, la question continua à tourner dans sa tête, même si elle en connaissait déjà la réponse. C'est alors qu'elle se mit à avoir peur. Sentant la panique l'envahir, elle tenta de rassembler son courage. Kateri mit un point d'honneur à terminer au moins la moitié des aubes, y compris les accessoires qu'il fallait assortir à chacune d'entre elles. Il était neuf heures trente. Sœur Marie-Anne, malgré sa vigilance, était si fatiguée qu'elle mélangea deux ou trois fois les cordons de ceintures avec ceux des croix pectorales. Monique parlait à n'en plus finir et coupa malencontreusement le milieu d'une manche. Elle s'approcha de Kateri, l'air piteux:

–Regarde, j'ai fait un dégât ! Je ne sais vraiment pas comment je m'y suis prise, pourtant j'avais bien posé la parementure dans...

–Ça va, ça va, il va falloir retailler et remonter tout le morceau.

Contrariée, Kateri cassa deux aiguilles neuves. Elles étaient toutes les trois au bout de leur rouleau... À neuf heures quarante, la porte s'ouvrit. Sœur Jean-Baptiste leur apportait triomphalement un plateau, avec du thé fumant et des biscuits encore chauds, qu'elle avait monté des cuisines. La collation leur redonna de l'énergie. Vers onze heures, elles n'en pouvaient plus ! Mais enfin, dix vêtements immaculés s'alignaient, fin prêts, sur la table de coupe, parfaitement en ordre et finement plissés. Kateri ne put s'empêcher d'admirer le travail accompli. Malgré sa fatigue, elle semblait rivée au sol, en contemplation. Sœur Marie-Anne la tira par la manche:

– Allons, Kateri, monte te reposer.

Il fallait aller dormir pour recommencer au plus tôt le lendemain matin.

Les rêves de Kateri furent encore plus agités que ceux de la veille. Les mêmes personnages la hantèrent et lui tinrent exactement le même discours. Lorsque le réveil sonna, il était cinq heures. Elle se frotta les yeux et eut toutes les peines du monde à se tirer de la chaleur douillette du lit. Ses membres étaient endoloris comme si elle s'était livrée toute la nuit à des exercices violents. Elle avait le visage marqué. Ses traits fins étaient légèrement gonflés et de grands cernes soulignaient ses yeux, accentuant encore la profondeur de son regard très noir. Même l'eau bien chaude dont elle s'aspergea en faisant sa toilette ne lui rendit pas son tonus habituel. Dehors, l'obscurité régnait encore. La fraîcheur matinale la réveilla complètement. En passant sous le bosquet de grands pins, Kateri frissonna. Heureusement, elle avait enfilé un chandail. Le vent s'engouffrait sous sa jupe. On sentait déjà l'automne. Elle hâta le pas. Derrière les murs du couvent, Montréal se réveillait doucement. On entendait au loin le roulement des voitures, rue Sherbrooke, et le bruit familier du camion du laitier qui s'arrêtait derrière les maisons, claquant sa lourde porte.

Soudain, Kateri sentit une main se poser sur son épaule. Elle eut à peine le temps d'avoir peur: Gabriel, son frère, était devant elle! Tout d'abord surprise, craignant qu'il ne soit arrivé un malheur, elle se serra contre lui avec une petite moue interrogative.

– Qu'est-il arrivé?

La pauvre avait un air affolé. Gaby lui passa tendrement la main dans les cheveux pour la rassurer.

– J'avais à faire à Montréal et je m'ennuyais bien gros de ma petite sœur. Alors, me voici !

De deux ans son aîné, Gaby avait le teint basané, la peau imberbe et des cheveux lisses et noirs retenus par le traditionnel bandeau des Amérindiens qu'il portait toujours, même à Montréal. Son corps massif, puissant et bien découpé, indiquait ses origines. Il n'avait pas changé et arborait toujours les mêmes bottes et le même blouson râpé. Au premier coup d'œil, on ne pouvait s'y tromper. C'était presque de la provocation dans la métropole, où tous les habitants avaient adopté les manières et le mode de vie des occidentaux ! Décidément, son petit frère n'avait pas froid aux yeux ! Kateri le regardait avec tendresse. Toujours aussi fantasque, toujours aussi surprenant et aussi terriblement attachant…

– Gaby, tu n'es pas raisonnable ! Comment as-tu fait pour arriver jusqu'ici ?

Pour toute réponse il eut un grand sourire.

– Qu'est-ce que tu deviens, dis ? Il y a si longtemps que tu ne m'as pas donné de nouvelles, je me faisais du mauvais sang !

– Je t'ai déjà dit de ne pas t'en faire, petite sœur. Tu le sais bien, je m'en tirerai toujours !

Il l'observa et remarqua ses traits tirés :

– Toi, tu en fais un peu trop ! Tu devrais penser plus à toi ! Travailler n'apporte rien quand on le fait pour quelques feuilles de papier symboliques…

– Ce n'est pas pour ça !

– Alors, pourquoi donc ?

Inutile de répondre, Gaby ne pourrait pas comprendre. Ils bavardèrent pendant quelques minutes. Chaque fois qu'elle le voyait, les souvenirs remontaient jusqu'à son cœur et la rendaient triste. Kateri se sentait encore plus coupée des siens.

–Viens me retrouver ce soir, parle-moi de la parenté, de la mère. Mais, pour le moment, j'ai trop d'ouvrage. Reviens à l'heure du souper, je serai devant le portail.

–OK, bye!

Il la salua de la main. Il était déjà loin.

À cinq heures trente, ils se retrouvèrent comme prévu. La rue Sainte-Catherine grouillait de monde et le bruit de la circulation envahissait tout. Les automobiles et les tramways se suivaient, ne s'arrêtant qu'aux intersections. Devant l'entrée de la gare Centrale, les autobus emportaient des paquets de voyageurs. Gaby, qui n'aimait guère la cohue de la grande ville, paraissait pressé, affamé. Ils marchèrent jusqu'au restaurant le plus proche, situé rue Saint-Antoine. Kateri avait tant cousu toute la journée qu'elle se sentait encore abrutie à cause du ronron de la machine et de l'attention qu'il lui avait fallu soutenir pour ne pas perdre une seconde. La marche lui fit du bien. Ils choisirent une table le long de la vitrine donnant sur la rue. Dans le petit restaurant qui sentait la soupe chaude et le pâté chinois, la serveuse en coiffe et en tablier blancs s'approcha d'eux. Sourire aux lèvres et crayon en main, elle leur récita le menu tout en faisant des signes aux habitués qui entraient. Quelques instants plus tard, ils mangeaient avec appétit le plat du jour: une énorme assiettée de bœuf en sauce, accompagné de purée de pommes de terre. Après avoir liquidé leurs portions et siroté deux ou trois tasses de café, ils discutèrent sans fin des problèmes de la communauté mohawk, un monde si différent…

– Gaby, dis-moi ce qui se passe là-bas, je m'ennuie de vous tous !

– Alors, petite sœur, c'est bien ce que je disais, tu n'es pas vraiment heureuse…

Kateri eut une seconde d'hésitation, mais elle se mordit les lèvres. Elle n'aimait pas que Gaby lise ainsi en elle.

– Dis-moi donc, est-ce que la mère obéit au docteur quand il lui demande d'arrêter de fumer ?

– Hmm, pas vraiment. Tu la connais !

Wanda se faisait vieille. Comme beaucoup d'Indiennes, elle fumait trop. Elle avait le cœur malade et déjà la moitié d'un poumon rongé par la nicotine. Kateri ne l'avait pas revue depuis plus d'un an. Tout en prenant des nouvelles de sa mère, elle songeait avec nostalgie à son coin de pays, à l'odeur des sous-bois après la pluie, lorsque chaque plante exhale son parfum capiteux. Encore enfant, Kateri courait pieds nus sur la mousse en retroussant sa jupe pour franchir les ruisseaux. Alors, elle regardait le ciel et savait lire le secret des nuages qui ne s'immobilisent jamais. Elle revoyait le scintillement éblouissant des eaux du lac, en été, et le moment où la terre se couvre de marguerites et de fraises sauvages… La petite Indienne de ce temps-là était heureuse parmi les fillettes de son âge. En ribambelle, armées de leur panier d'écorce, elles faisaient joyeusement la récolte des baies sauvages qu'on trouvait en abondance. Maintenant, Kateri s'ennuyait de la pinède et du chant des oiseaux que les enfants imitent derrière les cabanes ! Elle revoyait les randonnées au cœur de l'hiver, quand on chaussait les raquettes garnies de babiche pour aller ramasser les branches qui s'étaient cassées sous le poids de la neige, ou pour relever ici et là un lièvre pris au collet. On faisait un petit tas avec des aiguilles d'épinette, puis on allumait un feu sur la surface blanche et gelée. Lorsque la flamme crépitait, devenait ardente et mordait le bois, on s'y réchauffait en respirant l'odeur des sapins, en secouant les mains et en tapant des pieds. Enfin, on rentrait à la maison.

Kateri était une enfant de la terre, une fillette à l'âme simple, éprise de beauté. Quant à Gaby, c'était un irréductible, un vrai coureur des bois. Nomade dans l'âme, il trappait et chassait. Il se battait pour soutenir les revendications des autochtones sur le territoire de la seigneurie des Deux-Montagnes et risquait continuellement sa liberté dans des activités que la police considérait comme illégales. Récemment, de graves problèmes y avaient éclaté, car les Sulpiciens d'Oka, forts de leur autorité immémoriale, avaient réquisitionné une partie des terres appartenant aux Mohawks. Imbus de leur pouvoir, ils avaient revendu ces parcelles de terrain aux Blancs, faisant fi des traités et de tous les accords que les autochtones avaient négociés depuis deux cents ans avec le gouvernement fédéral. Les Indiens et les paroissiens d'Oka se trouvaient depuis lors dans un fatras inextricable de terres enclavées, qui s'imbriquaient les unes dans les autres et ne constituaient ni une réserve ni un village blanc. Gaby, révolté, luttait avec une poignée d'autochtones contre les injustices qu'on leur faisait subir et Kateri craignait pour lui, sachant que le plus fort l'emporterait toujours à Kanesataké. Son frère lui racontait les dernières nouvelles, parsemant sa conversation de phrases imagées en langue mohawk. Kateri ne le quittait pas des yeux et pensait: «J'ai bien raison de m'en faire pour eux tous. Leur vie n'est pas facile. » Il fit une pause, puis demanda soudain, ayant peine à partager l'enthousiasme de sa sœur:

–Alors, petite sœur, tu préfères rester ici au milieu de tous ces gens qui vivent en cage?

–Ici, petit frère, je n'ai pas à me battre pour avoir chaud et pour manger à ma faim, je reçois un salaire!

Songeuse, elle glissa quelques billets dans la poche de Gaby, pour Wanda et les autres. Les souvenirs défilaient. Kateri, qui buvait ses paroles, ne voyait plus avancer les aiguilles de la grande horloge. Tout à coup, elle eut une sensation très désagréable. Elle sentait comme un couteau pointé sur son front. Elle fit le geste de balayer une mouche, mais la sensation persistait. Kateri tourna la tête vers la rue et vit, derrière la vitrine du restaurant, Suzanne Pellerin, immobile, qui la dévisageait.

*

Suzanne Pellerin grimpa le magnifique escalier de son pas pressé. Elle longea le corridor sombre, aux murs recouverts de boiseries, auxquels étaient accrochés les portraits de tous les archevêques de Montréal; elle frappa précipitamment à l'une des portes. Sans autre préavis, elle entra en trombe dans la salle de conférences, ne paraissant nullement s'apercevoir de l'incongruité de son geste. Ce qu'elle venait de faire ne s'était jamais fait, sous aucun prétexte! Dans la grande salle richement meublée, le Cardinal était en réunion avec les curés de son diocèse. Sur l'imposante table d'acajou au pourtour finement sculpté, des plateaux d'argent débordaient de biscuits joufflus et dorés, confectionnés par sœur Louise, la cuisinière… Ces messieurs grignotaient, en dégustant dans de petits verres ciselés et dorés à l'or fin le vin de Muscat que le curé de La Visitation avait rapporté de son voyage au Vatican. C'était d'une délicatesse exquise. Dans une atmosphère détendue, ils échangeaient des nouvelles de leurs paroisses et parlaient des célébrations de la Nativité, qui devaient cette année comporter un faste particulier, avec des crèches animées dans toutes les églises. Le Cardinal, dignement assis en bout de table, donnait ses directives, penché vers son chancelier. L'arrivée intempestive de madame Pellerin provoqua un petit frisson. Il tourna la tête, s'interrompit et la regarda. En moins d'une seconde, il se fit un grand silence et les visages se tournèrent vers Suzanne, qui restait figée près de la porte. Élégamment, le Cardinal se leva. Du haut de ses six pieds, il dominait sans peine l'assemblée et paraissait encore plus imposant dans la soutane rouge qui marquait son rang. Ses traits puissants et réguliers étaient éclairés par un regard de braise auquel rien n'échappait. Sur ses tempes, quelques cheveux prenaient les reflets argentés qui soulignent une belle maturité. Ses épaules larges, tout comme sa poitrine, évoquaient puissance et virilité malgré l'habit religieux et l'on ne pouvait manquer de remarquer ses mains longues et fines. Celles-ci, ponctuant fermement chacun de ses gestes, accentuaient l'expression de son visage. De tout son corps se dégageait une maîtrise absolue en plus d'une exceptionnelle noblesse. Suzanne sentit son cœur vaciller lorsqu'il s'avança vers elle en souriant aimablement et lança sur un ton à la fois bienveillant et un tantinet narquois :

–Eh bien, ma chère amie, que puis-je faire pour vous?

L'incident l'amusait. Suzanne eut un léger mouvement de recul. Elle ne s'attendait pas à trouver le Cardinal entouré de tout ce monde. Aussi changea-t-elle d'attitude en moins d'une seconde. Elle fit un pas en avant, prit un air entendu et dit d'une voix doucereuse en fixant le Cardinal:

–Votre Éminence, excusez-moi, je dois vous demander une entrevue en particulier. C'est urgent et de la plus haute importance!

Le Cardinal lui prit paternellement les mains en se penchant vers elle.

–C'est bien, chère amie. À quatre heures, voulez-vous? Retrouvez-moi dans le petit bureau.

–Merci infiniment, j'y serai.

Le rouge aux joues, minaudant, elle fit un salut embarrassé et sortit.

À quatre heures tapantes, Suzanne Pellerin frappa à la porte du Cardinal. Celui-ci l'attendait et vint lui-même ouvrir. Le petit bureau du Cardinal était sans doute la pièce la plus intime de tout l'archevêché. Les murs étaient tapissés de soie écarlate. Les meubles du XVIIIe siècle en acajou massif étaient ornés d'incrustations de nacre aux reflets laiteux. Ils s'harmonisaient parfaitement avec les boiseries de cèdre rouge qui couraient le long des murs et encadraient les portes avec raffinement. Une large bibliothèque couvrait tout le mur du fond, et deux fenêtres, parées de lourdes tentures, donnaient sur l'arrière de la cathédrale. Sur le bureau du Cardinal trônait un crucifix en ivoire finement travaillé, rapporté de son premier voyage en Asie. Près de la porte, enfermés dans une gracieuse vitrine aux pieds tournés, il y avait deux calices en argent, quelques burettes et une bible antique. On sentait en entrant une odeur de miel et de tabac blond, car le Cardinal dans ses moments perdus fumait la pipe. Il y en avait toute une collection, alignées sur un petit guéridon près de la fenêtre. Des plus rondes et joufflues aux plus droites, elles attendaient son bon vouloir, disposées autour de la tabatière gainée de cuir damassé, celle qu'il avait ramenée de ses séjours en Terre sainte.

Suzanne jeta nonchalamment son sac à main sur un des fauteuils Louis XVI tapissé au petit point et s'assit sur l'autre, juste en face du siège à haut dossier sculpté où le Cardinal avait coutume de s'asseoir. Elle prit soin de relever légèrement un pan de sa jupe pour montrer le galbe de ses jambes, tandis que le Cardinal, encore dans l'entrée, demandait que l'on monte un plateau pour le thé. Alors, il se tourna vers elle, visiblement de bonne humeur.

– Votre Éminence, je vous prie de m'excuser pour ma bévue de tout à l'heure.

– Je vous en prie, Suzanne.

Il hochait la tête avec ostentation et Suzanne le trouvait d'une beauté troublante. Il avait lancé de nouveaux projets pour financer ses œuvres dans les pays du tiers-monde et le succès de ses entreprises se reflétait déjà dans l'empressement des fidèles à lui apporter leur soutien. Sa renommée grandissait avec chacun des projets qu'il instaurait. La province tout entière y participait pieusement. De partout, on donnait généreusement, que ce soit en dollars, en biens personnels ou, mieux encore, en vocations religieuses. Le Cardinal envoyait des missionnaires dans le monde entier et faisait tourner rondement ses affaires. Il se frotta les mains avec satisfaction, ne pouvant se retenir de faire part de ses réussites à la fidèle madame Pellerin.

–Alors, ma chère Suzanne, que puis-je faire pour vous être utile? Vous prendrez bien une tasse de thé…

–Avec plaisir, Votre Éminence, je suis ravie d'entendre parler de vos succès! Grâce à vous, combien d'âmes égarées trouveront la voie du salut! Votre œuvre immense mérite de recevoir la bénédiction divine.

Suzanne ne tarissait plus de commentaires élogieux. Avec enthousiasme, elle donnait au Cardinal l'assurance de son dévouement total, corps et âme. Elle s'enflammait. Le Cardinal, sourire aux lèvres, se laissait charmer. Les compliments de madame Pellerin résonnaient à ses oreilles comme des notes de musique et venaient se déposer telle une douce symphonie au milieu de sa poitrine. Cette sensation plaisante, il l'aimait depuis toujours. Recevoir des éloges l'aidait à être bon. Cela l'aidait à être un grand homme. Lorsque la religieuse monta le plateau, le Cardinal la renvoya en la remerciant d'un léger signe de tête. Avec aisance, il servit lui-même le liquide fumant dans les tasses en porcelaine de Chine posées devant eux. Du coin de l'œil, il observait Suzanne. Elle était très belle. Son regard s'attardait sur les boucles de ses cheveux, la délicatesse de son teint, la rondeur gracieuse de ses formes. Il n'était pas insensible… et ne fit rien pour le lui cacher pendant ce tête-à-tête.

Le Cardinal aimait les femmes, et celles-ci le lui rendaient bien. Depuis toujours, il adorait la féminité, ce qui lui faisait vivre un véritable calvaire. Il n'était pas homme à se voiler les yeux devant les belles choses de ce monde... Il aimait tout ce qui est beau et ne pouvait s'en passer... Lorsqu'il était entré au grand séminaire, ce penchant difficile à contrer avait tout d'abord été étouffé par l'ardeur nouvelle de son engagement et ne lui avait pas semblé faire obstacle à sa vocation sacerdotale. Évariste Adrien Joseph Grenier, futur prêtre, s'était bien juré, dans l'ardeur de ses vingt ans, de maîtriser ses pulsions et de réprimer farouchement sa trop grande sensualité. Au fil des ans cependant, cette nature s'était manifestée chaque fois qu'il avait côtoyé une charmante personne du sexe opposé, ce qui constituait un réel danger pour le jeune prêtre qu'il était. Il avait éprouvé maintes difficultés à rester de glace lorsqu'une jeune fille dans tout l'éclat de sa beauté venait s'en remettre à lui pour guider sa conscience. Combien de fois n'avait-il pas surpris des regards de femmes en pleine dévotion se pâmer devant lui? Pendant des années, il était resté sourd à l'appel de la chair et il avait pris soin de mettre une distance respectable entre les jolies femmes et lui, s'imposant une torture dont il était le seul témoin. C'est ainsi que son ambition et sa rigueur morale lui avaient permis de franchir les échelons de la hiérarchie ecclésiastique. Devenu évêque, puis archevêque et enfin cardinal, l'ardeur de sa nature s'était rebellée contre les frustrations du célibat. Le Cardinal, du haut de son piédestal, servi par les avantages du pouvoir qui lui était acquis, avait failli!

Les dames qui faisaient du bénévolat pour l'archevêché se répartissaient en deux catégories. Soit elles étaient tout à fait bigotes et animées par l'esprit de sacrifice, affichant une soumission complète aux enseignements de l'Église, soit, abandonnées à elles-mêmes par un mari trop riche accaparé par ses affaires, elles s'amourachaient du Cardinal et de ce qu'il symbolisait pour elles. Partout où il passait, il était adulé. Il se nourrissait des passions qu'il suscitait et il en tirait sa gloire. Bref, le Cardinal avait l'habitude d'être l'objet du culte de ces dames.

Pendant que Suzanne et le Cardinal devisaient de choses et d'autres, les mots qu'ils prononçaient n'avaient aucun rapport avec ce que disaient leurs yeux. Les yeux du Cardinal plongeaient entre les seins de Suzanne, qui se sentait toute palpitante. Elle lui répondait d'un regard humide qu'elle se laisserait aimer s'il le voulait! En pensée, le Cardinal s'aventurait jusqu'à ses cuisses. Madame Pellerin, consciente de cette investigation discrète qui faisait réagir toute sa personne, sentait le rouge lui monter aux joues. Elle devait se retenir, elle n'en pouvait plus! Mais, à travers ce jeu muet et si exaltant, leurs propos étaient toujours dictés par la morale et par la bienséance. L'interdit flottait, telle une barricade infranchissable qui se déplaçait au gré de chacun de leurs gestes; il était là, omniprésent! D'un compliment à l'autre, on avait presque oublié le motif de l'entretien. Il fallut bien entrer dans le vif du sujet. Le Cardinal se pencha un peu vers Suzanne:

– Je vous écoute, ma chère amie.

– Votre Éminence, ce que j'ai à vous dire est un peu embarrassant, je ne sais…

Le regard du Cardinal, comme un papillon qui butine, se promenait encore.

– Voyons, Suzanne, vous savez bien que vous pouvez parler sans crainte. Je vous écoute.

Il parlait d'une voix douce et caressante qui la faisait frémir. Elle rougissait, prenant un air embarrassé:

–Votre Éminence, il s'agit d'un sujet si délicat, je ne sais si vous m'autorisez à vous faire cette confidence!

–Continuez, ma chère enfant.

Le Cardinal s'était levé. Debout, terriblement beau et tentant, il regardait par la fenêtre, attendant patiemment que Suzanne accouche de son fatal secret. Perturbé par le parfum de la belle, obsédé par un désir qu'il refoulait maintenant avec fermeté, il attendait qu'elle en vienne au fait en éteignant le feu qui montait le long de sa colonne vertébrale.

La réserve de madame Pellerin l'intriguait un peu. «Qu'a-t-elle donc de si incroyable à m'apprendre?» se demandait-il. Habituellement, les dames venaient lui proposer d'instituer quelque nouveauté parmi les œuvres charitables ou bien lui demandaient de les entendre en confession. On savait depuis des années que le Cardinal était sourd à tous les potins qui couraient dans les corridors de l'archevêché. Finalement, Suzanne Pellerin se décida:

–Il s'agit de votre couturière, Kateri, cette jeune fille qui réside au couvent de la Sainte-Famille. Si je ne me trompe, elle est de race indienne, elle vient de chez les...

Le Cardinal l'interrompit brusquement:

–En effet, sa famille vit dans la communauté mohawk d'Oka. C'est une jeune femme que nous avons convertie.

–Votre Éminence, je ne saurais trop vous recommander de surveiller cette fille, ses fréquentations...

Il eut un regard interrogateur. Suzanne Pellerin répéta, pour bien souligner l'importance de ce qu'elle allait dire :

—Ses fréquentations me semblent douteuses, tout comme ses origines! Je l'ai surprise avec un individu que la police venait tout juste de relâcher! Elle semblait entretenir des rapports intimes avec lui. De plus, je dois vous dire qu'elle reçoit la visite d'un homme dans sa chambre…

Le Cardinal, qui restait imperturbable, avait pourtant tressailli en entendant les paroles de Suzanne. «Comment pourrait-elle être au courant de mes visites à Kateri?» s'alarma-t-il. Maîtrisant en un quart de seconde la panique qui menaçait de s'emparer de lui, il fronça les sourcils et demanda :

—D'où vous vient, Suzanne, cette information qui me semble très grave?

—J'en suis sûre, Votre Éminence, je l'ai entendue rire avec cet homme lorsque je rendais visite à sœur Angèle alitée. C'est scandaleux!

Suzanne cherchait l'approbation du Cardinal. Mais celui-ci ne bronchait toujours pas. Suzanne se mordit les lèvres devant son mutisme, soudain inquiète de s'être ainsi avancée. On pourrait penser qu'elle écoutait aux portes! Il y eut un long silence. Le Cardinal était perplexe. Chacun savait qu'il n'aimait pas du tout ce genre d'enquête.

—Avez-vous vu l'homme en question? Savez-vous de qui il s'agit?

—Non, pas vraiment… je… c'était impossible…

Elle baissait les yeux. Il valait mieux afficher maintenant une certaine gêne. Il la regardait d'un air hautain en pensant : «Ouf!» Elle ramassa son sac

pour se donner une contenance. Le Cardinal se détendit. Suzanne allait poursuivre, mais il l'interrompit :

– Bon, je vous remercie, Suzanne, je ferai le nécessaire.

Il s'approcha de la porte. L'entretien était terminé. C'était sans appel. Le visage de madame Pellerin marqua le temps d'un éclair une pointe de déception. Rongée de jalousie, elle ne supportait pas l'idée
qu'une jeune fille sans éducation, et qui plus est d'origine indienne, la supplante dans les faveurs de celui
pour qui elle éprouvait une passion incontrôlable.
Plus ou moins consciemment, elle espérait détruire la
réputation de Kateri auprès du Cardinal, mais ne
savait pas comment s'y prendre, aveuglée par son
penchant inavouable. Suzanne, qui se tenait maintenant face à Son Éminence, releva la tête. Leurs deux
visages se trouvaient à présent si proches qu'elle fut
assaillie par une nouvelle vague d'idées folles. Elle ne
bougea pas. Elle aurait tant aimé qu'il la touche, qu'il
l'embrasse ! Ce fut peine perdue. Il saisit très clairement le message, mais il n'en fit rien. D'un geste protocolaire, en grand seigneur, il tendit sa bague à baiser à madame Pellerin, qui s'attardait un peu trop, et
lui ouvrit la porte. Lorsqu'elle ressortit, Suzanne avait
l'impression d'avoir échoué dans sa démarche, elle
était furieuse.

Chapitre ii

Confortablement installé sur la moelleuse banquette en cuir brun de sa limousine, Albert Pellerin lisait *The Gazette*. La Cadillac filait dans la rue Sherbrooke et tourna silencieusement pour remonter le boulevard Saint-Laurent qui était très animé en cette fin de journée. De nombreux promeneurs flânaient le long des vitrines de la *Main*, cherchant les aubaines dans ce coin où se concentraient les immigrés. Les magasins de vêtements bon marché et de tissu à cinq cents voisinaient avec les épiceries regorgeant de produits venus d'Orient ou d'Europe de l'Est. On apercevait tout un bric-à-brac d'objets suspendus, des casseroles, des chapelets de saucisses et d'énormes morceaux de viande séchée. On avait passé l'avenue des Pins. Le soleil descendait déjà derrière les hautes corniches de pierre encadrées de bois peint, et le vent du nord faisait frissonner les passants qui serraient le col de leurs manteaux. Quelques mères de famille, pressées, poussaient un landau ou tiraient leur ribambelle d'enfants, pendant que des hommes coiffés de chapeaux à larges bords, tout habillés de noir, l'air absent derrière leur barbe foisonnante, se rendaient à la synagogue. Devant l'enseigne lumineuse de Chez Schwartz, quelques amateurs de *smoked meat* piétinaient, attendant une table. À travers les vapeurs de frites et de viande fumée embuant la vitre, on pouvait voir s'agiter les serveurs en long tablier.

Albert releva la tête et tourna les pages de son journal. Les nouvelles n'apportaient rien de bien excitant. Il soupira. La faim le tiraillait. Il lui vint tout à coup un goût de choux à la crème qu'il ne parvint pas à faire taire. Inutile de le retenir : il était gourmand. Très gourmand !

– Johnny, vous reprendrez vers l'ouest... Nous allons à la pâtisserie au coin de Sainte-Catherine et Drummond.

– Aux Délices ?

– Exactement...

Docile, son chauffeur reprit la rue Fairmount, puis l'avenue du Parc bordant l'immense parc au pied du mont Royal et longea à nouveau la rue Sherbrooke, où les imposantes maisons victoriennes aux pignons finement sculptés et aux portes élégantes contrastaient du tout au tout avec le populaire boulevard Saint-Laurent. Johnny jeta un coup d'œil dans le rétroviseur. Albert lisait toujours.

– Y a-t-il du nouveau en politique, monsieur ?

– Pas vraiment, hélas... On ne parle que de Duplessis... Les grandes nouvelles viennent plutôt de l'Asie, où le conflit s'envenime depuis la prise de Hanoi. Il se pourrait que l'on ait bientôt une guerre en Indochine...

Le fidèle chauffeur arrêta la limousine devant la porte de la pâtisserie-salon de thé la plus courue à Montréal. Malgré l'heure tardive, la rue Sainte-Catherine grouillait encore d'animation. Les vitrines s'allumaient. Johnny posa sa casquette sur le siège à côté de lui, baissa la vitre de sa portière et se mit à regarder les passantes dans la rue, détaillant effrontément chacune de leurs particularités visibles, pendant que son *boss* faisait ses emplettes.

À l'intérieur de la boutique, de confortables banquettes encerclaient les tables nappées de rose qui attendaient les gourmands. Il flottait dans la pâtisserie une invitante odeur de petits fours. Les gâteaux, chefs-d'œuvre d'un pâtissier français, étaient alignés sur des plaques disposées dans les comptoirs vitrés, tous plus appétissants les uns que les autres. Autour de la caisse, des boîtes de bonbons et des sucres à la crème, luxueusement présentés, venaient titiller discrètement les becs fins. Aussitôt qu'Albert eut franchi le pas de la porte, deux vendeuses en tablier blanc se précipitèrent vers lui, plateau en main pour le servir. Albert souriait d'un air bonhomme, en examinant les paris-brests, les religieuses au chocolat et les mille-feuilles. Il avait l'air perplexe. Les savarins aussi étaient tentants! La patronne, une dame grassouillette au sourire éclatant et aux cheveux retenus par un filet, s'approcha, l'air affable. Remarquant son hésitation, elle lui conseilla:

—Si je peux me permettre, monsieur Pellerin, le paris-brest est superbe...

Albert hocha la tête d'un air entendu. Lorsqu'il ressortit de la pâtisserie, l'une des vendeuses l'accompagnait, portant jusqu'à l'auto une pile de boîtes en carton dans lesquelles il y avait des gâteaux et des friandises pour toute la famille.

Albert Pellerin était un homme d'affaires des plus à l'aise. Avocat de formation, il dirigeait plusieurs compagnies importantes. Bien installé dans l'opulence que lui donnaient sa fortune et son âge, il affichait élégamment la fin de la cinquantaine. C'était encore un très bel homme. Les cheveux blancs et la moustache finement taillée, tous les traits de son visage reflétaient l'assurance et la maîtrise. Toujours sobrement vêtu, soigné de sa personne, Albert aimait les bonnes manières et veillait au bien-être de sa famille avec un empressement rare pour un homme de son rang. Homme de pouvoir, il fréquentait assidûment l'église, ne manquant jamais la messe du dimanche, au bras de son épouse la très élégante Anne Pellerin, belle-mère de Suzanne. Sa position sociale et sa fortune exigeaient qu'il contribue généreusement aux œuvres du diocèse, ce qu'il faisait volontiers, étant aussi un homme de devoir, respecté de tous et fort apprécié par le Cardinal, l'un de ses meilleurs amis.

Ce soir, il avait hâte de rentrer et de retrouver la chaleureuse atmosphère de la maison familiale. Son épouse, née Le Dévédec, était une aristocrate bretonne, fille d'un des armateurs les plus célèbres de tout le Morbihan. Albert l'avait rencontrée dans sa jeunesse, au cours d'un de ses nombreux séjours à Saint-Malo, ayant traité de nombreuses affaires avec son père. Il n'eut aucun mal à conquérir la main de la demoiselle : celle-ci rêvait de nouveaux horizons, lassée de la mer et des rivages bretons… Sans être d'une beauté exceptionnelle, elle était jolie. D'une santé fragile, Anne possédait ce qui charma le plus Albert en ce temps-là, une grande culture et des manières raffinées, avec des mains d'une délicatesse extrême. Elle l'avait suivi sur cet océan houleux qu'elle détestait, persuadée d'aboutir avec lui au pays de Cocagne, remettant sa vie entre les mains de celui qui désormais lui ferait voir le monde à sa façon. Aussitôt qu'il eut enlevé sa princesse, Albert l'installa confortablement dans un véritable château sur les hauteurs de Westmount. Trois enfants y virent le jour, qui étaient la fierté et la gloire de leur père. Anne et Albert eurent tout d'abord un fils, Jean-Paul, puis une fille, Maguy, leur préférée, et quelques années plus tard Étienne. Plus qu'un père, Albert fut une mère pour eux. Il les comblait de tout ce qu'ils pouvaient désirer. Attentionné, il organisait leur vie dans les moindres détails, ne voulant pas qu'ils manquent de quoi que ce soit et ne supportant pas l'idée de voir un seul de leurs désirs rester sans réponse... Sans cesse, il s'occupait de tout, tant et si bien que sa chère Anne le laissa faire. Repue de ce luxe qui l'entourait, elle abandonna ses rêves de jeune fille et ne s'intéressa plus qu'à sa seule personne.

Même si les deux aînés étaient mariés maintenant, Albert allait encore chaque semaine en limousine jusque chez Dionne et Frère, l'épicerie de la bonne société montréalaise, pour leur fournir les produits les plus divers et les plus rares, réglant ainsi jusqu'aux menus qui arriveraient sur la table de chacun. Ayant plus que tout autre l'esprit de clan, il faisait cela avec les meilleures intentions du monde et ne voyait pas qu'il les mettait à l'écart des exigences de la vie réelle. Albert avait créé autour de lui, grâce à sa richesse, une certaine nonchalance et une illusion de facilité qui les marqua tous de différentes façons.

Depuis déjà cinq ans, le clan Pellerin avait quitté Westmount. On avait émigré au bord de la rivière des Prairies, dans le plus joli coin d'Ahuntsic, dans une petite rue située entre le boulevard Gouin et le bord de l'eau. L'environnement y était somptueux, les berges de la rivière étant agrémentées de plusieurs parcs auxquels les grands arbres donnaient un cachet particulier. On y respirait l'air de la campagne, tout en étant dans la ville. En été, les jolies demeures étaient cachées sous un épais feuillage qui assurait la fraîcheur des lieux. En automne, les couleurs somptueuses des érables flamboyaient en se reflétant dans le miroir des eaux. En hiver, sous la neige scintillante, le paysage devenait immense, impressionnant, alors qu'on pouvait traverser la rivière transformée en patinoire. C'était un endroit privilégié, très marqué par les saisons du climat québécois. Maguy habitait avec Philippe, son mari, une des maisons voisines de celle des Pellerin, légèrement plus petite et de forme différente, entourée d'un immense terrain qui avait été le cadeau de noce d'Albert. Jean-Paul et son épouse, la belle Suzanne, en habitaient une autre, contiguë. La troisième, achetée depuis bientôt trois ans, attendait d'ores et déjà qu'Étienne se trouve une épouse. Chaque jour, Maguy pouvait se rendre chez ses parents afin de rendre visite à sa mère, presque toujours souffrante, et pour veiller à la bonne marche de la maison de même qu'à l'entretien de la magnifique propriété. Albert Pellerin avait tout prévu… Sa fortune lui donnait tous les pouvoirs, et en particulier celui de gérer le déroulement de la vie de chacun.

Johnny immobilisa la limousine devant le perron de l'imposante maison. Promptement, il descendit et tint la portière ouverte pour son maître. Albert avait déjà gravi quelques marches lorsque Maguy, qui les avait vus arriver, parut, souriante, dans l'encadrement de la porte. Elle portait une robe de crêpe fluide

qui suivait les mouvements de son corps joliment pro-
portionné et dont les nuances fleuries rappelaient le
gris bleuté de ses yeux :

–Père, tu dois être affamé !

–Plus que ça… mmm, ça sent bon par ici !

Johnny le suivait, attentif et discret, portant les
paquets qu'il remit à la jeune femme avant de s'esquiver. Maguy riait. Au premier coup d'œil, elle savait
déjà que son père avait dévalisé la pâtisserie.

–Père, tu es incorrigible !

Albert fit le tour de la cuisine. Betty, la femme de
Johnny, en bon cordon-bleu, bardée de son tablier et
louche en main, s'affairait à déglacer la sauce du rôti.
Ayant constaté que le repas serait encore une fois une
œuvre d'art, le maître de maison ouvrit la porte de la
salle à manger, où la table était dressée. Dans le salon,
Philippe sirotait un verre de xérès en écoutant les
nouvelles, tandis qu'Étienne, assis devant la grande
baie vitrée dans un fauteuil Louis XV, les pieds sur un
pouf marocain, semblait complètement absorbé dans
la lecture d'une de ces bandes dessinées qu'il affectionnait. Albert se pencha vers lui. C'était l'album de
Tintin au Congo, qui venait tout juste de paraître.

–Ah, je vois que toi aussi, tu es incorrigible,
Étienne ! Ce sont des lectures d'enfant !

Étienne balança la tête. Les aventures de Tintin
étaient trop passionnantes pour qu'il fasse la conversation et réplique à son père. Albert cherchait des
yeux sa femme. Comme si elle l'avait entendu poser
la question, Maguy lui cria de la cuisine :

–Maman est dans sa chambre !

Albert monta jusqu'à l'étage et frappa à la porte
avant de pénétrer dans l'univers d'Anne. La pièce

était dans l'obscurité et sa femme disparaissait dans le grand lit anglais, garni de dentelles. Il prit la petite chaise tapissée de velours pourpre qui était là pour lui et, s'approchant de son éternelle malade, il déposa un rapide baiser sur son front. Anne avait l'air souffrante.

– Ma chérie, je vois que ta pauvre tête fait encore des siennes ! Tu es pâlotte, il te faudrait quelques remèdes pour te sortir de ce mauvais pas… J'aimerais te voir plus en forme pour la grand-messe de dimanche. Souviens-toi que nous devons y assister impérativement… Je l'ai promis au Cardinal !

– Mon cher, ce mal de tête m'abrutit, mais tu sais bien que je ferais l'impossible pour aller à la messe avec toi. Quel temps fait-il aujourd'hui ? Pleut-il encore ?

– Voyons, Anne, si tu avais ouvert un peu les rideaux, tu aurais vu que le ciel était bleu… Viens donc manger avec nous, cela te fera le plus grand bien…

– Impossible, je suis trop mal en point… Demande à Betty de me monter du bouillon…

Inutile d'insister… La faim le tenaillait et Anne était têtue comme une vraie Bretonne. Il la laissa à ses malaises et rejoignit leur fille dans la salle à manger. Maguy, sa chère Maguy, qui depuis son plus jeune âge remplaçait la maîtresse de maison trop souvent alitée, en s'acquittant d'ailleurs fort bien de sa tâche…

– Maguy, appelle donc Jean-Paul et Suzanne. S'ils n'ont pas encore soupé, dis-leur de venir manger ici…

Les désirs d'Albert étant des ordres, à peine trois minutes plus tard, ils étaient tous réunis. On mangea d'un bon appétit. Philippe et Albert discutaient politique, alors que Suzanne s'enflammait en décrivant les projets dont elle avait la responsabilité à l'archevêché. Elle voulait convaincre Étienne et Maguy d'y participer, et ne tarissait pas d'éloges sur le Cardinal. Jean-Paul, peu enclin à la dévotion et exaspéré de l'admiration inconditionnelle qu'elle vouait au prélat, se taisait.

– Fort heureusement, notre cher Cardinal a accepté de reprendre l'idée des crèches animées venant des pays du tiers-monde… C'est une idée que j'avais moi-même avancée voici deux ans…

Elle se pencha vers Étienne, qui riait comme un gamin, trouvant l'idée plaisante.

– Nous avons la chance d'avoir comme cardinal un homme tout à fait exceptionnel… Exceptionnel ! Je t'assure ! Sans lui, le diocèse de Montréal n'aurait pas le quart de la réputation qui lui est maintenant acquise… N'est-ce pas, Maguy ? Es-tu d'accord avec moi ? C'est fabuleux tout ce que cet homme a pu faire pour donner un intérêt nouveau aux activités pastorales ! Il est l'âme de notre diocèse… Tiens, regarde, jusqu'aux étudiants qui se rassemblent maintenant par milliers autour de lui, depuis l'an passé…

Jean-Paul, toujours silencieux, tapotait son couteau sur le bord de son assiette. Maguy se sentit obligée de lui répondre :

– C'est évident, Suzanne, le Cardinal fait de grandes choses… Avec lui, les Canadiens français osent afficher leur foi et leur idéal…

Suzanne continuait son bavardage, intarissable lorsqu'il s'agissait de rappeler son admiration pour le prélat. Le repas fini, il était déjà tard. Philippe et Maguy enfilèrent un chandail.

– Bonne nuit ! À demain !…

Philippe était déjà en bas du perron pendant que Maguy saluait affectueusement son père. Elle dévala les quelques marches pour le rejoindre.

– Brrr, il fait déjà froid… dit-elle en frissonnant et en se serrant tout contre son mari.

Bras dessus, bras dessous, ils regagnèrent leur maison, à l'autre bout du parc.

*

Anne Pellerin avait pris l'habitude de se laisser aller à une oisiveté contre laquelle Albert ne luttait pas, trop heureux de voir sa femme prisonnière de leur cage dorée. Petit à petit, passant toutes ses journées sans aucun des soucis ordinaires aux mères de famille, elle était devenue hypocondriaque… Tout lui donnait mal à la tête. Anne était sans cesse incommodée, prise de faiblesses, elle ne supportait pas le moindre rayon de soleil, tirant à longueur de jour les rideaux, dans chaque pièce où elle se trouvait. Déjà, quelques années auparavant, les allées et venues des enfants, leurs jeux et leurs babillages l'assommaient. Son foie était fragile. Pour elle, Betty confectionnait des mets à part, et Albert, les jours de marché, traversait tout Montréal pour trouver les légumes frais ou les fruits exotiques dont elle rêvait. Coquette à l'extrême, elle ne sortait de sa maison que pour s'acheter quelque nouvelle toilette ou pour refaire sa provision de produits de beauté. Lorsqu'elle n'était pas alitée, Anne passait le plus clair de son temps entre ses livres et son piano, ayant un goût marqué pour les lettres et la musique. Elle était d'ailleurs une pianiste remarquable, interprétant sans partition les œuvres de Schubert et de Mozart.

Au long des années de vie conjugale, la communication s'était détériorée entre elle et Albert, grugée par leur trop grand confort et la difficulté qu'ils avaient à se forger des objectifs communs. À vrai dire, ils n'en avaient plus aucun. Albert aimait la vie mondaine, les sorties publiques, les voyages et l'ascendant qu'il exerçait sur tous. Anne vivait dans sa coquille. Peu à peu, ils étaient devenus presque étrangers l'un à l'autre et ne partageaient la table familiale que pour les repas du soir et ceux du dimanche, après la messe.

La demeure d'Albert et d'Anne était une immense maison de style colonial, à l'allure fort accueillante. Deux tourelles surplombaient une galerie à colonnades entourant toute la maison. On y accédait par un perron central, bordé de massifs débordant de fleurs durant toute la belle saison. Celui-ci débouchait sur le large corridor d'entrée, au chaleureux parquet de frêne, finement travaillé, comme l'était tout le rez-de-chaussée. Cette entrée était garnie de deux guéridons et d'une petite causeuse en bois de rose, recouverte de satin vert pâle, qui, disait-on, était venue tout droit du château de Versailles lorsque Anne avait quitté la France. Un immense miroir de style art déco servant de porte-chapeau était flanqué de deux Vénus en bronze offrant leurs bras dodus aux couvre-chefs des visiteurs. Sur la droite, de hautes portes vitrées à la française donnaient sur le grand salon garni de canapés recouverts de soie brochée rose pâle, tournés vers les larges baies. Dans un angle du salon, le piano à queue, non loin du foyer de marbre blanc, était entouré de deux fauteuils très modernes, recouverts de cuir noir, contrastant singulièrement avec le reste de l'ameublement. Un peu plus loin, d'autres portes donnaient sur la salle à manger de style anglais où s'étalaient les pièces d'argenterie impressionnantes qu'Anne affectionnait. Au mur étaient disposées des peintures d'époque, dominées par le magnifique lustre en cristal. Au fond, l'escalier montait aux chambres. À l'entrée, sur la gauche, un salon tenait lieu de bibliothèque, regorgeant de volumes reliés et garni de fauteuils en cuir damassé, avec quelques tableaux de chasse accrochés aux murs, et plus loin la vaste cuisine, équipée de façon très moderne. En haut se trouvaient quatre chambres et deux salles de bains luxueuses : celle d'Anne et celle d'Albert, qui faisaient chambre à part depuis déjà quelques années. Les deux dernières pièces étaient désormais inoccupées. En haut de l'escalier qui montait au dernier étage, Étienne avait établi son domaine dans la grande salle mansardée agrémentée des recoins que formaient les tourelles. L'arrière de la maison donnait sur un vaste jardin et sur la rivière, que l'on pouvait admirer du salon, de la salle à manger et même de la cuisine. Dissimulés derrière les arbustes, il y avait le garage et la remise à jardinage, domaine de Johnny. C'était de tous les côtés un véritable plaisir pour les yeux.

Ayant grandi entourée de belles choses, Maguy possédait un sens inné du raffinement dans tout ce qu'elle entreprenait. Cela plaisait beaucoup à Albert, qui retrouvait dans le comportement de sa fille les origines françaises de son épouse. À l'âge où ses camarades jouaient encore à la poupée, les préoccupations de Maguy étaient déjà celles d'une femme accomplie. Elle mettait un point d'honneur à veiller à tous les détails de leur train de vie, approuvée par sa mère et admirée par son père, incapable de se passer d'elle. Bien avant de penser à se marier, la jeune fille organisait les réceptions et les parties qu'Albert aimait tant et pour lesquels il lui laissait carte blanche, car elle prenait très au sérieux le rôle qui lui était échu par la déficience d'Anne.

Physiquement, Maguy ressemblait beaucoup à son père et elle avait un heureux caractère. Agréable à regarder, très douce et très sociable, son visage aux traits réguliers s'éclairait fréquemment d'un beau sourire. Ses yeux gris avaient l'apparence du velours tout en dégageant parfois une note de mélancolie, et l'on ne pouvait manquer de remarquer ses jolies mains aux ongles vernis, semblables à celles de sa mère, qui s'agitaient au rythme de ses paroles. Albert lui ayant très vite légué une partie de sa fortune, elle disposait d'un gros capital personnel qui lui rendait la vie facile en tout. Voulait-elle acheter quelque chose de nouveau? Il n'y avait aucune limite... En 1941, lorsqu'elle avait vingt-huit ans, elle avait épousé Philippe Langevin, un jeune et brillant médecin spécialiste dont elle était amoureuse et qui était fou d'elle. Leur mariage avait été l'occasion d'une réception fastueuse dont la bonne société montréalaise se souvient encore, dans les salons de l'hôtel Mont-Royal. Philippe, issu d'une famille de petits commerçants plutôt modestes, avait grandi sur les bords du Richelieu, à Saint-Denis, au milieu de ses frères et sœurs qui étaient au nombre de neuf. Plein d'ambition, possédant une volonté farouche, il avait très tôt quitté sa famille pour faire ses études au séminaire de Saint-Hyacinthe, ayant décidé malgré les réticences de son père de devenir médecin coûte que coûte. Très bel homme, doué d'une intelligence supérieure à la moyenne, il aimait le luxe qui entrait dans sa vie avec sa jeune femme et la fortune personnelle qu'elle apportait.

Jean-Paul, homme au tempérament réfléchi, était devenu quant à lui un juriste connu de la haute société montréalaise, répondant ainsi aux désirs de son père, pour qui rien ne pouvait se faire sérieusement dans la vie si l'on n'avait pas terminé son droit... Puis il avait épousé une jeune fille de très bonne famille, Suzanne Saint-Arnaud, qui sortait tout droit du couvent pour leurs fiançailles et qui, aussitôt mariée, lui avait fait deux beaux garçons. Ses fils étaient nés coup sur coup, à tel point qu'on les prenait sans cesse pour des jumeaux. François et Claude avaient été baptisés par le Cardinal en personne, lorsque celui-ci était encore évêque, et ils venaient tout juste de faire leur première communion. Suzanne, un peu snob et très portée sur la religion, leur faisait donner une éducation des plus catholiques au collège du Mont-Saint-Louis où ils étaient pensionnaires ; elle gardait ainsi le champ libre pour s'adonner au bénévolat. Depuis des années, elle s'occupait inlassablement des bonnes œuvres du Cardinal, qui semblait apprécier sa collaboration...

Étienne, pendant ce temps, tardait un peu à faire de lui un homme : il se prélassait dans le monde de l'enfance, rêvait pendant des heures entières sans se fixer de but, animé d'une dangereuse naïveté infantile, protégé par la sécurité matérielle dont il disposerait quoi qu'il advienne et par la renommée de la famille Pellerin. Malhabile avec les femmes, il était encore célibataire. Albert l'avait poussé à faire sa médecine, aidé de Philippe Langevin en qui il pressentait un associé énergique pour son grand benêt d'Étienne.

*

Dans la maison de ses parents, Maguy, assise devant l'imposant piano à queue en bois d'ébène, interprétait avec brio *La Truite* de Schubert devant Anne, ravie, qui s'était levée pour l'occasion et qui tournait les pages de la partition. Elle scandait la mesure, de ses mains gracieuses et fines où brillait un énorme solitaire.

—Encore un peu plus de légèreté dans ton doigté, Maguy, et c'est parfait!

—Je ne serai jamais aussi bonne que toi, maman! Tu vois bien que je pioche trop fort...

—Au contraire, tu deviens meilleure que moi de jour en jour! Continue, c'est excellent...

Anne regardait fièrement sa fille, mais Maguy, quelque peu anxieuse, n'était pas sûre de mériter les compliments maternels. S'arrêtant soudain, elle regarda sa montre:

—Déjà deux heures!... C'est l'heure du magasinage... J'ai promis à papa de trouver un vase à offrir en cadeau au fils de son comptable...

—C'est vrai, nous sommes invités à ce mariage! Quel ennui, je crois que je vais te laisser y aller avec ton père! Cela m'assomme, toutes ces cérémonies, j'en suis malade rien que d'y penser...

—Quel dommage, maman! Moi je trouve cela plaisant, les mariages! Viens-tu avec moi faire un tour chez Birks?

– Non, pas de magasinage! Je monte dans ma chambre… Je ne suis pas du tout en forme… Quant à toi, Maguy, fais donc un peu plus attention à ne pas t'agiter. Je n'aime pas te voir aller ainsi à droite et à gauche dans ton état!

Pour toute réponse, Maguy déposa un rapide baiser sur le front de sa mère. Elle referma l'instrument avec précaution, pendant qu'Anne replaçait le jeté en soie brodée et rangeait le livret de musique. La leçon était finie pour ce jour-là. Maguy avait juste le temps de se faire conduire par Johnny. Elle enfila la veste de son tailleur, mit son chapeau et ses gants, retoucha le rouge de ses lèvres devant le miroir de l'entrée et descendit le perron quatre à quatre pour s'engouffrer dans la limousine qui était déjà devant l'entrée. Johnny lui ouvrit la porte d'un geste protocolaire, casquette en main.

– Allons-y, Johnny! Emmenez-moi chez Birks, ensuite chez Morgan, après quoi nous irons chercher monsieur Pellerin à son bureau, comme d'habitude…

*

Ce dimanche-là, au milieu du mois d'octobre, il y avait affluence à la grand-messe de la cathédrale. Il faisait encore très beau pour un jour d'automne et, bien que les érables aient été au plus intense de leur couleur, la chaleur était exceptionnelle. Les rouges somptueux des feuilles sur le déclin coloraient si magnifiquement les alentours qu'on aurait dit un tableau impressionniste. Les femmes, enhardies par la douceur du temps avaient ressorti les toilettes légères. On voulait savourer ces quelques jours d'été indien, sachant qu'ils étaient une courte rémission avant que le froid mordant s'installe pour de longs mois. On attendait impatiemment le sermon du Cardinal… La famille Pellerin au grand complet occupait le banc qui lui était réservé, le troisième en partant du chœur. Le premier ministre du Québec en grande tenue était au tout premier rang, puis le maire de Montréal avec son épouse, et derrière eux, pieusement recueillis, se trouvaient monsieur et madame Adrien Grenier, les parents du Cardinal. L'imposante nef au milieu de laquelle se dressait le dais aux colonnes torses, réplique du chœur de Saint-Pierre de Rome, se remplissait. De tous côtés, on pouvait reconnaître les membres des grandes familles. La bonne société montréalaise venait faire ses dévotions dans le sillage prestigieux de Son Éminence. L'odeur de l'encens accueillait les participants aussitôt qu'ils avaient franchi le portique d'entrée et, du haut du jubé, le grand orgue faisait entendre les accents solennels d'une cantate de Bach.

Assis sur le banc Pellerin, il y avait, en partant de l'allée centrale, Anne, puis Albert. Venaient ensuite Maguy et son mari Philippe, puis Jean-Paul aux côtés de ses deux fils et de son épouse Suzanne. Enfin, Étienne se tenait seul, légèrement à l'écart de sa belle-sœur, visiblement ennuyé par tout cet apparat… Comme à son habitude, Anne Pellerin portait un somptueux chapeau qui, disait-elle, la protégeait contre les terribles rayons du soleil automnal ! En réalité, elle adorait les chapeaux excentriques et, même si la mode des couvre-chefs féminins devenait chaque année plus discrète, elle portait toujours les créations les plus remarquées des modistes montréalaises. Toutes les têtes se tournaient à un moment ou à un autre vers l'immense capeline rouge de madame Pellerin, surmontée d'un bouquet de plumes noires du plus bel effet... Albert aimait cette particularité de son épouse qui les distinguait immanquablement au milieu de la foule. Aujourd'hui, répondant à tous les regards observateurs fixés sur eux, il inclinait la tête à droite et à gauche en faisant quelques petits saluts, se rengorgeant, tout aise de l'effet produit par sa douce moitié. Il lui murmurait:

–Salue, ma chère, les Galarneau et les Potvin nous regardent!

–Albert, qui sont ces jeunes gens, de l'autre côté du chœur, devant la statue de saint Joseph?

–Le neveu et la nièce du ministre des finances, ils sont jeunes mariés...

–Ah bon! Elle est ravissante, mais le bleu de son manteau affadit son teint...

Au fur et à mesure que l'office progressait, il faisait de plus en plus chaud. L'assistance tout entière était venue pour entendre prêcher le Cardinal. Maguy, habituellement si pieuse, manifestait quelques signes d'impatience que sa famille ne comprenait pas, tenant son missel fermé sans même le regarder et se retournant fréquemment, ce qui était très étonnant venant d'elle...

Enfin, le Cardinal se prépara à monter en chaire. Lentement, il en gravit les marches dans un froissement d'étoffe, pendant que chacun s'assoyait. Deux enfants trop bavards se firent rappeler à l'ordre, créant une agitation de quelques secondes au milieu du recueillement général. Ensuite, il prit possession de son auditoire en balayant du regard chaque recoin de l'immense espace, faisant une pause et toussotant pour obtenir un silence total avant de commencer son sermon. Théâtral, impressionnant, choisissant ses phrases avec un soin jaloux, il déclamait un long discours sur la fidélité aux enseignements de Jésus, se rapportant à l'épître de Saint-Paul, appuyant chacune des syllabes de ses mots pour les faire résonner sous la voûte, en roulant les *r*.

–En cette époque troublée par l'esprit scientiste qui sème le doute dans la raison de l'homme, mes bien chers frères, méditons, nous tous ici rassemblés, sur la valeur immense de notre foi, ce don inestimable que nous avons reçu par notre baptême...

Le discours du Cardinal s'élevait dans la basilique comme une puissante musique ponctuée par certains mots qui venaient graver leur sens particulier, celui qu'il voulait imprimer dans toutes les consciences.

Maguy se pencha vers Philippe et lui dit quelques mots à l'oreille. Philippe lui prit le bras et la garda appuyée contre lui. Chacun des Pellerin la regardait maintenant avec inquiétude. Philippe et Albert lui proposèrent discrètement de sortir, ce qu'elle refusa.

–Voyons, Maguy, ne reste pas ainsi... Veux-tu un verre d'eau?

Elle hocha la tête en signe de refus.

Comme d'habitude, Albert était aux petits soins. Plus le sermon avançait et plus Maguy pâlissait en s'accrochant au bras de son mari. Au moment où retentit la sonnette annonçant l'élévation, elle était blême; elle perdit connaissance en se levant, puis s'affaissa lentement sur elle-même, si bien que Philippe la prit dans ses bras. Aidé par Jean-Paul, il la souleva et l'emporta comme un paquet jusqu'à la sacristie. Il y eut un mouvement de panique au milieu du silence de l'office. Albert, affolé, essaya de rassurer Anne, qui ne put s'empêcher de pousser un petit cri et qui se cramponna à son banc pour ne pas tourner de l'œil elle aussi. Il confia les garçons à Étienne, puis courut téléphoner pour faire venir immédiatement une ambulance. Dans l'église, le brouhaha fut extrême pendant quelques instants, tandis que le Cardinal continuait de dire la messe, imperturbable...

Qu'arrivait-il donc à Maguy Pellerin ? Elle avait eu un malaise ! On se passait le mot... Puis le calme revint. La communion se déroula comme à l'habitude. Les cantiques et les chœurs, magnifiquement interprétés par les religieuses de la Miséricorde, redonnèrent à la cathédrale son recueillement coutumier ; l'office prit fin au moment où l'ambulance arrivait. Maguy avait repris ses esprits. Assise dans la sacristie, elle refusait de partir pour l'hôpital... Mais une douleur au ventre l'obligea à céder aux instances de ses proches, et d'ailleurs Philippe ne lui laissa pas le choix. On se pressait maintenant sur le parvis autour d'Anne. On s'inquiétait pour la santé de sa fille. Même le Cardinal s'approcha d'elle, l'air préoccupé. Il échangea quelques mots avec Philippe avant de la bénir et de la laisser partir pour l'Hôtel-Dieu. Maguy, complètement défaite, était en train de perdre le bébé qu'elle attendait.

Pour la cinquième fois depuis son mariage, un espoir de grossesse se soldait par un échec, malgré la surveillance médicale dont elle était l'objet et les soins attentifs de toute sa famille. Philippe avait la mort dans l'âme. Lui aussi espérait tant avoir un enfant ! Devenir mère était pour Maguy, étant donné les circonstances, un véritable défi qu'elle voulait relever à tout prix. Plus les mois passaient et plus sa volonté se fixait sur son but ultime, celui-ci devenant de plus en plus irréalisable... Maguy en faisait une véritable obsession et affichait une dévotion grandissante, en échange de cet enfant qui ne voulait pas venir.

*

Les semaines suivant ce malheureux dimanche, on la voyait souvent prier en larmes, devant l'autel de la Sainte Vierge :

– Mon Dieu, mon Dieu, je vous en prie, donnez-moi un enfant... Faites que je devienne mère ! Faites que je connaisse cette joie...

Ne sachant plus trop comment obtenir l'accomplissement de son vœu, la jeune femme allait fréquemment dans plusieurs églises et jusqu'à la basilique Notre-Dame, qu'elle affectionnait tout particulièrement. Là, implorante, agenouillée pendant de longues minutes, les mains jointes, elle s'adressait à sainte Thérèse de l'Enfant-Jésus :

– Ô ma petite sainte au cœur d'enfant ! Aide-moi à faire exaucer ma prière... Chaque jour, je ferai déposer devant toi une gerbe de roses blanches pour que tu me viennes en aide !

Bienveillante et muette, sainte Thérèse l'écoutait. Maguy tint parole. L'automne s'étant écoulé ainsi que les fêtes de Noël, l'autel de la petite sainte regorgeait de fleurs que les religieuses étaient obligées de disposer jusqu'au milieu du chœur. Maguy ne manquait jamais, au moins deux fois par semaine, d'aller se recueillir avec ferveur auprès de la petite statue entre les mains de qui elle remettait tous ses espoirs...

*

Montréal s'agitait au milieu de la tempête de neige. Le docteur Philippe Langevin était en pleine consultation. De son service, situé au centre de l'immense bâtisse de l'Hôtel-Dieu, dirigé par les Sœurs hospitalières, et des fenêtres donnant sur la cour où s'élevait la statue de Jeanne Mance, il apercevait les allées et venues tout autour de l'hôpital. C'était par une froide journée de janvier 1947. La neige commençait à tomber par bourrasques et rendait la cour glissante à souhait. Le ciel était bas. Il faisait presque noir. Dans la rue Saint-Urbain, quelques passants se dépêchaient de rentrer chez eux. Une vieille dame, cramponnée à la rampe d'un escalier extérieur, tentait de descendre du deuxième étage, tandis qu'un jeune garçon en équilibre instable lui soutenait le bras pour l'aider... Les balcons et les marches d'escalier de toutes les maisons étaient recouverts d'une épaisse couche blanche, froide et collante, qu'il faudrait bientôt pelleter et ramasser en tas au bord du trottoir.

Philippe maugréa : « Quelle cochonnerie de temps ! Aux urgences, il y aura d'ici peu une série de mauvaises fractures, dues aux chutes dans les rues transformées en patinoires... » Il jeta un coup d'œil à la salle d'attente. Une bonne dizaine de patients étaient encore assis derrière sa porte sans broncher. Revenant à la chaise de consultation, il regarda sa montre tout en examinant la gorge de sa cliente, qui faisait une grosse amygdalite : « Pourquoi donc ne s'est-elle pas fait enlever ces fichues amygdales lorsqu'il en était encore temps!» se disait-il. C'était maintenant si simple: il pratiquait ce genre d'opération chaque jour sur des dizaines d'enfants, leur évitant pour l'avenir les maux de gorge et les infections à répétition.

Le docteur Langevin avait une excellente renommée et faisait du bon travail, utilisant les techniques les plus avant-gardistes. Sa clientèle grossissait d'année en année et son nom était connu dans tout l'Hôtel-Dieu. Maguy et lui ayant été invités à souper chez les Simard, il fallait activer un peu le rythme s'il voulait être à l'heure. Il appela son assistante:

–Garde, voulez-vous appliquer du bleu de méthylène à madame Choquette pendant que je vois la personne suivante? Vous veillerez à la cicatrisation de la petite Leblanc, et puis aussi remettez à monsieur Lalonde l'ordonnance que j'ai préparée pour lui.

Il était rapide, efficace. Avec lui, il n'y avait aucune perte de temps, et les malades se sentaient en sécurité tant son diagnostic était clair.

–Au revoir, madame Choquette, n'oubliez pas votre sirop et revenez mardi prochain…

Le docteur Langevin ne pouvait se passer de son assistante Fleurette Dupuis… Dans la belle trentaine, célibataire et citadine dans l'âme, Fleurette avait toujours vécu à Montréal. Elle adorait sa ville. Travaillant pour le docteur depuis plus de cinq ans, elle veillait à tous les petits détails de son dispensaire, et Dieu sait que lorsqu'on est oto-rhino-laryngologiste, et ophtalmologiste par surcroît, les remèdes sont en nombre incalculable. L'organisation de Fleurette était imbattable. C'était une femme solide, travailleuse, dévouée en tout: une vraie perle! Elle savait comme nulle autre plaisanter au bon moment avec les malades et les détendre en les faisant rire, ce qui atténuait leur anxiété avant les interventions. Philippe l'entendait rassurer la prochaine patiente:

–Mademoiselle Martin, voyons, ne tremblez pas comme une feuille, le docteur n'est pas féroce: c'est moi la plus méchante, le saviez-vous? Assoyez-vous bien confortablement et dites-moi donc depuis quand votre gorge est en feu? Est-ce que cela vous arrive fréquemment?

Fleurette prenait des notes sans rien oublier et le docteur Langevin n'aurait pas voulu se séparer d'elle pour tout l'or du monde… Pourtant, il n'était pas très démonstratif avec elle, il s'en tenait au dialogue indispensable à leur coopération et ne parlait que rarement de sa vie privée ou de sa famille.

Pendant qu'il examinait les oreilles d'un vieux monsieur en essayant d'accélérer, pour gagner quelques minutes sur l'heure qui avançait, Fleurette décrocha le téléphone et lui passa l'appareil:

–C'est pour vous, docteur…

Le visage de Philippe changeait au fur et à mesure que la conversation se déroulait. Il raccrocha précipitamment.

–Torrieu!… Garde, faites revenir les patients demain à huit heures, c'est Maguy!…

Fleurette, voyant son regard inquiet, l'interrogea carrément:

–Sa grossesse?

–Oui, je crains qu'elle fasse encore une fausse couche. Elle arrive en ambulance… Je descends à l'urgence. Fermez les dossiers, s'il vous plaît. À demain, garde…

Il téléphona en hâte pour décommander leur souper.

Nerveusement, Philippe pressait le bouton d'appel. Pas moyen d'avoir l'ascenseur! Il descendit l'escalier en trombe. Dans le long corridor du rez-de-chaussée, où se croisaient quelques civières poussées par des religieuses, il courait presque, l'air terriblement préoccupé, lorsqu'il se fit rattraper par l'un des médecins résidents :

–Docteur Langevin, j'allais vous chercher. Votre femme est arrivée! Suivez-moi…

Aux urgences, dans la longue salle divisée par des cloisons vitrées en un grand nombre de cellules de consultation, les religieuses allaient et venaient, armées de plateaux ou poussant des chariots. Il régnait là une certaine fébrilité. Dès son arrivée, on saluait respectueusement Philippe. On s'empressait déjà autour de Maguy. La femme du docteur Langevin avait droit aux plus grands égards. Le gynécologue l'examinait pendant que les infirmières prenaient sa tension et préparaient les indispensables analyses : il faudrait lui faire un curetage. Maguy était là, douloureuse et aussi pâle que les linges qui la recouvraient. On se préparait à l'envoyer au bloc opératoire. Pour la sixième fois, elle venait de perdre l'enfant qu'ils désiraient tant avoir. Philippe ne pouvait cacher sa peine. Il sortit un mouchoir de sa poche et s'essuya furtivement le coin de l'œil. Quelques sanglots le secouèrent, mais comme il ne voulait pas les laisser voir, il engagea vite la conversation avec son collègue obstétricien, dont le diagnostic était formel :

–Mon cher Philippe, Maguy, même si elle le veut de toute son âme, ne peut espérer mener une grossesse à terme… Vous savez comme moi que ces fausses couches à répétition mettent sa vie en danger et ne nous permettent plus d'espérer un dénouement normal. Nous avons tout tenté…

Philippe avait la voix tremblante en expliquant:

–Pourtant, cette fois-ci, elle a respecté à la lettre les consignes… le traitement…

Le docteur Chaput fit un signe de tête et tapota l'épaule de Philippe d'un air désolé. Philippe s'approcha de sa femme.

Maguy était dans tous ses états. À sa douleur physique venait s'ajouter celle d'un espoir de grossesse interrompu. Chacune de ses hémorragies annonçait la perte du fœtus. Étendue sur une civière, elle pleurait. Démoralisé, Philippe s'approcha d'elle. Lorsqu'elle le vit, ses larmes redoublèrent. Il cherchait en vain quelle contenance prendre. Comment consoler Maguy et lui faire admettre, sans la brusquer, que désormais ils ne pouvaient plus espérer avoir d'enfants? Elle le devança:

–Je sais, Philippe, que tout est fini… Je ne suis vraiment bonne à rien!

Elle eut un gros sanglot et ne put s'empêcher de retenir une plainte. Philippe se sentait trop maladroit pour la rassurer. Heureusement, on vint la chercher pour la faire entrer en salle d'opération, ce qui coupa court à ses larmes. Pendant qu'on l'emmenait et qu'on lui injectait l'anesthésique, Philippe se rendit au vestiaire des médecins. Il revêtit la blouse et le pantalon stériles, puis il la rejoignit au quatrième étage, tandis qu'elle était déjà endormie sur la table chirurgicale.

Dans la salle d'opération aux murs blancs et froids, l'anesthésiste, les infirmières et deux gynécologues avaient pris place autour de Maguy. Des lampes réparties au-dessus de la table d'intervention diffusaient une lumière aveuglante et bleutée. Toute l'équipe de travail était en place, le visage recouvert de l'indispensable masque de toile blanche attaché derrière les oreilles.

Le docteur Langevin se sentait inutile et impuissant. Il constatait encore une fois qu'il était impossible à un médecin, même des plus compétents, d'être efficace lorsqu'un proche se trouvait affecté. Il se répétait: « Je ne suis pas capable de me conduire en médecin quand il s'agit de Maguy ! » Il s'en voulait. En assistant au curetage pratiqué sur sa compagne, Philippe avait l'impression de ne plus rien savoir et même, à la limite, de ne plus rien comprendre. Il lui semblait que tout s'embrouillait dans sa tête, qu'un voile opaque était tombé sur son raisonnement de praticien. Il regardait le corps étendu de sa femme, recouvert d'un drap blanc, et il avait l'impression qu'elle resterait toujours ainsi… Sans oser se l'avouer, le docteur Langevin avait peur de la mort. Comme un somnambule, immobile et serrant les mâchoires, il voyait les curettes s'agiter dans les mains de l'obstétricien et se demandait s'il ne faisait pas un mauvais rêve. Masqués tout comme lui, les chirurgiens avaient des allures de fantômes aux mains gantées. C'était presque irréel ! Les caillots de sang sortaient l'un après l'autre d'entre les cuisses de Maguy, et il regardait leur bébé partir en morceaux sur le plateau que tenait l'infirmière… Atroce !

S'il n'avait pas été médecin, il serait sorti pour crier à son aise. Mais le docteur Philippe Langevin avait pour habitude de refouler ses émotions et ses moindres sentiments. Cela faisait partie de son code d'éthique.

Aussi évita-t-il de se laisser envahir par des pensées moroses et, les faisant taire par un effort de volonté, il reprit très vite contenance. Pendant toute l'intervention, qui dura presque une heure, Philippe demeura impassible ; il ne sortit que lorsque Maguy fut conduite en salle de réveil. Il descendit jusqu'à la cafétéria pour avaler un café qui était infect. Il n'avait pas pris le temps de manger et il était bientôt six heures, mais ici rien ne lui faisait envie. Toute la nourriture lui semblait morne et peu ragoûtante. Les plats sentaient le réchauffé. La longue salle était presque déserte à cette heure-là. Lugubre. Comme lui sans doute… Nerveusement, il alluma une cigarette qu'il écrasa presque immédiatement en faisant la grimace. Il fallait qu'il bouge… Il ressortit aussitôt et enfila le dédale des corridors les moins fréquentés. Philippe ne voulait pas être obligé de se perdre en explications s'il croisait des collègues.

Il monta à la chambre privée où Albert se trouvait déjà avec Étienne, attendant Maguy derrière les immenses gerbes de ses roses préférées qui garnissaient la pièce. Vue ainsi, la chambre avait l'air d'être celle d'une jeune accouchée. Albert, qui s'efforçait de ne pas avoir l'air trop abattu, se leva et tendit la main à son gendre :

– Tout s'est bien passé au moins ?

Philippe fit signe que oui.

– Elle ne va pas tarder à redescendre…

« Comment Maguy va-t-elle réagir cette fois-ci ? » se demandait-il en redoutant les excès d'une nouvelle déception, conscient de l'implacable échec.

Maguy pleura toute la nuit à chaudes larmes… Dès le lendemain matin, pour la satisfaire et pour la rassurer, il obtint son congé de l'hôpital et la raccompagna lui-même à la maison. Lorsque Maguy sortit de l'Hôtel-Dieu, son moral était au plus bas.

*

Quelques jours plus tard, il était à peine sept heures. La chaleur douillette de la maison contrastait avec le paysage hivernal que l'on apercevait derrière les fenêtres. Philippe, déjà fin prêt à commencer sa journée, s'approcha du lit où Maguy se reposait encore. Il la prit dans ses bras et la porta sur le canapé du salon en l'emmitouflant dans de chaudes couvertures. Lui qui ne touchait jamais à quoi que ce soit dans la cuisine lui apporta maladroitement, sur un plateau, une tasse de café et deux rôties, avec du beurre et de la confiture :

– Promets-moi que tu vas manger…

Elle voulut le remercier par un sourire, mais ce fut une larme qui roula le long de sa joue.

– Oui. C'est promis…

Il s'assit près d'elle et lui prit les deux mains.

– Allons, allons, ma chérie, je n'aime pas te voir ainsi. Je t'appellerai un peu avant midi… N'oublie pas que tu dois rester allongée aujourd'hui.

Elle renifla. Il remonta les coussins dans son dos pour qu'elle soit plus à l'aise, déposa un baiser sur sa joue toute mouillée et lui tendit un mouchoir. Il était déjà en retard.

– Il faut que je file.

Le bruit traînant de la porte du garage parvint bientôt jusqu'aux oreilles de Maguy, suivi par le ronflement du moteur qui démarrait. Maguy eut la terrible sensation d'être abandonnée…

Quelques instants plus tard, le pas familier d'Albert crissait sur la neige qui tapissait la cour. Maguy l'entendit tourner la clé dans la serrure, secouer ses bottes dans l'entrée et accrocher son manteau en même temps qu'il lui criait :

–Prépare-toi, Maguy... Je viens déjeuner avec toi !

–Viens-t'en, papa... Je suis dans le salon. Je dois rester allongée !

Albert ouvrit la porte avec un gros rire. Il arrivait comme un père Noël, les cheveux encore pleins de cristaux et la moustache gelée, mais les bras remplis de croissants et de douceurs, celles que Maguy affectionnait tant, préparées de bon matin par Betty. Il y avait des *scones* et de la marmelade d'oranges, quelques brioches à la cannelle et, par-dessus le marché, du sucre à la crème.

–Tiens, ma belle, j'espère que tu as faim ! Moi, je suis en appétit... Il ne sera pas dit qu'on va se laisser abattre ! Il fait terriblement froid ! Mais, au moins, ce que j'ai fait préparer pour toi par Betty est encore tout chaud ! Ta mère te fait dire qu'elle viendra te voir tout à l'heure...

Il posa le tout sur la table basse auprès d'elle et s'approcha de la fenêtre. Dans la cour, Johnny, emmitouflé dans sa redingote, la tuque enfoncée jusqu'aux yeux, pelletait vaillamment la neige en attendant que son patron lui donne le signal du départ.

–Quelle tempête ! Il ne faudrait pas que tu attrapes froid !

–Comment veux-tu, puisque je dois rester couchée ?

En un tournemain, Albert alluma un bon feu dans l'âtre en conversant avec sa fille. Pour la distraire, il voulait organiser une fête comme elle les aimait tant, avec un bal pour la Saint-Valentin qui approchait, mais Maguy refusa :

– Non, non, père, il n'en est pas question... Je n'ai vraiment pas le cœur à m'amuser !

Elle ne riait plus et avait la conviction qu'elle ne rirait plus jamais.

Les jours suivants, Maguy n'accompagna pas Albert dans ses sorties. Chaque fois qu'elle apercevait un enfant, elle avait les larmes aux yeux et refusait même de voir ses neveux, qu'elle aimait tant. Lorsque ceux-ci s'annonçaient chez leur grand-maman, courant depuis la maison de Jean-Paul et riant bruyamment, Maguy s'empressait de quitter les lieux. Elle disait à Anne :

– Je ne suis plus capable, maman, de regarder le bonheur de Jean-Paul et de Suzanne. C'est trop dur pour moi, cette épreuve !... Je ne comprends pas pourquoi le ciel veut me punir !

Sa mère voulait la rassurer, adoucir sa peine, et lui répétait :

– Ne pense pas ainsi, Maguy, cet échec n'est pas une punition ! C'est juste un mauvais fonctionnement de la nature qui a parfois ses inégalités... Le temps finira par guérir ta blessure... Crois-moi, il faut te distraire...

Maguy hochait la tête.

– Je ne veux pas me distraire, maman, je veux un bébé !

« Personne ne comprend ma douleur ! » pensait-elle. En secret, Maguy était jalouse de sa belle-sœur Suzanne, elle qui avait deux beaux garçons dont elle ne faisait pas grand cas ! Alors Maguy, pourtant si bonne, était rongée par la culpabilité, à cause de cette jalousie qu'elle n'arrivait pas à maîtriser. Elle était déchirée intérieurement. Personne ne voyait clair dans sa douleur intime. Personne ne savait quoi faire. Elle livrait une cruelle bataille aux deux parties d'elle-même : la bonne Maguy et Maguy la jalouse. La jeune femme se croyait seule au monde à nourrir dans son cœur les germes de la dualité.

*

De jour en jour, son chagrin et sa révolte grandissaient. Maguy arpentait sa maison, perdue au milieu des pensées qui l'obsédaient sans répit : « Pourquoi faut-il que cela m'arrive à moi ? Qu'ai-je donc fait pour être si durement punie ? Pourquoi ne puis-je avoir d'enfants ? Nous pourrions soigner et gâter toute une ribambelle !... Pourquoi faut-il qu'il manque un bébé à notre bonheur ? Pourquoi faut-il que je déçoive Philippe, lui qui veut tant être père ! »

Il lui semblait que sa tête allait éclater. Sans oser se l'avouer, Maguy nourrissait une profonde colère contre ce Dieu qu'on lui avait appris à adorer, qu'elle respectait et qui lui refusait ce qu'il donnait si facilement à d'autres. Elle se regardait dans le miroir et prenait pitié d'elle-même.

La jeune femme aurait voulu maîtriser la ronde infernale des réactions émotives qui se jouaient d'elle, mais elle n'en avait pas la force, ne prenant conscience de ses pensées destructrices que lorsque celles-ci avaient déjà fait leur œuvre et miné son énergie. Elle dépérissait et se traînait comme une âme en peine, s'accrochant désespérément à sa foi et s'affolant encore davantage lorsqu'elle sentait celle-ci vaciller. Des doutes l'envahissaient. Où se trouvait donc ce Dieu qui guérit tout et qui pardonne tout ? Pour quelle obscure raison refusait-il de la rendre fertile ? Secrètement, elle remettait en question la bonté, l'omniscience et l'omniprésence de ce père invisible. Puis, terrorisée par sa propre impertinence, elle se prenait en aversion, une aversion qui augmentait chaque jour et qui l'emmurait en elle-même. Tous ses proches constataient qu'elle dépérissait à vue d'œil, ils en étaient effrayés, mais personne ne savait que faire.

Philippe seul aurait eu le pouvoir d'alléger sa peine, mais il travaillait sans relâche, ne s'arrêtant pratiquement jamais entre ses consultations au dispensaire, son cabinet privé et les soins qu'il prodiguait aux membres des communautés religieuses, étant le médecin officiel de plusieurs congrégations. Il aurait pu travailler un peu moins, mener une vie plus détendue, aider sa femme à se relever de cette épreuve qui pesait sur toute leur vie. Toutefois, les années passant, Philippe Langevin se laissait aller à son penchant. Il aimait gagner de l'argent et il en gagnait… Il consacrait son temps à amasser toujours plus d'argent, comme si l'opulence dans laquelle il baignait ne lui suffisait pas. Maguy se sentait perdue sans lui dans ce moment difficile. Pendant plus d'un mois, dépressive, elle ne mangea plus et perdit du poids au point que Philippe, malgré le peu de disponibilité que lui laissaient toutes ses activités, s'inquiéta…

– Ma chérie, je n'aime pas te voir ainsi. Tu dois réagir ! La réalité est dure, je le sais, mais nous n'y pouvons rien… Il te faut surmonter ton chagrin…

– Philippe, tu as beau jeu de me dire cela! Toi, ton travail te passionne, tu peux t'y consacrer... mais moi, que puis-je faire? Je suis inutile... complètement inutile!

Elle n'en démordait pas.

Un soir, Philippe arriva du bureau plus tôt qu'à l'ordinaire. Tenant un petit paquet bien serré sous son bras, il s'assit sur le sofa tout près d'elle avec un air de conspirateur que Maguy ne lui avait jamais vu. Il souriait mystérieusement et, de son bras libre, la tenait blottie contre lui.

– Maguy, je t'ai apporté quelque chose qui guérit toutes les épouses en dépression!

Tout d'abord, elle ne réagit pas. Mais devant son insistance elle finit par demander:

– Qu'est-ce que c'est, dis?

Maguy, qui depuis toujours adorait les surprises, eut une brève lueur dans les yeux en l'interrogeant du regard.

– Philippe, qu'est-ce que tu complotes?

Il étala soudain devant elle, avec un geste théâtral, toute une série de dépliants vantant les plus belles plages du sud-ouest des États-Unis. Tout d'abord, intriguée, elle se pencha pour les examiner pendant quelques minutes, après quoi son visage s'éclaira. Philippe était fier de son coup.

– Bon, je le savais... Voilà enfin le remède à tes maux! Fais ton choix... Nous partons pour trois semaines!

– Tu as bien dit nous? Oh! Philippe, toi et moi... trois semaines! Quelle merveilleuse idée!

Il était satisfait de lui. C'était magique! Maguy, qui avait enfin une expression heureuse, se sentit fondre de bonheur! Soudain ému de voir un sourire sur son visage amaigri, Philippe la prit amoureusement dans ses bras. Elle retrouvait dans ce geste la tendresse de leurs premiers mois de mariage. C'était bon! Comme une chatte qui ronronne, elle avait enfoui le visage dans le creux de son épaule, frottait ses cheveux contre le col de sa chemise et lui caressait doucement la nuque en déposant dans son cou de petits baisers de reconnaissance. Elle profitait au maximum de cet instant de tendresse et d'intimité qui avait la saveur du miel, car elle le volait à l'exigence de sa profession... Il lui rendait chacun de ses baisers en riant de plaisir.

– Mais avant de partir, madame, je dois m'assurer que vous êtes parfaitement guérie... S'il y a encore le moindre problème, c'est chez le spécialiste que je vous emmène!

Il prenait un air menaçant et elle faisait mine d'être effrayée:

– Je vous l'assure, docteur Langevin, je n'ai plus rien du tout, rien du tout!

Dès ce jour-là, Maguy se prépara à partir en Californie avec un certain enthousiasme. Albert et Anne furent soulagés de les voir réunis dans la joie des préparatifs. Comme Albert voulait qu'ils en profitent au maximum, il paya les billets d'avion pour Los Angeles, ce qui représentait une petite fortune. Il aurait fait n'importe quoi pour que sa fille oublie sa peine... Le soleil, les bains de mer et la présence de son mari pour elle toute seule redonnèrent à Maguy le goût de vivre. Ils allèrent dans les meilleurs restaurants, firent les plus belles promenades sous un ciel radieux. Philippe l'entraîna jusque sur des terrains de golf, la fit jouer

au tennis, elle qui n'avait jamais tenu une raquette!
Ils s'amusèrent et visitèrent San Diego la colorée, Los
Angeles l'impressionnante et la délicate et somp-
tueuse San Francisco. Ce fut un second voyage de
noces. Maguy était plus amoureuse que jamais lorsqu'ils rentrèrent à Montréal.

*

Albert était dans le petit bureau du Cardinal. Les
deux hommes, confortablement installés en tête-à-
tête, discutaient de leurs affaires. Celles de monsieur
Pellerin étaient prospères, aussi le Cardinal en profi-
tait-il pour lui rappeler discrètement d'exercer ses
devoirs de charité. Albert avait promis à son vieil
ami une somme fort coquette pour l'aménagement
du nouvel hôpital de la Miséricorde, où les sœurs
accueillaient de nombreuses filles-mères. Dans bien
des cas, c'étaient des prostituées, ou tout simplement de pauvres filles qui arrivaient de leur campagne. Chassées par la rigidité morale de l'époque,
elles étaient devenues la honte de leur entourage. On
avait grand besoin d'installer une crèche, un foyer
d'accueil pour ces enfants de la misère, et le Cardinal veillait à rassembler les dons. Tout en devisant,
le Cardinal avait rempli deux verres de cognac.
Albert Pellerin et Son Éminence trinquaient à leur
amitié et à leurs arrangements. Albert sortit de sa
poche un petit étui en argent ciselé dont il fit basculer le couvercle. D'un œil satisfait, il le tendit à son
hôte:
    —Que diriez-vous, mon cher, de rehausser la
finesse de ce vieux cognac avec un havane?

Le Cardinal appréciait les dons que son ami distribuait avec largesse. Pendant qu'Albert préparait les deux cigares en entaillant soigneusement l'une des extrémités, tenace, il enchaînait sur son projet :

– Ainsi, mon cher ami, nous pouvons compter sur votre générosité pour acquérir les équipements essentiels qui manquent encore à nos bonnes religieuses ?

Albert lui tendit un cigare, après l'avoir longuement humé de contentement. Il approuva d'un hochement de tête, tout en allumant son briquet :

– Je vous l'ai promis…

Méthodiquement, ils se mirent d'accord sur les modalités de leur entente, puis en arrivèrent à parler de choses et d'autres. Le Cardinal prenait des nouvelles de toute la famille.

– C'est ma fille qui m'inquiète. La santé de Maguy décline depuis que le diagnostic médical est irréversible… Son désir de maternité est si intense que je la sens déchirée. Elle se laisse dépérir ! C'est une épreuve terrible pour une femme que de ne pas pouvoir être mère… Je vous en prie, mon ami, mon cher ami, conseillez-moi !

Albert avait changé du tout au tout en évoquant le problème de Maguy. Il semblait inquiet. Le Cardinal, perplexe, ne trouvait rien à répondre, sachant bien qu'humainement il ne pouvait rien faire pour guérir la jeune femme. Il se mit à parler comme il aurait parlé à tout autre de ses fidèles.

– Mon cher Albert, je comprends très bien le chagrin de Maguy. Mais nous ne pouvons nous rebeller contre les desseins de Dieu. Si cette épreuve a été mise sur votre route, c'est pour une raison que nous ne connaissons pas encore et que vous devez avoir la sagesse d'accepter... Seule votre acceptation pleine et entière aidera Maguy à passer au travers de sa propre souffrance! Il vous en reviendra de grands bienfaits, croyez-moi! Priez donc sans relâche...

Étant avant tout un représentant de l'Église, il conseilla à Albert de s'en remettre à sa foi et à Dieu, qui ne manquerait pas, disait-il, d'entendre son cri de détresse... Il promit de dire sa messe chaque matin pendant neuf jours tout spécialement pour que Maguy soit exaucée. Son Éminence ne pouvait pas en faire plus.

Albert Pellerin se trouvait tout à coup devant une situation invraisemblable: obligé de reconnaître l'impuissance du Cardinal... Grâce à son argent, il détenait une autorité absolue sur tout ce qui est matériel et, face à la souffrance, il était persuadé comme la plupart des fidèles que prêtrise et miracles vont de pair. Il attribuait à ce prélat un pouvoir qu'il ne possédait pas lui-même, découvrant amèrement les limites humaines.

Lorsqu'il rentra à la maison, Albert, en grand désarroi, se mit à implorer le ciel. Il réquisitionna son épouse pour les dévotions promises, persuadé que Dieu est plus sensible aux prières des femmes et qu'il les exauce plus volontiers!

– Ma chère Anne, il faut que tu sois sur pied. Tu dois assister aux offices chaque matin pendant neuf jours... je l'ai promis au Cardinal. Nous devons tenter cela pour Maguy... C'est notre dernière chance. Si elle ne peut devenir mère, au moins ainsi gardera-t-elle un meilleur moral!

– Albert! Compte tenu de mon état de santé, tu me demandes un vrai tour de force... Heureusement qu'il s'agit de venir en aide à notre fille!

Bon gré mal gré, Anne se plia aux exigences d'Albert qui, pour une fois, lui imposait un devoir bien légitime : l'enjeu en était le bonheur de Maguy... Elle se fit violence et sortit de la maison pendant neuf jours consécutifs afin d'entendre la messe célébrée par Son Éminence, véritable offrande à Dieu pour la maternité de Maguy.

Voulant mettre toutes les chances de son côté, Albert promit de faire un autre don aux œuvres du Cardinal s'il arrivait que sa fille devienne mère et garde ainsi le sourire que tous lui connaissaient...

CHAPITRE III

De bon matin, affairée et de bonne humeur, Suzanne Pellerin, papier et crayon en main, arpentait déjà les corridors de l'archevêché avec Joseph sur ses talons. Ce serait dans quelques jours l'anniversaire du Cardinal et la responsabilité des célébrations lui avait échu, comme de raison, ce qui était pour elle un motif de fierté personnelle. Elle flottait au septième ciel ! En vérifiant la liste des personnes à inviter, elle pensait à la surprise du Cardinal et à sa joie lorsqu'il verrait ce qu'on avait préparé cette année. Elle ne pouvait s'empêcher d'éprouver pour lui un sentiment amoureux. Au début, voilà quelques années, elle prenait cette passion pour une ferveur religieuse bien naturelle mais, petit à petit, elle s'était rendu compte qu'il s'agissait de beaucoup plus que cela. Il l'attirait physiquement, agissant comme un aimant qui faisait réagir chacune de ses cellules et la mettait dans un état indescriptible. Dès qu'elle le rencontrait, il se produisait dans tout son corps une réaction instantanée. C'était une sorte de déclic instinctif qu'elle ne pouvait pas maîtriser, un appel d'une force renversante et inconnue jusqu'alors. Sans même s'en rendre compte, chaque fois qu'elle l'approchait même pour lui parler des choses les plus banales, la pulsion de son désir emportait son esprit et Suzanne s'imaginait faisant l'amour avec lui, ardente et insatiable...

De se transformer en brasier charnel n'était pourtant pas dans sa nature, car elle repoussait souvent les avances de son mari, par manque d'intérêt pour la chose! Cependant, elle ne répondait plus d'elle-même en présence de Son Éminence, guettant dans ses yeux une lueur d'intérêt, cette flamme qu'elle savait si bien allumer et qui le consumerait un jour ou l'autre... Elle en avait fait son but, son défi même! Suzanne Pellerin s'était jurée d'être la maîtresse du Cardinal. Personne ne viendrait lui barrer la route...

Plus les semaines passaient et plus elle rêvait d'être dans ses bras.

*

Kateri avait beau faire, elle avait la nausée. Penchée sur sa machine depuis bientôt une heure, elle sentait le cœur lui lever et un goût aigre lui remonter dans la gorge. Encore ce matin, elle avait évité de manger des œufs, mais son déjeuner ne passait pas. Elle arrêta brusquement le moteur, repoussa son ouvrage et sortit en courant, se dépêchant d'aller vomir dans les toilettes... Elle resta là quelques secondes et prit trois ou quatre longues respirations afin de donner à son visage le temps de reprendre des couleurs. Lorsqu'elle revint, sœur Marie-Anne la regardait fixement, l'œil inquisiteur:

– Es-tu sûre, Kateri, que ta santé est bonne ces temps-ci?

Kateri rougit et répondit avec précipitation:

–Oui, oui, ma sœur, ça va bien! Ça va très bien...
J'ai sans doute mangé quelque chose qui ne passait
pas...

–Il me semble que cela t'arrive souvent, ces
temps-ci!

Elle ne savait plus quoi répondre. Sœur Marie-
Anne posa un regard insistant sur la taille de Kateri
qui s'arrondissait légèrement sous la ceinture du
tablier bien ajusté... La jeune fille se sentit soudain
encore plus mal. En toute hâte, afin d'éviter de nouvelles questions, elle reprit son ouvrage, poussant le
tissu qui défilait, transformé sous les rapides coups de
l'aiguille. Au fur et à mesure que la journée avançait,
la nausée disparaissait et Kateri, qui n'avait pas faim,
essayait d'oublier ses malaises en travaillant encore
davantage. Elle savait qu'elle était enceinte, elle en
était sûre depuis bientôt trois mois... Le premier mois
sans ses règles avait passé si vite! Elle se sentait mer-
veilleusement bien! Il y avait dans tout son corps
comme un regain d'énergie, un enthousiasme tout
neuf, un étonnant ravissement devant ce bien-être qui
s'infiltrait partout et lui faisait voir la vie en rose. Elle
aurait pu veiller des nuits entières et remuer ciel et
terre à l'ouvrage!

Ensuite, les semaines avaient passé sans qu'elle se
préoccupe trop de son état. Après ce premier mois de
félicité, la nausée était apparue invariablement tous les
matins, en plus des cernes qui soulignaient ses yeux.
Peut-être aurait-elle dû aller voir la vieille Indienne qui
vivait du côté de la rivière des Prairies... C'était une
femme que l'on disait un peu sorcière et qui vivait seule
depuis bien longtemps, *remmancheuse* et guérisseuse,
à en croire les témoignages de tous ceux qui la rencon-

traient. Si Kateri y était allée tout de suite, la vieille lui aurait sûrement donné un remède pour faire passer l'enfant... car elle connaissait tous les secrets des plantes. Mais Kateri n'avait rien fait. Absorbée par la routine de son travail, elle avait laissé les semaines défiler sans s'en apercevoir. Au fond, elle ne refusait pas cette maternité, bien au contraire! Elle aimait le père de l'enfant à venir mais elle était terrorisée par la perspective de devenir une fille-mère. Étant très éprise de Son Éminence, elle ressentait profondément l'amour qu'ils vivaient clandestinement. Donc, cet enfant serait heureux, imprégné dès l'instant de sa conception par l'attraction qui unissait ses parents: c'était ce qui lui importait. Son sang amérindien lui dictait sa conduite et lui montrait qu'il fallait suivre la voie du cœur. Kateri, fille simple et sans détours, n'aurait pas vu de complications dans ce que la vie lui proposait au jour le jour, si ce n'était des religieuses qui l'entouraient et qui avaient un grand ascendant sur son destin. Elle prenait les choses comme elles venaient, persuadée en agissant ainsi d'avoir la bonne attitude.

Comment allait-elle s'y prendre pour annoncer la nouvelle aux religieuses et à ses compagnes? Elle savait qu'elle ne pouvait pas le faire sans avoir à répondre à une série de questions embarrassantes: les enfants nés en dehors du mariage n'étaient pas les bienvenus chez les Blancs. On les appelait des bâtards, et la mère était considérée comme une fille sans vertu. On la montrerait du doigt, elle serait méprisée. Pire encore, les réactions des sœurs qui attendaient impatiemment qu'elle se décide à entrer en religion seraient terribles. Sans le vouloir, Kateri était devenue prisonnière des projets qu'on avait pour elle; maintenant elle sentait qu'on allait la rejeter. Anxieuse, elle imaginait la conversation avec mère Marguerite :

– Ma Mère, je viens vous annoncer que je désire quitter le couvent !

– Comment, ma fille, après tout ce que nous avons fait pour toi ? Dieu m'est témoin de ton ingratitude...

– Ma Mère, je vous suis reconnaissante de tout ce qui m'a été donné, mais...

La suite lui serait impossible à exprimer... La seule perspective de dire qu'elle était enceinte la terrorisait, en même temps que tout cela lui paraissait bien étrange... Pourquoi donc rendre si difficile le processus de la vie ? Ne pouvant parler sans risquer de mettre en péril sa réputation, elle avait décidé de se taire et attendait l'instant propice pour annoncer la nouvelle à son amant. Le Cardinal saurait lui dire quoi faire dans sa sagesse d'homme mûr.

Ces dernières semaines, il avait été très occupé et Kateri l'avait vu moins régulièrement, ce qui lui laissait le loisir de réfléchir. Mais elle avait hâte de lui parler, afin de dissiper ce silence mensonger. Si elle avait vécu dans son peuple, la chose aurait été facile ! Il lui aurait suffi de déclarer qu'elle aimait le père de son enfant : toutes les mères de la communauté l'auraient aidée à traverser cette période sans émettre le moindre commentaire négatif. C'était tout particulièrement dans ces moments que la solidarité et la simplicité de ceux de sa race lui manquaient. Dans l'impossibilité de parler, de se confier à quiconque, elle ressentait de l'isolement dans sa condition de « fille-mère », comme disaient les Blancs ! Souvent, elle pensait : « Quel dommage que les deux civilisations, celle de mes ançêtres et celle des Blancs, n'aient pu s'entendre! Avec ce qu'elles ont de meilleur, on aurait pu tisser de nouvelles coutumes afin que tous soient sans distinction les enfants de l'Amérique moderne, une Amérique bénie et heureuse… Mais non, il faut depuis bientôt quatre cents ans se soumettre à des usages étranges et inconnus, des principes humiliants pour les Amérindiens, et les Blancs y semblent si attachés qu'ils ne reculent devant rien pour les faire respecter. Pourtant, ils ont fait fi de toute justice sur cette terre qui ne leur appartenait pas… Ils ont pris et massacré. Il faut bien qu'il y ait quelques rebelles, comme mon cher frère, pour essayer de garder les traditions vivantes après les terribles défaites de notre peuple! » Tout cela était très compliqué… Kateri la sauvagesse, en fille pauvre et colonisée, s'était laissé convaincre. Il valait mieux se comporter comme une convertie et garder sa fierté dans son cœur d'Indienne. En taisant ses origines, elle ne faisait de mal à personne, bien au contraire…

Lorsqu'elle eut fini sa journée, elle s'attarda un peu à la cafétéria avec ses compagnes habituelles, Pierrette et Manon. Pierrette ne put s'empêcher de remarquer:

– Kateri, comme tu as l'air fatiguée! Tu devrais en faire moins, ces jours-ci!

Kateri ne répondit pas… À quoi bon? Ensuite, elles firent une promenade dans le parc, où la neige et le gel recouvraient les allées, en évoquant leurs familles qui habitaient loin de la ville.

– C'est dur de ne pas voir la parenté…

– Moi, ce qui me manque le plus, ce sont les bois, les terres et la cabane à sucre au sortir de l'hiver! Je me sens enfermée ici…, disait Manon.

– Moi, je m'ennuie tant des beignes que ma mère nous faisait le dimanche et des crêpes sur le poêle qu'on arrosait de sirop d'érable… et de mes sœurs et de mes frères… Mais je vais tous les revoir bientôt, pour les noces! Je vous invite…

Pierrette préparait son prochain mariage avec un menuisier dont elle était amoureuse, un bon garçon qui venait du Lac-Saint-Jean. Elles étaient toutes les trois enthousiastes à cette perspective. Kateri souhaitait tout le bonheur du monde à Pierrette, mais elle eut un petit pincement au cœur en pensant qu'elle ne pouvait pas parler de ses amours à elle…

Ensuite, elles allèrent réciter les vêpres à la chapelle avant de regagner leurs chambres. Dehors, le froid était vif. Les carreaux givrés des fenêtres se paraient de ramages glacés aux dessins extravagants. Le silence avait de nouveau enveloppé le parc, le bruit de la ville était assourdi par la nuit tombée, et tout le couvent se taisait. On n'entendait plus dans les corridors que le froissement des lourdes robes de drap, c'étaient les sœurs de la Sainte-Famille qui s'en allaient dormir.

Lorsque Kateri arriva à sa chambre, son sang ne fit qu'un tour. Son amoureux était là, souriant de sa surprise. Ce soir, elle ne s'attendait pas à ce bonheur! Elle lui sauta dans les bras. Il s'attarda plus longuement que d'habitude auprès d'elle, réclamant avidement la douceur de sa peau, la chaleur de son ventre et la tendresse de son corps de femme, tout au long du rituel de leurs amours. Puis il s'assoupit légèrement, ce qui était tout à fait inhabituel. Même si elle désirait vivement lui confier son secret, Kateri n'en fit rien. On aurait dit qu'une main invisible la retenait chaque fois qu'elle voulait aborder le sujet. Se fiant à ce qu'elle ressentait, elle se tut, pensant que l'heure n'était pas encore venue, et elle se contenta d'aimer encore plus fort qu'à l'habitude son grand homme si sensuel. Pendant tout le temps que dura leur étreinte, elle l'écouta lui répéter avec passion les mêmes mots pleins de douceur dont elle ne se lassait jamais. Ces mots résonnaient comme une mélodie à ses oreilles et dans son cœur. Il disait :

– Ma douce… ma belle enfant… ma jolie colombe… mon trésor caché…

Quand il se leva pour la quitter, elle était à moitié endormie et entendit comme dans un rêve les voix familières d'une conversation, au bout du corridor où se trouvait sa chambre.

Kateri se réveilla plus tard qu'à l'habitude. La cafétéria était déjà pleine de monde au moment où elle s'assit pour prendre son déjeuner à côté de Manon et de Monique, qui avaient déjà presque terminé leur repas.

– Kateri, tu es passée tout droit ce matin ! Que t'arrive-t-il donc ?

– Dépêche-toi un peu si tu veux qu'il te reste une galette aux bleuets, elles sont délicieuses !

Suzanne Pellerin se tenait à la table centrale, entourée de la Mère supérieure et de sœur Marie de l'Espérance. Elles parlaient toutes les trois avec animation, mais à voix basse. Suzanne s'arrêta net lorsqu'elle vit Kateri et la fixa une fois de plus de ce regard noir que rien ne justifiait. Kateri eut un léger frisson, elle n'aimait pas ce regard et elle aimait encore moins qu'il s'adresse à elle…

La journée s'annonçait rude. Le ciel, comme s'il avait voulu affirmer sa colère, charroyait une neige fondante qui se transformait en grêlons, martelant les vitres dans un fracas assourdissant. Non seulement la lingerie débordait de travail à faire, mais de plus ses terribles nausées ne la quittaient pas et l'incommodaient plus qu'à l'ordinaire. Kateri avait froid. Ses pieds étaient gelés. Elle frissonnait. Elle fit de son mieux, mais un violent mal de tête l'obligea bientôt à s'arrêter de coudre. La tête lui tournait. Sœur Marie-Anne, la voyant ainsi, eut pitié d'elle. Elle fit appeler Monique et envoya Kateri se reposer jusqu'au lendemain, en lui faisant prendre quelques comprimés d'aspirine et du thé bien chaud. Tant pis pour les travaux en cours, tant pis pour les soutanes! Kateri monta dans sa chambre. Tout ce qu'elle voulait, c'était dormir!

Elle gravit les escaliers en se traînant. Lorsqu'elle arriva dans la petite chambre, des douleurs lui martelaient violemment les tempes. Son lit lui tendait les bras et il lui tardait de s'allonger. Quelle ne fut pas sa surprise, en se déshabillant pour se coucher, de voir sur le petit fauteuil à côté de son lit un étrange paquet! La forme mal définie ne permettait pas d'en deviner le contenu. D'un naturel très ordonné et n'ayant que fort peu de choses à elle, Kateri ne pensait pas que l'objet pouvait lui appartenir... Elle prit le paquet et le soupesa. Il était lourd et enveloppé dans du papier brun. Qui avait bien pu s'introduire chez elle pour le déposer? Et pour quelle raison? Kateri ouvrit le sac de papier. Un tissu de coton blanc enroulait soigneusement l'objet. C'était anormalement lourd... N'ayant aucune idée de ce que cela pouvait être, elle déroula le tissu. Ce qu'elle vit la laissa perplexe... C'était un des chandeliers de l'autel de la

Vierge qu'elle connaissait bien. Qui avait mis cela dans sa chambre? Qu'est-ce que cela signifiait?

Le premier moment de surprise passé, elle se mit tout à coup à trembler. Une peur irraisonnée lui traversait le corps et la faisait paniquer comme cela ne lui était jamais arrivé. Le chandelier dans les mains, Kateri ne savait plus quoi faire… Elle n'avait plus du tout envie de dormir, il n'en était même plus question!

*

Pendant ce temps, tout le couvent était sens dessus dessous. C'est Suzanne Pellerin qui avait sonné l'alarme: un des chandeliers en argent massif de l'autel de la Vierge avait disparu! Ces chandeliers étaient des pièces d'orfèvrerie uniques datant du XVIIe siècle: les joyaux de la chapelle, un trésor dont tout le monde était fier! Suzanne s'était aperçue qu'il en manquait un en allant assister à la première messe, ce matin, très tôt. Le chandelier avait probablement été volé et cela venait tout juste de se faire, car la sœur chargée de disposer les fleurs avait changé les bouquets quelques minutes auparavant sans rien remarquer d'anormal.

Après avoir alerté mère Marguerite qui, abasourdie, se demandait comment réagir, Suzanne Pellerin, toute fébrile et dont la voix était plus aiguë que jamais, prit la direction des opérations:

–L'incident est de taille, ma Mère, il faut immédiatement en faire rapport à l'archevêché!

En fait, elle voulait être la première à prévenir Son Éminence. Madame Pellerin et mère Marguerite

se firent donc conduire sans plus attendre et montèrent toutes les deux chez le Cardinal pour faire le récit
de la disparition, pendant que Joseph, qui suivait
Suzanne dans tous ses déplacements, les attendait en
bas à la réception. Le Cardinal écouta attentivement
les commentaires des deux femmes et sembla lui aussi
très affecté par l'incident.

– Quelle catastrophe ! Ces chandeliers sont parmi
les rares objets hérités de nos ancêtres venus d'Europe...

Il se tourna vers la religieuse, qui semblait avoir
perdu tous ses moyens. En effet, mère Marguerite,
désemparée, agitait la tête sous son voile, en regardant Suzanne comme si cette bonne madame Pellerin
était la seule à pouvoir les sauver ! Suzanne se sentait
importante, le rose colorait ses joues. L'admiration du
Cardinal et de la Mère supérieure lui allait à ravir !
Les occasions se multipliaient comme par enchantement pour qu'elle se retrouve dans l'intimité du Cardinal !

Déjà hier soir, très tard, Suzanne, qui avait fort à
faire au couvent, avait croisé le Cardinal avant de
repartir chez elle. Il avait paru si étonné de la voir !
Suzanne avait cru surprendre le regard d'un homme
pris en défaut... C'était juste au moment où, après
être montée porter le protocole des célébrations dans
le casier de la Mère supérieure, elle se trouvait sur le
palier, entre le deuxième et le troisième étage. Lui
emboîtant le pas jusque dans le hall d'entrée, Son
Éminence lui avait demandé aimablement des nouvelles de toute la famille. Elle s'était dit à ce moment-là :
« À bien y penser, que faisait le Cardinal au troisième
étage du couvent à cette heure tardive ? » Alors, un

doute avait traversé son esprit… « À cette heure-ci, il ne revient certainement pas d'un entretien avec mère Marguerite! Se pourrait-il que le Cardinal ait rendu visite à une des jeunes femmes? Serait-ce encore cette Kateri? C'est impossible!» Suzanne n'avait pas dormi de la nuit, en proie à des fantasmes de toutes sortes…

Cette fois encore, dans le bureau du Cardinal, elle avait, malgré la présence de la religieuse, une attitude discrètement provocante, jouissant de son trouble. Il y avait entre eux cette sorte d'attraction peu ordinaire qui à la fois charmait le Cardinal et l'agaçait au plus haut point… Piquée au vif, elle cédait à ce désir fou qui avait le goût du fruit défendu. Madame Pellerin ne se rendait même plus compte qu'elle perdait la tête…

Le Cardinal l'écoutait. Comme il en avait l'habitude, il prêtait attention aux paroles de Suzanne et à ses moindres gestes, il respirait son parfum capiteux et aurait aimé dans ces moments être un homme ordinaire. Mais il s'efforçait de ne pas réagir. L'affaire était importante. Si l'un des chandeliers avait disparu de la chapelle, cela pouvait vouloir dire deux choses: premièrement, que la surveillance n'était pas suffisante et qu'un voleur s'était introduit sur les lieux. Deuxièmement, s'il y avait une voleuse ou un voleur dans la communauté, on pouvait soupçonner bien du monde… depuis l'électricien jusqu'au laitier, en passant par les religieuses et les pensionnaires. Par où commencer? Le Cardinal formulait ces réflexions à voix haute comme pour montrer qu'il prenait en considération les remarques de Suzanne, et celle-ci ne se gênait pas pour y aller de sa version des faits:

– Vous savez, Votre Éminence, c'est terrible, mais il est évident que cela ne peut être que quelqu'un de la communauté… Sœur Marie de l'Espérance n'a rien remarqué lorsqu'elle a changé les bouquets… La première messe venait à peine de commencer et, à cette heure si matinale, il faisait encore noir.

– Ma chère Suzanne, étiez-vous seule lorsque vous avez assisté à cette messe ?

– Non… La chapelle était presque vide… enfin… comme à l'accoutumée, excepté quelques-unes de nos bonnes religieuses ! Joseph m'accompagnait, se tenant à l'écart, voyez-vous, et Joseph est un peu simple d'esprit, comme chacun le sait. Je n'ai rien remarqué… j'étais absorbée dans mes prières…

– C'est certain… Dites-moi, Suzanne, où se tenait Joseph ?

– Il était dans le coin de l'autel de la Vierge, mais il allait et venait…

– Que faisait-il ?

– Je ne saurais vous dire. Je l'ai vu sortir…

Le Cardinal appela : il voulait voir Joseph immédiatement, mais l'entrevue avec celui-ci fut décevante. On ne put rien lui faire dire, sinon qu'il était sorti pour aller aux toilettes et qu'il était revenu attendre madame Suzanne. Il répétait inlassablement les mêmes choses qui ne menaient à rien. De plus, qu'aurait-il fait du chandelier ? Il fallait trouver une autre piste.

Le Cardinal renvoya Joseph qui, fatigué par l'interrogatoire, attendit Suzanne en se cachant derrière l'une des causeuses du parloir, accroupi par terre et recroquevillé sur lui-même. Les bras repliés au-dessus de la tête, il tremblait. Ce fut sœur Madeleine qui le trouva en passant l'aspirateur :

– Voyons, Joseph, que fais-tu ici ?

Joseph hochait la tête et refusait de répondre.

– Joseph, relève-toi…

Peine perdue. Joseph était étrange. Mais on savait que le pauvre n'avait pas toute sa tête. Suzanne, redescendant de chez le Cardinal, prit congé de la Mère supérieure et appela un taxi. Elle voulait rentrer chez elle et raccompagner Joseph, qui la suivit comme un petit chien suit son maître. Dès qu'ils eurent passé la porte, elle le prit par le bras et lui dit en baissant le ton :

– C'est bien, Joseph. Dépêche-toi donc, monte dans l'auto… Tu n'as rien dit à personne au moins ? Tu es bien sûr ?

Elle était nerveuse et Joseph n'aimait pas cela. Il avait un peu peur d'elle.

– Madame Suzanne, j'ai rien dit, rien du tout… rien du tout ! Êtes-vous fière de moi ?

Le visage de Joseph s'éclaira en voyant la satisfaction de madame Suzanne.

– C'est sûr, je suis fière de toi ! Tu as bien mis le chandelier dans la chambre de la sauvagesse ?

Joseph la regarda et fit oui de la tête.

– Maintenant, écoute-moi bien : tu ne parleras jamais plus de cette histoire ! Jamais !

– Oh non, jamais, madame ! Jamais…

Elle l'emmena manger une soupe et le renvoya chez lui avec un gros billet de cinq dollars tout neuf. Joseph écarquillait les yeux et serrait son chapeau dans ses mains. Il répétait sans cesse :

– Merci, madame Suzanne, merci, madame…

Suzanne lui remit un deuxième billet et lui fit encore promettre de ne rien dire à personne.

Dans sa chambre, Kateri restait immobile et toute à ses craintes. Elle était si surprise de ce qu'elle venait de trouver qu'elle n'entendit pas sœur Marie-Anne frapper et ouvrir la porte. La bonne religieuse, inquiète pour sa meilleure ouvrière, venait voir si celle-ci ne manquait de rien et lui apportait sur un plateau un bol de soupe bien chaude qu'elle voulait la voir manger. Mais elle ne s'attendait pas à voir ce qu'elle vit alors… Kateri, en chemise, avait dans les mains le chandelier que tout le monde cherchait! Elle le tenait et le regardait fixement, comme si elle l'admirait. Stupéfaite, sœur Marie-Anne renversa le bol de soupe:

–Kateri, mais que fais-tu donc? Oh, réponds-moi, Kateri!

Kateri, muette, se précipita pour réparer les dégâts, tandis que sœur Marie-Anne, attrapant le chandelier des mains de la jeune femme, attendait une réponse qui ne venait pas. C'était bien cela, elle ne s'était pas trompée…

–Kateri, que fais-tu avec ce chandelier? Réponds-moi donc… Mon Dieu, comment est-ce possible?

Elle se signa. Kateri ne répondait toujours pas, elle pleurait. En l'espace de quelques secondes, les murs et les objets familiers avaient pris des allures menaçantes sous le regard soupçonneux de la religieuse. Sœur Marie-Anne, habituellement si douce, ne savait plus quoi faire. Devant le mutisme de la jeune femme, elle eut une réaction de colère:

–Si tu ne me dis pas ce qu'il en est, je dois te conduire à la Mère supérieure…

–Ma sœur, je ne sais pas, je ne sais vraiment pas!

La tête lui tournait. La nausée revenait en force. Kateri se sentait si mal qu'elle crut s'évanouir. La vieille religieuse insistait:

–Comprends-moi, Kateri, je n'ai pas le choix! Viens avec moi.

Sœur Marie-Anne hochait vigoureusement la tête, à la fois stupéfaite et outrée. D'ailleurs, elle commençait à avoir des doutes sur l'honorabilité de la jeune femme, dont le ventre lui paraissait devenir plus rond chaque jour...

Kateri la suivit. À quoi bon se battre? Elle savait très bien ce qui allait se passer: on allait l'accuser d'être une voleuse... C'est exactement ce qui arriva. La Mère supérieure fut intransigeante et n'eut aucune hésitation. Pressée par madame Pellerin et le Cardinal de régler cette affaire tambour battant, elle avait repris son assurance. Incrédule devant les réponses négatives de Kateri, doutant non seulement de sa bonne foi, mais aussi de sa moralité, elle l'emmena sur-le-champ à l'archevêché, après avoir fait prévenir cette bonne madame Suzanne.

*

Le Cardinal était dans un très mauvais jour. Il arpentait nerveusement son bureau en essayant d'allumer sa vieille pipe en écume. Mais le tabac refusait de prendre. Il sortit un cure-pipe et commença à en ramoner nerveusement le fourneau. Un affreux petit tas de nicotine agglutinée tomba sur sa belle soutane et y fit une tache, juste au centre de la poitrine! Il sonna pour demander un nouveau vêtement.

Ce matin-là, il y avait eu le vol du chandelier, et tout à l'heure trois de ses diacres, en plus du chanoine Plamondon, étaient venus lui annoncer qu'ils désapprouvaient les décisions prises quant aux dépenses de l'archevêché. La chancellerie était sens dessus dessous. Non seulement ces messieurs trouvaient que le Cardinal menait trop grand train, mais ils osaient exprimer leur désaccord sur des questions dogmatiques. Le Cardinal ne tolérait pas la dissidence. La rigueur était indispensable pour rassembler les forces vives d'une Église attaquée de toutes parts dans le monde. Pareille insolence ne s'était jamais vue. Il n'était pas homme à laisser ébranler son pouvoir d'aucune façon et il songeait à ce qu'il considérait comme un incident grave : « Je trouverai le moyen d'écraser dans l'œuf le levain de cette prétentieuse révolte ! » Il en était là dans ses pensées lorsqu'on lui annonça mère Marguerite. Il poussa un grand soupir et se dirigea vers la salle de conférences, de l'autre côté du corridor : « Devrais-je lui rappeler qu'elle a le devoir de régler elle-même les questions d'ordre pratique, comme cette histoire assommante dont tout le monde parle depuis ce matin ? » Le Cardinal perdait patience au sujet de cette fâcheuse affaire de disparition, car personne ne pouvait lui donner d'indice. Lorsque la Mère supérieure, le visage pincé, lui rapporta le chandelier, suivie de Kateri qui pleurait et de Suzanne Pellerin enrobée d'un nuage de parfum, il eut un mouvement de recul :

– Qu'est-ce que cela signifie ?

La Mère supérieure, catégorique, accusa Kateri d'être la voleuse. Ayant retrouvé son assurance, la jeune fille niait catégoriquement et clamait son innocence. Pourquoi lui en voulaient-ils tous? Suzanne Pellerin jubilait: on tenait enfin la coupable! Le Cardinal, tout de même soulagé d'avoir retrouvé le trésor de son diocèse, avait un visage de monarque outragé. On était en plein drame. Suzanne, pour bien se mettre en valeur, s'approcha très près du Cardinal et lui souffla tout bas:

– Votre Éminence, je ne suis pas du tout étonnée. Cette fille, avec ses fréquentations!

Il y eut un grand silence. Tous les regards convergeaient vers la pauvre petite, qui sentait son cœur faire naufrage. Le Cardinal prit son air des grands jours en relevant le menton.

– C'est bon, qu'on me laisse seul avec elle...

Il emmena Kateri dans son bureau.

*

Il faisait froid. Il n'y avait aucun éclairage, et une odeur de désinfectant et de soupe réchauffée montait depuis les cuisines. Allongée dans sa cellule, en proie à un profond désarroi, Kateri, grelottante, se demandait encore comment le père de son enfant avait eu le cœur de la faire jeter en prison. Le Cardinal n'avait pas tenu compte de ses protestations. Elle avait eu beau lui réitérer son innocence et lui raconter comment elle avait trouvé le chandelier dans sa chambre, il était resté hermétique et ne semblait ni l'entendre ni prendre en considération ce qu'elle lui disait. Kateri ne l'avait jamais vu ainsi!

Pendant tout le temps de son interrogatoire, qui s'était pourtant déroulé en tête-à-tête, le Cardinal l'avait regardée durement, sans la moindre lueur de compassion dans les yeux. Il ne s'était pas approché d'elle et ne l'avait pas touchée... comme si elle avait eu tout à coup quelque maladie contagieuse. Tout ce qui semblait lui importer était le vol du chandelier, le chandelier que l'on avait retrouvé chez Kateri.

Comment pouvait-il mettre sa parole en doute? Elle ne comprenait pas! Kateri était restée figée par sa dureté. Sans argument solide, elle ne pouvait se défendre et lui avait simplement répété, assise timidement sur le bout de sa chaise, comme pour se justifier:

– Votre Éminence, le chandelier va reprendre sa place sur l'autel de la Vierge! Et j'en suis bien contente!

Mais il demeurait sourd à ses paroles. Il s'agitait, faisait de grands gestes et l'accusait encore.

– Tu n'es qu'une voleuse!

Il lui avait posé quelques questions très insidieuses sur ses fréquentations. Kateri n'avait pas de fréquentations. C'était lui, le Cardinal, qui avait décidé de la fréquenter et de venir chez elle lorsqu'il le voulait. Elle le lui avait fait remarquer calmement, avec toute son innocence. Il avait paru ébranlé, avait pris une grande respiration et l'avait regardée longuement en tapotant le crucifix qui ornait le centre de son bureau. Visiblement très nerveux, il s'était retourné. Kateri attendait patiemment le verdict... Lorsqu'il lui avait annoncé qu'elle était renvoyée immédiatement, elle avait éclaté en sanglots. Alors, maladroitement, en reniflant et en s'essuyant les yeux, Kateri lui avait annoncé:

– Je... j'attends un enfant!

Il s'était penché brusquement vers elle en criant, comme s'il ne pouvait plus maîtriser sa colère:

–Comment oses-tu, dans un moment pareil, invoquer de tels arguments ?

Kateri, terrifiée par la tournure que prenaient les événements, n'avait pu proférer une parole. Le regardant sans le voir, elle n'entendait pas les mots accusateurs, elle avait mal. Les larmes avaient jailli tout droit de son cœur pour inonder ses yeux. Elle se sentait brisée, pétrifiée. Il avait continué :

–Sais-tu, ma fille (jamais il ne l'avait appelée ainsi), que le mensonge est un péché qui peut t'entraîner jusqu'en enfer ? Et l'enfer est la pire des punitions que nous ayons à redouter ! À ta place, je mourrais de honte... Que je n'entende plus parler de tout ceci ! Rappelle-toi que nous t'avons recueillie par pure charité et souviens-toi que tu nous as dépouillés, que tu as volé tes bienfaiteurs, nous qui t'avons accueillie ici...

Un mur s'était dressé entre eux, un abîme infranchissable que rien ne pourrait plus combler. Lui, le grand homme, s'était laissé emporter par ses émotions, qui remplissaient la pièce comme des monstres hurlants. Il avait perdu son sang-froid. Le Cardinal avait été si menaçant en pointant un doigt vers elle qu'elle avait eu vraiment peur. Tout son corps avait paru se déployer et s'allonger de deux ou trois pieds. Il était devenu comme un géant que la colère faisait grandir de seconde en seconde quand il se penchait vers elle avec un rictus effrayant. Kateri, le dos bien droit sur le bord de son fauteuil, fiévreuse et abasourdie, n'avait pas pu se défendre. Cet homme qui était devant elle et qui l'accusait méchamment, elle ne le reconnaissait pas. Il n'était pas celui qu'elle aimait, ni celui qui se montrait si tendre avec elle, il n'était pas son bien-aimé! Elle avait eu envie de crier. C'était lui, le menteur, l'homme sans cœur et sans scrupules, lui, qui avait osé la rabaisser au rang de mauvaise chrétienne et de voleuse! Égaré par ce qui le troublait, le Cardinal avait cédé à la religion des apparences et s'était laissé aller à ses craintes sans avoir le courage de reconnaître son erreur. Il n'avait pas écouté la voix des enseignements du Christ, celle de la fraternité, celle qu'il prêchait à tous en maître incontesté. Il avait été sourd à la vérité… Pendant ces quelques minutes, tout ce que Kateri avait compris, c'est qu'elle ne pourrait espérer aucune justice, aucune pitié, aucune charité venant de cet homme avec qui elle avait partagé des moments si intimes.

Le Cardinal, puissant, honoré, parlait de vertu à des foules réunies pour boire ses paroles. Il entraînait des peuples entiers dans le sillage de Jésus, au nom de Jésus, et se conduisait comme le dernier des goujats. La situation était inimaginable, Kateri n'avait jamais envisagé un pareil dénouement. Elle ignorait que l'on pouvait se conduire ainsi. La petite Indienne avait découvert que la morale est un idéal que les puissants imposent au peuple sans s'y astreindre eux-mêmes. Humiliée, bafouée, impuissante, Kateri avait été emmenée par des policiers et s'était vu enfermer dans une cellule de la prison des femmes, rue Fullum, sans autre forme de procès. Elle y était depuis huit jours et n'avait aucune idée de ce qui l'attendait.

*

La décision du Cardinal était sans appel. Assis derrière son bureau, la tête entre les mains, en profonde méditation, le Cardinal se demandait quoi faire et revoyait un à un les incidents des derniers jours. Devant lui, posée dans un cendrier d'albâtre, sa vieille pipe s'éteignait doucement. Il était empêtré dans une situation dont l'issue pouvait être fatale pour sa réputation. En premier lieu, l'affaire du chandelier. Il s'était longuement entretenu avec la Mère supérieure, puis avec Suzanne Pellerin. Les deux femmes l'avaient convaincu que Kateri avait dérobé l'objet. La Mère supérieure alléguait que Kateri envoyait fréquemment des paquets à ses frères de race de la paroisse d'Oka et que ceux-ci, n'ayant aucun scrupule à voler, l'avaient sans doute poussée à faire ce mauvais coup… C'était plausible! Il entendait encore ses paroles:

– Votre Éminence, tout comme moi, vous n'ignorez pas que les sauvages volent tout ce qu'ils trouvent!

Suzanne, quant à elle, lui avait judicieusement rappelé:

– Votre Éminence, je ne voudrais pas insister, mais j'ai vu Kateri à quelques reprises avec cet individu aux allures louches! Au restaurant, par exemple… Ce sauvage a un casier judiciaire chargé, si j'en crois mon mari. Il a été récemment libéré sous caution pour avoir manifesté devant le parlement d'Ottawa avec ses comparses… C'est un rebelle! Un criminel!

Suzanne insistait beaucoup sur le fait que personne n'avait de motif pour commettre un vol à l'archevêché. Deuxièmement, et cela ennuyait encore bien plus le Cardinal, c'était le fait que Kateri soit enceinte… Tout d'abord, il avait été sceptique et avait réagi violemment. Mais, à bien y penser, elle avait peut-être dit la vérité! Si la chose était juste, personne ne devait savoir qu'il était le père de cet enfant. Il était considéré dans toute la très catholique province comme l'homme le plus saint et le plus vertueux qui soit... Lui-même, le Cardinal, pris en flagrant délit de concupiscence et de paternité ! C'était incroyable et inacceptable... Donc, il avait réagi vite. Extrêmement vite ! Kateri devait disparaître avec son gros ventre et il fallait à tout prix l'empêcher de parler... D'ailleurs, qui la croirait ? Toutefois, par mesure de sécurité, pourquoi ne pas la faire emprisonner ? Où pourrait-elle être plus muette qu'en prison ? Derrière les barreaux, tout le monde aurait tôt fait de l'oublier et elle ne pourrait pas raconter son histoire... Ce vol arrivait vraiment à point nommé. Ainsi, l'incarcération de Kateri paraîtrait naturelle à tous. Publiquement, il sauverait la face : c'était la seule chose qui lui importait. Ce qu'il pourrait faire, c'est s'organiser de façon subtile, et par personne interposée évidemment, pour qu'elle ait un traitement de faveur. Ainsi, en plus de sauvegarder les apparences, il aurait l'air d'être clément, ce qui lui vaudrait le respect, voire l'admiration de tous, si jamais cette malencontreuse affaire s'ébruitait ! Quant à l'enfant, cet enfant qu'il avait conçu en s'abandonnant aux plaisirs de la chair, il fallait maintenant lui assurer un avenir décent. C'était son devoir. Son cœur de père était ému rien qu'à cette idée... Il lui restait encore quelque temps pour trouver une solution, avec l'aide du Seigneur...

Ce soir-là, le Cardinal resta agenouillé en prières pendant une grande partie de la nuit. Seul au pied de l'autel dans la chapelle de l'archevêché, il implorait le Christ de lui éviter l'humiliation et de préserver la pourpre cardinalice qu'il avait reçue des mains du

Saint-Père. Il avait fait allumer des lampions au pied de tous les saints afin de s'assurer leur intercession et, après avoir dit une messe spéciale et s'être administré la communion, il ne voyait plus les heures passer. Silencieux, baigné dans la pénombre tremblotante des petites flammes, Son Éminence priait Dieu de lui redonner la paix du cœur. Lorsque le frère sacristain entra dans la chapelle, au petit matin, le Cardinal s'était endormi sur la grande chaise à la droite du chœur...

*

Dans tout le couvent de la Sainte-Famille, on avait réagi au départ de Kateri. La nouvelle avait eu l'effet d'une bombe, dont la Mère supérieure avait très vite étouffé les retombées... Les consignes du Cardinal avaient été parfaitement claires et elle les faisait appliquer comme il se doit, sans rien dire. De toute évidence, il savait ce qu'il avait à faire ! Inutile de discuter. C'est pourquoi, lorsque les compagnes habituelles de Kateri, Manon, Pierrette et Monique, avaient exprimé leur désarroi, lorsqu'elles avaient posé des questions, on leur avait enjoint de ne faire aucun commentaire et de garder pour elles leurs réflexions. Alors, Pierrette s'était écriée, les larmes aux yeux :

– Je vous en prie, sœur Marie-Anne, ditès-moi où se trouve Kateri...

Elle avait reçu pour toute réponse :

– Tu sais bien, Pierrette, que ce chapitre est clos !

Pierrette n'en croyait pas ses oreilles... On feignait d'ignorer où était son amie ! Et il aurait fallu en quelque sorte gommer à partir de maintenant toute trace de son existence... Sœur Marie-Anne, le cœur gros, sans l'avouer, avait remis dans un sac les quelques effets personnels de Kateri, qu'un prêtre était venu chercher. Il n'avait donné aucune indication sur la destination du paquet. Seul un mot lourd de haine et de mépris courait encore, chuchoté rapidement le long des corridors de passage: «C'était une voleuse...» Dans la communauté, la routine avait vite repris tous ses droits, en dépit du chagrin de Pierrette et de Manon. Quelques jours après l'incident, il n'y paraissait plus. Pourtant, la lingerie semblait moins ordonnée qu'à l'habitude. Sœur Marie-Anne avait perdu son intérêt pour les belles étoffes... Elle cherchait une nouvelle couturière et n'en trouvait aucune qui faisait son affaire. En quelques jours, elle semblait avoir vieilli de dix ans, et ses yeux ne voulaient plus rien voir des petits points lancés et des jours échelle sur les chemises. Elle se réfugiait souvent à la chapelle pour y prier Marie... «Tout de même, se disait-elle, bonne Sainte-Vierge, qui aurait pu penser une chose pareille?»

*

Kateri avait bien du mal à s'habituer à sa vie de prisonnière. Ici, tout l'agressait. Elle se sentait perdue, elle qui aimait l'atmosphère calme et feutrée du couvent où le silence régnait quasiment partout, le grand parc où son regard pouvait se poser à toute heure. De sa cellule aux murs encore plus dépouillés que ceux de sa petite chambre, sans aucune vue sur l'extérieur, elle était sans cesse heurtée par des bruits métalliques de portes, de serrures et de chaînes, qui n'avaient rien de rassurant. Dans cet environnement rendu à dessein froid et inhospitalier, Kateri était incapable de dormir. Craintive, préférant la solitude à l'agitation des salles communes, elle refusait de sortir pour la promenade journalière et devait se faire violence pour se rendre au réfectoire à l'heure des repas. Là, elle avait l'impression de se trouver devant une meute hurlante tant les prisonnières étaient agitées. Celles-ci l'avaient d'ailleurs mal accueillie. Rendues agressives par sa singularité, elles lui lançaient des quolibets. La pauvre Kateri n'avait pas la force d'y répondre.

–Hé toé, la belle nouvelle, t'as-tu avalé un parapluie?

–T'es mieux de manger, bébé, si tu veux garder la forme, pasqu'icitte ça prend du kik!

–Ha, ha, ha! viens-t'en icitte pour voir si tu relaxes bien avec nous autres…

–Regard'donc ça, comme elle a une belle tresse…

–Écout' donc, la belle tresse, tu nous mets de côté? Tu nous trouves pas de ta race, ou quoi!

–Ha, ha, ha! on va t'apprivoiser, ma colombe!

Les éclats de rire redoublaient. Kateri baissait les yeux et refoulait ses pleurs. Enfermée ici sans espoir, sans repos, ne mangeant plus, elle dépérissait… Personne n'était venu lui rendre visite, personne ne lui avait dit qu'elle allait s'en sortir, qu'on allait un jour la laisser sortir! On lui avait interdit toute communication avec qui que ce soit et, lorsqu'elle avait voulu écrire à ses amies, à sa famille et à son frère, les surveillantes avaient déchiré ses lettres en lui disant de ne plus y penser… Kateri avait l'impression d'être tombée de la planète Mars et se sentait seule au monde. La tête lourde, elle revoyait sa chère lingerie, sa machine à coudre, les pièces de tissu et les rangées de grosses bobines. Lorsqu'elle pensait à sœur Marie-Anne, à Pierrette et à ses compagnes, son cœur se serrait. Alors, fermant les yeux, Kateri essayait d'oublier la réalité en recréant un monde intérieur construit à l'image de ses espérances.

La prison des femmes, rue Fullum, était un bâtiment de trois étages, vétuste, mal éclairé, dont les fenêtres étroites donnaient toutes sur une cour intérieure bien triste. Là, quelques vieux érables à l'air perdu tentaient en vain de donner un peu de vie à la sévérité des lieux. Les cellules aux portes quadrillées de barreaux métalliques, alignées de chaque côté d'une allée centrale, se trouvaient aux étages supérieurs et l'on devait descendre pour se rendre aux salles communes, réfectoire, cuisines et salles de récréation, qui étaient séparées de la réception par une herse verrouillée à triple tour. Il y avait en outre deux ateliers où les prisonnières tressaient des paniers en échange de quelques sous qu'on leur remettait comme maigre solde à la fin de chaque mois. La prison était entourée de hauts murs hérissés de poutres de fer ; on ne pouvait y pénétrer que par un unique portail dont la façade avait été percée d'une porte minuscule bardée de lourdes barres de fer cloutées. Des matrones en uniforme, armées d'un bâton de discipline, arpentaient les corridors, imposantes et prêtes à sévir à la moindre marque d'impertinence ou de rébellion. Pourtant, l'impressionnante gardienne de six pieds, grasse et d'allure masculine qui surveillait le secteur où était enfermée Kateri, avait quelques égards pour elle et la bousculait un peu moins que les autres. Habituée aux cris et aux revendications, elle trouvait Kateri bien silencieuse pour une hors-la-loi… S'étant aperçue que la jeune femme vomissait et avait des malaises, elle l'avait dès son arrivée conduite à l'infirmerie pour lui faire administrer quelques calmants.

L'infirmerie était un lieu particulièrement silencieux qui comprenait deux pièces aux murs nus: une petite salle de consultation avec un bureau, une grande armoire à pharmacie, un lavabo et une table d'examen, puis une autre pièce, plus vaste et sans fenêtres, où se trouvaient deux lits à barreaux métalliques. Hormis une fille qui s'était coupée ce matin-là, sans doute pour attirer l'attention, il n'y avait pas d'urgences à l'horizon… Louise Toupin venait de vérifier ses dossiers; elle s'assit derrière son bureau, regarda sa montre et sortit de son sac le tricot commencé. C'était une jeune femme de petite taille, brune, aux yeux rieurs et aux pommettes saillantes, bien sanglée dans son uniforme blanc. Ses doigts couraient le long des aiguilles. D'une main, elle poussait la laine et, de l'autre, elle la soulevait rapidement pour l'entortiller avec dextérité sur le dernier rang. Ses gestes se répétaient inlassablement avec une étonnante rapidité. Elle soupira en regardant comment avançait son ouvrage: « Il faut que je me dépêche si je veux que Gaétan ait son écharpe et sa tuque pour sa fête ! » L'une des gardiennes entra à ce moment-là pour lui apporter une lettre de la direction.

–Voici de quoi vous occuper, garde…

Louise Toupin lâcha son tricot et fronça les sourcils. On lui transmettait des ordres précis au sujet de la nouvelle. Outre le fait qu'elle devait établir un bilan complet sur l'état de santé de cette dernière, il y avait un billet mentionnant que la prisonnière faisait l'objet d'un traitement spécial ainsi que du secret le plus absolu. C'était la première fois qu'elle avait affaire à ce genre de cas! Au même moment, on frappa à la porte. La gardienne, sortant de l'infirmerie, laissa entrer la prisonnière que sa matrone escortait. La jeune femme était jolie. Elle se tenait droite et silencieuse; il y avait en elle quelque chose de touchant, ce qui surprit l'infirmière. Cela ne ressemblait pas à l'attitude insolente qu'ont habituellement les nouvelles venues. Louise Toupin fit asseoir Kateri sur la table d'examen.

– Quand es-tu arrivée ici?

L'air triste, la jeune prisonnière ne répondait pas. Louise répéta sa question sans obtenir de réponse et faillit s'emporter devant ce mutisme: ici, il fallait se faire respecter! Mais quand elle se retourna pour la réprimander, elle s'aperçut que sa nouvelle patiente avait les yeux pleins de larmes. Kateri, loin d'être arrogante, baissait la tête d'un air malheureux et résigné. Alors, Louise Toupin se radoucit et l'examina en détail:

– Tu es enceinte?

Kateri fit signe que oui. La grossesse semblait tout à fait normale.

– Es-tu en bonne santé?

– Je n'ai jamais été malade…

Louise Toupin lui posa tout de même une foule de questions, tout en prenant des notes. Puis elle fit une réquisition spéciale pour qu'un gynécologue vienne suivre l'évolution de sa grossesse, ce qui ne s'était jamais vu à la prison. Ici, les spécialistes ne se montraient qu'en de rares occasions!

Le lendemain, le docteur Charlebois déclara que tout était parfaitement normal et que le bébé naîtrait vers la fin du mois de juin. Bref, dans son malheur, Kateri ne savait pas que sa situation aurait pu être encore bien pire. Ce qui la tracassait le plus, c'était qu'on ne lui donnait aucune indication quant à la durée de son incarcération. « Pour rien au monde, je ne voudrais donner le jour à mon enfant dans une prison ! » se disait-elle. Depuis qu'elle était là, enfermée par la volonté du Cardinal, Kateri ne croyait plus en l'amour de cet homme et s'efforçait de l'expulser de son cœur. Se croyant abandonnée par tout son entourage, sans contact avec l'extérieur, accusée d'un vol qu'elle n'avait pas commis, la jeune femme voyait sa vie réduite à néant. C'est seulement parce qu'elle était enceinte, parce qu'elle sentait une nouvelle vie se développer dans son ventre, qu'elle ne cédait pas à des idées suicidaires… L'enfant qu'elle portait lui faisait découvrir la force de son instinct maternel, cet instinct vital, plus fort et plus puissant que tout.

Kateri n'était pas méchante. Pourtant, lorsqu'elle pensait au Cardinal, et elle y pensait souvent, la colère faisait des ravages au fond d'elle. C'était une colère bien légitime. Elle se répétait : « Il a agi avec une grande injustice, et beaucoup de lâcheté. Jamais un homme de mon peuple n'aurait osé faire vivre à une femme, à une future mère, ce qu'on m'a fait subir… Les gens de ma race savent depuis toujours que, lorsqu'on affaiblit les mères, on met en grand danger les générations à venir. Comment se fait-il que les Blancs n'aient pas encore compris cela ? Pour quelle raison le Cardinal rejette-t-il son propre bébé et me rejette-t-il, moi, la mère de son enfant ? » Kateri entendait à nouveau les petits mots d'amour qu'il lui disait. Mensonges ! Elle nourrissait maintenant une haine dont elle ne se savait pas capable et elle craignait de voir ce petit être atteint par toute cette détresse. Dans l'impossibilité de faire quoi que ce soit d'utile durant les heures qui passaient si lentement, ne pouvant même pas occuper ses doigts qui aimaient tant coudre, Kateri vivait les affres de l'attente et de l'impuissance. Elle pensait sans relâche à sa famille qu'elle ne reverrait peut-être jamais, à son frère Gaby avec qui elle ne pouvait pas communiquer, au Cardinal qui avait fait son malheur.

Frustrée, humiliée, elle gardait continuellement le silence, ne dialoguant plus qu'avec son bébé, à l'intérieur d'elle-même, en posant les deux mains sur son ventre : « Mon enfant, mon cher amour, je t'attends avec impatience… Lorsque tu vas naître, à la belle saison, nous sortirons d'ici… Je t'emmènerai chez nous, de l'autre côté de la rivière, sur la terre de nos ancêtres et nous y serons bien. Je t'apprendrai les choses que ma mère m'a apprises… Ne crains rien, mon petit, je serai toujours là avec toi ! » Et, chose étrange, au-delà des mots, son enfant lui répondait, se manifestant dans des rêves et dans des visions. Ce petit être, déjà bien vivant, communiquait avec elle dans un langage symbolique qu'elle connaissait bien pour lui dire : « Moi aussi, j'ai hâte de te connaître et d'être dans tes bras… »

*

Louise Toupin n'aimait pas tellement son travail à l'infirmerie de la prison des femmes : elle avait accepté ce poste en attendant sa mutation à l'Hôtel-Dieu, car le travail en milieu carcéral était plutôt pénible.

Les prisonnières se déclaraient malades afin de bénéficier d'un traitement un peu plus humain : la vie à la prison de la rue Fullum n'était pas facile ! Certaines se blessaient elles-mêmes ou se donnaient des coups afin de faire un séjour à l'infirmerie et d'obtenir des calmants… Pour la plupart, les détenues étaient des prostituées, ou des droguées, des femmes battues, des pauvres filles que la société avait oubliées. Certaines avaient dû affronter seules des situations pénibles sous l'œil culpabilisant de la bourgeoisie bien-pensante, d'autres avaient été entraînées dans quelque mauvais coup, puis, une fois incarcérées, elles ne voyaient plus la fin du tunnel. La vie derrière les barreaux avait vite fait de leur enlever ce qui leur restait de féminité. Un grand nombre d'entre elles devenaient révoltées, hystériques, malades. Toutes étaient des âmes en peine qui essayaient de se faire entendre par n'importe quel moyen. Quelques-unes criaient à longueur de journée des propos d'une vulgarité et d'une grossièreté qui faisaient dresser les cheveux sur la tête. Les corridors de la prison des femmes en entendaient de toutes les couleurs !

Louise Toupin faisait son travail avec application, mais elle avait renoncé à y mettre son enthousiasme, qui ne lui aurait été ici d'aucune utilité. Elle finissait de remplir le dossier concernant la nouvelle pensionnaire, cette jeune Indienne qui était enceinte de plus de quatre mois, en faveur de laquelle elle avait reçu pour la seconde fois des demandes spéciales jointes aux questions habituelles. Il y avait une requête de l'archevêché concernant Kateri. La direction de la prison avait clairement signifié à Louise que tout ce qui concernait la jeune fille devait rester secret. On lui avait même fait comprendre qu'advenant la plus petite indiscrétion de sa part elle perdrait son travail... Habituellement, les pièces jointes au dossier étaient confidentielles, résumant le délit commis par la patiente, ainsi que la sentence qu'elle devait purger : son histoire dans les grandes lignes. Cette fois-là, rien, absolument rien n'apparaissait. Louise Toupin, voulant en avoir le cœur net, ayant examiné attentivement chacun des papiers qu'elle avait en main, se rendit au bureau de la direction.

L'adjointe administrative du directeur, une femme assez âgée aux cheveux gris tirés derrière la tête, la reçut sèchement. Et, lorsque l'infirmière se mit à poser des questions, l'autre la toisa d'un air si rébarbatif derrière ses petites lunettes cerclées de métal qu'elle se sentit vraiment malvenue.

– Je voulais vous aviser que, d'après moi, il manque les pièces habituelles au dossier...

– Il ne manque rien, savez-vous, garde ! Contentez-vous donc de donner des renseignements sur cette prisonnière et n'en demandez pas plus. Sachez aussi qu'il est essentiel de faire tout ce qui est nécessaire au bon déroulement de sa grossesse. J'insiste, absolument tout ce qui est nécessaire !

Les yeux de l'adjointe lançaient des éclairs métalliques. D'ailleurs, étaient-ce ses yeux ou ses lunettes ? Louise Toupin regagna son infirmerie sans en savoir davantage, mais de plus en plus intriguée ! Il était bien étrange qu'une prisonnière d'origine amérindienne, et qui ne recevait aucune visite, bénéficie de ce traitement de faveur...

L'état de la jeune femme était satisfaisant, hormis le fait qu'elle s'alimentait trop peu et que son moral semblait très atteint. On demandait à l'infirmière de l'examiner deux fois par semaine, ce qui était superflu dans son cas, pourtant elle se plia avec bonne volonté à cet ordre. Louise Toupin essaya bien de questionner la jeune femme ; toutefois, celle-ci, muette comme une tombe, ne donnait pas la moindre explication sur ce qui l'avait amenée là, pas plus que n'en fournissait son dossier... L'histoire de Kateri était un vrai mystère !

Chapitre iv

Le dimanche des Rameaux s'annonçait et, déjà, on préparait les fêtes de Pâques. Le redoux arrivait de bonne heure cette année et le sucre coulait à flots dans les érablières. La folie du printemps s'emparait de tous, après les longs mois passés à endurer le froid. À Ahuntsic, au bord de la rivière, les eaux charriaient d'énormes plaques blanches qui, solides hier encore, formaient un pont que l'on ne pouvait franchir en toute sécurité. Le clapotis de l'eau se faisait entendre partout le long des berges, annonçant discrètement que l'on allait vers la belle saison. Les pêcheurs préparaient fébrilement leur attirail, car la nature au fil des heures proclamait son grand réveil. La cabane à sucre de l'île de la Visitation ne chômait pas, assiégée par les badauds. Les érables coulaient comme jamais! On s'y rendait en joyeuses farandoles pour aller déguster la tire sur la neige, ou pour faire provision de sirop et de beurre d'érable. Tous les Montréalais, abandonnant manteaux et capines, se promenaient gaiement dans les parcs en se sucrant le bec…

Le retour du printemps rendait Maguy mélancolique. Elle enviait les autres femmes qui promenaient maintenant dans les rues ensoleillées un landau avec un beau poupon… Albert et Anne Pellerin vivaient dans la crainte de la voir retomber dans ses idées noires. Philippe Langevin travaillait encore plus que de coutume et ne prêtait guère attention à la fragilité de sa jeune épouse. Il était convaincu qu'il ne serait jamais père et qu'il valait mieux qu'il se consacre à ses malades, ceux-ci lui rapportant chaque jour de coquettes sommes qui s'arrondissaient dans son compte en banque. Albert, désolé de voir que ses prières étaient restées sans réponse, avait renoncé à un voyage en Europe et ne se résignait pas à voir Maguy se traîner comme une âme en peine : elle avait besoin d'être entourée.

La messe de Pâques fut célébrée par le Cardinal, au milieu d'une foule recueillie qui s'entassait dans la cathédrale. Chacun voulait voir et entendre le ministre de Dieu prêcher la bonne parole, revêtu de tous ses ornements. Le sermon pascal annonçait le renouveau, la rédemption du Sauveur. Cette année encore, il rappelait à chacun de pratiquer la foi, l'espérance et la charité : vertus essentielles pour mener une bonne vie, une vie dans le sillage de Jésus… Le Cardinal fut plus magnifique, plus solennel que jamais. L'église tout entière retenait son souffle, médusée par le talent oratoire du prélat et par son charisme, qui jaillissait visiblement de tous les côtés de sa personne. Toutes les âmes attiédies par les problèmes de la vie quotidienne, égarées par quelques angoisses trop matérielles, se réchauffèrent. Une nouvelle ardeur les rassemblait dans le prêche du saint homme. La flamme allumée par la fougue du Cardinal réveillait leur élan mystique. C'est exactement ce que voulait Son Éminence, qui comptait sur la générosité de ses paroissiens. Ce fut un moment inoubliable, une communion de tous les Montréalais réunis autour de leur pasteur. La messe finie, dans tous les foyers on s'empressa d'aller manger le jambon cuit dans le sirop et les fèves à la mélasse qui mijotaient depuis la veille sur le coin du feu, réservant pour le dessert la tarte au sucre de circonstance. Les beaux jours s'annonçaient...

Chez les Pellerin, on avait organisé pour célébrer Pâques une réception familiale à laquelle Albert invita le Cardinal, en signe d'amitié. Dans le magnifique salon aux meubles Louis XV, face aux larges baies vitrées donnant sur la rivière, on avait dressé la table des grands jours. Elle était recouverte par la nappe en dentelle de Valenciennes, garnie d'un chemin de table composé de lys de Pâques et de roses blanches. L'argenterie étincelante trônait au grand complet, avec les plateaux ciselés, le service à café et les saucières. La verrerie en cristal taillé, venue tout droit de Baccarat, lançait ses feux comme autant de minuscules arcs-en-ciel. En plein centre de la table, Maguy avait disposé une gracieuse vasque de fleurs immaculées. Au milieu de chaque assiette, reposant sur une serviette brodée, se trouvait un œuf décoré, peint à la main de motifs aux couleurs vives, qui se détachait joyeusement sur la vaisselle, la nappe et les fleurs blanches. C'était un cadeau pour chacun des convives: l'œuf de Pâques traditionnel. Albert avait rapporté de ses emplettes chez Dionne tout un assortiment de poules et de lapins en chocolat, qui attendaient les gourmands sur le guéridon en bois de rose, nichés dans de jolis paniers enrubannés. Il flottait dans la maison une invitante odeur de rôti et de légumes assaisonnés d'herbes fines, que Maguy avait accommodés elle-même et dont elle avait tout particulièrement surveillé la cuisson. En guise d'apéritif, Albert servit du champagne, un Dom Pérignon brut, cuvée impériale 1945, millésime exceptionnel, dont la délicatesse ravissait les palais. L'atmosphère était joyeuse… même le soleil était de la partie. Lorsqu'on passa à table, le Cardinal récita le bénédicité au milieu du recueillement général. On avait faim…

Les fils de Jean-Paul et de Suzanne, émoustillés par tant de bonnes choses, s'efforçaient d'être sages et mangeaient de bon cœur sous le regard inquiet de leur mère. N'allaient-ils pas faire quelque bêtise devant l'auguste visiteur? Les hommes de la famille s'échauffaient, car la conversation avait pris un tour politique:

– Duplessis va bien nous provoquer une nouvelle crise avec ses taxes sur le revenu! Je gage que les citoyens du Québec ne seront jamais capables de supporter cet impôt-là!

– Jamais, dis-tu, je ne suis pas d'accord! Je suis sûr que l'économie va repartir, c'est ce qui va arriver!

– Penses-y bien, Jean-Paul, on court droit à la banqueroute!

– Pas du tout, pas du tout… En remplissant les caisses à Québec, on injecte de nouveaux capitaux dans les entreprises qui seront nationalisées… Ainsi, Hydro-Québec est sur le point de reprendre la Montreal Light, Heat and Power! Te rends-tu compte de l'impact financier d'une telle transaction?

On parlait haut. Le Cardinal, détendu, buvait du champagne et tempérait les propos avec diplomatie, un sourire de contentement sur les lèvres. Ramenant ses ouailles à la réalité, il relevait les mérites du repas, qui était un vrai régal: un de ces repas dont on se souviendrait longtemps! Levant son verre, il porta un toast pour féliciter Anne et Maguy:

– À l'exceptionnelle qualité de ce repas et à nos deux merveilleuses maîtresses de maison!

Anne inclinait délicatement la tête:

– Tout le mérite en revient à ma fille, vous savez, c'est elle qui doit être félicitée!

Maguy souriait et rougissait de plaisir. Elle adorait ces compliments! L'excellence du menu était couronnée par trois desserts, dont le clou était le favori de Philippe, celui dont elle seule avait le secret: une énorme île flottante parfumée à la fleur d'oranger. Un vrai dessert de Pâques!

C'était une joie pour le Cardinal que de se retrouver encore une fois à la table des Pellerin. Il régnait ici l'atmosphère raffinée et luxueuse à laquelle il était sensible. Après le dessert, Anne et sa fille se mirent au piano sous les applaudissements de tous les invités, exécutant à quatre mains et sans partition la sonate *Clair de lune* de Beethoven, pendant que l'auditoire, repu et satisfait, dégustait un vieux cognac. François et Claude couraient d'une pièce à l'autre, heureux de pouvoir enfin se dégourdir les jambes. Ils étaient à l'affût de quelque trouvaille excitante, se poursuivant avec des cris qui pouvaient ressembler à un bruit de moteur tout autant qu'à un rugissement de tigre pris au piège. Il s'en fallait de peu qu'Étienne ne leur emboîte le pas, retrouvant du même coup l'espièglerie de ses dix ans... Suzanne, qui n'entendait rien à la cuisine, ne quittait pas le Cardinal et les surveillait tout de même un peu, discutant avec Son Éminence des retombées de la prochaine collecte. Jean-Paul, voyant sa femme subjuguée par ce prélat qui envahissait de plus en plus l'esprit de son épouse, avait à son égard des mouvements d'impatience que les autres feignaient d'ignorer. Anne se demandait quelle mouche avait piqué son fils aîné! Étant aveugle au jeu de séduction subtil de sa belle-fille, elle trouvait Jean-Paul un peu cruel. Quant à Albert, il présidait, détendu et repu, un verre à la main et un sourire de contentement au coin des lèvres.

Au milieu de cet agréable brouhaha, le Cardinal réfléchissait. Il regardait Maguy, épanouie dans ce cadre familial qui lui convenait si bien. Lorsque François s'approcha d'elle pour lui réclamer un gros morceau de gâteau d'un air gourmand, il surprit une lueur de tristesse dans le regard de la jeune femme. Le gamin écarquillait les yeux en regardant le dessert d'un air si comique qu'un sourire se dessina sur toutes les lèvres! Mais Maguy avait les yeux pleins d'eau... Le calvaire de la jeune femme lui revint tout à coup en mémoire. Ce fut comme un éclair. Brusquement, il se leva. Bousculant un peu la belle Suzanne, le Cardinal s'approcha d'Albert:

−Mon ami, bien que le moment soit peut-être un peu mal choisi, j'aimerais vous dire quelques mots en particulier!

Albert, tout d'abord surpris, posa son verre sur la table et se leva sans hésiter. Alors, le Cardinal s'inclina vers Anne et fit un salut pour s'excuser auprès de toute la famille, en ajoutant:

−Je vous le promets, ma chère Anne, notre entretien ne durera que quelques minutes!

Albert se demandait quelle pouvait être la préoccupation qui poussait ainsi Son Éminence à rompre ces instants privilégiés... Ils se réfugièrent dans la bibliothèque. Le Cardinal, serrant de la main gauche sa croix pectorale, ne savait trop comment aborder la question. Il refusa de s'asseoir :

—Mon cher Albert, je connais le désarroi de Maguy et j'ai promis de vous aider... Il me vient une idée qui pourrait être une solution. J'ai besoin de votre avis, de votre coopération, et surtout de votre discrétion la plus absolue !

—Bien sûr, mon ami, vous avez ma parole d'honneur. Je vous écoute.

Albert, intrigué, fit le geste de prêter serment sur une bible.

—Avez-vous déjà pensé que Maguy et Philippe pourraient adopter des enfants ?

Albert eut un hochement de tête pour indiquer qu'il avait déjà pensé à cette solution :

—Mais, voyez-vous, c'est trop risqué. On n'est jamais sûr des antécédents d'un bébé adopté. L'hôpital de la Miséricorde est plein de petits dont les mères étaient des prostituées. Nous ne pouvons nous résoudre à cela ! C'est impossible !

Il secouait la tête avec tristesse, repoussant définitivement cette éventualité. Le Cardinal fit mine d'approuver entièrement son point de vue et Albert continua, entêté :

—Impossible ! Complètement hors de question !

—Je comprends bien... Mais ce que j'ai à vous proposer, Albert, comporte une garantie absolue de ma part, en échange d'un acte de charité chrétienne dont vous serez pleinement récompensé, je vous le promets !

Le ton devenait pathétique. Albert, piqué au vif, sentit que derrière les phrases jusque-là banales il y avait un message de la plus haute importance et que le Cardinal n'abandonnerait pas son idée. Il écoutait son hôte qui poursuivait.

—Je connais une jeune fille, quelqu'un de très bien, qui se trouve enceinte. Dans sa situation, elle ne peut garder l'enfant, dont le père, je puis vous l'assurer, est un homme de grand mérite et de la plus haute distinction...

En disant cela, il relevait le menton. Albert ne bronchait pas. Le Cardinal fit une pause, observant par la fenêtre les nuages qui ornaient l'horizon, avant de continuer :

—Comme je vous l'ai dit, ceci doit rester entre vous et moi... Je tiens absolument à ce que ce petit soit adopté par une famille exceptionnelle ! J'y mets un point d'honneur. Et où pourrait-il être mieux que chez vous ?

Le Cardinal avait repris son air solennel et arpentait la pièce. Albert, qui s'était assis dans son bon vieux fauteuil, regardait son ami. Il était encore sceptique, mais impressionné par son insistance. Il lui fallait un peu plus d'explications. Il se tapota la joue gauche en réfléchissant un peu, puis lança :

—Mmm...

Voilà qui laissait présager une ouverture. Il avait besoin de connaître les ascendants d'un enfant qui perpétuerait sa famille et qui porterait le nom de son gendre. Le Cardinal, à qui rien n'avait échappé, continuait à parler, décidé à jouer le tout pour le tout :

—Mon cher Albert, je sais que vous et moi nous pouvons nous entendre ! Acceptez-vous de convaincre Philippe et Maguy de devenir le père et la mère de cet enfant ? Je vous le demande solennellement, au nom de notre amitié !

Le Cardinal s'était redressé de toute sa hauteur et, d'un geste théâtral, avait mis sur son cœur sa main ornée d'une bague. Albert se releva :

– Mon cher, je le peux... mais avant cela, je dois vous demander d'où vient la future mère. Et pour quelle raison le père de cet enfant ne peut-il épouser cette jeune femme ?

Son Éminence avait l'air embarrassé :

– Croyez-moi, Albert, je ne peux vous en dire plus... Je vous demande de me croire sur parole ! Je comprends votre trouble, mais ce silence est nécessaire et je vous affirme sur ma foi que ce bébé sera une bénédiction pour vous et les vôtres.

– Votre Éminence, ce que vous me demandez est énorme. Je suis sûr que vous avez de bonnes raisons pour entourer cette naissance de mystère, mais comprenez aussi que pour conclure ce marché avec vous il faut que j'en sache un peu plus ! Dois-je vous rappeler que vous avez ma parole d'honneur ? Vous savez fort bien que je ne soufflerai mot, j'en renouvelle le serment.

Il s'approcha de la bibliothèque, sortit l'énorme bible qui trônait sur le rayon central du mur couvert de volumes et refit, sur le livre sacré, le geste qui le liait au secret du Cardinal.

Albert avait un grand sens des convenances. Il était intransigeant sur les principes et ne comprenait pas qu'une jeune fille de bonne famille en soit réduite à rester sans époux, quel que soit son état de fortune. Alors, tout aussi déterminé et tout aussi entêté que son vénérable ami, il voulait tout savoir avant de faire la moindre démarche auprès de sa fille, préférant tout de même la voir pleurer sans enfant que de la savoir mère d'un bambin atteint de quelque tare héréditaire!

Le Cardinal semblait maintenant gêné, malheureux, et regardait son ami d'un air implorant. Devant son visage de collégien pris en faute, Albert ne savait plus que faire. Soudain, une image se présenta à son esprit, si folle qu'il voulut la chasser. Mais l'image revenait et s'implantait audacieusement d'elle-même dans son cerveau: c'était celle du Cardinal s'adonnant à des transports passionnés avec une jeune religieuse! Pourtant, Albert n'avait pas l'esprit dérangé, c'était un homme pragmatique, à l'aise dans le concret. Que lui arrivait-il? Perdait-il la raison? Une idée étrange s'installait elle aussi dans sa tête: «Le Cardinal est le père de cet enfant!» C'était comme une certitude qui semblait avoir surgi directement dans sa conscience, par la voix du Cardinal lui-même, tandis que celui-ci, toujours muet, attendait, les yeux rivés à ceux d'Albert. Quelques secondes s'écoulèrent, qui lui parurent des heures. Au fur et à mesure qu'Albert se laissait imprégner, comme par télépathie, de cette idée de paternité, le Cardinal reprenait son assurance... Pendant une ou deux secondes, monsieur Pellerin, le redoutable et puissant homme d'affaires, pensa vraiment qu'il perdait la tête. C'était insensé! Il sentit le rouge lui monter aux joues! Il devenait fou, tout ceci n'avait aucun sens. Il était si décontenancé qu'il rompit le silence pour faire digression. Lorsqu'il se mit à parler, ce fut comme si quelqu'un d'autre prenait la parole. Albert Pellerin s'entendit dire au Cardinal:

—Bon, bon, eh bien, puisque cet enfant est, en quelque sorte, le vôtre, mon cher ami, je n'ai plus aucune objection!

Le Cardinal se leva sans dire un mot, il lui prit les deux mains :

— Mon ami, mon cher ami, Dieu qui m'a entendu saura vous récompenser. Vous m'enverrez Maguy et Philippe. Nous allons préparer la naissance de votre petit-fils…

Il avait insisté sur « votre » petit-fils, et Albert avait très bien compris. Le Cardinal releva le menton, bénit Albert, et ils sortirent pour rejoindre les autres qui les réclamaient à grands cris. On commençait une partie de canasta.

*

Albert, connaissant l'émotivité de Maguy, avait convoqué Philippe pour lui parler en premier lieu de ce projet d'adoption. Il voulait préparer le terrain. Lorsqu'ils se rencontrèrent au Club Canadien de la rue Sherbrooke à la fin de la journée, Philippe était surpris au plus haut point par ce rendez-vous. Il n'était pas dans les habitudes de son beau-père de lui parler en dehors du cadre familial. Dans le grand salon aux fenêtres voilées de lourdes draperies, plusieurs appliques murales répandaient une lumière discrète, dans laquelle venaient se prélasser quelques vaporeux nuages de fumée. Albert y alla franchement :

— Mon cher Philippe, j'ai à vous entretenir d'une affaire importante. Nous avons tous les deux à prendre une décision capitale, pour vous, pour Maguy et pour moi-même.

Philippe eut un hochement de tête :

— Je me doute bien que nous ne sommes pas ici sans motif…

Il avait toujours vu en Albert Pellerin un homme parfaitement sûr de lui et maître de toutes les situations. À cet instant, son beau-père, qui parlait avec emphase et nervosité, lui offrit un cigare. Étonné, Philippe l'observait en sirotant lentement un verre de scotch. La journée avait été rude. Il avait opéré plusieurs cataractes chez les sœurs de la congrégation de Notre-Dame. « Fichu métier, heureusement que garde Dupuis m'a secondé en maîtresse femme ! » songeait-il. Malgré tout son savoir-faire, il avait accumulé une bonne dose de tension. À présent, les deux hommes, confortablement installés dans d'imposants fauteuils de cuir fauve, placés légèrement à l'écart, et jouissant de l'atmosphère amicale et discrète du club, en venaient au vif du sujet. Albert avança le torse pour se rapprocher de son gendre et baissa un peu la voix :

– Philippe, votre désir de paternité pourrait maintenant se réaliser…

Philippe fronçait les sourcils. Après tout, c'était lui le médecin et il savait exactement à quoi s'en tenir. Il n'aimait pas cette entrée en matière qu'il trouvait incongrue.

– Beau-père, si vous voulez me proposer une adoption, je vous dis tout net que je ne suis pas d'accord avec vous…

– Écoutez-moi, Philippe, et ne vous raidissez pas ainsi ! Attendez un peu et prenons le temps de faire le tour de la question !

– Le tour sera vite fait. Maguy ne peut avoir d'enfants, la médecine est impuissante devant son cas et je refuse l'éventualité d'une quelconque adoption. Vous savez très bien pour quelles raisons !

Tout de même, le beau-père y allait un peu fort! Le rouge lui montait aux joues. Les deux hommes se mesuraient maintenant, face à face, dans un silence tendu qui dura un certain temps.

– Je sais tout cela, je le sais aussi bien que vous! Mais, au nom du ciel, ne vous emportez pas! Vous ai-je déjà, ne serait-ce qu'une seule fois, fait faire une mauvaise affaire ou une erreur dont vous ayez eu à vous plaindre?

Albert se retenait afin de garder un ton qui soit à la fois plaisant et convaincant.

– Pour cela, effectivement, je n'ai rien à dire!

– N'aimez-vous pas Maguy au point de vouloir son bonheur tout autant que moi?

– Oui...

– Alors, écoutez-moi avant de vous emporter! J'ai longuement parlé avec le Cardinal. Vous et moi, nous sommes d'accord là-dessus: c'est un homme de qualité, d'un grand discernement et de bon conseil. Nous le respectons tous deux, ainsi que le pouvoir qu'il représente.

Albert éleva son verre comme pour admirer la couleur ambrée du liquide, avant d'enchaîner, fier de son argument:

– C'est lui-même qui m'a proposé un enfant à adopter. Cet enfant n'est pas n'importe qui, croyez-moi. Notre chef spirituel répond absolument des antécédents.

– Génétiquement? En êtes-vous sûr?

– Hors de tout doute! Il est formel en ce qui concerne les parents de ce bébé. Aucune crainte ne doit nous effleurer...

– Qui sont les parents?

–Laissez-moi finir! Écoutez-moi bien, il ne peut dévoiler leur identité, mais, chose importante, le Cardinal prend cette adoption comme une affaire personnelle. Comprenons-nous bien, personnelle!

Albert ne quittait plus le regard de Philippe, mobilisant son attention.

–Il propose, si vous acceptez, de vous introniser au grade de chevalier de l'ordre du Saint-Sépulcre, ceci afin de vous démontrer sa gratitude!

–Torrieu, c'est à y penser!

Philippe se gratta la tête, vaincu. Tout se bousculait dans son cerveau. Avec une garantie venant du Cardinal lui-même, avec les honneurs qu'on lui offrait et la perspective de devenir l'un des proches complices du prélat, la proposition était maintenant alléchante. Il était gagné à la cause. Albert ne bronchait pas. Intérieurement, il savourait la capitulation de son gendre sans vouloir l'afficher. Il ne lui restait plus qu'à convaincre Maguy qui, pour sa part, ne demandait pas mieux que de devenir mère... C'était gagné d'avance! Albert n'avait plus qu'à imposer le secret conformément à la volonté du Cardinal. Il ajouta:

–Philippe, maintenant que nous sommes d'accord sur l'essentiel de la proposition, il ne me reste plus qu'à vous demander une chose. Selon le désir du Cardinal, Maguy, vous et moi devrons prêter serment.

–À propos de quoi?

–À propos du secret de cette affaire!

–Et pour quelle raison, je vous prie?

Philippe regimbait à nouveau.

–Pour une raison qui appartient à notre Cardinal.

En disant cela, Albert ne put retenir un clin d'œil qui fit sursauter légèrement Philippe tant il était inattendu. Que devait-il comprendre ?

– Acceptez-vous, Philippe, de respecter cette condition ?

– Je vois bien, mon cher beau-père, que je n'en saurai pas plus ! Je dois me résoudre finalement à être père et aveuglément satisfait ! Dans combien de temps, au fait ?

Maintenant, Philippe souriait. Il savait que rien n'arrêtait Albert lorsqu'il avait pris une décision, quelle qu'elle soit. La volonté de cet homme dépassait tout ce qu'il avait connu et elle s'exprimait de façon si subtile que personne ne prenait garde à cette main de fer dans un gant de velours.

– Eh bien, si j'en crois les prévisions, mon cher Philippe, votre fils naîtra vers la fin du mois de juin.

– Torrieu, beau-père, et si c'était une fille ?

Philippe riait franchement. Ils se firent apporter deux autres scotchs.

*

Maguy était en effervescence. Le Ciel avait entendu ses prières. La petite sainte Thérèse avait décidé de l'exaucer ! Le bonheur la rendait fébrile. Enfin, elle allait connaître non pas les joies de l'enfantement, mais celles de la maternité, une maternité désirée depuis si longtemps, avec tant d'ardeur ! Peu lui importaient les détails de l'adoption. Son père et son mari ayant tout prévu, elle n'avait pas à se tracasser pour ce genre de considérations. En outre, le Cardinal leur était si reconnaissant depuis qu'elle avait accepté de conclure ce marché, ce qu'elle avait fait sans la moindre hésitation! Il venait la saluer et s'entretenir avec elle chaque fois qu'elle assistait à la messe. Quant au secret, il n'avait rien de rebutant, bien au contraire. Maguy était d'ores et déjà la vraie mère de l'enfant, et voilà tout! Personne ne se douterait jamais de quoi que ce soit. Jamais.

Elle préparait le trousseau de son bébé, choisissant chaque détail de la chambre d'enfant avec sa mère qui, pour une fois, avait accepté de l'accompagner dans son magasinage. C'était si excitant! Anne avait laissé bon gré mal gré ses habituels maux de tête à la maison et, jour après jour, elle suivait sa fille chez Eaton, chez Morgan, chez Birks et chez Dupuis Frères, pour choisir soigneusement tout ce dont elles avaient besoin. Le midi, déjà fourbues, elles montaient au neuvième étage de chez Eaton pour se restaurer et souffler un peu. Le fidèle Johnny conduisait la Cadillac d'Albert et les suivait en portant les paquets et en s'occupant de ces dames qui revenaient épuisées. À la fin de la journée, Anne disait à Maguy en se jetant sur son lit:

— Maguy, tu finiras par m'ôter ce qui me reste de santé, je suis exténuée! Demain, je reste à la maison...

Maguy n'y prenait pas garde, sachant bien que le lendemain Anne la suivrait encore. En riant, elle disait à sa mère:

— Voyons, maman, tu sais que notre bébé va te redonner la santé et la joie de vivre! Regarde, déjà, moi qui suis sa mère, je ne me sens plus la même!

C'était bien vrai, la transformation de Maguy faisait oublier à Anne ses éternels maux de tête, bien plus que la venue imminente d'un nouvel enfant dans la famille. Chaque jour, Maguy s'impatientait, telle une adolescente:

– Oh, que j'ai hâte! Maman, que j'ai hâte! Dis-moi donc, combien de jours devrons-nous attendre jusqu'à la naissance?

Maguy avait fait une liste qui n'en finissait plus. Il lui fallait les dernières nouveautés, il lui fallait une layette et des couches pour toutes les circonstances, il lui fallait déjà des biberons et des petits bols... et un gobelet en argent... et des bavoirs brodés! Elle ne pouvait se retenir et dépensait comme elle l'avait toujours fait: sans compter.

Anne, Albert et Maguy avaient longuement discuté de l'événement à venir et avaient décidé d'un commun accord qu'on laisserait courir la rumeur d'une nouvelle grossesse, ceci afin d'éviter toute question malencontreuse. La future maman avait même projeté de s'éloigner pour quelque temps, dans les dernières semaines. Ainsi, elle reviendrait à la maison les bras chargés de son précieux paquet et chacun ne penserait qu'à admirer son bébé. À cette idée, son cœur se gonflait de joie. *Son* bébé!

Ce matin, Maguy flânait dans sa chambre, rêvant qu'elle était déjà totalement habitée par son rôle de mère. Elle ouvrit la fenêtre. Le printemps avait montré son nez et, au-dessus de la pelouse bien verte, les arbres retenaient à peine leurs feuilles dans les bourgeons qui éclataient d'heure en heure. Les oiseaux piaillaient à qui mieux mieux: merles d'Amérique, mésanges et hirondelles avaient entamé un vrai festin, cherchant dans l'herbe les vers juteux qu'ils emporteraient vers leur nid. Les familles d'écureuils se mettaient de la partie et chassaient les oiseaux en menant une folle sarabande autour du tronc des vieux arbres. Toute cette agitation fébrile la fit sourire ! Elle pénétra dans la nursery. Son regard s'attardait avec satisfaction sur chaque objet. Maguy avait tout prévu. La chambre tapissée de jaune pâle et de blanc, largement ensoleillée, attendait son petit prince. La plus belle collection d'ours en peluche dont un enfant puisse rêver se tenait au garde-à-vous autour du berceau enrubanné, saluant déjà l'enfant à venir. Elle referma la porte le sourire aux lèvres.

Debout devant son miroir, la jeune femme se plaisait à imaginer une véritable grossesse... Elle touchait son ventre, le contractait en respirant, le mesurait, rien à faire ! Il restait désespérément plat ! Hantée par le rôle d'une future mère, elle voulait que son corps se modèle à ce fantasme. Les voisins, les amis devaient croire qu'elle était enceinte ! Attrapant un des coussins qui recouvrait son lit, Maguy le glissa sous sa jupe, puis se rapprocha à nouveau du miroir, fit deux ou trois tours sur elle-même, se cambra et lança une grimace à son image.

– Bon, comme ça, c'est mieux ! C'est déjà mieux... mais ce n'est pas parfait !

Elle courut jusqu'à l'armoire de la salle de bains, sortit un bandage, puis un autre et les enroula soigneusement autour de sa taille, comprimant ainsi le coussin dodu sur ses hanches. Équipée de la sorte, ravie de son subterfuge, Maguy enfila une tunique de grossesse achetée la veille, troqua sa jupe droite contre une jupe portefeuille et interrogea de nouveau son reflet. Maintenant, elle avait vraiment la silhouette d'une future maman... Elle mit des souliers plats, plus confortables que ses escarpins habituels, se poudra généreusement le visage pour avoir l'air un peu pâlotte, remonta coquettement ses cheveux, accrocha son collier de perles fines et sortit, fière de sa tenue. Traversant allégrement l'allée bordée de massifs que les tulipes et les jonquilles commençaient à colorer, Maguy arriva à l'improviste chez ses parents.

À l'étage, Anne était couchée dans la chambre obscure, en pleine rechute. Encore victime de ses infernales migraines! L'une de leurs voisines, française tout comme elle, se tenait à son chevet. Bavardant joyeusement tout près d'une lampe discrète, elle tenait Anne au courant des derniers potins avec l'accent méridional chantant qui la caractérisait, en plus de sa bonne humeur légendaire. Micheline Boyer, que l'on appelait surtout tante Mimi, aimait rire et plaisanter. Elle avait environ dix ans de moins qu'Anne Pellerin et des cheveux naturellement argentés. C'était une femme charmante. Pour elle, la vie était une grande fête pleine de plaisanteries et de rires. Sa gaieté contrastait franchement avec l'humeur presque toujours mélancolique d'Anne Pellerin, mais elles formaient une paire d'amies quasiment inséparables. Lorsqu'elle aperçut Maguy ainsi arrondie, tante Mimi sursauta et ne put s'empêcher de réagir avec toute la spontanéité dont elle était capable:

– Ma chère Maguy, mais en voilà une surprise! Et vous m'aviez caché ça! Oh, la coquine, mais vous en faites des secrets de famille! Comme je suis heureuse pour vous et pour Philippe! Êtes-vous bien prudente au moins? Oh, comme ça vous va bien ce petit-là, je ne vous ai jamais vue aussi belle… Dites-moi, c'est pour quand? Pour qu'au moins on mette le champagne au frais!

Volubile, elle riait en se tenant les joues, puis elle frappait dans ses mains comme pour applaudir, balançant la tête de gauche et de droite, admirant le ventre de la future mère comme une œuvre d'art incomparable. Sa bonne humeur était communicative. Anne, apercevant sa fille, releva la tête de ses oreillers. Les démonstrations de tante Mimi la rappelaient à la vie... Jetant un coup d'œil à Maguy, elle poussa un soupir alangui et dit, comme pour s'excuser :

– Eh bien oui, ma chère, nous avions peur de vous en parler ! Vous savez comme cela a été difficile pour Maguy de mener à bien une grossesse. Nous avions peur que les choses ne tournent mal, encore une fois...

– Je comprends, Anne, je comprends, ne vous tracassez pas ! Félicitez pour moi le futur papa... Comme il doit être content ! Je vais aller acheter de la laine. Dites-moi ce qui vous manque dans votre trousseau, et zou, je vous le tricote ! Ah, peuchère !

Maguy avait un sourire resplendissant. Elle regardait sa mère en pouffant de rire le plus discrètement possible : sa grossesse était donc plus vraie que nature ! Anne, encouragée par cette improvisation, se leva et sonna pour que Betty leur serve un porto dans le salon. Albert, arrivant sur ces entrefaites, faillit s'étouffer en voyant le ventre de Maguy, mais, trêve de plaisanteries, on célébrait l'événement avec tante Mimi ! Celle-ci se réjouissait tellement de la bonne nouvelle qu'elle promit d'organiser une grande fête pour le baptême. Les parties de tante Mimi étaient célèbres chez les Pellerin. C'étaient toujours des fêtes champêtres où l'on dansait et chantait en buvant un verre de vin, au son des flonflons de bal musette. Un vrai délice à la française, sans protocole et sans snobisme, mais où l'on s'amusait et riait comme des fous pendant des journées et des soirées entières, au milieu d'une joyeuse cohue d'invités, ravis de retrouver un brin de leur pays natal.

Pour aujourd'hui, Maguy avait gagné la partie, elle était officiellement enceinte.

Chapitre v

Son Éminence arpentait les couloirs et les salles de l'archevêché avec le sentiment du devoir accompli. Un sourire de satisfaction se lisait sur son visage. Il saluait courtoisement tous ceux qui se trouvaient sur son passage, séminaristes, vicaires ou religieuses attachées à l'entretien, et l'intérêt qu'il prêtait aujourd'hui à ces simples mortels suffisait à illuminer le restant de leur journée. Tout l'archevêché sentait la cire et l'encens mélangés, et les planchers brillaient même dans la pénombre d'avoir été tant frottés. Son Éminence, une main passée derrière la taille et l'autre soutenant son menton, souriait toujours, comme si les anges lui inspiraient d'augustes réflexions... Il avait trouvé la solution à un grand nombre de problèmes, récolté des fonds pour ses œuvres missionnaires, formé cette nouvelle société initiatique qui souderait son réseau d'influence, et surtout il avait convaincu la famille Pellerin de se charger de l'enfant corps et âme, assurant ainsi sa sécurité matérielle et son éducation.

Il menait les affaires tambour battant dans son diocèse depuis que Sa Sainteté l'avait hissé au rang d'archevêque. Que de chemin parcouru depuis qu'il avait conquis la grande ville, adolescent perdu et ignorant arrivant tout droit de son village natal, animé par un feu mystique qui le dévorait et lui dictait la route à suivre! Mû par une grande ambition, Évariste Grenier avait suivi sa vocation religieuse, convaincu que grâce à l'Église il pourrait devenir quelqu'un. Ses parents étant de modestes agriculteurs, aucune autre voie ne s'offrait à lui pour qu'il réalise ses aspirations. Pour réussir au sein de la puissante et riche institution catholique, il suffisait d'obéir aux règles et d'étudier avec acharnement. Sa souplesse et sa grande intelligence lui avaient assuré le succès.

Le Cardinal avait une personnalité aux facettes multiples. C'était à la fois un redoutable ascète, un cabotin et un homme du monde exigeant, qui aimait impressionner. Lorsqu'il apparaissait en public, sa superbe et son sens de l'improvisation lui faisaient oublier la réalité. Il planait... Comme tous les grands orateurs possédant le don dangereux de la parole qui hypnotise les foules, il n'avait pas son pareil pour influencer les âmes simples et les entraîner dans son propre délire. C'est à cause de son éloquence qu'on l'avait remarqué en haut lieu dès son ordination. Le Cardinal ne souhaitait pas être nommé curé de campagne! Bien qu'enfant du terroir, il ne voulait pour rien au monde finir anonymement au fond d'une obscure paroisse! Ayant la trempe des grands vicaires de la métropole, il était devenu tour à tour chanoine, évêque et enfin cardinal. Aujourd'hui, son rayonnement semblait décuplé. Bel homme en plus de toutes ses autres qualités, il possédait cette énergie fascinante et virile auprès de laquelle les femmes ne pouvaient pas rester de glace. Impressionnées par son élégance naturelle et par une sorte de charme irrésistible qui se dégageait de toute sa personne, les dames s'agglutinaient autour de lui et lui réservaient leurs rêves les plus fous.

Bien sûr, Son Éminence était loin d'être insensible aux charmes du beau sexe; il aimait à s'entourer de jolies personnes qui assuraient la réussite de ses œuvres, travaillant comme de vraies fourmis et espérant toujours recevoir de lui quelque faveur plus ou moins spéciale. Il aimait ce jeu auquel il se prêtait tout à fait consciemment en affichant une innocence parfaite. Autour de lui, il y avait les religieuses qui le servaient en lui évitant toute préoccupation matérielle, à lui et à ses vicaires. Quoi de plus naturel que de se faire servir? Que ce soit dans la vie, au Vatican, à l'archevêché ou dans leur congrégation, celles-ci étaient des esclaves inconditionnelles, disponibles en tout temps pour lui raccommoder son linge, lui préparer de bons petits plats, entretenir les églises et prier en silence, heureuses de l'apercevoir de loin... Elles avaient pour fierté d'obéir à une règle qui faisait d'elles des êtres asexués et qui les châtrait intellectuellement, les dépouillait de toute individualité et les faisait vivre comme des ombres, puisant leur bonheur dans l'esprit de sacrifice que les institutions religieuses imposent pour asseoir leur emprise... Le Cardinal ne pouvait se passer de leurs services.

Il y avait aussi les très pieuses, les bigotes, les « dames » de toutes espèces, qui faisaient du bénévolat et qui lui assuraient leur concours. Elles l'aidaient grâce à leurs relations à établir l'autorité de la religion dans les familles et à récolter les fonds nécessaires à toutes ses œuvres auprès de leurs maris ou de leurs patrons. Celles-ci encore, il les utilisait, mais différemment. Sans elles, pas de notoriété. Il y avait enfin celles que le Cardinal contemplait de son regard viril, se rappelant chaque fois qu'il réagissait à leurs charmes que le jour de son ordination il avait fait vœu de célibat, mais non de chasteté. Penser ainsi apaisait sa conscience et, lorsque ces dames réveillaient en lui l'instinct originel, il se disait qu'après tout il était bien un homme ! Continuant sa promenade, le Cardinal distribuait ses sourires comme des indulgences...

*

Pour Kateri, le grand moment approchait. Toujours barricadée dans sa cellule comme une malfaitrice, elle cousait de minuscules camisoles taillées dans un morceau de coton fin que Louise Toupin lui avait fait porter deux jours plus tôt. Tout ce qu'elle avait d'énergie était accaparé par l'événement à venir et, sans trop se poser de questions, elle laissait ses doigts accomplir des merveilles. Son aiguille allait et venait. D'elle-même, sans aucun modèle, elle brodait quelques gracieux motifs sur les petits vêtements immaculés. C'étaient des dessins chers à ses ancêtres, qui rappelleraient à son bébé qu'il était de la race des Premières Nations.

Louise Toupin avait pris la future mère en pitié. Sans en rien laisser paraître, elle lui faisait parvenir de quoi monter le trousseau de ce bébé qu'il faudrait bien habiller, quoi qu'il advienne... La veille encore, sa belle-sœur Pierrette lui avait remis une douzaine de couches et quelques langes qui s'entassaient dans un vieux coffre depuis la naissance d'un de ses neveux, le dernier de la famille. Pierrette était d'un naturel généreux. Elle avait été émue lorsque Louise, sans mentionner le nom de sa prisonnière puisqu'on le lui avait interdit, lui avait raconté que la pauvre n'avait rien pour vêtir son bébé! Alors, sans hésiter, on avait rassemblé tout ce qui pourrait être utile à l'enfant de la belle Kateri, dont la patience était mise à rude épreuve. Silencieuse dans sa cellule, la jeune prisonnière rangeait soigneusement la layette prête à être utilisée. On lui avait remis deux grandes boîtes en carton tapissées de papier blanc, qui constituaient une garde-robe de fortune qu'elle garnissait au jour le jour, ne sachant pas quel était le sort qui lui serait réservé. Lorsqu'elle osait demander des explications, on lui disait:

– Le moment venu, on te dira quoi faire. Ne sois donc pas trop curieuse!

Kateri n'en avait plus pour longtemps. Elle sentait le petit bouger chaque fois qu'elle s'allongeait sur le lit. C'en était presque comique: son ventre se déformait comme si l'enfant s'étirait en prenant ses aises. Alors, passant tout doucement les mains sur son abdomen, elle chantait à son bébé une vieille complainte indienne que sa mère lui avait apprise dès son plus jeune âge, une berceuse aux accents mélodieux qu'elle aimait:

> *Petit Soleil, toi qui viens avec nous*
> *Sur cette Terre si belle et si généreuse,*
> *Sois le bienvenu,*
> *Et moi qui suis ta mère,*
> *Toujours je te tiendrai la main,*
> *Pour te montrer, Petit Soleil,*
> *Les merveilles*
> *De Notre Mère à tous,*
> *La Terre...*

Kateri fut tirée de sa rêverie par un pincement dans le bas du ventre. C'était une douleur fugace, mais suffisamment intense pour la faire grimacer. Au même moment, la gardienne ouvrit bruyamment la porte de sa cellule :

– Viens-t'en avec moi, le docteur va t'examiner...

Comme elle était plutôt lente à se lever, avec son gros ventre, et à chausser ses souliers pour se rendre à l'infirmerie, la future mère se fit un peu bousculer :

– Allons, grouille, Kateri, remue-toi un peu, sa mère !

Kateri ne répondit pas et se contenta de suivre sa geôlière du mieux qu'elle pouvait. Sa démarche était maladroite. On aurait dit que son ventre pesait sur ses jambes au point de la faire tituber. Elle était étourdie. Les corridors n'en finissaient plus. Par deux fois, la gardienne se retourna pour l'attendre, visiblement impatiente. Lorsqu'elles franchirent le seuil de l'infirmerie, le docteur Charlebois était en grand conciliabule avec Louise Toupin.

– Bonjour, Kateri. Déshabille-toi et assieds-toi. Garde Toupin va prendre ta tension et ensuite je vais t'examiner. Comment vas-tu, ces jours-ci ?

– Docteur, je me sens lourde, je crois bien que l'enfant ne va pas tarder...

Le docteur Charlebois avait l'air incrédule :

– Pourtant, d'après mes prévisions, vois-tu, ça ne serait pas avant quatre semaines. Bon, allonge-toi... Maintenant, place les pieds dans les étriers. Avance encore un peu. C'est correct ! Manges-tu mieux, ces temps-ci ?

L'infirmière fit signe que Kateri ne mangeait pas assez.

–Garde, passez-moi donc les gants. Bon, détends-toi, Kateri… On fait un examen complet. Essaie de bien relâcher le ventre et les cuisses. Dis-moi, depuis quand te sens-tu plus fatiguée ?

Kateri fit la moue. Elle ne pouvait pas donner de précisions. Depuis qu'elle était en prison, elle était résignée à son sort. Les semaines et les jours avaient filé, monotones. Seule la chaleur qui régnait maintenant et son ventre qui avait tant grossi lui faisaient savoir qu'il s'était écoulé quelques mois depuis son arrivée. Son dynamisme ainsi que sa révolte s'étaient peu à peu dilués. Instinctivement, elle réservait ses forces pour l'accouchement et, de fait, elle se sentait beaucoup plus fatiguée qu'à l'ordinaire. Le médecin mesura tout d'abord la taille de l'utérus et évalua la position du bébé :

–C'est bien, il est déjà retourné, prêt à naître en bonne position…

Mais il fit la grimace et se pencha vers l'infirmière :

–Oh, mais il est déjà engagé… voyons le col… Garde, la dilatation est de deux pouces. Vite, il faut la transporter à l'hôpital ! Je n'accouche pas un prématuré ici. Appelez tout de suite une ambulance et prévenez immédiatement la direction. Toi, Kateri, tu ne bouges pas, allonge simplement les jambes.

Même si la température était presque suffocante dans l'infirmerie, Kateri était glacée. Le docteur Charlebois posa sur elle une couverture. Malgré cela, elle se mit à trembler et demanda à Louise Toupin :

–Qu'est-ce qui se passe, garde ?

–Il se passe, ma belle, que ton petit est en route et que le docteur Charlebois va t'envoyer accoucher à Sainte-Justine. C'est d'ailleurs étonnant que tu n'aies pas encore perdu les eaux !…

La jeune femme se souleva un peu sur la table de consultation : « Enfin, se dit-elle, cela veut dire que je vais sortir de cette infâme prison ! On m'envoie à l'hôpital ! Quelle joie ! » À ce moment précis, elle sentit une grande chaleur dans le bassin, puis ce fut comme une déchirure. D'un coup sec, la poche des eaux se rompit sous la pression de la tête du bébé et inonda ses vêtements ainsi que la couverture. Kateri était confuse, gênée de cet incident sur lequel elle n'avait pourtant aucune prise. Louise Toupin avertit le médecin qui s'était éloigné :

– Il faut faire vite, docteur, voilà qu'elle a perdu les eaux. Toi, ne bouge pas, Kateri, reste calme, je cours chercher tes affaires et je les fais porter au contrôle pour qu'elles partent avec toi...

– Garde, je vous en prie, n'oubliez pas les deux boîtes pour le petit !

– Y a-t-il autre chose ?

– Non.

Les gardiennes s'empressèrent d'aider aux préparatifs. Les contractions commençaient à se faire sentir. Kateri frémit sous la violence des premières douleurs et pâlit en agrippant à deux mains le bord de la table. Au moins, son enfant ne montrerait pas le bout de son nez à Fullum ! Le docteur Charlebois resta debout près d'elle jusqu'à l'arrivée de l'ambulance et lui demanda de ne faire aucun effort, craignant qu'un retard en route n'engendre des complications pour l'accouchement. Le travail s'accélérait de façon inhabituelle et il fallait, pour se rendre à bon port, traverser le cœur stratégique de Montréal. On était en pleine heure de pointe. L'ambulance se faufila dans les rues investies par les flâneurs de toutes sortes. Bicyclettes, automobiles, piétons, toute la population était dehors en tenue estivale, grisée par cette magnifique journée ensoleillée, une des premières de la saison. Il fallait faire vite. Kateri avait beau essayer de ralentir le processus, elle ne pouvait rien contre le mécanisme de la nature qui imprimait au bébé de fortes poussées. Louise Toupin, forcée de rester à son poste, avait abandonné sa patiente aux ambulanciers accompagnés d'une jeune infirmière de Sainte-Justine. Celle-ci serrait la main de Kateri, lui demandant de compter avec elle le nombre des contractions, de plus en plus longues. Kateri avait bien du mal à ne pas pousser comme il est naturel de le faire. Si elle retenait son souffle, ses mains se raidissaient et la douleur devenait plus aiguë. Des gouttes de sueur perlaient sur son front et ses mains étaient moites. L'infirmière faisait tout pour rester calme, mais elle sentait la panique la gagner. Elle craignait d'avoir à recueillir le bébé au beau milieu de l'ambulance ! Quelle histoire !

De la rue Fullum, on prit la rue Sherbrooke, puis la rue Saint-Denis vers le nord. La chaleur était écrasante et le soleil dardait ses rayons sans retenue sur le toit de l'ambulance transformée en véritable fournaise. La rue Saint-Denis n'en finissait plus. À chaque feu rouge, le conducteur actionnait la sirène qui hurlait lugubrement, forçant les voitures à s'immobiliser pour le laisser passer aux intersections. Il roulait à toute allure, maîtrisant de son mieux la situation. Dans les accélérations, les quelques documents et objets qui traînaient là, ballottés, se répandaient aux quatre coins, glissant à toute vitesse à droite puis à gauche, pendant que les deux femmes se serraient la main en grimaçant. Kateri était en sueur. L'infirmière, qui lui épongeait le front d'une main et de l'autre lui maintenait les épaules afin qu'elle ne tombe pas, perdit sa coiffe. Ses cheveux glissèrent le long de ses épaules et Kateri, qui ne pouvait plus se retenir, se mit à sangloter. Par chance, on arriva à l'intersection du boulevard Rosemont et, enfin, devant l'entrée de l'hôpital Sainte-Justine. Sous le portail du grand bâtiment de briques rouges aux fenêtres encadrées de pierres blanches, derrière les portes vitrées, une civière attendait. Deux brancardiers étaient prêts à conduire la future mère au pas de course jusqu'à la salle des naissances.

Dès qu'elle fut installée, le docteur Charlebois arriva et se mit au travail. Kateri, haletante, pleurait à chaudes larmes. Les derniers mois avaient été trop éprouvants pour elle. La tension accumulée sortait maintenant d'un seul coup avec le grand bouleversement de l'accouchement. Tout son corps subissait un cataclysme dont elle ne pouvait maîtriser le déroulement. La nature la transformait. De femme, Kateri devenait une mère qui donnait le jour à son enfant. Elle n'était plus une personne, mais deux, unies dans un événement d'une force incroyable, le processus de la naissance. Déjà, la tête du bébé poussait sur le col dont la dilatation était complète. Kateri se sentait écartelée, éclatée, pendant qu'elle donnait la vie à ce petit être si fragile et si dépendant d'elle.

Autour d'elle, les murs blancs n'avaient rien de chaleureux. La lumière crue de la salle d'accouchement aveuglait la future maman qui, en outre, n'appréciait pas cette position inconfortable et si peu conforme à celle qu'enseignaient ses ancêtres, les mères de clan. Kateri avait entendu dire par sa mère et sa grand-mère que, pour accoucher, les Amérindiennes se tenaient accroupies, les bras suspendus à une branche, aidées par quelques femmes du village qui participaient à cet événement essentiellement féminin. Ici, bien que l'hôpital Sainte-Justine fût entièrement administré et géré par des femmes, c'était un homme qui contrôlait un phénomène dont il aurait dû être exclu... Les femmes modernes, en donnant la vie, avaient laissé leur propre nature leur échapper. Elles qui participaient avec leur corps au plus grand mystère du monde avaient remis aux hommes le pouvoir de leur dire quoi faire, et ceux-ci en tiraient gloire et autorité sur elles. Kateri ne pouvait pas formuler sa pensée au point d'en faire un discours, elle n'avait que des mots simples dans sa tête, néanmoins elle trouvait tout cela si étrange, si fou! Tout était à l'inverse de ce qu'on lui avait appris.

Sur un plateau posé près de lui, le docteur avait fait placer les instruments stériles indispensables dans les cas difficiles: il y avait deux impressionnants forceps, des pinces à clamper, un stéthoscope pour écouter le cœur du bébé, un scalpel pour pratiquer les incisions au périnée, puis un nécessaire complet pour les points de suture. Le cliquetis métallique du plateau et des objets que venait déposer l'infirmière effrayait Kateri, en état de choc. Elle sursautait. Le médecin lui fit injecter un léger calmant. Heureusement, le dénouement approchait. L'infirmière qui assistait le docteur Charlebois guidait fermement sa parturiente:

– C'est le premier, n'est-ce pas? Bon, ne sois pas inquiète. Écoute-moi et suis-moi bien. Tout va bien aller.

Surveillant le point culminant de chaque contraction, elle s'écriait :

—Allons-y, petite madame, pousse ! Stop ! Ne pousse plus ! Respire ! Repose-toi…

Le docteur Charlebois avait l'habileté d'un grand accoucheur. Dès que la tête fut sur le point de sortir, avec ses mains gantées de latex il attrapa prestement le crâne du bébé. Il y eut encore deux contractions. Deux fortes poussées. La tête sortait. Tout semblait vouloir aller à merveille. Il s'épongea le front et eut un léger sourire :

—Encore un petit effort, Kateri, tu fais très bien ça ! C'est presque fini !

Mais l'imprévisible cordon ombilical était enroulé autour du cou. Le docteur Charlebois s'en aperçut heureusement très vite. Les choses n'étaient pas aussi simples qu'il y paraissait quelques secondes auparavant. Il se concentra à nouveau. Ceci voulait dire qu'il ne devait en aucun cas donner un angle trop aigu au crâne de l'enfant, qui aurait pu s'étouffer ! La tension était à son maximum dans la petite salle, où on n'entendait plus aucun bruit. Pendant que l'infirmière s'occupait de Kateri, veillant à ce que celle-ci ne pousse plus, le médecin dégagea les épaules du bébé auxquelles il imprima un léger quart de tour. L'instant était crucial. S'il faisait le moindre faux mouvement, la mère serait déchirée et l'enfant étranglé par son propre cordon ! Le docteur Charlebois avait reçu l'ordre de mettre au monde un bébé bien portant, attendu par des personnes haut placées. Il n'en savait pas plus pour le moment, mais, l'enjeu étant clair, il rassembla à cet instant tout son savoir-faire.

Ces minutes-là étaient si intenses que les trois participants synchronisaient leurs gestes et leurs efforts. La mère, le médecin et l'infirmière semblaient maintenant ne faire qu'un, dans un silence total. On n'entendait que le rythme des trois respirations qui s'étaient accordées. Tout à coup, les halètements de Kateri reprirent de plus belle et, lorsqu'elle poussa un bref cri rauque, le médecin, soulagé, sortit le bébé dont le cordon se déroula d'un tour. Il bascula l'enfant tête en bas, dégagea les mucus et laissa échapper un grand soupir de soulagement pendant que son assistante, sans perdre une seconde, coupait le lien qui retenait encore le bébé à sa mère et le clampait avec les pinces. Au même moment, on entendit un petit cri qui s'amplifia pendant que l'infirmière s'écriait :

– C'est une belle grosse fille ! Voyez comme elle crie…

Kateri tendit aussitôt les bras vers son bébé, riant et pleurant à la fois, mais déjà l'infirmière emportait le poupon pour faire sa toilette et l'habiller :

– Sept livres et quart ! C'est du beau travail, Kateri…

L'infirmière donna quelques pressions sur le ventre de la jeune femme afin de décoller le placenta qui sortit d'un bloc. Puis elle lui mit un bandage et la recouvrit. Tout était terminé. Le docteur Charlebois avait déjà disparu. Kateri, heureuse, riait, pleurait, suffoquait. Délivrée, trempée de sueur, épuisée, elle était passée dans le clan des mères. Elle voulait voir son bébé, le caresser, elle voulait prendre dans ses bras son « Petit Rayon de soleil » ! L'infirmière revint au bout de quelques minutes et lui montra la petite. Tout emmaillotée, encore rouge et fripée, elle était à la fois attendrissante et cocasse avec de grandes mèches de cheveux très noirs qui hérissaient les contours de sa frimousse. Kateri la prit sur elle, la berça et se mit à lui donner de petits baisers, partout sur son visage et sur ses minuscules mains si délicates. Elle lui chantait sa chère berceuse et la petite, ravie, entrouvrit un œil comme pour adresser un signe de reconnaissance à sa mère. Puis, au bout de quelques instants, elle se mit à pleurer. C'était un vagissement soudain, comme un cri de désespoir intense dont l'ampleur était surprenante. Kateri, qui ne voyait pas de raison à cette réaction instantanée, releva la tête, inquiète. L'infirmière, menaçante, les deux poings sur les hanches, semblait impatiente de reprendre son paquet... Et le bébé, effrayé, sensible à ce changement d'atmosphère, n'aimait pas cela. Pourquoi fallait-il absolument traiter les bébés avec tant de dureté ? Kateri leva les yeux et se fit sermonner :

−Allons, allons, il ne faut pas trop la prendre avec vous, vous allez la gâter ! Maintenant, il faut vous reposer et, avec cette enfant-là, impossible ! Je l'emmène.

−Garde, s'il vous plaît, laissez-la-moi encore un peu...

−Pas question !

Le bébé continuait de crier bien fort pour manifester son désaccord dans le seul langage à sa portée. Peine perdue. L'infirmière refusait de comprendre, et Kateri était impuissante. Impossible de discuter. Petit Rayon de soleil disparut avec l'infirmière qui fit claquer ses talons d'un rythme militaire.

On transporta ensuite Kateri de la salle d'accouchement à une chambre qui ne comportait qu'un seul lit. Comme c'était étrange! Habituellement, les jeunes mamans partageaient des chambres à quatre lits, quelquefois deux. Elle était donc encore une fois toute seule. Mais enfin, elle avait quitté la prison. Les longs mois de supplice n'étaient plus qu'un lointain cauchemar. Kateri réfléchissait déjà à ce qu'elle allait faire avec sa petite dans quelques jours. Il lui restait quelques économies. Peut-être pourrait-elle retourner sur la terre d'Oka… Là au moins, elle trouverait pour quelque temps un gîte et le soutien de tous les siens. C'est sur cette perspective rassurante que la nouvelle mère s'endormit, car son corps lui imposait maintenant un repos bien mérité. Elle dormit pendant quelques heures et s'éveilla quand on lui apporta un léger repas. Reposée, détendue, Kateri mangea de bon cœur et réclama son enfant, sentant le besoin de lui donner le sein. Sa poitrine, déjà gonflée de lait, coulait comme une fontaine de jouvence. Le plastron de sa chemise en était tout mouillé. Elle sourit en essuyant avec un mouchoir ce débordement… Il lui semblait tout naturel de poser ce geste de vie qui consiste à nourrir le bébé qu'on vient de mettre au monde. Mais Jeanne Cloutier ne l'entendait pas de cette oreille:

–Vous ne donnerez pas le sein à cette petite! Nous avons déjà préparé ses biberons avec le lait qui convient le mieux diététiquement… Vous n'avez pas à vous préoccuper de cela! D'ailleurs, il faut bander vos seins…

–Bander mes seins? Mais je suis sa mère, je veux la nourrir!

–Ici, mon enfant, c'est le médecin qui décide de ce qui est bon ou pas, c'est tout! Maintenant, c'est l'heure des soins. Tournez-vous un peu que je change votre linge. Bon, tout va bien.

Sans hésiter, l'infirmière alla chercher une large bande de coton qu'elle enroula fermement autour du buste de Kateri. C'était douloureux et humiliant pour la jeune mère. Une larme jaillit de ses yeux, qu'elle épongea furtivement. Fallait-il vraiment souffrir de cette façon ? Du lait diététique ?

–Garde, je vous en prie, donnez-moi mon bébé !

–Pas question, seulement à l'heure de son prochain repas !

–Vous voulez dire que je ne peux pas avoir mon bébé ?

–On vous l'a dit, ma petite, reposez-vous…

Aucun dialogue possible. Jeanne Cloutier était inflexible. Aussi seule qu'à Fullum, Kateri était dépitée. Il lui tardait de partir avec Petit Rayon de soleil, il lui fallait à tout prix rejoindre sa famille. Elle voulut se lever pour se rendre à la pouponnière. Jeanne Cloutier l'en empêcha sur un ton qui n'admettait pas de réplique et l'obligea à se recoucher en la maintenant bien fermement serrée dans ses draps :

–Non, non, vous devez rester couchée !

Dans quel monde avait-elle échoué ? Kateri avait beau faire des efforts pour garder sa bonne humeur, à force de se voir barrer la route de tous les côtés, elle, habituellement si calme, sentait l'impatience la gagner. Elle avait du mal à contenir la colère frémissante sous sa peau. Celle-ci s'exprimait par un sentiment de malaise assez confus, qui grandissait, grondait, puis se répandait en vagues fracassantes dans son abdomen et dans sa tête. C'était inquiétant. Kateri n'avait jamais connu la révolte, mais, pour la première fois, fouettée par les injustices, une force sauvage essayait de prendre le pas sur sa raison, la poussant à sauver deux vies : la sienne et celle de son enfant.

La nuit venue, Kateri eut beau chercher le sommeil, elle ne put se rendormir. Elle se battait avec l'image du Cardinal qui refaisait surface et hantait sa conscience. Les souvenirs des moments passés avec lui ne l'apaisaient nullement, l'obligeant à lutter contre une amertume qui la rongeait. Deux facettes de son instinct vital se dressaient l'une contre l'autre et menaient malgré elle une ronde tumultueuse qu'elle ne pouvait pas refouler : la colère contre l'injustice et le besoin fondamental de liberté. Le lendemain matin, n'ayant pas fermé l'œil, elle ne pensait qu'à reprendre son bébé, qu'à partir avec sa fille ! Elle avait une peur viscérale, peur qu'on la renvoie en prison ! Ses seins durs et pleins de lait étaient douloureux. Le tissu qui les comprimait lui faisait vivre un supplice barbare. Entêtée, Kateri voulait avant tout trouver un moyen de nourrir la petite qui était encore à la pouponnière, à l'autre bout du bâtiment. Dans un geste irréfléchi, elle desserra son bandage, se leva et sortit dans le corridor en essayant de se faire discrète au milieu de l'agitation qui régnait déjà. Quelques femmes de service allaient et venaient, promenant les chariots nécessaires au ménage, échangeant bruyamment une ou deux plaisanteries sans intérêt, pendant que des infirmières faisaient la tournée des chambres. La journée était commencée. Kateri jeta un coup d'œil à droite, puis à gauche. La voie était libre. Il était grand temps de voir comment se portait Petit Rayon de soleil et de lui chanter sa chanson. Au moment où la jeune mère allait tourner l'angle du corridor, elle se trouva malencontreusement nez à nez avec Jeanne Cloutier qui prit son air de matrone:

–Kateri, que fais-tu ici? Retourne dans ta chambre immédiatement!

–Mais, garde, je vais voir mon bébé...

Pour toute réponse, Kateri se fit empoigner par le bras. L'infirmière, prise d'un soudain accès de zèle, la poussait et la tirait sans ménagement jusqu'à sa chambre. Kateri, qui n'osait pas trop se débattre, résistait quand même de tout son poids et protestait autant qu'elle le pouvait:

–Pourquoi voulez-vous m'empêcher d'aller voir mon bébé? Pourquoi? Pourquoi? Répondez-moi, garde, pourquoi?

Mais l'infirmière ne répondait toujours pas. Kateri haussait le ton d'autant plus que l'autre lui faisait mal et ne semblait pas gênée de sa brutalité excessive. Comme le corridor était assez long, quelques accouchées, ameutées par les exclamations de Kateri, sortirent la tête de leur chambre; elles trouvaient la situation plutôt bizarre et interrogèrent les femmes de service. Sainte-Justine, hôpital des enfants et des naissances, était un lieu en général calme et paisible. Il n'y avait jamais de crises de nerfs ici! Lorsqu'elles arrivèrent à la porte de la chambre, l'infirmière, visiblement en colère à cause de tout ce scandale dont elle ne voulait à aucun prix, poussa Kateri sur le lit. Celle-ci se débattait et criait. Pour la première fois de sa vie, la jeune femme perdit la maîtrise d'elle-même, elle se mit à hurler et à taper des pieds et des poings sur le matelas. C'était justement ce que Jeanne Cloutier attendait, elle avait reçu des ordres: elle appela à l'aide! Trois infirmières arrivèrent en courant pour maîtriser Kateri. La jeune femme, se sentant comme un animal traqué, se débattait avec toute la force dont est capable une personne qui joue le tout pour le tout. Deux résidents firent irruption dans la chambre et, voyant la scène qui se jouait là, attachèrent la pauvre sur son lit pendant qu'on lui injectait une dose massive de calmants. Kateri, vaincue, encore une fois prisonnière, répétait, l'œil de plus en plus fixe:

–Donnez-moi mon bébé... je veux mon bébé... mon Petit Rayon de soleil à moi!... mon petit...

Les calmants faisant effet, son corps devint si lourd qu'elle perdit conscience de ce qui se passait autour d'elle. Elle s'endormit au bout de quelques secondes.

Chapitre VI

La nuit était tombée depuis plus d'une heure. Il faisait encore chaud. La lune se reflétait langoureusement au milieu de la rivière lisse et immobile. Les éphémères voletaient en nuages bourdonnants tout autour des réverbères et jusque sous les branches des ormes majestueux. Profitant de l'obscurité, les mouches à feu s'en donnaient à cœur joie comme autant de feux d'artifice en miniature.

Philippe Langevin arrivait à la maison. Il fit glisser la porte du garage et la referma d'un coup sec. De l'autre côté de la rue, on voyait une ou deux maisons éclairées et on devinait quelques silhouettes qui prenaient le frais en se balançant sur leur chaise berçante pendant que le bruit régulier d'un jet d'eau couvrait le son de leur voix. Malgré l'heure tardive, Johnny arrosait la pelouse d'Albert qui sentait bon la terre mouillée ! Philippe se débarrassa de son veston, qu'il lança sur le fauteuil près de l'entrée, et desserra sa cravate aussitôt qu'il eut franchi le seuil du vestibule. Tout était silencieux. Encore une fois, la journée avait été rude. En l'absence de Maguy, il avait soupé au restaurant avec un collègue avant de rentrer. Il était toujours débordé de patients, de cas urgents et, en enlevant les souliers qui serraient ses pieds fatigués, il ne pensait qu'à prendre un bon bain pour se délasser complètement. Il se servit un verre de Glenlivet *on the rocks*, déboutonna sa chemise et monta dans la salle de bains pour ouvrir les robinets en grand. Le bruit de l'eau qui s'écoulait dans la baignoire était assourdissant, mais il la laissa se remplir au maximum en savourant pensivement son scotch…

Philippe suivait le trajet vagabond de ses pensées tout en se déshabillant et en se laissant couler dans l'eau bien chaude. Il ferma les robinets et se répéta qu'il était vraiment soulagé de savoir que son beau-père prenait tout en main pour l'adoption, y compris l'aspect financier de la chose : « Je n'aurai même pas à débourser le montant prévu pour ce genre de transaction ! » Allongé dans la baignoire, détendu, son verre à la main, il songeait toujours. « Finalement, la décision qu'Albert nous a poussés à prendre était sûrement la bonne ! » Depuis le premier jour où ils en avaient parlé, voilà plus de deux mois, il s'était fait à cette idée ! Maintenant, tout était réglé. Il n'aurait plus qu'à aller chercher Maguy au chalet le moment venu pour « prendre livraison de la précieuse marchandise », comme il se plaisait à dire dans son langage imagé et quelque peu pince-sans-rire. Philippe en était là de ses réflexions lorsque le téléphone sonna. Tant pis, il laisserait sonner ! Qui pouvait bien appeler à cette heure tardive ? Il se savonna énergiquement des pieds à la tête, se brossa longuement le dos et les épaules afin de faire circuler le sang, fit encore quelques plongeons pour se frotter le visage, puis sortit ruisselant de la baignoire en enroulant une serviette autour de sa taille. Il n'avait pas encore enfilé ses pantoufles que le téléphone sonnait à nouveau. Le bruit strident et sans répit de la sonnerie l'agaçait au plus haut point. Il sortit en hâte de la salle de bains pour aller décrocher, déjà de mauvaise humeur! « Il s'agit probablement de cette pimbêche de Suzanne qui veut des nouvelles d'Anne et de Maguy et qui va me casser les oreilles pendant une bonne demi-heure avec ses cancans. » Philippe n'aimait pas trop sa belle-sœur, qui se mêlait toujours de ce qui ne la regardait pas et se permettait de juger tout le monde en posant à la sainte femme, avec un accent pointu en plus! Bon gré mal gré, il prit l'appareil et répondit en lançant un « Allô » qui n'avait rien d'engageant. Une voix inconnue était à l'autre bout du fil:

– Docteur Langevin, c'est garde Boivin, l'infirmière en chef du service des naissances à Sainte-Justine...

– Garde Boivin, que m'annoncez-vous à pareille heure?

Philippe avait une pointe d'inquiétude dans la voix.

– Une bonne nouvelle, docteur! « Nous » avons accouché tantôt d'une magnifique petite fille.

– Mais la naissance n'était prévue que dans quatre semaines!... Garde, tout s'est-il bien passé?

– Oui, oui, c'est le docteur Charlebois qui a procédé à l'accouchement, selon ce qui avait été prévu...

– Y a-t-il eu des complications? l'interrompit Philippe, tout à coup repris par ses vieilles appréhensions.

– Ne quittez pas, docteur, je vous passe le docteur Charlebois...

– Bonsoir, docteur Langevin! J'ai le plaisir de vous annoncer la naissance d'un magnifique bébé. Je viens d'apprendre que vous et votre épouse allez en être les parents...

–C'est que…

–Oh, soyez sans crainte, en toute confidentialité, bien entendu! Je peux vous dire que tout s'est déroulé normalement. Elle a crié très fort après que j'ai eu dégagé les mucus… et ses réflexes sont magnifiques!

Philippe soupira de soulagement:

–Je vous remercie, docteur…

–Elle a déjà été examinée par le pédiatre et tout va bien.

Philippe ne savait trop que dire. Le docteur Charlebois enchaînait:

–Comme il s'agit d'une belle grosse fille de sept livres et quart, ce qui est plus que respectable, nous ne pouvons même pas la considérer comme une prématurée!

–Je suis bien soulagé d'entendre cela!…

–Nous la garderons deux jours en observation et vous pourrez venir la prendre avec votre femme…

–Voulez-vous dire que vous la laisseriez sortir si vite? Vraiment?

–Bien sûr, mon cher! Étant donné votre qualité de médecin, la condition physique de l'enfant, et le temps qui est idéal, il n'y a aucun inconvénient, bien au contraire! À moins de complications d'ici là, évidemment!

Décidément, Philippe n'était pas bavard. La surprise le rendait silencieux.

–Docteur Langevin, êtes-vous d'accord sur le principe?

–Certainement, je vous fais entièrement confiance! Je vais aller chercher ma femme demain soir. Je vous remercie, docteur, et félicitations pour votre beau travail…

– Ce n'est rien, c'est plutôt à moi de féliciter le nouveau père. Félicitations, mon cher, à vous et à la nouvelle maman !

Philippe raccrocha le téléphone et essuya la mare qui s'était formée tout autour de lui pendant la conversation. Il se gratta la tête. Il n'aurait pas été raisonnable de faire appeler Maguy à cette heure. « Je lui téléphonerai demain matin de bonne heure. » Sur cette sage résolution, il s'endormit d'un sommeil de plomb.

*

Dès la première heure, avant de partir rejoindre Maguy, Philippe prit le temps d'appeler son beau-père afin de le mettre au courant de la bonne nouvelle. Albert, plus que ravi, s'exclama :

– Alors, mon cher Philippe, vous aviez donc raison ! Vous voici père de ma première petite-fille ! Savez-vous que je ne suis pas mécontent de voir arriver une demoiselle au milieu des garçons de Jean-Paul et Suzanne ! Mais dites-moi donc, elle était bien pressée de nous rencontrer, cette petite ! Comment se fait-il qu'elle soit déjà née ?

– C'est exact, elle est en avance. Elle sait sans doute que vous allez la gâter plus que de raison et c'est ce qui la rend si pressée !

Il riait en taquinant le nouveau grand-père :

– Elle a probablement hâte d'ouvrir les cadeaux qui l'attendent ! Torrieu, beau-père, je vais vous avoir à l'œil si vous la gâtez un peu trop à mon goût !

– Trêve de plaisanteries, Philippe, est-ce que tout va bien ?

–Tout va bien, beau-père. Tout va bien! Je vais aller chercher Anne et Maguy demain soir.

–Alors, je vous dis à demain soir, mon gendre! Prenez donc la Cadillac et faites-vous conduire par Johnny!

–C'est très gentil à vous, mais je préfère m'y rendre seul. De plus, n'oubliez pas la discrétion à laquelle nous sommes tenus!

–Faites comme bon vous semble, mon cher!

Les deux hommes jubilaient.

*

Maguy était partie discrètement avec sa mère depuis bientôt trois semaines et elle s'était installée dans un chalet au bord du lac Champlain, tout près de St. Albans Bay, dans un coin charmant situé aux États-Unis, juste de l'autre côté de la frontière. Cela lui permettait de ne pas trop étaler sa prétendue grossesse: il n'aurait pas fallu que quelqu'un s'aperçoive du subterfuge! De quoi aurait-elle eu l'air? Ici, elle était parfaitement incognito. Philippe avait accompagné Maguy et sa mère dans leur retraite, il les avait laissées toutes les deux en compagnie de Rose Cummings, une femme du pays qu'on avait engagée à la semaine pour faire les travaux domestiques. Henry, son mari, s'occupait du gazon et des fleurs. Il les emmenait aussi jusqu'au village faire les emplettes indispensables. Tout était parfait. Le chalet était une coquette maison campagnarde en bois peint, qui dominait la partie la plus tranquille du magnifique lac Champlain. Toute blanche, tapie dans la verdure et regardant les eaux qui s'étendaient à perte de vue, la demeure estivale débouchait sur une plage privée formant une anse, surplombée par un petit bois plein de charme. On ne pouvait rêver d'un coin de pays plus agréable. Philippe y venait avec Albert passer les fins de semaine et, en vérité, sa femme et sa belle-mère se portaient à merveille! Bien sûr, Maguy était en pleine forme. Même Anne constatait que ses maux de tête étaient beaucoup moins fréquents. Elle avait accepté de passer tout ce temps dans ce lieu si ensoleillé parce qu'elle ne voulait pour rien au monde que Maguy y soit seule. Alors, Anne tirait les rideaux comme d'habitude, et lorsqu'elle s'aventurait dehors, elle s'abritait sous d'immenses chapeaux qui protégeaient sa peau délicate, avant de s'installer sous le parasol le plus proche.

Presque chaque jour cependant, Maguy arrivait à la convaincre d'aller se promener. Bras dessus, bras dessous, elles marchaient autour du lac, s'enfonçaient un peu dans la pénombre du sous-bois, admiraient le magnifique paysage et respiraient le bon air. Elles trouvaient toujours en chemin quelques fleurs sauvages pour faire un joli bouquet, puis elles revenaient au chalet. Alors, Maguy se dépêchait d'enfiler son maillot de bain et dévalait la plage pour courir jusqu'au lac. Intrépide, elle s'y baignait avec la joie d'un enfant qui découvre les délices de l'eau, encore très froide en ce début de saison. Elle riait et grelottait sous l'œil attendri de sa mère qui lui disait:

– Maguy! Maguy! Tu es bien gamine...

Et c'était vrai. Maguy s'excitait en riant comme une petite fille. Finis les mois de grande mélancolie. Elle répondait, victorieuse:

– Bientôt, maman, ce sera mon bébé qui viendra jouer dans l'eau! Ah, maman, comme j'ai hâte!

– Fais attention, Maguy, tu vas prendre froid! Ne reste pas ainsi les pieds glacés... Rentre, maintenant... Tiens, essuie-toi bien!

Anne veillait sur sa fille comme si celle-ci avait encore dix ans et elle appelait Rose à la rescousse:

– Rose, pouvez-vous nous apporter un autre drap de bain?

– Tout de suite, madame...

– S'il vous plaît, Rose, préparez-nous du thé, cela va nous réchauffer.

La brave Rose Cummings, une femme solidement plantée, les regardait s'ébattre en préparant le repas. Elle pensait que madame Maguy était au début d'une grossesse et se réjouissait pour elle! Les journées se succédaient, paisibles et vivifiantes. Lorsqu'elles ne se promenaient pas au bord du lac, la mère et la fille se reposaient, lisaient et s'adonnaient à quelques travaux d'aiguille qui leur faisaient passer agréablement le temps. Maguy, qui avait les talents d'un vrai cordon-bleu, avait entrepris pendant ces quelques semaines de donner des leçons de cuisine à Rose, dont les capacités culinaires se limitaient au steak accompagné de pommes de terre. Grâce aux conseils et à la patience de la jeune femme, Rose faisait de remarquables progrès sous l'œil attentif de ses deux *ladies*. La cuisine, pourtant rustique, avait été transformée en véritable laboratoire. On y apercevait à toute heure du jour un plat qui mijotait, une pâte qui reposait ou bien quelques légumes qui macéraient pour faire une succulente sauce. Déjà, l'apprentie de Maguy avait réussi de main de maître un poulet basquaise, une julienne de légumes frais ainsi qu'une savoureuse crème anglaise, et elle se prenait au jeu de la gastronomie...

Le soir, Henry Cummings allait au salon leur allumer un bon feu qui réchauffait la maison et rendait la soirée plus vivante. Maguy aimait entendre le crépitement des bûches, sentir l'odeur du feu de bois et admirer pendant des heures et des heures la danse colorée des flammes, mouvantes et toujours différentes. Elle restait alors silencieuse, apaisée et sereine, pendant que sa mère, incorrigible bavarde, lui parlait de tout et de rien. Elles écoutaient souvent de la musique, grâce au bon vieux gramophone qu'Albert leur avait installé. Il l'avait apporté avec toute la collection de soixante-dix-huit tours qu'il avait pris la peine de déménager pour que ses deux «chères petites femmes» ne manquent de rien. Elles avaient un choix immense, dans tous les genres de musique: leurs symphonies classiques préférées, mais aussi les plus célèbres interprètes du moment, comme Édith Piaf, Charles Trenet ou Alys Robi, que Maguy adorait. Elles montaient se coucher lorsque le rougeoiement des braises s'était atténué, les yeux lourds et le corps rempli d'une bonne fatigue. Ces jours-là, leur passe-temps favori était de faire et de refaire la liste des noms qu'on avait sélectionnés pour le bébé à naître. Maguy, crayon en main, avait fini par arrêter son choix sur deux noms de fille et deux noms de garçon, avec lesquels Philippe semblait d'accord. Anne tricotait avec application une paire de minuscules chaussons de laine blanche, et Maguy relisait pour la centième fois la fameuse liste en regardant le coucher de soleil. Elle se tourna vers sa mère:

–Sais-tu, maman, que je suis bien impatiente de savoir si mon bébé est une fille ou un garçon! C'est terrible, ce suspense. J'aimerais que ce soit un petit garçon, mais après tout j'aimerais aussi que ce soit une petite fille !

Anne releva les yeux de son ouvrage en souriant :

– Crois-tu que cela soit si important ?

– Tu as raison, l'essentiel c'est mon bébé. Alors, ce sera Bruno ou Hervé, ou Viviane ou Myriam, ou peut-être Delphine ; qu'est-ce que tu en penses ?

– Je pense que, de toute façon, mes petits chaussons vont être utiles, fille ou garçon !

La saison s'annonçait magnifique, très ensoleillée… Il faisait beau et chaud. On était au premier jour de juin. Cette nuit-là, Maguy, contrairement à ce qui se passait d'habitude, ne dormit presque pas. Elle songeait à l'événement qui allait bientôt changer sa vie. Le matin aux aurores, bien avant que Rose vienne leur préparer le déjeuner, elle sortit pour admirer le soleil qui s'élevait, majestueux, au-dessus du lac. Le ciel s'était embrasé des couleurs les plus vives, comme pour rendre hommage à une journée de fête. En admirant le spectacle grandiose, elle pensait à ce bébé tant attendu, telle une enfant qui reçoit sa récompense. Encore un peu de patience… Elle fit une longue marche, escalada prestement les quelques rochers qui se trouvaient au bout de l'anse et prit le chemin du retour. La jeune femme se sentait légère. Elle avait faim. Lorsqu'elle arriva à la lisière de la propriété, Anne, très agitée, debout sur le balcon, lui faisait de grands signes :

– Maguy, où étais-tu ? Viens vite !

Anne avait mis ses mains en porte-voix et criait :

– Philippe vient d'appeler !

Maguy avait beau tendre l'oreille, avec le vent contraire elle ne pouvait l'entendre :

–Attends, je ne t'entends pas, que dis-tu?

–Dépêche-toi donc!

–J'arrive, j'arrive!

Maguy accourut à toutes jambes et rejoignit sa mère tout essoufflée. Anne lui répéta que Philippe avait appelé. Rose et Henry Cummings avaient réveillé Anne. Ils étaient porteurs du message de Philippe, car le chalet n'était pas encore équipé d'une ligne téléphonique. Henry prit la parole, en tenant respectueusement sa casquette dans ses mains:

–Monsieur Philippe a téléphoné, madame. Il a dit que c'était urgent, il demande de le rappeler tout de suite.

Maguy s'engouffra en toute hâte dans la voiture, suivie d'Anne qui voulait absolument savoir ce qui se passait à Montréal. Lorsqu'elle put rejoindre Philippe, qui était déjà à sa consultation à l'Hôtel-Dieu, ce fut Fleurette qui répondit:

–Madame Langevin, je vous passe immédiatement le docteur.

Maguy était impatiente.

–Philippe chéri, ne me fais pas languir, dis-moi vite ce qui se passe!

Philippe parlait à voix basse de façon à ne pas être entendu de Fleurette, qui avait l'oreille très fine:

–Ma chérie, prépare-toi, tout s'est bien passé, une belle grosse fille est née. Oui, oui, nous irons la chercher dans quarante-huit heures!

Maguy et Anne étaient alors dans la cuisine de Rose et Henry. Les deux femmes, se sentant observées, se faisaient des signes et parlaient à voix basse. Elles retenaient leurs explosions de joie, ne voulant susciter aucune question, encore moins des explications qui auraient été compliquées. Heureusement pour elles, la conversation se déroulait en français, langue indéchiffrable pour les Cummings. Maguy continuait :

–Oh, Philippe, Philippe, quand arrives-tu ?

–Demain soir, Maguy, après les consultations, et nous irons à Sainte-Justine après-demain matin.

Lorsqu'elles furent de retour, Maguy dévora un copieux déjeuner. Elle avait envie de faire des folies, elle aurait pu danser sur la table ou encore aller crier à tous au village qu'elle était enfin une maman comme les autres ! Mais elle se retint. Le pain doré de Rose était un vrai régal. Elle y fit honneur. Puis elle se mit à préparer les bagages pour que tout soit fin prêt lorsque Philippe arriverait. Ensuite, Maguy marqua d'une grosse croix rouge la date du calendrier : les vacances étaient finies, sa carrière de mère commençait.

*

À Montréal, Albert Pellerin avait fait préparer tous les papiers d'adoption par les registraires. Naturellement, le Cardinal lui avait donné sa bénédiction et avait remis des instructions précises pour que les souhaits de monsieur Pellerin soient parfaitement respectés, sans la moindre objection. Comme Albert avait généreusement remis une somme de cinq mille dollars, il fallait bien que tout soit en règle et rapidement exécuté. On trouvait tout à fait normal de se plier sans mot dire à chacune de ses volontés. Il avait posé une seule condition, que le Cardinal appuyait sans réserve : le lieu de naissance du bébé ne devrait jamais être mentionné ni sur le certificat de naissance, ni sur le baptistaire, ni sur aucun acte d'état civil, quel qu'il soit.

Cette enfant-là était une Langevin : il n'était pas question que l'on puisse un jour démontrer le contraire ! Il n'existerait jamais aucune trace de ses véritables ascendances. Maguy et Philippe n'auraient plus qu'à aller apposer leurs signatures et ajouter le nom de baptême de cette petite fille, comme de véritables parents. Albert Pellerin, revenant de l'archevêché, était satisfait de la tournure des événements.

*

Dans tout l'hôpital Sainte-Justine, le personnel était en effervescence. Un bruit courait de la salle d'accouchement jusqu'à la pouponnière. La jeune mère de la chambre au fond du corridor était démente... Kateri venait de se réveiller et, malgré les calmants qu'on lui avait administrés la veille, elle était assaillie par une nouvelle crise de nerfs. Malheureuse, isolée, privée de réponses à ses questions, elle se déchaînait. Impuissante, elle laissait sa fureur s'exprimer sans contrainte, sans limites, se sentant incapable de juguler les réactions de tout son être qui criait à l'injustice. Kateri avait porté pendant neuf mois un enfant qui avait été conçu dans l'amour. Elle avait été rejetée, bafouée, humiliée, incarcérée sans procès, et à présent qu'elle réclamait cet enfant qui était le sien on lui interdisait de le nourrir et même de le voir ! Pire, un médecin qu'elle ne connaissait pas était venu lui dire des choses invraisemblables. Il était entré dans sa chambre avec une religieuse et une dame de l'administration. Tous trois l'avaient dévisagée d'un air sévère :

–Kateri, ton bébé va bien, il est en santé, toi aussi. Alors, dans quelques jours, tu vas sortir d'ici. Il est évident que tu n'es pas dans une situation pour élever un enfant. As-tu pensé que cet enfant serait rendu malheureux par ta condition de fille-mère ?

Kateri avait blêmi. C'était comme un coup de poignard qui lui avait transpercé le cœur en plein milieu. Avant même que ce médecin ait fini de prononcer son horrible discours, elle avait tout compris ! On voulait qu'elle abandonne son bébé... L'autre avait continué, avec un sourire mielleux, mais la jeune femme ne pouvait même plus l'entendre. On aurait dit que tout son sang avait quitté son corps et qu'il s'était déversé tout d'un coup dans la terre ! Elle avait eu peur de s'évanouir et avait rassemblé toutes ses forces :

–Jamais, m'entendez-vous, jamais !

La religieuse, raide et droite, la tête haute, avait tenté d'esquisser un sourire en lui faisant comprendre que ce que venait de dire le médecin était le bon sens même. Madame Doyon, la femme de l'administration, avait pris un air protecteur. Mais la nervosité se lisait sur leurs visages pendant que leurs yeux affichaient une doucereuse hypocrisie. Madame Doyon avait ajouté :

–Penses-y bien, Kateri, penses-y bien. Tu n'as pas les moyens d'élever correctement un enfant ! Nous sommes là pour t'aider...

Et ils étaient sortis tous les trois. Kateri, assise sur son lit, tremblait encore en se répétant : « Jamais, jamais je n'abandonnerai mon bébé. Jamais je ne laisserai une autre que moi devenir sa mère! Je ne signerai aucun papier! » La situation, impossible à accepter, la poussait à sortir de ses gonds, comme tous les êtres démunis, et à adopter un comportement désespéré. Son instinct maternel bafoué hurlait, sa dignité rugissait, son âme se déchaînait. Tout son être à vif se rebellait. Elle était incapable de supporter la moindre brimade supplémentaire! Deux femmes de service entrèrent dans sa chambre; l'une d'elles portait un plateau avec son repas. Kateri ne pouvait rien avaler. Tout ce qu'elle désirait, c'était avoir des explications sur le sort qu'on lui réservait, mais les phrases ne voulaient pas sortir selon la logique et les usages. Les mots se bousculèrent lorsqu'elle tenta d'interroger les deux femmes, maladroitement et brutalement:

– Dites-moi donc, vous autres, pourquoi m'empêche-t-on de voir ma petite fille? Est-ce donc normal, ici, d'enlever les bébés à leur mère?

En disant cela, elle criait. Deux grosses larmes de désespoir roulèrent sur ses joues. Aucune des deux femmes ne lui répondit. Elles baissèrent la tête et firent mine de ne pas entendre, lui conseillant de manger son repas pendant qu'il était chaud. Kateri donna un coup sur le plateau qui rebondit et se renversa par terre à grand bruit. La première chuchota à l'autre:

– Je pense bien qu'elle est dérangée.

Puis, s'adressant sèchement à Kateri:

– Pas de folies ici, ma petite! Calme-toi donc...

– Ah! vous voulez que je me calme, n'est-ce pas? Alors, qu'on m'apporte mon bébé! Tiens, tiens! Si on m'apporte mon bébé, là je me calmerai!

Elle avait donné un nouveau coup sur la table roulante placée près de son lit, qui alla heurter bruyamment le mur opposé. Les deux femmes, effrayées, sonnèrent pour appeler à l'aide. La patiente criait de plus en plus. Gesticulant, à genoux sur son lit, Kateri insultait tout l'hôpital :

–Est-ce de cette façon, ici, qu'on soigne les femmes et leurs bébés ? Est-ce ainsi qu'on traite les mères ? Donnez-moi mon bébé ! Je veux mon bébé ! Je veux ma fille ! Vous avez séquestré mon bébé.

Tapant des poings sur le mur, Kateri ne savait plus ce qu'elle disait. Un flot de paroles toutes plus effrayantes les unes que les autres sortait de sa bouche et ne tarissait plus. Les mots acerbes étaient ses seules armes contre les agressions dont elle était l'objet :

–Voleurs ! Vous êtes des voleurs d'enfants ! Malhonnêtes et voleurs ! Hôpital, prison, c'est tout' du pareil au même, des malhonnêtes… Je vais vous dire, moi, qui est mon bébé ! Ma fille est la fille du Cardinal ! Entendez-vous ? La fille du Cardinal !

Un sourire moqueur passa sur les lèvres des deux femmes de service, qui se regardèrent d'un air entendu :

–Mais oui, mais oui… c'est bien sûr !

L'une des deux appuya à nouveau sur la sonnette d'alarme. Jeanne Cloutier fit irruption dans la chambre, les deux poings sur les hanches. Elle essaya tout d'abord de raisonner la jeune femme :

–Kateri, tais-toi immédiatement et recouche-toi !

Kateri criait de plus belle. Pire, elle hurlait. Ses paroles étaient dangereuses. Très dangereuses. Madame Cloutier fit un signe à une jeune infirmière qui la suivait. Avec l'aide des deux femmes de service, elles tentèrent de maîtriser Kateri en l'allongeant sur son lit. En moins de vingt secondes, deux résidents et trois religieuses étaient entrés dans la chambre, ameutés par les cris que l'on entendait depuis la salle des médecins. Madame Cloutier accusait Kateri :

– Voici qu'elle devient violente ! Faites de quoi, docteurs ! Aidez-nous, elle ne sait plus ce qu'elle dit !

Maintenue sur son lit, entourée par les jeunes médecins qui épluchaient son dossier et l'auscultaient, Kateri était à bout. Inlassablement, elle leur demandait son bébé. L'un d'eux, tout jeune mais déjà fort de son autorité, lui mit la main sur la bouche en guise de bâillon. Elle voulut le mordre. Ensuite, comme elle refusait encore de se taire, ils l'attachèrent solidement. L'autre, à l'air insolent et hautain, eut le front de lui demander :

– Que vous arrive-t-il, ma petite madame ? Parlez donc calmement afin qu'on puisse vous aider !

Le psychiatre de l'hôpital, appelé d'urgence, arriva lui aussi. On se bousculait maintenant dans la pièce. Les infirmières et les religieuses s'esquivèrent. Ils s'efforçaient tous de suivre les instructions qu'on leur avait données, c'est-à-dire de faire en sorte que Kateri abandonne son enfant discrètement, en sauvegardant les apparences. Mais elle faisait tout le contraire de ce qu'on attendait d'elle. Il fallait l'empêcher d'étaler au grand jour une situation délicate et gênante pour un homme influent dont on ignorait l'identité. En un sens, l'attitude de la patiente était idéale, elle leur fournissait d'excellents motifs pour qu'on puisse la déclarer hystérique et paranoïaque, et pour la séparer comme prévu de son bébé qui, par ailleurs, serait adopté par une famille respectable... Le psychiatre, qui essaya de la calmer, ne put rien en tirer de plus. Elle répétait qu'elle voulait son enfant, et cette histoire de fille du Cardinal n'avait évidemment ni queue ni tête. Alors, on lui injecta encore des calmants. Par intraveineuse, elle reçut une dose de gardénal capable d'endormir un cheval. On vint la chercher dans l'heure qui suivit et l'ambulance la conduisit inconsciente à Saint-Jean-de-Dieu, l'hôpital réservé aux malades mentaux. Là au moins, personne n'écouterait ses histoires, et à Sainte-Justine on oublierait vite l'incident. La ronde des naissances suivrait son cours.

*

Ce matin-là, Albert était pressé de quitter le bureau. La réunion concernant les échéanciers des chantiers navals l'ennuyait au plus haut point. Il eut tôt fait de liquider les quelques sujets à l'ordre du jour et de faire approuver la prochaine rencontre pour la semaine suivante, tant il lui tardait d'aller retrouver sa famille et sa nouvelle petite-fille. Il ne pouvait s'empêcher de penser à la joie de Maguy et à son rêve enfin réalisé. Sur le chemin du retour, il fit une escale à la Commission des liqueurs et choisit deux bouteilles du meilleur champagne : un Laurent Perrier très recommandé. Puis il passa chez Dionne, où on lui prépara un assortiment de petits fours pour contenter les becs sucrés et, se ravisant, il fit ajouter un plateau de saumon fumé, plus deux boîtes de caviar Beluga avec des petits pains norvégiens. Voulant que tout soit impeccable, il demanda à Johnny de faire un nouveau détour pour ajouter à ses emplettes l'essentielle bouteille de vodka. Il arriva à Ahuntsic les bras remplis.

Anne, allongée sur le sofa du salon mais déjà prête, l'attendait, impatiente de voir arriver Maguy et Philippe.

*

De très bonne heure, Maguy s'était levée. Elle avait refait le tour de la chambre du bébé et avait constaté, pour la centième fois au moins, qu'il n'y manquait plus que sa fille. Sans cesse, elle déplaçait et replaçait les peluches et les hochets. La petite mallette en cuir blanc contenant le nécessaire pour habiller l'enfant était fin prête! Mais il n'était encore que six heures, et les aiguilles de la pendule ne voulaient pas avancer ce matin! Maguy, terriblement impatiente, tournait en rond à la recherche d'une occupation. Elle réveilla Philippe après lui avoir préparé un bon café et se fit encore plus «ratoureuse» que d'habitude pour le faire sortir du lit:

– Philippe, Philippe, réveille-toi! Te rends-tu compte que, dans deux ou trois heures, nous serons de retour avec Myriam? Viens, lève-toi, chéri, j'ai préparé tes rôties. S'il te plaît, lève-toi!

Assise sur le bord du lit, elle l'implorait et faisait sa moue de petite fille. Philippe entrouvrit un œil, puis l'autre. Il s'étira un peu. Il était de bonne humeur. «Maguy est donc bien tannante de me bousculer de cette façon!» pensa-t-il. Alors, pour la faire languir et aussi pour s'amuser, il fit semblant de se rendormir… et de ne pas se souvenir de ce qu'ils devaient aller faire aujourd'hui. C'était comique! Maguy se blottit contre lui. Il ne bougeait pas, elle ne bougeait pas non plus. Au bout de dix minutes, elle se mit à le pousser de plus en plus fort et à s'agiter, inquiète de cette léthargie qui semblait anéantir son mari:

—Bon, Philippe, tu es détestable... et puisque tu ne veux pas te lever, je vais t'apporter ton café au lit!

En disant cela, elle prenait le ton le plus menaçant possible, ce qui n'effrayait pas grand monde, surtout pas lui. Lorsqu'elle revint, portant deux déjeuners sur un plateau, Philippe s'était caché derrière la porte. Ce jeu enfantin et banal l'effraya au point qu'elle faillit tout renverser sur le lit en s'écriant:

—Ah, tu m'as fait peur, tu es bien cruel!

Philippe riait. Maguy, entraînée par sa gaieté communicative, fut elle aussi prise d'un fou rire. Le déjeuner fut avalé tout rond, la douche prise en hâte, il fallait partir!

Lorsqu'ils arrivèrent enfin à Sainte-Justine, Maguy se précipita jusqu'au troisième étage où ils avaient rendez-vous avec le docteur Charlebois.

Celui-ci, qui les attendait, leur fit un résumé de l'accouchement, en omettant bien sûr de mentionner ce qui concernait la mère de l'enfant. Puis il appela le pédiatre, le docteur Blais, qui vint donner aux parents des recommandations d'autant plus importantes que le bébé allait sortir de l'hôpital plus rapidement que la majorité des nouveau-nés. Maguy était tout ouïe. Elle s'appliquait à bien saisir tout ce qu'on lui disait et se tournait vers son époux afin de s'assurer que, comme elle, il n'oublierait rien. Philippe, quant à lui, comprenait sans difficulté le jargon médical et la marche à suivre. Il s'agissait en fait de préparer les biberons convenablement, de les donner à Myriam à des heures régulières, de lui donner un bain chaque jour et de surveiller attentivement la courbe de son poids. Comme tous ces discours semblaient longs et fastidieux à Maguy! Mais enfin ces précautions modernes étaient essentielles, il fallait bien en convenir. Elle n'avait plus qu'une chose en tête, tenir son bébé dans ses bras! Maintenant, il était temps de passer à l'action et d'aller à la pouponnière afin d'y retrouver la petite. Maguy trépignait d'impatience. Par deux fois, elle faillit se précipiter dans le corridor, alors que Philippe, qui écoutait encore le docteur Blais, lui faisait de gros yeux. Finalement, Maguy et Philippe entrèrent dans la petite salle où l'on avait placé Myriam Langevin dans un berceau tout blanc. Maguy ne put retenir son émotion en apercevant enfin sa fille! Elle courut vers le minuscule lit et se pencha au-dessus du bébé, en s'exclamant et en la caressant délicatement du bout des doigts:

– Ma belle petite! Mon beau bébé! Regarde, maman et papa viennent pour t'emmener à la maison, mon ange! Regarde maman, ouvre tes yeux, ma belle poupée!

Madame Boivin, tout attendrie, fit signe à Maguy qu'elle pouvait prendre la petite dans ses bras. Maguy ne savait trop comment s'y prendre, ayant peur de casser en morceaux ce petit paquet gazouillant, tout emmailloté, qui l'impressionnait. Alors, la nurse souleva l'enfant et la mit dans les bras de sa nouvelle mère, qui avait les yeux pleins de larmes.

– N'ayez pas peur, madame, la première fois qu'on prend son bébé, on se sent toujours un peu gauche...

– Oui, c'est qu'elle est si petite!

Myriam tenait ses petits poings levés et bien serrés. Elle fit quelques grimaces et poussa deux ou trois petits cris qui détendirent l'atmosphère. Philippe avait un sourire radieux. Maguy n'en finissait plus de s'extasier :

–Comme elle est belle ! Elle a de si jolies petites mains !

Pour la circonstance, l'infirmière en chef, madame Boivin, avait été chargée de faire à Maguy toute une démonstration. Elle lui montra comment langer et habiller sa fille, comment lui bander l'abdomen jusqu'à la tombée du cordon et comment la tenir pour lui donner ses repas en n'oubliant surtout pas de lui faire faire son rot. Puis on revêtit Myriam des beaux atours que Maguy avait apportés dans la ravissante petite valise. Madame Boivin vérifia dans le dossier que rien n'avait été oublié et, enfin, elle remit le bébé à ses parents, après leur avoir fait signer les papiers de l'hôpital. La nouvelle famille avait déjà tourné l'angle du corridor lorsque l'infirmière les rattrapa en courant :

–Docteur Langevin ! Excusez-moi, j'avais oublié de vous remettre ceci.

Philippe se retourna. Elle lui remit deux boîtes en carton contenant des vêtements qui appartenaient au bébé. Maguy, ayant déjà la petite dans les bras, ne voulait pas les emporter, mais l'infirmière insista. Philippe prit les boîtes et les jeta négligemment à l'arrière de sa voiture. Quelques jours plus tard, faisant le ménage du coffre, il les monta dans la chambre du bébé et les enfouit au fond de la penderie. Depuis le jour de son mariage avec Philippe, Maguy ne se souvenait pas d'avoir été aussi heureuse. Elle tenait Myriam sur son cœur, bien enveloppée dans un lange en coton brodé, malgré la douceur de ce beau jour de juin. Elle était radieuse. Elle couvait des yeux son bébé, elle le protégeait. Elle connaissait déjà par cœur la courbe de ses joues et de son menton, la nuance délicate de sa peau, le bleu profond de ses yeux et le joli profil de son petit nez, souligné par un sourire attendrissant. Son extase était complète. Maguy ne se lassait pas de la regarder… Endormie par le ronron du moteur, Myriam fut d'une sagesse exemplaire tout au long du chemin.

Lorsque la voiture tourna le coin de la rue, Albert faisait les cent pas sur le perron en surveillant sa montre. Il donna trois petits coups dans la vitre pour que Betty donne le signal à Anne. Ensemble, ils traversèrent d'un bon pas l'allée fleurie qui séparait les deux maisons et arrivèrent juste au moment où Philippe ouvrait la porte pour aider sa femme à sortir du véhicule. La joie familiale était à son comble. Johnny se tenait dans la cour, au garde-à-vous et casquette en main, pendant que Betty, tout énervée, clamait qu'elle n'avait jamais vu un aussi beau bébé. Albert souriait d'un air protecteur en tenant le bras d'Anne, et Maguy arborait fièrement Myriam emmaillotée, afin que tous les voisins enregistrent bien la réalité concrète de son état de mère. Betty, qui allait et venait depuis le matin, ne voulait rien manquer de cet instant-là! En attendant l'entrée de monsieur Philippe et de madame Maguy, avec mademoiselle, elle avait déjà préparé le lunch prévu par Albert sur la table de la salle à manger. Anne lui avait fait disposer des bouquets de roses pâles dans le salon et dans les chambres. Étienne, piqué par la curiosité, quoique les bébés n'eussent que peu d'intérêt pour lui, avait ressorti son vieux traîneau pour l'offrir à sa nièce, ce qui fit amplement rire tout le monde étant donné le temps qu'il faisait ! Puis on entendit courir au bout de l'allée : c'étaient les jumeaux qui précédaient Jean-Paul et Suzanne en chahutant. La maison des Langevin, qui avait pris un air de fête, resplendissait de quelque chose de presque surnaturel... À l'instant même où Maguy, escortée de Philippe et portant Myriam, mit le pied dans l'entrée, un rayon de soleil se posa sur l'imposant vase en cristal au-dessus de la cheminée et illumina la pièce. Ce fut comme une étoile filante, un éblouissement. Philippe et Albert allumèrent chacun le cigare de circonstance, tiré d'une boîte de Davidoff, et remplirent les coupes de champagne qui tintèrent gaiement, pendant qu'Anne et Maguy changeaient le bébé et préparaient son premier repas à la maison.

Myriam fut exemplaire, elle se comporta comme une fille de bonne famille, ouvrant de grands yeux et buvant son biberon avec un solide appétit. Elle regardait de tous les côtés. On aurait dit qu'elle admirait, tout autour d'elle, les merveilles qu'elle découvrait dans sa chambre et dans toute la maison. Maguy s'écria :

– Regarde, maman, elle voit tout ce qui se passe autour d'elle !

– C'est impossible, Maguy, un nourrisson ne voit rien du tout ! lui répondit Anne en hochant la tête. Suzanne ajouta :

– Avec ces grands yeux-là, elle doit bien voir un petit quelque chose...

Suzanne pour une fois était d'accord avec Maguy. Les opinions divergeaient sur le sujet, mais on revenait vite à l'émerveillement qui rassemblait tout le monde. Chacun la prit tour à tour dans ses bras pour lui faire la conversation, jusqu'à ce qu'elle se fâche un peu et qu'on la laisse dormir dans son magnifique berceau orné de voiles et de dentelles. Le soir venu, Maguy, qui avait peur d'être en train de rêver et craignait de se réveiller les bras vides, n'arriva pas à quitter la chambre de son bébé, située juste en face de celle qu'elle occupait avec Philippe. Elle s'installa sur le grand fauteuil blanc à côté du berceau et lut en surveillant la petite du coin de l'œil jusque tard dans la nuit. À chaque geste de Myriam, à chaque petit soupir, elle tressaillait et se penchait au-dessus d'elle, ne la quittant pas du regard pendant de longues minutes:

–Dors, mon bébé, dors, mon ange!...

Dès qu'elle entendait un petit gémissement, Maguy la sortait du berceau et lui changeait sa couche, puis la gardait dans ses bras en la berçant amoureusement durant des heures entières. Elle ne dormait plus et refit ce manège pendant plusieurs jours, si bien que Philippe et Albert, voyant sa fatigue augmenter sans cesse, lui trouvèrent une gardienne qui pourrait s'occuper du ménage et de la lessive au moins quatre jours par semaine.

*

Le dimanche suivant la naissance de Myriam, à la grand-messe de la cathédrale, de toute la famille seule Maguy manquait à l'appel: son bébé la retenait à la maison et c'était bien naturel. Le Cardinal s'intéressa de très près à l'heureux événement et il posa beaucoup de questions à la grand-mère, paraissant heureux de voir que le nouveau bébé se portait à merveille. S'adressant à Philippe et à Albert, il ajouta:

– Je vous suggère que l'on baptise bientôt cette dernière-née de la dynastie des Pellerin-Langevin ! Je me propose comme officiant pour célébrer le baptême… si vous n'y voyez pas d'inconvénient, mes chers amis.

– Bien au contraire, c'est un honneur et une fierté pour nous, Votre Éminence, s'écrièrent Albert et Philippe d'un commun accord, en affichant un grand sourire.

Que Myriam soit baptisée en personne par le Cardinal était une faveur plutôt rare ! La date fut fixée au mois d'août. Le 15, fête de l'Assomption, tombait justement un dimanche et convenait à tous. Les préparatifs commencèrent aussitôt la décision prise. On demanda à Étienne d'être le parrain, et l'une des sœurs de Philippe, Louisette, accepta d'être la marraine. Suzanne était un peu jalouse de n'avoir pas été choisie et prit un air pincé lorsqu'on lui annonça la date de la cérémonie. Tante Mimi convainquit Albert d'organiser une fête champêtre au milieu du terrain qui se trouvait entre les trois maisons et on lança plus de cent vingt invitations pour la circonstance.

Ce matin-là, il pleuvait des cordes. On sortait de deux semaines de canicule et ils auraient tous voulu que le soleil soit de la partie pour le baptême. Quelle déception lorsque tante Mimi souleva ses rideaux au petit matin !

– Mais qu'est-ce que je vais devenir avec mes tables de jardin et mon épluchette de blé d'Inde ? Mon Dieu, mon Dieu !

Ce fut encore Albert qui sauva la situation :

– Mais ne vous tracassez pas ainsi, Micheline ! À tout problème il y a une solution !

– Oh, vous dites cela, mon cher, mais je me sens bien prise au dépourvu!

Albert attrapa le téléphone et commanda immédiatement un immense abri de toile qui fut monté sur l'heure. Avec son efficacité habituelle, il veillait à tous les détails. Tante Mimi retrouva vite son enthousiasme et sa gaieté débordante:

– Vous êtes un vrai sauveur, mon cher Albert! Sans vous, je me serais laissé décourager! Si, si, je vous le dis, peuchère!

Albert hochait la tête et souriait d'un air entendu. Lorsqu'on arriva à la cathédrale en début d'après-midi, la pluie avait cessé, mais le ciel restait menaçant. De lourds nuages gris roulaient à l'horizon, et mademoiselle Myriam, habituellement satisfaite de toutes les situations, ne semblait pas aimer cette journée-là. Avait-elle trop chaud? Elle fit une grosse colère lorsqu'on la fit passer des bras de sa mère à ceux de sa marraine pour la présenter au Cardinal au-dessus des fonts baptismaux. Toute la voûte de l'église résonnait de la petite voix qui montait et qui se faisait de plus en plus assourdissante, empêchant les participants de prononcer les paroles sacramentelles. Jamais un bébé ne s'était opposé aussi vigoureusement à être baptisé par le Cardinal en personne. C'était incompréhensible! Le Cardinal y mit toute la patience et la bonne volonté dont il était capable, pourtant il faillit bien se lasser des caprices de celle qu'il appelait en souriant « ma petite princesse ». Enfin, tout rentra dans l'ordre et le baptême eut lieu. Ni le grain de sel déposé sur la langue de Myriam ni l'eau versée sur son front ne parurent la déranger.

Puis ce fut la fête! On dansa joyeusement jusqu'aux petites heures et le vin de France coula à flots toute la soirée, pendant que la reine du jour, qu'on avait installée dans un landau voilé d'une fine moustiquaire, recevait les compliments de tous les participants: comme une altesse de sang royal!

À partir de ce jour, Maguy et Myriam apprirent à cohabiter. Myriam étant un bébé sans problèmes, Maguy étant une mère tendre et attentive, elles firent immédiatement bon ménage sous la supervision de Philippe, qui de son œil de médecin veillait à tout afin que la fillette ait une vie parfaitement équilibrée.

DEUXIÈME PARTIE

CHAPITRE VII

Dans le fourgon qui tenait lieu d'ambulance, sous l'œil attentif des deux infirmiers à la carrure impressionnante, Kateri, sanglée sur une civière, essayait vainement de soulever une paupière. Rien à faire. Ses yeux ne voulaient pas s'ouvrir et sa tête était lourde comme du plomb, encore plus lourde que ses bras et ses jambes, qui eux non plus ne pouvaient pas bouger. Elle sentait confusément la vibration du véhicule en marche, sans pouvoir déceler exactement ce qui se passait, ni où elle était, ni depuis combien de temps. La pauvre essayait de penser, avec application et lenteur, mais l'effort lui semblait surhumain et, chaque fois qu'une bribe des derniers événements surgissait comme un éclair, elle retombait dans sa torpeur. Tout s'embrouillait dans sa tête et redevenait flou.

Le plus imposant de ses deux gardiens fronça les sourcils en la voyant bouger. C'était un jeune barbu au poil flamboyant, aux yeux délavés et à la figure rougeaude, qui était assis à côté de son acolyte, sur un strapontin fixé à la paroi. Ils portaient tous les deux un sarrau de grosse toile blanche, brodé d'un écusson aux lettres entrelacées : SJDD.

— Ma parole, elle est en train de se réveiller !

–Es-tu malade, toi ? Si elle se réveille avant demain, avec la dose de gardénal qu'on lui a injectée, je te paye la traite ! C'est qu'elle est mignonne la créature, quand elle dort de même ! fit le deuxième en rajustant ses lunettes.

Puis il se mit à rire d'un rire gras en se penchant au-dessus de la jeune femme et en découvrant les rondeurs de sa poitrine encore gonflée de lait. Il siffla pour exprimer son enthousiasme en jetant un coup d'œil à son collègue dont le visage s'éclaira d'un sourire niais. Le rouquin, d'accord avec son acolyte, fit claquer sa langue en louchant sur les seins de Kateri.

–Ouais, beau brin de fille ! Elle est équipée…

Ils eurent tous deux un geste vulgaire : entre hommes, ils se comprenaient. Kateri, dans sa demi-conscience, les entendait se moquer et n'avait même pas la force de se concentrer. En temps normal, elle aurait voulu les frapper, les obliger à avoir le minimum de respect et de délicatesse… mais les seuls mots qui parvenaient à son cerveau furent : « Quelles brutes ! » Et elle perdit de nouveau connaissance.

On arrivait à Saint-Jean-de-Dieu. Bruits de portes, grincements. Enfilades de corridors. Kateri entendit que l'on s'agitait autour d'elle et sentit qu'on la transportait, puis qu'on la couchait à nouveau, sans doute sur un lit… Elle se rendormit. Lorsqu'elle ouvrit les yeux, elle était dans une sorte de grand dortoir avec une rangée de lits à hauts barreaux de fer alignés le long d'un mur, et une autre contre le mur opposé. Deux religieuses, tournant autour de chacun des lits, changeaient les draps et repliaient les couvertures, suivies d'un énorme chariot de linge qui les attendait dans l'allée centrale. Kateri voulut demander où elle était, mais ses lèvres refusaient de bouger. Elle essaya de soulever son bras. Il était lourd. Très lourd. Elle entendit :

–Bon, voilà qu'elle est réveillée...

Portant les mains à sa tête, Kateri tenta vainement de s'asseoir. Les deux religieuses l'empoignèrent sous les bras et mirent des oreillers derrière elle pour soutenir son dos. Elle regardait tout autour, d'un air hébété. Sur chaque lit, elle voyait la silhouette d'une femme, vêtue de la même camisole de coton, qui mangeait silencieusement, l'air absent. On entendait seulement le cliquetis de quelques instruments posés sur un plateau roulant que deux infirmières poussaient dans l'allée centrale, avant de s'arrêter au pied de chaque lit. Sa tête lourde fonctionnait encore au ralenti et Kateri perçut à nouveau quelques paroles sans pouvoir dire qui les avait prononcées :

–As-tu faim ? On va t'apporter ton repas !

Elle n'eut pas le réflexe de répondre.

–Allons, allons, il faut manger...

Une religieuse déposa sur la table roulante, devant elle, un plateau sur lequel il y avait une assiette et un bol remplis de nourriture. Kateri eut beau examiner ce qu'on lui avait servi, il était impossible de définir la composition de cette sorte de bouillie, brune dans l'assiette et verdâtre dans le bol. Les plateaux faisaient un bruit qui semblait assourdissant à ses pauvres oreilles auxquelles il parvenait comme un fracas monstrueux. Elle avait l'impression que chaque son et chaque mot prononcé se répercutait en écho sur les murs, pour lui revenir amplifié comme dans une caverne et que sa tête allait éclater. Depuis quelques secondes, elles étaient trois autour d'elle qui la pressaient de manger, sans la moindre douceur, avec des gestes mécaniques et froids. Kateri fit signe qu'elle n'avait pas faim, mais l'une d'entre elles lui ouvrit la bouche de force et une autre l'obligea à avaler comme si elle voulait la gaver. Kateri protesta, elle eut un haut-le-cœur. Les religieuses insistaient. Alors, elle se mit à crier pour qu'on la laisse tranquille : tout ce qu'elle voulait, c'était avoir la paix ! Tout à coup, l'image de son bébé s'imposa à elle. Sa petite fille, son Petit Rayon de soleil la regardait et lui souriait ! Ses mignonnes petites mains s'agitaient comme pour lui dire quelque chose... Elle poussa un hurlement de désespoir en tendant les bras vers cette vision. C'était un long cri qui n'en finissait plus et qui fit frissonner toutes les autres malades. Des hurlements semblables au sien jaillirent de toutes parts. Ce fut le signal. La surveillante de la salle, qui n'avait pas vu venir la crise, marmonna :

– Bon, c'est le moment de distribuer des calmants avant que cela devienne invivable !

Elle frappa dans ses mains. Il y eut un brouhaha, des va-et-vient dans toutes les directions. On injecta à Kateri le contenu d'une énorme seringue pour l'empêcher encore une fois de réagir, pour tuer en elle toute forme de résistance et d'expression. Puis on l'emporta vers une cellule isolée où elle resterait un certain temps : le temps que le traitement adéquat fasse son effet, pour qu'elle n'ait plus jamais envie de crier.

*

Gaby n'osait pas trop pousser son véhicule. Penché sur le pare-brise, cramponné au volant du vieux camion surmonté d'un habitacle de bois peint en rouge qu'il avait eu pour presque rien, il scrutait le chemin.

La route de gravier qui serpentait depuis des heures au milieu du bois était complètement détrempée. Des ornières la sillonnaient, à demi dissimulées par des haies de framboisiers sauvages et de joncs qui baissaient la tête sous le poids des gouttes d'eau. La masse noire des épinettes et les troncs pâles des bouleaux s'entrelaçaient pour former un rideau épais et monotone qui bouchait l'horizon, laissant deviner une nature sauvage et indomptée, où on ne voyait pas la moindre habitation. On roulait toujours, direction sud, sans rencontrer âme qui vive. De temps en temps, le chemin sinueux laissait apercevoir entre les branches une petite clairière, un début de sentier timide au bout duquel miroitait la surface d'un lac, dont les eaux sombres en contrebas formaient une tache aux reflets changeants, calqués sur la couleur du ciel. Un nouveau tournant tout à coup, et on dominait un autre lac superbement étalé au creux des montagnes ancestrales. On le voyait qui n'en finissait plus de se lover et de s'étirer à perte de vue. Quelquefois, c'était une cascade qui dévalait furieusement une crête rocheuse et, à d'autres endroits, après de longs et monotones kilomètres où l'on se croyait égaré dans cet univers sauvage, on suivait les berges d'une rivière tranquille bordée de bandes sablonneuses et parée d'îles verdoyantes en forme de bouquets. La piste courait sur des milliers de kilomètres et sillonnait une grande partie des territoires du nord de la province, émaillée d'un nombre incalculable de lacs et de cours d'eau, au milieu d'une forêt encore vierge. Pour qui ne connaissait pas le pays, c'était impressionnant : on se croyait perdu au bout du monde, et c'était un peu vrai! Seules quelques bandes autochtones parcouraient ces immensités durant la belle saison et en avaient fait leur refuge. Gaby, lui, savait exactement où se cachaient les rares villages indiens, composés de trois ou quatre cabanes. De pauvres gens y vivaient de la chasse et de la pêche selon la tradition des ancêtres. C'étaient des irréductibles qui savaient s'accommoder de l'hiver interminable et survivre dans cette nature implacable. Ils parcouraient le pays d'un lac à l'autre dans leurs canots d'écorce, cuisinant et se chauffant au bois, vivant sous la tente et troquant encore auprès des Blancs le sucre, le thé et la farine qui assuraient leur subsistance contre les peaux d'ours ou de castors qu'ils avaient trappés. Ces Indiens étaient de plus en plus isolés au fur et à mesure qu'ils avaient été repoussés vers le nord, toujours plus au nord, et qu'ils s'étaient trouvés de plus en plus coupés de la modernité qui envahissait les agglomérations urbaines.

Gaby ralentissait. À chaque dénivellation de la route surgissaient des rigoles et des trous formés par les pluies récentes, qui risquaient d'engloutir les roues du camion au moment où on s'y attendait le moins. « Y faudrait pas que je brise un essieu ou que je pogne un *flat*, j'ai pas de roue de secours! » soupirait-il. Puis il ajoutait: « À ce train-là, ça va prendre bien plus que trois heures avant d'être en ville. » Il jeta un coup d'œil vers Ben. Malgré les cahots et les soubresauts, malgré le bruit infernal du vieux moteur et de la pluie qui recommençait à tomber, au milieu de tout ce tintamarre, Ben ronflait… Écrasé sur la banquette, le chapeau rabattu sur les yeux, les jambes et les bras étalés, il se remettait de la nuit blanche qu'ils avaient passée sur la terre des Naskapis, au nord de Chibougamau. Gaby actionna son klaxon qui fit un bruit comique de canard enroué. Une horde de corneilles s'envolèrent en caquetant, effrayées par ce monstre à moteur, mais Ben n'avait toujours pas bougé! Depuis deux jours, ils avaient participé à cet interminable conseil des chefs. Gaby était fier de voir que ses frères des Premières Nations commençaient enfin à se concerter, à se réunir en front commun face au gouvernement d'Ottawa. Ben le débonnaire, son ami de toujours, cuvait encore les nombreuses bières qu'il avait ingurgitées au cours de cette nuit de palabres mémorables et, avec lui, Gaby l'indomptable, se rendait à Montréal, le plus rapidement possible, pour faire parvenir d'importants messages aux chefs de la réserve de Kahnawaké, de l'autre côté de l'île de Montréal, sur la rive opposée à Kanesataké. «En même temps, je profiterais de l'occasion pour aller dire bonjour à Kateri, que je n'ai plus revue depuis quelques mois, et lui donner des nouvelles de Wanda», pensait-il. Il sentait maintenant la fatigue l'envahir.

– Eh, Ben, réveille, mon grand flanc-mou! J'y vois plus rien avec ce qui recommence à tomber…

Gaby ralentit encore un peu et secoua son acolyte en sifflant près de son oreille pour le faire réagir. Ben sursauta et ouvrit un œil.

– Hein! Où est-ce qu'on est?

Il avait l'air perdu et bâilla en observant le paysage.

– On est rendus à une demi-heure de Saint-Michel-des-Saints et t'as ronflé tout le long, mon homme! Réveille au plus vite, j't'e passe le volant!

Gaby arrêta le camion et descendit sous l'averse pour laisser la place à Ben. On apercevait les premières maisons, comme de petits points blancs perchés à flanc de montagne, au loin. Heureusement, le plus dur était fait. C'était à son tour de se reposer un peu.

La pluie ayant finalement cessé, ils traversèrent Terrebonne sans encombre, puis entrèrent dans Montréal par le pont Pie-IX. De loin, on en apercevait la grande carcasse surplombant la rivière et reliant la paroisse du Sault-aux-Récollets à l'île Jésus. Ils longèrent le boulevard Gouin bordé de bosquets verdoyants au milieu desquels se cachaient encore les maisons les plus âgées de la colonie, certaines datant du XVIIe siècle, reconnaissables à leur cheminée sans pare-feu. Aux abords de l'île de la Visitation, l'énorme roue du moulin à grain tournait sous la pression de l'eau et les goélands tournoyaient en grand nombre dans le ciel. Autour de la gracieuse église, ces volatiles caquetaient et piaillaient à tue-tête, à la recherche de quelque repas aquatique. L'église de la Visitation, la plus ancienne qui ait été construite sur l'île de Montréal, chef-d'œuvre des premiers colons, se dressait au bord de l'imposante rivière des Prairies, surmontée de ses clochetons argentés joliment découpés et formant un tableau typique. Même l'œil le plus insensible ne pouvait manquer de remarquer la beauté du spectacle, car, de cet endroit, c'est toute la majesté de la ville, assise au pied du mont Royal, que l'on embrassait du regard.

Gaby avait décidé de se rendre directement au couvent, pour voir sa sœur avant d'aller à Kahnawaké. Ben et lui obliquèrent vers le centre-ville, longeant la rue Saint-Denis, avec ses façades flanquées d'un nombre incalculable d'escaliers métalliques. Ceux-ci descendaient en enfilade des étages supérieurs de toutes les maisons, particularité très montréalaise. C'était l'heure où les ménagères, ayant enfin préparé le souper familial, avaient investi les balcons et se berçaient sur leur chaise, prenant le frais en attendant maris et enfants. D'une maison à l'autre, elles s'apostrophaient joyeusement avec des: « Ça va-tu bien chez vous? » Ils passèrent le gigantesque Institut des sourdes-muettes et tournèrent vers l'ouest dans la rue Sherbrooke toujours encombrée, puis ils garèrent le camion dans une des petites rues adjacentes à la rue Sainte-Famille. Il était juste cinq heures trente; le ciel s'était dégagé de ses nuages et paré d'un bleu tropical qu'on aurait pu croire sorti d'un décor de théâtre. Il faisait de nouveau beau et chaud. La pluie avait lavé les rues de Montréal et les pignons sculptés des maisons resplendissaient de couleurs avivées.

Habituellement, c'était à cette heure que Gaby, lorsqu'il venait en ville, retrouvait sa sœur devant le bosquet, non loin du grand portail. Immanquablement, elle passait par là avant de se rendre à la cafétéria. Il se posta où il avait coutume de l'attendre, sachant qu'ainsi il ne pourrait pas manquer de la voir lorsqu'elle sortirait. Il attendit quelques minutes en faisant le guet. Des religieuses étaient assises sur les bancs disposés autour de l'allée centrale, papotant de choses et d'autres, vêtues des mêmes sévères robes de drap noir et du voile qui masquait toute individualité. Quelques novices et quelques jeunes filles sortirent, chacune s'en allant vers sa destination. Gaby reconnut Pierrette qui se hâtait de partir, saluant de la main Manon, l'autre compagne de sa sœur. Après quelques minutes d'attente, comme il ne voyait toujours pas arriver Kateri, le jeune homme s'approcha de Manon et l'interpella :

–Hé, Manon, bonjour ! Sais-tu si Kateri va sortir bientôt ?

Tout d'abord, la jeune femme ne le reconnut pas lorsqu'il l'appela par son prénom. Elle se retourna et prit un air ahuri qui amusa Gaby. Il lui sourit. Le premier moment de surprise passé, Manon eut l'air paniquée. Elle mit la main devant sa bouche :

–Oh ! Gaby... mais tu ne sais donc pas ?

De la tête elle lui fit signe de la suivre un peu plus loin. Gaby se demandait pour quelle raison Manon l'entraînait ainsi à l'écart et l'interrogea abruptement :

–Dis-moi donc, Manon, qu'est-ce qui est arrivé à ma sœur ? Dis-moi vite !

Manon, qui semblait de plus en plus affolée, ne savait pas par où commencer son récit et se tordait la bouche en regardant Gaby avec des yeux qui voltigeaient comme des papillons incapables de trouver où se poser :

–Kateri a disparu... Ça va faire bientôt six mois qu'on ne l'a pas vue ! On n'a aucune nouvelle d'elle.

Gaby rugit en entendant ces paroles :

–Hein ? Six mois, mais c'est impossible ! Avez-vous alerté la police ?

Elle tremblait.

–C'est que, apparemment, c'est la police qui est venue la chercher, vois-tu. Mais les religieuses nous ont interdit d'en parler...

Gaby l'interrompit :

–Ma sœur, emmenée par la police ? Mais qu'est-ce qui s'est passé ?

Il ne put s'empêcher de la saisir par les épaules et de la secouer.

–Interdit d'en parler, dis-tu? Qu'est-ce que c'est que cette histoire-là?

–Je ne sais pas, je ne sais vraiment pas!

En même temps que la stupeur, une soudaine réaction de colère s'empara du jeune Indien. Apprendre en cet instant des faits si graves, et qu'on l'avait laissé ignorer, le clouait sur place. Il était abasourdi. Manon, elle, avait l'air toute malheureuse. Ne sachant quoi lui dire de plus, elle pensait que, si les religieuses la voyaient maintenant avec Gaby, elle allait se faire réprimander. Le frère de Kateri n'avait pas une tête à recueillir les suffrages de la population catholique bien-pensante: il avait l'air trop indien pour ne pas se faire repérer tout de suite. Au fond, elle avait peur de reparler avec lui de toutes ces choses qui les avaient tant bouleversées, Pierrette et elle, peur de se faire remarquer avec « un sauvage », comme on disait. Gaby insistait:

–Mais comment ça, les religieuses ne veulent pas qu'on en parle? Pourquoi on ne nous a pas prévenus, à Oka?

Manon hochait la tête en signe d'impuissance. Ses lèvres frémissaient comme pour retenir une émotion trop forte. Devant le désarroi de la jeune fille et sa crainte évidente d'être vue avec lui, Gaby décida de la laisser et d'aller lui-même à la recherche de renseignements plus précis. Haussant les épaules, il la quitta, puis revint à grands pas vers le camion où Ben l'attendait.

–Sais-tu quoi, Ben? Ma sœur a disparu depuis bientôt six mois! Personne ne sait pourquoi et personne n'a prévenu la mère! Attends-moi, mon gars, j'vais aller voir les bonnes sœurs! Je savais bien que ma Kateri était pas heureuse icitte, crime!

Nerveusement, il donna un coup de poing dans la portière de son véhicule et la fit claquer sous les yeux ébahis d'une passante, pendant que Ben proposait:

– Veux-tu que j'aille avec toi pour les faire parler?

– Non, j'y vais seul, c'est mieux. Oublie pas qu'on pourrait se retrouver à la police, nous autres aussi!

Ben hocha la tête. Après tout, Gaby avait raison: quand on est Indien et qu'on se mêle de politique, il faut être prudent.

Les mains dans les poches de son pantalon, Gaby se hâta vers l'entrée principale du couvent et franchit la porte d'un air décidé. Il ôta son chapeau, ce qui laissait paraître son bandeau frontal et sa chevelure plutôt longue, aussi rebelle que lui. La sœur de service à l'accueil, qui lisait tranquillement un passage de la Bible, se leva d'un bond derrière son bureau lorsqu'elle le vit entrer, l'air décontenancé. Un sauvage, ce n'était pas le genre d'individu qu'on avait l'habitude de voir par ici. Les quelques pauvres hères qui venaient quêter un repas n'avaient jamais cet air arrogant, et les familles dans le besoin qu'on avait l'habitude de secourir étaient toutes bien catholiques, comme il se doit. Elle prit un air pincé:

– Qu'est-ce que je peux faire pour vous?

– Pouvez-vous me dire ce qu'il est advenu de ma sœur Kateri, une de vos couturières? Apparence qu'elle a disparu…

Sœur Marie-Cécile s'était contenue en entendant prononcer le nom de Kateri. Elle se doutait bien qu'un jour quelqu'un reviendrait demander de ses nouvelles. Mais les consignes au sein de la communauté étaient claires.

– Voyons, voyons, votre sœur ? J'ignore ce qu'est devenue cette… Vous avez bien dit Kateri, n'est-ce pas ? Je vais m'informer. Attendez un instant, je vous prie.

Elle avait dit « votre sœur » comme si elle tombait des nues et comme si Gaby avait inventé une histoire invraisemblable. Elle disparut dans le corridor, après lui avoir fait signe de s'asseoir sur la banquette en bois. Les minutes passaient et la religieuse, occupée avec d'autres visiteurs, ne prêtait pas attention à lui. Une mère de famille sortit avec deux enfants sur les bras, puis un vieux monsieur penché sur sa canne demanda à rencontrer la Supérieure. Gaby, qui commençait à s'impatienter, regardait tout autour de lui en se demandant comment sa petite sœur avait pu supporter de vivre dans cet environnement étrange, si immobile et si froid, si totalement dénué de ce qui représentait la vie pour un Indien comme lui, épris de nature et de liberté. Ses yeux s'attardèrent sur le grand crucifix placé au-dessus de la porte qui lui faisait face. Dans sa tête, bien que les mots lui aient manqué pour exprimer clairement son sentiment, il n'y avait qu'une grande incompréhension, une grande amertume devant les symboles étrangers qui se trouvaient réunis ici et qui avaient fait mourir son peuple à petit feu. « Comment peut-on adorer une chose aussi triste, alors que le ciel, les étoiles et le soleil qui illuminent notre terre sont si beaux à regarder ? Est-ce que la nature n'est pas assez grandiose pour accueillir nos prières et nourrir notre âme ? » se demandait-il, avec la logique de ses aïeux. « Pourquoi faut-il enfermer notre esprit ? L'esprit de la création est-il enfermé ? »

La sœur Marie-Cécile revint enfin vers lui, encadrée de deux autres religieuses, et il leur répéta sa question d'un ton bourru :

–Pouvez-vous me dire ce qu'il est advenu de ma sœur, Kateri ? Je viens d'apprendre qu'elle n'est plus ici !

Sœur Bernadette, la plus corpulente des trois, prit la parole sur un ton autoritaire :

–Nous n'avons pas grand-chose à t'en dire. Premièrement, nous ignorions que Kateri avait de la famille, car elle était entrée ici comme orpheline...

–Hein, quoi ?

Gaby avait failli s'étouffer en entendant ce propos.

–Ne sois donc pas nerveux ! Nous comprenons ton inquiétude, mais reste calme...

Les deux autres hochaient la tête en le regardant, les bras croisés sur la poitrine.

–Ma sœur a disparu, et vous me demandez de rester calme ?

–Ta sœur a disparu et nous ne savons ni où elle est ni avec qui.

Sœur Marie-Cécile réitéra son explication, débitant son discours comme si elle s'adressait à un enfant :

–Disparu, comprends-tu ? Cela veut dire qu'on ne sait pas ce qui s'est produit. On ne sait rien, comprends-tu ?

–Je ne vous crois pas ! Vous mentez !

Gaby n'était pas dupe. Elles avaient l'air de trois oiseaux sinistres. Leurs paroles sonnaient creux. Sœur Sophie, la deuxième, leva les yeux au ciel et se signa devant la résistance de Gaby. Sœur Bernadette continua d'un ton très assuré :

−Comment oses-tu, toi, nous dire de pareilles choses? Dieu nous est témoin que ta sœur était ici chez elle, et nous l'avons recueillie, adoptée, traitée comme l'une des nôtres. Tu n'as aucun reproche à nous faire, d'accord?

Le ton était si ridicule que Gaby ne pouvait plus se retenir :

−Pfff! Vous lui aviez tourné la tête avec vos histoires de religion...

−Mais tu as du front tout le tour de la tête, mon garçon!

Les trois femmes, scandalisées, le regardaient maintenant d'un air sévère et se tenaient face à lui, raides comme des piquets et noires comme des corbeaux. Il ne fallait surtout pas que le ton monte! Ici, on ne prononçait jamais un mot plus haut que l'autre. Sœur Bernadette décida de mettre fin à la discussion.

−Si tu cherches des histoires, mon garçon, sors d'ici et ne reviens plus!

Gaby, écœuré, voulut poser encore une question, mais les trois religieuses l'entourèrent et le poussèrent fermement vers la porte. Celle-ci s'ouvrit au même instant pour laisser passer Suzanne Pellerin, dont la toilette élégante et sophistiquée contrastait avec l'habit peu seyant des trois religieuses. Aussitôt qu'elle eut pénétré dans l'entrée, Suzanne toisa Gaby d'un air hautain. Les visages des trois sœurs s'étaient éclairés en la voyant. À vrai dire, elle arrivait à point nommé pour écourter cet entretien gênant. Sœur Marie-Cécile la salua d'un air très enjoué :

−Entrez, madame Suzanne!

Suzanne Pellerin sentit immédiatement que le visiteur dérangeait et comprit l'embarras des religieuses.

Elle ne prit pas la peine de poser son regard plus long-temps sur Gaby : il n'était pas de son monde. Se penchant vers sœur Marie-Cécile et lui prenant le bras, elle lui murmura à l'oreille :

– Je le connais, qu'est-ce qu'il fait ici ? Je l'ai déjà vu avec…

Elle s'interrompit. Sœur Marie-Cécile fit signe qu'elle était au courant et lui dit tout bas :

– C'est le frère de Kateri. Un sauvage, comme vous voyez !

Se tournant alors vers lui, elle ordonna sur un ton autoritaire et maternel à la fois :

– Toi, mon garçon, tu vas maintenant t'en retourner chez toi. Au nom du ciel, ne reviens jamais plus nous dire des bêtises, et encore moins ennuyer la pauvre Manon !

Les quatre femmes avaient toutes adopté le même air de vierges offensées et elles dévisageaient Gaby comme s'il avait été un malfaiteur. Le jeune Indien était vaincu. S'il insistait trop, elles étaient capables d'appeler la police. Il ne tenait pas à se faire arrêter et il sortit, découragé. Pourquoi fallait-il toujours subir des humiliations et se faire traiter de la sorte ? Comment annoncer à Wanda que personne ne savait ce qu'il était advenu de Kateri ? C'est en retournant ces sombres pensées dans sa tête qu'il remonta dans le camion. Ben était toujours là, installé avec un énorme hot dog dans une main et une boisson gazeuse dans l'autre, mangeant de bon appétit en attendant son retour. Il lui jeta un regard interrogateur et comprit immédiatement que son ami n'avait pas gagné la partie. Il poussa seulement un « Wow ! » en avalant une bouchée.

Gaby fit tourner la clé de contact et démarra brutalement.

– Rien à en tirer, sacrifice ! Direction Kanahwaké ! J'ai faim moi aussi, mon homme !

Ben lui tendit le reste de son repas.

*

Depuis le début de la belle saison, le climat était au bonheur dans la coquette maison des Langevin. Derrière les fenêtres garnies de rideaux de dentelle, Maguy et Philippe s'abandonnaient chaque jour à la joie d'être enfin des parents. Albert avait voulu souligner dignement la naissance de sa petite-fille. Au bord des allées reliant les quatre parties du domaine Pellerin, les massifs regorgeaient de fleurs. Dans la partie la plus ensoleillée du parc, il avait fait planter, en plus des parterres de vivaces aux espèces colorées et des annuelles qui s'étageaient en somptueuses bordures, toute une roseraie de variétés parfumées aux nuances délicates. Il y avait des rosiers nains, des bosquets savamment taillés, et également des rosiers grimpants pour lesquels on avait construit trois tonnelles. Celles-ci étaient maintenant recouvertes de grappes de fleurs. Albert avait dit à Maguy :

– Vois-tu, ma fille, ces rosiers grandiront en même temps que notre petite princesse ! Ils fleuriront pour sa fête, ainsi nous nous souviendrons toujours du moment de sa naissance, qui sera celui de la saison des roses !

Ce coin de jardin était un enchantement pour les yeux et pour l'odorat. Johnny, dans ses temps libres, lorsqu'il avait tant épousseté la limousine de monsieur

Pellerin qu'elle reluisait comme un sou neuf, se mettait en tenue de plein air et, armé de tout un attirail de bêches, de râteaux et de sarclettes, entretenait avec amour le précieux jardin qui faisait l'admiration de tous les promeneurs.

Maguy s'émerveillait chaque jour de l'intimité qui se créait entre elle et son enfant et des découvertes que la maternité lui réservait. Sa joie faisait plaisir à voir ! Enfin, les grands-parents, auparavant inquiets pour elle, pouvaient se laisser aller à savourer une quiétude toute nouvelle en voyant leur fille pouponner. Le mot famille avait pris tout son sens depuis que Myriam était arrivée. Chacun venait tour à tour rendre visite à Maguy et lui offrir de l'aider dans son rôle de jeune mère. Mais celle-ci était si heureuse qu'elle n'avait besoin de personne pour la seconder dans les soins à prodiguer à son enfant. Son bonheur lui dictait exactement quoi faire. Chaque matin, quand Philippe s'apprêtait à partir au travail, Maguy, avec son bébé dans les bras, l'accompagnait jusqu'au garage d'un air radieux et attendait qu'il ait pris place dans sa voiture. Alors, elle gazouillait quelques paroles tendres comme seules les mères savent en dire à leur bébé, et Myriam faisait le plus beau des sourires à son papa qui s'en allait satisfait.

Depuis qu'il était père, Philippe, ordinairement peu bavard, se laissait volontiers emporter par son enthousiasme. Volubile, il donnait presque chaque jour des nouvelles de sa fille à Fleurette Dupuis et la lui décrivait comme la huitième merveille… Son assistante était ravie de ces conversations moins techniques et moins conventionnelles qu'à l'habitude. N'ayant jamais eu d'enfants, elle participait volontiers à la joie de Philippe. Lorsqu'il arrivait au cabinet, Fleurette lui demandait d'un ton enjoué :

– La petite va toujours bien, docteur ? A-t-elle une belle courbe de poids ?

– Toujours, toujours, garde ! Imaginez-vous qu'elle fait des sourires, de vrais beaux sourires ! Pas des petites grimaces de rien, là ! Non, non, des grands sourires… Elle me reconnaît très bien maintenant !

– C'est donc plaisant ! Elle ne vous réveille pas trop la nuit ? A-t-elle commencé à percer ses dents ?

– Non, mais cela ne saurait tarder ! Elle est très précoce, cette enfant-là. On voit bien qu'elle sera délurée en tout.

– La vraie fille de son père ! répondait Fleurette en riant, plaisanterie que Philippe relevait avec bonne humeur :

– C'est bien certain, garde ! Cette enfant-là est une Langevin, une vraie !

Puis il se lavait les mains et s'attaquait fermement au programme de la journée.

Les semaines se succédaient. Maguy ne remarquait plus les longues absences de Philippe, même s'il rentrait tard le soir. Elle s'occupait de son bébé, qui n'était qu'à elle. Évidemment, elle ne passait jamais une journée sans aller rendre visite à Anne pour lui faire admirer la petite, lui faire un compte rendu détaillé de ses repas, de son sommeil. Quelquefois, on s'en allait ensuite chez tante Mimi, plus rarement chez Suzanne, histoire de se promener un peu… Toutes ces dames ne parlaient plus que d'enfants, de jeux, de jouets, de puériculture et d'hygiène. Ainsi Myriam coulait-elle des jours heureux, entourée de tendresse et de jolies choses. Albert et Anne multipliaient journellement les cadeaux et les attentions. Anne, subjuguée par son rôle de grand-maman d'une fillette, lui constituait jour après jour une garde-robe qui n'en finissait plus, achetant tout ce qu'elle trouvait joli et paraissant plus attentionnée envers Myriam qu'elle ne l'avait été envers sa propre fille. Les années lui faisaient apprécier davantage le miracle de la jeunesse; aussi recommandait-elle à Maguy:

—Profites-en bien, Maguy, ce temps-là nous est compté! Il passe trop vite et s'envole sans qu'on s'en aperçoive, pour ne plus jamais revenir...

Dans la grande chambre jaune et blanc, tout ensoleillée, les armoires étaient pleines à craquer de petits vêtements adorables et de parures ravissantes pour le lit du bébé. La maison était imprégnée d'une odeur spéciale, celle des produits que l'on emploie quotidiennement pour la toilette des nourrissons. C'était encore plus évident dès qu'on arrivait à l'étage. Les ours en peluche, les hochets et les jouets se multipliaient comme par enchantement. Ils devenaient si nombreux que l'on ne savait plus où les mettre, encombrant même le corridor et la causeuse placée sous la fenêtre, en haut de l'escalier. Mais, loin de mettre un terme à leurs largesses, Anne et Albert apportaient toujours de nouveaux cadeaux. Albert, voulant déjà doter sa petite fille, lui avait ouvert un compte en banque. Il remit à Maguy le livret:

—Si je meurs avant la majorité de cette enfant, Maguy, tu lui remettras cet argent le jour où elle se mariera.

Maguy lui fit remarquer:

—Et si elle ne se marie jamais, papa?

– Alors, n'oublie pas de le lui donner en souvenir de moi lorsqu'elle aura vingt et un ans, si elle n'est pas encore fiancée, bien sûr…

– Pfff, ne parle donc pas ainsi! Mon cher papa, je sais que tu vivras très vieux. Tu seras arrière-arrière-grand-père, je ne suis pas inquiète!

– On ne sait jamais, Maguy, ce que la vie nous réserve!

Étienne achetait pour Myriam des jouets inusités dont elle se servirait quelques années plus tard et qu'il utilisait lui-même: en attendant! Il avait trouvé dans une brocante un vieux cheval de bois multicolore, monté sur une planche arquée qui servait de bascule. L'animal, finement sculpté, avec une crinière en volutes, avait fière allure! Étienne l'avait rapporté à la maison sous prétexte de faire le bonheur de sa nièce; en réalité, grâce à cet animal, il retrouvait ses plaisirs d'enfant et s'y balançait sans retenue sous l'œil amusé de sa mère et de sa sœur! Suzanne et Jean-Paul se proposaient de temps en temps pour garder la petite, lorsque Maguy et Philippe devaient sortir. Suzanne, forte de son expérience, assommait Maguy de conseils qui n'en finissaient plus.

– Moi, Maguy, je ne leur donnais jamais autre chose à manger que des bouillies avec un œuf battu, tant qu'ils n'avaient pas percé leurs dents! Et puis je pliais toujours mes couches ainsi, tu vois bien, c'est plus commode. Tu devrais aussi avoir une petite table roulante pour ton chauffe-biberon! Apprends-lui donc à faire ses besoins à heure régulière, dès qu'elle aura quelques mois… elle deviendra propre très tôt! Si, si, je t'assure!

Elle était intarissable. Maguy écoutait et se taisait, espérant que sa belle-sœur aurait bientôt fini de trouver à redire sur tout. Les jumeaux, toujours à la recherche d'insolite, venaient se pencher au-dessus du petit lit en prenant des mines de conspirateurs. La première fois qu'ils s'étaient approchés de leur cousine, ils avaient contemplé cette étrange et minuscule créature emmaillotée et n'avaient pu cacher leur déception. Se regardant d'un air catastrophé, ils avaient déclaré à leur tante :

– Comme c'est ennuyant d'avoir une cousine si petite, on ne peut rien faire avec elle ! C'est pas comme ça qu'on la voulait… Quand est-ce qu'elle va être grande, dis, ma tante ?

Maguy les avait trouvés si amusants qu'elle avait eu bien du mal à ne pas éclater de rire :

– Chut, elle dort ! Il ne faut pas la réveiller… Elle sera grande bien assez vite ! avait-elle dit, avec un doigt sur la bouche, ce qui avait complètement désespéré les deux compères.

Ils étaient vite repartis, la mine basse, vers leur train électrique. Betty inventait déjà des menus santé pour nourrir la petite mademoiselle aussitôt qu'elle aurait des dents, et Johnny proposait, lorsqu'il l'entendait pleurer, de l'emmener faire un tour de limousine pour la calmer :

– Le roulage, y a pas mieux pour endormir les enfants ! disait-il.

Tante Mimi tricotait pour Myriam à longueur de jour. Assise à sa fenêtre, les lunettes sur le bout du nez, entourée d'une énorme corbeille à ouvrage avec des quantités de laine blanche et des aiguilles de toutes les grosseurs, elle se mit au travail bien avant la saison froide. Elle brandissait des revues aussitôt qu'on entrait chez elle et vous faisait choisir parmi cinq ou six modèles qu'elle avait sélectionnés :

–Il faut que cette chère petite ait bien chaud partout! Vous ne vous rendez pas compte, s'il fallait qu'elle attrape froid à ses jolis petits pieds, hé? Quelle catastrophe! Et puis un nourrisson a besoin de nombreux vêtements de rechange, peuchère, disait-elle à la mère et à la grand-mère en balançant la tête à droite et à gauche, les aiguilles sous le bras et la laine traînant par terre.

Ils étaient tous en admiration devant la joie qui se manifestait de plus en plus souvent sur les traits de ce joli bébé. Myriam était non seulement ravissante, mais aussi en parfaite santé; elle prospérait de jour en jour, mangeait de bon appétit, dormait paisiblement et était presque toujours de bonne humeur. Son petit corps potelé et délicat s'agitait de façon gracieuse aussitôt qu'on lui exprimait de l'intérêt. Son visage, dont les grands yeux noirs pétillaient de joie, s'éclairait dès qu'on s'approchait d'elle. Elle babillait à qui mieux mieux, faisant d'interminables discours à qui la prenait sur ses genoux, et tirait les cheveux de tous ceux qui passaient à sa portée. Ce qui faisait dire à Claude et à François, qui n'avaient pas manqué de se faire arracher quelques mèches:

–Finalement, c'est pas très drôle d'avoir une petite cousine comme celle-là!

Au fil des mois, Myriam devenait de plus en plus curieuse de tout ce qu'elle découvrait autour d'elle, faisant la joie de tous ceux qui l'approchaient, y compris des personnes qui n'étaient pas de la famille. Dès qu'on la voyait, on aurait dit qu'il se passait quelque chose de miraculeux: chacun était sous le charme. C'était une période qui semblait bénie et Maguy pensait avec ferveur: «Je suis protégée par la bonne

petite sainte Thérèse, ma fille est un don du ciel!»
Comme tous les bébés, Myriam, bien innocemment,
incarnait les espoirs des adultes de son entourage. Elle
leur faisait entrevoir la simplicité de la vie, son essence même, et sa présence ravivait leurs rêves les plus
secrets. Ils voyaient en elle le noyau de leur propre
existence, ce que le quotidien, les difficultés et les années
leur avaient fait perdre de vue. Partout où Maguy la
promenait dans un magnifique landau dernier cri, la
ravissante poupée qu'était Myriam attirait tous les
regards. Elle était toujours vêtue de jolies robes blanches finement brodées, par-dessus ses langes, et portait d'adorables chapeaux de toile qui la protégeaient
de la chaleur. On voyait ses mignons petits pieds
recouverts de chaussons enrubannés se soulever à
tout moment, car son corps débordait de vie. Il n'était
pas rare qu'une dame ou un vieux monsieur, attendris
à sa vue, viennent lui dire quelques paroles aimables
et faire des compliments à sa maman, qui était au
septième ciel, malgré la banalité de ce que l'on dit
toujours en pareille circonstance.

–Oh, le beau bébé... vous êtes une maman comblée!

Puis, lorsque revint l'hiver et les grands froids, il
ne fut plus guère possible de la sortir. Comme elle
avait commencé à se traîner à quatre pattes dans la
maison et que, curieuse, elle voulait aller partout,
Maguy et Philippe lui firent installer un parc garni de
barreaux en bois pour la protéger des chutes. Il était
posé au milieu de sa chambre, sur une courtepointe
aux motifs ensoleillés et Myriam y avait tous ses jouets
autour d'elle. À dix mois, ce beau bébé se tenait déjà
fermement sur ses jambes et exprimait sa volonté de

marcher. Maguy n'arrivait plus à la faire tenir en place : elle tendait ses petits bras en répétant le mot magique qui fait fondre le cœur de toutes les jeunes mères :

– Ma-man...

C'était toujours le même attendrissement. Pour son premier anniversaire, toute la famille, y compris tante Mimi et son mari, se trouva réunie au milieu de la roseraie par un beau dimanche après-midi. Les arbres étaient en pleine floraison. On avait dressé les tables de jardin, déployé les parasols, et Albert avait fait livrer par un traiteur un repas de homard froid dont les invités s'étaient abondamment régalés. Au milieu d'une atmosphère très détendue, on riait en se passant à bout de bras la reine de la fête, qui appréciait beaucoup ce joyeux tintamarre, distribuant de larges sourires. Anne et Maguy se levèrent au moment du dessert pour aller chercher dans la cuisine un énorme gâteau, un fraisier surmonté de la bougie symbolique, qu'elles apportèrent en chantant, tandis que chacun reprenait en chœur le refrain. Ils guettaient tous les moindres réactions de Myriam, qui n'avait pas l'air de se douter que le moment était historique. Lorsqu'elle vit tout le monde immobile autour d'elle, elle se mit à gazouiller et à taper sur la table avec sa cuiller, tandis qu'Albert ouvrait deux bouteilles de champagne pour fêter dignement sa petite-fille et que les jumeaux se précipitaient pour avoir les meilleures parts du gâteau.

Philippe filmait la scène ; armé d'une caméra portative nouvellement mise sur le marché et muni par surcroît d'un appareil photo à la fine pointe de la technologie, il essayait d'immortaliser ces instants éphémères. Il se contorsionnait, agenouillé sur le sol, pour suivre les ébats de sa progéniture et capter les meilleures poses, à moitié caché par son énorme matériel de cinéaste amateur. Pendant ce temps, Claude et François, incorrigibles, faisaient toute une série de grimaces devant l'objectif malgré les « Poussez-vous donc, les deux tannants ! »

C'est alors que Myriam, cramponnée au doigt d'Étienne, se dressa sur ses deux petites jambes et voulut attraper l'étrange instrument que tenait son père en criant :

– Papa !

Sans s'en apercevoir, elle fit ses premiers pas sous les applaudissements. Elle lâcha le doigt de son oncle et se lança dans le vide d'un air triomphant, filmée comme une grande vedette, devant son gâteau allumé. Philippe et Maguy étaient fous de joie.

– Ma petite-fille marche ! Elle a vaincu la loi de la pesanteur ! s'écria Albert en levant son verre.

Et toute la famille applaudit en criant bravo ! Ce qui la fit aussitôt tomber sur son derrière !

Chapitre VIII

Décembre 1950.

Dans les longs corridors de Saint-Jean-de-Dieu, au dernier étage, on entendait des plaintes tout au long du jour. C'étaient parfois les gémissements des malades à qui l'on avait fait subir une intervention neutralisant les excès de leur tempérament indomptable. D'autres fois, c'étaient les pleurs de ceux ou celles qui se savaient enfermés là sans espoir de sortie. Isolée dans une chambre qui ressemblait plutôt à une cellule, ne pouvant se faire entendre d'aucune âme compatissante, sans moyen de s'en tirer, Kateri avait tout d'abord refusé de manger. Posant d'incessantes questions, réclamant son enfant sans obtenir la moindre réponse, elle avait compris, après des jours et des jours, que ses demandes étaient vaines. Il ne lui restait plus qu'à garder le silence et à se réfugier dans son cœur, où l'image de sa petite lui apparaissait dès qu'elle fermait les yeux. La nuit lui apportait du réconfort, car elle était peuplée de visions. Dans les rêves et les voyages qu'il lui était donné de faire alors, personne ne pouvait lui ravir sa liberté. Des forces inconnues s'adressaient à elle en songe et lui soufflaient pour lui donner du courage: « Va, Kateri, ne courbe pas la tête! Ta récompense viendra, car tu es une fille au cœur pur!» Et le sentiment d'échapper ainsi à la solitude lui redonnait espoir. Chaque nuit, elle oubliait un peu son malheur: son esprit se rapprochait de tous ceux qu'elle aimait. Mais au matin, dès le réveil, la triste réalité lui apparaissait, insupportable. Elle s'approchait de la fenêtre et restait là des heures à regarder les petits morceaux de ciel qui se laissaient voir au travers de l'affreux grillage. Les jours passaient, les saisons se succédaient, avec toujours la même litanie: «Quelqu'un viendra-t-il un jour me chercher? Ô toi, mon frère! Ô toi, ma mère! Saurez-vous me retrouver? Qu'ont-ils fait de mon enfant? Pourquoi ne suis-je pas morte en lui donnant le jour?»

*

Myriam grandissait au milieu de tout son monde, pleine de vie, espiègle, boute-en-train, remuante à souhait et bavarde comme une pie. Elle venait d'avoir quatre ans et parlait comme une grande personne pour exprimer à peu près tout ce qu'elle voulait dire. Maguy, reprise par ses obligations quotidiennes, avait engagé une gardienne pour veiller sur l'enfant: il n'était pas question d'emmener la petite dans ses nombreux magasinages. Philippe était intransigeant là-dessus...

Penchée sur le lit de sa mère souffrante, Maguy, ayant à côté d'elle Myriam qui serrait son ourson en peluche sur le bord de la petite chaise rouge, essayait de redonner un peu de courage à sa mère. La chambre sentait le sirop, la tisane de camomille et la lavande dont Anne se servait pour parfumer ses draps blancs, brodés de deux immenses *A* entrelacés.

–Allons, maman, les pilules que tu viens de prendre vont bientôt te soulager, essaie de patienter un peu, tu vas te sentir beaucoup mieux d'ici une petite demi-heure!

Myriam chantonnait. Anne lui prit la main en signe d'affection. Alors, la fillette déposa un petit baiser sur le front de son aïeule et se tourna vers sa mère:

–Elle est malade hein, grand-maman?

–Grand-maman a bien mal à la tête, ma chérie...

Myriam, désolée que sa grand-mère ne soit pas en forme, recommanda à son ourson:

–Tu vois, Teddy, il faut être sage, parce que grand-maman, elle a très mal. Alors, tais-toi, OK?

Anne n'eut même pas le courage de sourire devant la spontanéité de Myriam.

–Maguy, vas-tu magasiner aujourd'hui? Ne crois-tu pas que c'est téméraire de vouloir sortir? Tu serais mieux à la maison avec ce temps...

Myriam, qui commençait à s'impatienter dans la chambre de la malade, courut vers le guéridon et se mit à jouer avec le miroir de sa grand-mère en faisant des mimiques à son image. Maguy s'approcha de la fenêtre et souleva un coin de la lourde tenture de velours qui maintenait la pièce dans une obscurité quasi totale. Il neigeait toujours...

–Tu vois, c'est la tempête, fit Anne, tu devrais bien rester ici aujourd'hui!

Maguy hocha la tête.

–Non, pas question! Tu sais, j'ai promis à papa de dénicher un briquet original pour le directeur adjoint, il me manque encore trois cadeaux pour les secrétaires, et puis surtout je dois trouver du tissu pour assortir les coussins et les doubles rideaux à mes nouveaux sofas!

Anne soupirait. Toutes ces préoccupations lui donnaient le tournis.

−C'est vrai que tu n'auras plus beaucoup de temps, d'ici à Noël. L'hiver nous prend au dépourvu cette année. Je me demande bien comment ferait ton père si tu n'étais pas là pour t'occuper de ses emplettes.

Maguy ne répondit pas. Il y avait maintenant tant d'années qu'Albert comptait sur elle pour le seconder et pour l'accompagner dans les réceptions, Anne gardant la chambre de plus en plus souvent, que c'en était devenu une institution. Elle salua tendrement sa mère et redescendit avec Myriam en laissant la vieille dame à sa solitude. Elles passèrent par la cuisine pour dire un mot à Betty, avant de sortir:

−Au revoir, Betty, avez-vous besoin de quelque chose de spécial? Je vais au centre-ville.

−Non, madame, j'ai tout ce qu'il me faut. Monsieur Albert a fait livrer la commande d'épicerie hier. Vous êtes bien courageuse de sortir en auto par un temps pareil!

Maguy jeta un coup d'œil au thermomètre fixé dans l'encadrement de la porte d'entrée: il marquait moins quinze degrés Celsius. Elle prit grand soin d'emmitoufler sa fille et de lui faire mettre ses bottes, ses mitaines et sa tuque, avant de compléter l'équipement par une grande écharpe enroulée autour de son cou et remontée jusque sur son nez. Dehors, le vent accentuait la morsure du froid. En moins d'une minute, on avait le visage gelé. Maguy vit que Johnny s'affairait déjà du côté du garage pour lui faire chauffer sa voiture… La gardienne leur ouvrit la porte et aida Myriam à se déshabiller.

– Je me dépêche, Nannie, prenez soin de Myriam, je serai de retour à l'heure du souper.

Maguy remit un peu de poudre sur son visage, attrapa son sac, puis sortit après avoir serré Myriam dans ses bras.

Nannie était une jeune femme qui venait de Gaspésie et en qui Maguy avait grande confiance, car elle était propre et méticuleuse. De son vrai nom Denise Lefèbvre, elle venait d'avoir vingt-huit ans et elle était venue à Montréal, comme tant d'autres, à la recherche d'un travail. Le chômage sévissait durement dans son coin de pays et, si l'on n'avait pas envie d'épouser un pêcheur, on se trouvait devant le néant, dans une région où la terre reste gelée pendant sept ou huit mois… Blonde aux yeux bleus, dotée d'un physique solide qui respirait la santé, Denise n'était pas très bavarde, mais toujours très douce avec Myriam, dont elle s'occupait avec soin.

Au volant de sa voiture, Maguy conduisait prudemment. On n'y voyait pas grand-chose, car il neigeait toujours et les rues étaient glissantes. Elle ralentit et frotta le pare-brise du revers de la main, avec son gant. La buée s'y déposait à une vitesse incroyable, formant une mince couche opaque et glacée au contact de la vitre. Elle mit la chaufferette au maximum : ses pieds commençaient à se refroidir malgré les confortables bottines doublées de laine.

À l'intersection de la rue Jean-Talon, Maguy arrêta son véhicule pendant quelques minutes pour laisser passer toute une caravane de chasse-neige qui grattaient la chaussée, soulevaient la neige dans d'énormes pelles et aspiraient les longs rubans ainsi formés par les dizaines de tonnes recueillies. Ces engins étaient suivis de camions qui, les uns derrière les autres, attendaient les pelletées ramassées par la souffleuse. On aurait dit une procession de monstres préhistoriques cherchant maladroitement leur nourriture et ingurgitant bruyamment la manne tombée du ciel. Ils rugissaient en clignotant de leurs yeux électriques, avalant les bancs de neige, prêts à anéantir tout humain qui se serait trouvé sur leur passage... Le spectacle, si habituel pour les Montréalais, semblait à Maguy venir d'une autre planète. Un épais brouillard formé par la tourmente et la poudrerie descendait des toits sous la poussée du vent. Les flocons n'en finissaient plus de tomber, recouvrant inexorablement Montréal du froid tapis blanc presque un mois plus tôt que les autres années. Les amateurs de sports d'hiver pourraient s'en donner à cœur joie en fin de semaine ! Dès que le vent se serait apaisé, on irait glisser sur les pentes du mont Royal ou sur les patinoires aménagées dans tous les parcs de la ville.

La rue Sainte-Catherine, le quartier des magasins, était plus déserte qu'à l'habitude. Les passants ne se préoccupaient guère des vitrines illuminées; pressés d'aller se réchauffer, ils s'engouffraient dans les portes tournantes derrière lesquelles la chaleur était au rendez-vous. Quelques personnes attendaient l'autobus au coin de la rue Crescent, tête baissée et dos au vent. D'autres marchaient d'un pas rapide, retenant leur chapeau ou leur écharpe, et leur souffle faisait naître un petit nuage qui indiquait quelle pouvait être la température !

– Brrr ! il fait frette..., lâcha une dame en entrant chez Eaton.

Maguy courait les magasins depuis bientôt trois heures, insensible au froid et à la neige qui avait redoublé, pour choisir le tissu dont elle avait besoin. Ayant enfin trouvé le coloris idéal, elle remonta avec armes et bagages jusqu'à sa voiture remplie de paquets et reprit allégrement le chemin du retour.

Pendant l'absence de sa mère, Myriam, médusée, regardait tomber la première vraie neige de la saison. Le nez collé à la vitre, dressée sur la pointe des pieds, elle observait son souffle qui formait des petits nuages ronds sur lesquels elle pouvait faire des dessins avec ses doigts. C'était si joli... Elle voulait aller jouer dehors. Elle s'ennuyait. Pourquoi fallait-il que sa chère maman la laisse toujours toute seule avec Nannie ? Du haut de ses quatre ans, Myriam ne trouvait pas cela logique, pas du tout, du tout ! Plusieurs fois déjà, elle était allée trouver sa gardienne et lui avait demandé de son air le plus enjôleur :

– Nannie, quand est-ce qu'on va se promener, dis ?

Mais Nannie était très occupée. Sans même la regarder, elle avait répondu :

– Myriam, tu vois bien qu'il neige ! On ne sort pas aujourd'hui.

– Pourquoi, dis ? Dis-moi ?

Vêtue d'un grand tablier, Nannie faisait du rangement dans les garde-robes de la chambre et ne lui répondait même pas. Myriam était au désespoir. Ce qu'elle voulait, c'était aller courir dehors et se rouler dans la belle neige.

– Nannie, pourquoi on va pas dehors ?

Nannie restait muette, pliant soigneusement les chandails de la fillette, qu'elle alignait sur les étagères.

Elle avait sorti de la penderie deux grands cartons bruns qu'elle avait laissés au milieu de la pièce, et Myriam tournait en sautillant autour de ces grosses boîtes qui l'intriguaient. «Et si c'était un cadeau?» se disait-elle. Elle se dandinait d'un pied sur l'autre. Sans faire de bruit, elle ouvrit un carton. Il était plein de petites camisoles et de petits chiffons blancs! Elle en prit quelques-uns dans ses mains et les retourna dans tous les sens, mais, comme elle ne pouvait rien en faire, Myriam les abandonna, déçue, sur le tapis. Alors, Nannie, toujours absorbée, monta les deux boîtes en carton jusqu'au grenier après avoir remis en place les petits bavoirs. Elle n'avait même pas remarqué la disparition de la fillette et continuait ses rangements.

Toujours obsédée par son idée d'aller dehors, Myriam sortit de la chambre sur la pointe des pieds et descendit l'escalier. Elle ne voulait surtout pas que Nannie, qui lui prêtait si peu d'attention, s'aperçoive de son départ. Dans l'entrée, elle sauta pour attraper son manteau, trop haut perché pour elle, et chaussa ses bottines sans prendre le temps de les lacer. Puis, des deux mains, elle fit tourner la poignée de la porte et se glissa dehors sans même la refermer, enchantée de son exploit! Le vent froid s'engouffrait dans son manteau et faisait voler sa jupe. Cela lui donnait de petits frissons. C'était si amusant! Elle avait oublié de mettre son bonnet, mais comme ses mitaines étaient attachées à ses manches, elle les enfila soigneusement. Alors, Myriam se mit à courir. Elle courait vite le long du boulevard Gouin et riait de ses bottes qui s'enfonçaient dans la neige molle, de son manteau qui devenait tout blanc, et du bon tour qu'elle jouait à Nannie, qui ne s'occupait pas beaucoup d'elle aujourd'hui!

Les rues étaient désertes. La neige décourageait les automobilistes, qui se faisaient rares sous les violentes bourrasques. Myriam avançait toujours et s'amusait de toutes ces sensations dérobées à l'ennuyeuse interdiction de sa gardienne. Elle arriva ainsi jusqu'à la voie de chemin de fer qui suivait le bois et filait vers le West Island, tout près de Salaberry. Il n'y avait personne... Myriam était toute joyeuse de son escapade! Elle se sentait libre. Elle s'accroupit dans la neige et disparut tout entière derrière les congères, qui étaient énormes. Ce que Myriam voulait, c'était faire un bonhomme de neige là-haut, tout en haut de cette grosse montagne blanche. Comme elle était toute petite, elle escalada à quatre pattes le banc de neige pour se hisser jusqu'au sommet, sur la voie ferrée. La neige se collait à son visage, à ses genoux, et lui picotait la peau. D'ici, Myriam avait le sentiment que le monde lui appartenait! Les rails du train étaient invisibles: complètement enfouis. Tout était blanc, lisse et rond, hormis quelques arbres qui paraissaient minuscules et dénudés comme des balais. Elle entendit une cloche qui sonnait. Un signal lumineux, tout là-haut, sur un grand poteau, se mit à clignoter. Myriam trouvait tout cela follement gai. Elle tendit la main vers cette lumière qui semblait lui dire bonjour et elle commença à édifier son bonhomme. Il serait le plus beau de tous, avec les deux bonbons qui étaient dans sa poche pour faire les yeux. Ensuite, elle lui donnerait son manteau pour le réchauffer et le protéger! Quel plaisir, Myriam battait des mains en admirant son œuvre... Alors, elle vit le train. Il ne faisait pas de bruit, mais il grandissait de plus en plus. Myriam eut une idée: elle allait arrêter le train pour dire bonjour à tous ceux qui étaient dedans et leur montrer son beau bonhomme de neige! Elle se redressa. Son manteau détaché s'ouvrait au vent. Elle se mit juste devant le train et fit de grands signes avec ses bras en criant:

–Train, train, arrête-toi! Train! Train!

Elle riait. Le chauffeur du train, pourtant attentif, ne distinguait pas grand-chose avec le chasse-neige qui lançait de hautes bordées de chaque côté. La neige fraîche, encore légère et moelleuse, ralentissait la locomotive, mais le paysage blafard et recouvert de l'immense tapis blanc avait perdu tout relief. On n'y voyait rien. Il se pencha un peu, le visage presque collé à la vitre, cramponné aux commandes. Voyons, avait-il rêvé? Il lui avait semblé voir quelque chose qui bougeait devant lui. Il sortit la tête par la portière pour mieux voir et trouva prudent de modérer encore sa machine:

–Seigneur, mais c'est une enfant... Simonac!

Il poussa un cri et appliqua les freins au maximum. Un énorme grincement se fit entendre. Il ne put arrêter complètement la locomotive. L'enfant venait d'être soulevée par le chasse-neige. Propulsée, elle avait fait une culbute de six ou sept pieds dans les airs et était retombée, étalée de tout son long dans le banc de neige, à côté du train enfin immobilisé. Le chauffeur se rua dehors et se pencha vers l'enfant qui avait les yeux grands ouverts. Il la prit dans ses bras. C'était une toute petite fille! Jamais il n'avait eu aussi peur de sa vie... Elle était vivante! Oui, elle bougeait! Elle était presque entièrement recouverte de neige. Le brave homme, affolé, lui demanda:

–As-tu mal? Dis-moi, petite, as-tu mal?

Le mécanicien de la locomotive et le chef de train s'étaient précipités pour actionner le signal d'alarme tandis que quelques voyageurs, surpris par cet arrêt brusque, les pressaient de questions. Ils étaient tous inquiets. La petite fille riait et paraissait indemne. On avait évité une terrible catastrophe. La neige l'avait protégée et enveloppée!

Une voiture de patrouille faisait tranquillement sa ronde. L'un des policiers remarqua le train arrêté. Alarmé par cette situation étrange, il arriva sur les lieux avec ses compagnons en toute hâte, et ils constatèrent, avec le conducteur du train encore sous le choc, que la petite fille ne semblait avoir aucun mal. L'épaisse couche de neige fraîche ayant amorti l'impact et la chute, elle faisait bouger ses bras et ses jambes et n'avait même pas perdu sa bonne humeur! Le conducteur du train, qui ne s'était jamais trouvé mêlé à pareil incident, en tremblait encore... Tout le monde criait au miracle et s'accordait pour dire que l'affaire était incroyable. Mais que faisait donc cette enfant seule sur la voie ferrée? Le policier l'interrogea:

–Comment t'appelles-tu, ma petite?

–My... rr... yam!

Myriam ne semblait nullement impressionnée par tous ces gens qui la dévisageaient, un peu décontenancés. Elle avait l'air si sûre d'elle qu'elle en était comique.

–Myriam qui?

–My... rr... yam Langevin, bon!... Et puis, j'ai pas eu peur!

–Où restes-tu?

Myriam tendit son bras.

–Là-bas...

– Connais-tu ton adresse ?

Myriam fit signe que non de la tête. Elle avait le bout du nez tout rouge et les oreilles gelées, mais elle était bien fière de son exploit ! Les policiers la firent monter dans leur voiture et, pour la réchauffer, ils l'enveloppèrent dans une couverture. Lorsqu'ils approchèrent du poste de police situé boulevard Gouin, ils aperçurent une jeune femme qui courait. Nannie s'était enfin aperçue de la disparition du bébé. Folle d'inquiétude, elle avait tout de suite prévenu Albert, qui venait d'arriver à la maison. Celui-ci avait immédiatement téléphoné aux policiers, et à présent il était en train d'arpenter le boulevard Gouin avec Johnny, cherchant dans la neige les traces de Myriam. En voyant l'auto de son grand-père, la petite s'exclama :

– Papi !... c'est mon papi !

Elle sauta dans les bras d'Albert, fou d'inquiétude mais soulagé que la fugue se termine de cette façon. Le grand-père trouvait que sa petite-fille avait un sens de l'aventure un peu trop aigu pour son âge et que sa Nannie n'était pas aussi attentive qu'il l'aurait souhaité. Il fut inflexible. Nannie eut beau plaider sa cause, invoquer le ménage ordonné par Madame, qui l'avait distraite, elle eut beau mettre en avant son grand remords, rien n'y fit. Maguy, en revenant de son magasinage, fut d'accord avec son père. On congédierait cette gardienne immédiatement. Ce qui fut fait.

Maguy et Philippe eurent quelques difficultés à trouver une personne digne de confiance, auprès de qui Myriam recevrait une bonne éducation ainsi que toute l'attention dont elle avait besoin. Ils firent passer des entrevues à de nombreuses candidates. L'une semblait trop nerveuse, l'autre avait un langage vulgaire, la troisième n'était pas très soignée de sa personne, bref... La recherche devenait un véritable casse-tête et l'incident du train avait bouleversé Maguy. Elle décida, le lendemain même, de prendre le chemin de l'archevêché pour demander conseil à son directeur de conscience, le Cardinal en personne, se résignant pour la circonstance à emmener Myriam avec elle. Maguy ne voulait plus exposer son enfant à l'irresponsabilité de quelque inconnue.

Myriam, qui ne paraissait avoir aucune séquelle de son escapade, était dans sa chambre, très occupée à se balancer sur son cheval de bois. À califourchon sur le cadeau d'Étienne, elle poussait des :

– Hue, hue, Cocotte !

Quand elle avait pu le monter, son cheval avait été baptisé Cocotte. Maguy, amusée par la fougue de la jeune cavalière, fit irruption dans sa chambre :

– Laisse Cocotte, Myriam, on s'en va en promenade...

– Oui ! oui ! Où est-ce qu'on va, dis, maman ?

Myriam se laissa emmitoufler de bon cœur, enthousiasmée à l'idée d'une balade. Bien que le ciel fût d'un bleu éclatant après la tempête des derniers jours, il faisait encore assez froid pour se geler le bout du nez. Au moment de partir, Maguy se ravisa. Elle pensa tout à coup aux deux cartons de layette inutilisable qui encombraient depuis si longtemps l'armoire de Myriam. Ils étaient maintenant dans le grenier. Elle voulait les emporter pour les donner enfin à sœur Marie-Anne et pensa : « Ces petits vêtements tout neufs feront certainement des heureuses parmi les jeunes mères dans le besoin. »

–Attends-moi, Myriam, je reviens tout de suite.

Maguy monta jusqu'au grenier et redescendit les bras chargés. Lorsqu'elles grimpèrent dans la voiture, les deux grosses boîtes étaient sur la banquette arrière, à côté de Myriam.

Les sœurs de la Sainte-Famille étaient si proches de l'archevêché et si dévouées... Ces derniers mois, Maguy leur avait donné plusieurs paquets de vêtements et des objets qu'elle n'utilisait plus. « Elles savent toujours comment tirer parti de tous les vêtements qu'on leur remet, quitte à les retailler un peu ou à les retoucher. Elles font des merveilles avec tout ce qu'on leur apporte. Je ne comprends pas pourquoi ces deux cartons-là n'ont pas encore quitté la maison, il est grand temps de les donner ! » Cette idée calma un peu son anxiété. L'incident du train et les conséquences qu'il aurait pu avoir l'obsédaient depuis hier et l'avaient tenue éveillée une bonne partie de la nuit. « S'il fallait qu'il arrive un malheur à ma fille, j'en mourrais sur-le-champ ! » se disait-elle, tremblant à cette perspective.

Lorsqu'elle avait des contrariétés, Maguy pensait immanquablement qu'elle avait peut-être été négligente ou bien encore trop égoïste... Elle se sentait coupable et retrouvait avec terreur, tout au fond d'elle-même, une Maguy qu'elle croyait méchante et trop superficielle, parce que trop riche. Elle redoutait toujours d'encourir la punition divine, elle qui avait reçu beaucoup, qui vivait dans le luxe et pour qui tout était facile. Sa richesse lui semblait, à certains moments, un péché, une injustice pour les moins favorisés. À d'autres moments, elle n'y pensait pas, profitant sans retenue de l'opulence qui lui permettait de se payer tout, ou presque. Elle était minée par des craintes ancrées tout au fond de son cœur depuis l'enfance et exacerbées par la morale et la religion. Ces peurs se transformaient en superstitions, sans que sa raison en prenne conscience. Alors, elle pensait: « Tout ceci m'est arrivé parce que je n'ai pas assez prié depuis un certain temps! Je ne remercie plus assez la petite sainte Thérèse... » Quand survenaient des événements fâcheux comme ceux qu'elle avait vécus hier, Maguy s'en voulait terriblement, déséquilibrée par les chocs, sûre de ne pas s'être assez sacrifiée. Puis, se souvenant qu'il y avait un grand nombre d'êtres humains beaucoup plus malheureux qu'elle, elle s'investissait dans quelque action charitable pour oublier un peu son tourment et apaiser sa culpabilité. Le moindre geste altruiste adoucissait ses peines et lui permettait de voir les choses d'une façon plus objective. Alors, Maguy se sentait dégagée d'un grand poids: celui de son aisance matérielle. Elle retrouvait sa religion comme un refuge, un havre de paix où elle se sentait en sécurité, toutes ses fautes ayant été pardonnées.

*

Pierrette Leblanc travaillait depuis quelques années pour les religieuses de la Sainte-Famille. Elle était passée par tous les services de la communauté et connaissait par cœur le fonctionnement de l'institution, ne l'ayant pas quittée malgré son mariage. C'était une jeune femme rondelette, vive dans tous ses gestes et dont le visage épanoui exprimait la bonté. Depuis qu'elle avait épousé, voilà bientôt cinq ans, son beau menuisier Gaétan Toupin, ils avaient eu quatre solides bambins, et d'autres viendraient encore... Pierrette était une femme simple, pleine de bon sens et d'amour, infatigable, capable de se dévouer corps et âme. Son attachement à la famille était exemplaire et, malgré sa toujours grandissante ribambelle de gamins, elle avait décidé avec Gaétan de continuer à travailler. Deux salaires, cela procurait une bonne sécurité qu'il ne fallait pas négliger ! Sa mère, veuve depuis peu, gardait les enfants, lui évitant de nombreux casse-tête. Ainsi la famille Toupin vivait-elle bien. On avait pu se payer une voiture et, chaque été, on partait en vacances au bord du lac à l'Orignal, dans ce qui avait été une cabane en bois rond que son Gaétan avait habilement transformée en un confortable chalet. Les séjours auprès du lac faisaient la joie des petits et des grands !

Depuis trois mois, Pierrette travaillait à la lingerie avec Marie Turcotte, qui avait pris le voile l'an passé, sous le nom de sœur Marie-Jean, ayant découvert sa vocation comme tant d'autres dans la proximité fascinante du Cardinal. Pierrette était bien absorbée dans son travail. À la lingerie, on ne chômait jamais ! Attentive à son ouvrage, revêtue d'un long tablier blanc à la ceinture duquel étaient suspendus les ciseaux ayant appartenu à Kateri, elle ne se laissait pas distraire. Il y avait toujours quelque vêtement à réparer, quelque chasuble, aube ou surplis à tailler, à coudre ou à broder. Contrairement aux cuisines, qui étaient toujours bruyantes, la lingerie était un endroit de ressourcement, calme, ordonné, avec une vue sur le parc qui était la plus belle de tout l'établissement. Aujourd'hui, elle ajustait la longueur d'une chasuble pour la prochaine grand-messe de Noël et ne pouvait s'empêcher de soupirer en pensant à son amie Kateri, sa fidèle compagne qu'elle aimait tant. Celle-ci avait disparu dans des circonstances bien bizarres que personne n'avait été capable d'expliquer... Pierrette poussa un soupir en remuant ces souvenirs, penchée sur un pli qui exigeait toute sa concentration, lorsqu'il y eut un bruit de voix. Elle releva la tête. Sœur Marie-Anne, qui se faisait de plus en plus vieille et ridée comme une pomme, fit entrer cette bonne madame Langevin, suivie d'une jolie petite fille aux yeux rieurs qui sautillait.

–Bonjour, Pierrette, il y a longtemps que je ne suis pas venue vous apporter du linge!

–Bonjour, madame Langevin, c'est à vous cette belle petite fille? Comme elle est grande maintenant!

Myriam dit gentiment bonjour et donna un gros baiser sonore à Pierrette, qui lui souriait de son plus beau sourire et la trouvait adorable.

–Voici, Pierrette, ces deux boîtes traînent à la maison depuis la naissance de Myriam. Je suis désolée de ne pas les avoir données plus tôt. Vous en aurez bien l'utilité, n'est-ce pas? dit Maguy.

Pierrette était ravie:

–Oh, mais c'est certain, madame! On a toujours grand besoin de linge de bébé. Donnez, que je vous en débarrasse. On va les mettre sur la table et je vais regarder tout de suite ce qu'il y a dedans. Sœur Marie-Jean les fera distribuer à nos jeunes mamans!

Sous l'œil ravi de Maguy, Pierrette déplia le couvercle des deux cartons et pâlit tout à coup en examinant les petites chemises. Son émoi était si visible que Maguy s'en aperçut. Ses mains tremblaient.

–Pierrette, que vous arrive-t-il? demanda-t-elle en s'approchant.

–Rien, madame, rien… ou plutôt, si!

Elle ne pouvait cacher son bouleversement et baissa le ton pour s'adresser à Maguy d'une voix à peine audible:

–Madame Langevin, ces vêtements sont ceux que j'avais fait envoyer par ma belle-sœur pour la jeune femme emprisonnée à Fullum! Et les broderies sur les bavoirs, on dirait les motifs que Kateri…

Pierrette avait la gorge nouée. Elle ne parlait plus. Maguy, attentive, intriguée, sentait que Pierrette avait découvert quelque chose qui la concernait aussi. Elle se pencha et lui murmura:

–Dites-moi, Pierrette? Souvenez-vous, je vous en prie… quand cela s'est-il passé?

–Il y a un peu plus de quatre ans, je crois, juste après la disparition de Kateri!

En disant cela, Pierrette eut comme un éclair de lucidité. Elle s'assit et se mit à sangloter. Toute la frustration liée au départ de la jeune femme et au mystère qui avait entouré la disparition de sa grande amie refaisait surface à la seconde même, au moment où elle s'y attendait le moins. Mais sœur Marie-Anne revenait dans la lingerie, avec sœur Marie-Jean. Les deux femmes sentaient qu'il ne fallait pas laisser voir leur trouble. Maguy glissa précipitamment à Pierrette:

–Je reviendrai ce soir et je vous attendrai au restaurant de la rue Sainte-Catherine, au coin de la rue Aylmer, à cinq heures. Nous devons absolument parler!

Pierrette sécha ses larmes en toute hâte et fit signe à Maguy qu'elle serait au rendez-vous, puis elle tourna le dos à sœur Marie-Anne pour lui cacher ses yeux rougis. Maguy, songeuse, était elle aussi très perturbée par la découverte de Pierrette. Sans prêter trop d'attention à ce qu'elle faisait, elle reprit le volant de sa voiture, avec Myriam à ses côtés, et se rendit à l'archevêché. Les questions se bousculaient dans son cerveau pendant qu'elle montait au petit bureau pour y rencontrer le Cardinal en audience privée. Myriam la suivait en se trémoussant, dépliant le papier d'un gros bonbon que sœur Marie-Anne avait glissé dans sa poche. Les yeux gourmands de la fillette brillaient à l'idée du plaisir que la petite boule de sucre rouge allait lui apporter. Lorsque Maguy frappa à la porte du secrétariat, c'est la gracieuse sœur Thérèse du Sacré-Cœur, collaboratrice indispensable du prélat, qui les fit annoncer. Le Cardinal ne s'attendait pas à voir Maguy en compagnie de sa fille. Il eut un léger mouvement de surprise et se leva pour les prier d'entrer. Depuis l'arrangement passé avec Albert Langevin, voilà quelques années, il avait toujours vu Maguy en pleine forme, enjouée et heureuse, mais aujourd'hui elle paraissait préoccupée. Il lui tendit sa bague:

–Bonjour, ma chère Maguy, assoyez-vous donc! Comme votre fille grandit!

Maguy le regarda soudain d'un drôle d'air, ne pouvant s'empêcher de penser: «Il parle de ma fille comme si elle ne lui était rien. Pourtant, c'est sûr qu'il en est le père! Philippe et Albert, d'ailleurs, ne m'ont jamais caché leurs idées là-dessus…» Elle ne savait plus très bien si c'était vrai. Où donc était la vérité?

–Votre Éminence, je viens vous demander conseil et je vous remercie de me recevoir aussi rapidement.

Le Cardinal hocha la tête d'un air protecteur, puis releva le menton en observant Myriam. Celle-ci disparaissait dans un grand fauteuil et étalait nonchalamment ses petites jambes en suçant bruyamment le bonbon rouge pour bien faire savoir qu'il était délicieux. Elle s'amusait beaucoup et regardait partout autour d'elle. L'endroit lui paraissait si insolite… Cela ne ressemblait pas du tout à une vraie maison! Elle froissait le papier entre ses doigts et aspirait le jus de la friandise d'un air épanoui.

— Myriam, voyons, fais un peu moins de bruit…

Le Cardinal ne put s'empêcher de sourire. Il s'approcha de la bibliothèque et en sortit un livre de catéchèse illustré qu'il tendit paternellement à la fillette:

— Tiens, ma belle Myriam, voici l'histoire de Notre-Seigneur Jésus… C'est un beau livre, je te le donne. Tu le liras en pensant à moi! Tu me le promets?

Myriam faisait la moue sans répondre. Il se pencha alors vers l'enfant du haut de son imposante stature. Maguy se demandait tout à coup si elle ne rêvait pas. Jamais elle n'avait si clairement fait face à la réalité de la paternité cardinalice… Habituellement, Myriam ne se trouvait en présence du Cardinal que durant les offices, au milieu de la foule, ou à l'occasion d'une grande réunion de famille. Aujourd'hui, la scène lui paraissait si folle que tout se mélangeait dans sa tête. Qui était la mère de Myriam? Que s'était-il réellement passé? Maguy se sentait précipitée au cœur d'un incroyable suspense. Elle n'avait certainement pas envisagé cela lorsqu'elle avait accepté d'adopter un bébé. Elle savait qu'il était complètement inutile de poser la question au Cardinal, lui qui était sans aucun doute le père biologique de l'enfant n'avouerait jamais sa faute. Surtout pas à elle. Il ne dévoilerait jamais le nom de la mère, ni les faits. Elle n'obtiendrait aucune réponse, aucune confirmation : rien qu'un silence guindé, accompagné d'une condescendance qui la blesserait et qu'elle préférait éviter. Soudain, Maguy n'eut plus envie de se confesser. Ses problèmes de gardienne lui parurent futiles. Elle n'avait plus qu'un seul désir, apprendre ce que Pierrette savait et qu'elle ignorait encore. Pendant que le Cardinal tentait de retenir l'attention de la fillette, le regard de Maguy fut attiré par la collection de pipes disposées autour de la tabatière. Ce qui l'intriguait, c'était une minuscule sacoche en cuir noir, brodée de perles rouges et blanches formant un motif indien, qui était posée négligemment sur l'une des pipes. Le Cardinal, suivant son regard, expliqua :

– Joli travail, n'est-ce pas ? Seules les femmes indiennes savent broder et travailler le cuir de la sorte…

Myriam, debout sur le fauteuil, regardait attentivement les pages du livre que tournait le Cardinal penché par-dessus son épaule, décidé à l'apprivoiser. Elle releva la tête et lui dit en le regardant droit dans les yeux :

– Il est pas très beau, ton livre… Tu sais, mon père, il m'en a donné un bien plus beau que le tien !

– Vraiment ?

Le Cardinal, interloqué par l'aplomb de ce petit bout de chou haut comme trois pommes, la regarda d'un peu plus près. Une bouffée d'émotion l'envahit. La voir ainsi lui allait droit au cœur et lui donnait un désir intense de la prendre dans ses bras, de la serrer très fort, de l'embrasser tendrement. Après tout, elle était son enfant! Il était pris au dépourvu, jouet de sa réaction, aussi inhabituelle que soudaine. Il ne connaissait pas le tumulte des liens viscéraux qui habite le cœur des parents ordinaires et n'avait jamais envisagé qu'il se trouverait dans ce genre de situation... Que lui arrivait-il? Une étrange sensation venait le tirailler juste au creux de l'estomac, comme s'il allait perdre pied. Le Cardinal sentait que Maguy épiait ses moindres réactions. Alors, il tourna la tête et se contenta de débiter ce qu'un Cardinal pouvait dire en pareille circonstance; ayant l'impression dérangeante que son vrai moi, son moi profond, lui avait échappé, il l'avait vendu à un autre! Tout Cardinal qu'il était, il avait cédé son droit de paternité...

–Mon enfant, ton père est un homme bien chanceux d'avoir une petite fille comme toi.

–Oui, et mon père, il est pas tout rouge comme toi!

En disant cela, Myriam tirait sur les pans de sa large ceinture et riait aux éclats. Le Cardinal, impressionné par la bonne humeur communicative de l'enfant, ne pouvait s'empêcher de rire spontanément lui aussi; il en oubliait son personnage solennel, se laissant aller à être simplement un homme... Maguy perçut le changement subtil qui s'était opéré, l'instant d'une seconde, qui faisait l'effet d'une bouffée d'air frais dans toute la pièce. En les regardant à la dérobée, elle fut soudain frappée par la ressemblance de leurs visages et de leurs sourires. Puis la magie fut rompue: elle disparut comme elle s'était installée, en un éclair... Se sentant toujours observé, le Cardinal se retourna vers Maguy. Pour la première fois depuis qu'il était cardinal, il se sentait gêné devant une femme, comme s'il avait été nu. Complètement nu. C'était insupportable. Il se reprit très vite. Pas question de montrer son émoi à madame Langevin! Il était de nouveau Son Éminence le Cardinal de Montréal, et il relevait déjà le menton en posant une main sur sa croix pectorale. La petite continuait, intarissable, en s'adressant à sa mère:

−Maman, pourquoi il a dit que je suis son enfant?

Impossible de répondre à cela! Tant pis pour les questions d'ordre domestique, Maguy prit Myriam par la main, il était temps de se retirer.

Lorsque Maguy retrouva Pierrette, les deux femmes ne savaient par où commencer. Installées devant deux tasses de thé, elles avaient choisi une table au fond du restaurant afin de pouvoir parler sans être entendues des autres clients. Pierrette, encore sous le coup de l'émotion, se sentait gênée d'être assise, en tenue de travail, en face d'une dame si élégante. Ses yeux allaient du chapeau de Maguy à son manteau de vison et du manteau à son sac verni. Maguy la mit à l'aise:

−Pierrette, je sais que tout ce que nous allons nous dire est extrêmement important pour vous et pour moi. Soyez sans crainte, je sais garder un secret... Et nous allons nous aider l'une l'autre pour essayer d'y voir clair. Je vous écoute.

−Madame Langevin, depuis tantôt, je me demande si j'ai eu raison de croire qu'il s'est passé quelque chose de terrible lors du départ de Kateri. Vous savez, peut-être bien que je me fais des accroires, en jonglant depuis près de cinq ans!

Maguy était songeuse. Elle retira ses gants, les posa sur son sac à main et regarda ses ongles soigneusement vernis.

– Je n'ai guère connu Kateri… je n'ai rien su de son départ !

– Eh bien, elle est partie un jour, très brusquement, sans rien emporter avec elle et sans nous dire au revoir. Ça n'était vraiment pas son genre ! J'ai su par après que la Mère supérieure l'avait accusée du vol d'un chandelier, à l'époque. Mais cela aussi était impossible. Kateri ne pouvait pas être une voleuse ! C'était ma meilleure amie et je sais que c'était une fille droite. J'en aurais donné mon bras à couper !

Pierrette hochait tristement la tête.

– Vous n'avez jamais eu de ses nouvelles ?

– Jamais, une vraie disparition ! La nuit, je rêvais souvent à elle… son image me hantait ! Je me demandais quoi faire. Quelques mois plus tard, son frère Gaby, qui vit à Oka, est venu la voir. Personne n'a pu lui dire ce qui était arrivé à sa sœur. Il est revenu me parler une ou deux fois, presque en cachette, car les sœurs n'aimaient pas le voir rôder ici. On nous disait qu'il était un sauvage et un révolutionnaire ! Je crois qu'il vit toujours sur les terres des Mohawks, à Oka… Il m'a demandé des explications sur la disparition de Kateri, mais hélas je ne savais rien ! Nous étions si inquiets !

– Mais… Kateri ne vous a vraiment rien dit, avant de partir ?

– Oh, non, madame, et c'est bien ce qui m'a tellement inquiétée ! Comment savoir s'il ne lui était pas arrivé un malheur ?

Maguy buvait les paroles de Pierrette. Elle essayait de comprendre :

— Pourquoi avez-vous tout de suite pensé à Kateri lorsque je vous ai apporté les boîtes ?

— Mais j'y ai pas pensé, madame Langevin, c'était comme évident ! Ça m'a sauté en pleine face ! Kateri faisait de la bien belle ouvrage ! Je connaissais par cœur sa façon de broder et les dessins qu'elle faisait avec son aiguille ! C'étaient des dessins à motifs indiens... Y en a pas une autre qui brode comme elle, jamais !

Pierrette s'arrêta de parler quelques instants, submergée par ses souvenirs. L'émotion était trop forte. Elle sortit de son sac deux petits bavoirs blancs et une camisole de bébé qu'elle avait apportés avec elle, comme pour donner une preuve de ce qu'elle avait vu. Maguy prit un des bavoirs entre ses mains et le regarda longuement. Elle ne pouvait quitter des yeux le petit morceau de tissu. Pierrette continuait son explication :

— Et comme la sœur de mon Gaétan était garde à la prison des femmes dans ce temps-là, je lui ai donné les langes et le linge de bébé dont je ne me servais plus. J'en avais tellement ! Elle, elle en avait besoin pour une prisonnière qu'elle trouvait bien pitoyable... Si j'avais pu me douter, madame !

— Vous voulez dire, Pierrette... vous êtes sûre de cela ? Si je vous comprends bien, la layette qui m'a été remise lorsque je suis allée chercher Myriam...

Maguy s'interrompit brutalement. Elle se mordit les lèvres. Elle venait d'avouer à Pierrette que Myriam avait été adoptée. Elles se regardèrent.

— Madame, je n'en crois pas mes oreilles !

–Pierrette, Pierrette, aidez-moi, s'il vous plaît, et promettez-moi de garder le secret!

–Je vous le jure, madame Langevin, je vous le jure! Quand avez-vous adopté Myriam?

Maguy était décidée à tout dire à Pierrette... Ne pouvant parler à qui que ce soit d'autre, il lui fallait bien une confidente. Le secret lui pesait trop. Et puis Pierrette était une si brave fille! Elle avait un regard clair et direct, un regard qui n'avait ni peur ni honte, que son sourire franc venait souligner. Maguy sentait qu'elle pouvait lui faire confiance.

–Deux jours après sa naissance, Pierrette, le 3 juin. C'est mon père qui avait tout arrangé avec le Cardinal. J'ai eu juste à donner mon accord! Philippe et moi, nous sommes allés chercher la petite à l'hôpital Sainte-Justine. Personne n'a jamais su ni ne doit jamais savoir qu'elle a été adoptée, ajouta-t-elle, tout à coup anxieuse.

–Mais pourquoi, madame?

–Nous... en avons fait le serment à Son Éminence...

Maguy tenait toujours le bavoir de bébé devant elle. Soudain, elle poussa un petit cri.

–Que se passe-t-il, madame Langevin?

–Rien, Pierrette, ce n'est rien...

Pierrette retenait son souffle. Maguy hésitait à parler, mais elle n'y tint plus:

–Pierrette, le dessin sur le bavoir! J'ai vu exactement le même sur une bourse en cuir perlée...

–Où cela, madame?

–Dans le petit bureau du Cardinal...

–Mon doux Jésus!

Il y eut un long silence. Pierrette pensait maintenant qu'elle devait absolument retrouver sa compagne. Ce qu'elle comprenait aussi, c'est qu'on avait tendu un filet à Kateri pour dissimuler quelque chose que maintenant elle devinait un peu. Il était presque certain que Kateri était la mère de Myriam et que c'est en prison qu'elle avait été amenée. Pierrette se jura de mener une enquête auprès de sa belle-sœur Louise Toupin. Pour l'instant, elle se sentait révoltée par les événements obscurs qu'elles découvraient et qui ne correspondaient nullement à ce qu'enseignait l'Église. Pour quelle raison les religieuses s'étaient-elles liguées contre Kateri? En personne intègre qu'elle était, Pierrette décida de donner sa démission sur-le-champ. Ne serait-ce que par solidarité avec son amie disparue. Elle s'en ouvrit à Maguy:

– Madame Langevin, si nous avons raison, tout ceci est bien trop croche pour que je continue un seul instant à travailler ici... Je suis sûre que Kateri est innocente, j'en donnerais mon bras à couper! Je démissionne.

Maguy aussi était chavirée, sa piété en prenait un dur coup, mais elle n'en laissa rien paraître. L'Église n'était peut-être pas un temple de pureté, ainsi qu'on l'imaginait... Que fallait-il croire, avec tous ces événements? Quel casse-tête!

– Comme vous voudrez, mais qu'allez-vous faire, Pierrette?

– Je ne sais pas encore, madame, mais je peux offrir mes services comme domestique dans n'importe quelle maison! Je suis vaillante et il n'y a pas grand-chose que je ne peux pas faire...

Maguy venait de trouver la solution à son problème, c'était évident. Cette bonne Pierrette était la personne idéale pour prendre soin de Myriam et faire un peu d'entretien dans la maison. Heureuse de pouvoir régler au moins un problème et en attendant de réfléchir à tout cela, elle proposa sans préambule :

– Eh bien, Pierrette, accepteriez-vous de venir travailler chez moi ? Myriam a besoin d'une gardienne en qui je puisse avoir toute confiance !

Le visage de Pierrette s'éclaira. La perspective l'enchantait. Madame Langevin était une personne très agréable et Myriam suscitait chez elle de l'affection, de la tendresse. Au moins pouvait-elle ainsi aider un peu son amie disparue.

– Bien sûr, j'accepte… bien sûr ! Je suis si contente… C'est le bon Dieu qui vous envoie, madame Langevin !

Les deux femmes se sentaient sur la même longueur d'onde et cela se reflétait dans leurs yeux. Maguy prit la précaution d'ajouter :

– Surtout, Pierrette, souvenez-vous : nous sommes liées par la plus grande discrétion, dans toute cette affaire. Mon mari et mon père ne me pardonneraient pas s'ils savaient que vous connaissez ce secret ! Il va sans dire que jamais, jamais, Myriam ne doit entendre un seul mot sur son état d'enfant adoptée ! Le promettez-vous ?

– C'est bien évident, madame. Je vous renouvelle ma promesse, je vous le jure sur la tête de mes enfants.

– Merci, Pierrette, alors, pouvez-vous commencer demain ?

Chapitre IX

Depuis qu'à elles deux elles avaient réussi à rassembler toutes les pièces du casse-tête concernant Kateri et Myriam, Pierrette et Maguy n'avaient plus reparlé du « grand secret ». Pierrette sentait qu'il fallait éviter de revenir sur ce sujet brûlant. Un jour pourtant, seule avec Maguy, elle s'était hasardée :

– Madame Langevin, je voulais vous dire, par rapport à Kateri...

Maguy, qui était au salon en train de disposer des fleurs dans un vase, s'était brusquement retournée vers elle.

– Quoi donc, Pierrette ?

– Eh bien, c'est que... je crois bien que Kateri avait, comment dire, une relation avec le Cardinal...

Maguy était devenue toute rouge et elle avait coupé court.

– N'en parlons plus, Pierrette, voulez-vous ?

Alors, elle s'était assise devant son piano et avait commencé à jouer, sans prêter plus d'attention à Pierrette, qui était retournée à ses tâches, très embarrassée de ce qu'elle venait d'avancer. À partir de ce jour, il n'avait plus été question d'amorcer la moindre conversation à ce propos. Étant pleine de bon sens, Pierrette savait garder le silence... Maguy, pour sa part, y avait beaucoup réfléchi. Elle aurait aimé faire quelque chose pour la personne qui avait donné le jour à sa fille, retrouver sa trace et l'aider, car elle avait les moyens de le faire, mais les conséquences que cela pouvait entraîner l'effrayaient. Elle avait donc pris la décision de ne jamais s'engager dans cette recherche : la charité et la compassion lui dictaient un chemin, et le serment fait au Cardinal, qui la réduisait au silence, lui ordonnait de suivre une autre route. Un troisième élément venait lui barrer la voie et s'érigeait jour après jour en un mur de plus en plus infranchissable, c'était le sentiment d'être la vraie mère de Myriam. Cet amour maternel, intense et très sincère, lui interdisait de se trouver face à une rivale. Deux mères pour un seul enfant, c'est une de trop ! Maguy craignait que, si Myriam avait un jour le moindre doute sur ses origines, elle se mettrait à la détester ou à la fuir, préférant sa mère biologique à sa mère nourricière. L'enjeu était si important pour Maguy que le problème, une fois soulevé, ne lui laissait plus de repos.

*

Ce soir-là, Philippe, rentré tard du cabinet, s'était couché si fatigué qu'il était tombé à l'instant même profondément endormi ; il respirait bruyamment aux côtés de Maguy qui l'enviait : « Comment fait-il pour dormir si profondément ? La maison pourrait s'écrouler, je crois qu'il n'entendrait absolument rien ! » Lorsque Maguy ferma enfin les yeux, elle se sentait encore tendue et pleine d'appréhension. Les paroles de Pierrette lui revenaient sans cesse aux oreilles et son sommeil fut très agité. Les cauchemars se succédaient. Elle voyait Myriam happée par une immense vague mugissante qui l'arrachait à la tendre vigilance de son entourage. Puis la silhouette d'une femme inconnue, drapée d'un manteau rouge, venait lui ravir l'enfant dans un moment d'inattention. Alors, Maguy courait sur une grève sans fin, désespérée, cherchant sa fille. Finalement, la pauvre femme s'apercevait que Myriam avait été mangée par un être bizarre, un monstre qui l'engloutissait devant elle en ricanant! C'était la bourse en cuir perlée qu'elle avait vue chez le Cardinal…

Au beau milieu de la nuit, Maguy se réveilla en sursaut, trempée de sueur, angoissée. Elle alluma et attrapa le verre posé sur sa table de chevet, but une gorgée d'eau, puis, cherchant la présence rassurante de Philippe qui dormait profondément sans se préoccuper de ses cauchemars, elle se colla contre lui. Philippe s'éloigna d'elle. La pauvre Maguy tentait de chasser les idées sombres dont elle était la proie. Elle voulait se protéger. Il ne fallait surtout pas que sa fille apprenne un jour qu'elle avait été adoptée! La vie devait continuer, ainsi qu'elle avait été tracée par le Cardinal lui-même et par Albert. Depuis ce jour, Maguy refoulait ses craintes chaque matin en les trouvant ridicules, et chaque soir ces mêmes craintes revenaient en force pour hanter ses nuits.

*

Pierrette était de retour à la maison, après la journée passée auprès de Myriam et de Maguy. L'air sentait déjà le printemps, et la fonte des neiges s'amorçait

dans les rues et dans les cours en formant d'épais ruisseaux grisâtres, moitié neige moitié boue, dans lesquels il valait mieux ne pas poser les pieds. Tout en
préparant son repas, elle voyait par la fenêtre de la
cuisine les jambes des enfants qui redescendaient de
chez leur grand-mère en empruntant l'escalier arrière.
Même si elle ne les avait pas vus, elle n'aurait pu faire
autrement que de les entendre! Le bruit de leurs pieds
encore chaussés des lourdes bottes d'hiver résonnait
sur toutes les marches métalliques et faisait trembler
la carcasse de l'escalier en colimaçon. On entendait:

– Grouille, Jeannot, pousse-toi donc!

Et vlan, Johanne était tombée sur le derrière tandis que Monique la consolait. L'escalier vibrait du
haut en bas. Les gamins poussaient de petits cris en
dévalant le perron, tandis que madame Leblanc, derrière la porte vitrée, du haut de son deuxième étage,
les surveillait attentivement pour voir s'ils s'étaient
rendus à bon port. Pierrette, lâchant son couteau et
ses patates, vint leur ouvrir:

– Bonjour, bonjour, mes petits tannants!

Les quatre enfants lui sautèrent au cou tous
ensemble, avant même d'avoir enlevé leurs bottes...
Au même moment, Gaétan gara sa voiture dans la
ruelle et fit irruption derrière ses quatre diablotins.

– Hmmm, ça sent bon par ici! J'ai faim...

Il accrocha son manteau, distribua quelques bises
et s'approcha de Pierrette en lui donnant une petite
tape amicale sur les fesses.

– Qu'est-ce qu'on mange de bon à soir, sa mère?

Pendant que Pierrette remplissait les bols de soupe,
Gaétan faisait griller du pain, puis sortait les couverts
et les serviettes. La bonne humeur manquait rarement

au sein de la famille Toupin. Il faisait chaud, autour de la grande table de cuisine, près du poêle qui ronronnait, et les rires fusaient. Les enfants avalèrent leur souper le temps de le dire et s'éparpillèrent dans la maison pour jouer, pendant que Pierrette et son mari profitaient de l'accalmie pour manger tranquillement en discutant de leurs projets.

– Gaétan, tu sais que l'idée de retrouver Kateri me hante depuis que je travaille pour madame Langevin !

– As-tu parlé avec Louise pour savoir si tout cela a du bon sens ?

– Pas encore, je ne veux pas lui en parler au téléphone. Je veux lui en parler de vive voix, d'autant plus que j'ai promis le secret à madame Langevin, qui a l'air bien intransigeante là-dessus…

– C'est correct ! Alors, invite-les donc un dimanche. Dans quelques jours, la neige aura fondu…

– Excellent, c'est l'anniversaire de Monique dans trois semaines !

*

Ce dimanche-là, il faisait beau et chaud. Bientôt, on partirait pour le lac à l'Orignal. Chez les Toupin, dans le quartier Rosemont, on fêtait l'anniversaire de Monique, la fille aînée de Pierrette et Gaétan. Cinq ans déjà ! Il y avait grand-maman Leblanc, et Louise et Roger avec leurs trois enfants.

Louise Toupin, mariée à Roger Chagnon, un professeur, ne travaillait plus depuis longtemps déjà à la prison des femmes. Elle avait mis au monde deux beaux garçons, puis une fille, et cherchait à reprendre du service après avoir pouponné tout à son aise pendant quatre ans. Les Toupin et les Chagnon se voyaient à l'occasion des réunions avec la parenté, ou lorsque le beau temps leur permettait de faire une promenade dominicale avec leur petite famille. Un peu avant le début du repas, Pierrette, profitant d'une discussion très animée entre les deux hommes, s'adressa discrètement à Louise :

– Louise, voici déjà quelque temps que je veux te parler d'une affaire… mais j'aimerais mieux qu'on soit seules toutes les deux !

Louise était intriguée. En général, les réunions familiales donnaient lieu à des conversations portant sur des sujets très pratiques. On parlait des enfants, on échangeait des recettes. Les deux belles-sœurs n'avaient guère de secret à partager…

– Quand tu voudras, Pierrette.

– Mais surtout, chut !

Pierrette avait mis un doigt sur sa bouche, ce qui eut pour effet d'accentuer encore la curiosité de Louise. Les enfants étaient surexcités parce que le soleil avait fait son apparition depuis quelques jours, comme s'il avait voulu devancer le calendrier. Le temps chaud les poussait à rester dehors pour jouer dans la ruelle monopolisée par tous les galopins du voisinage, armés de leur bâton de base-ball. Tous ces garnements s'entraînaient à la balle molle jusque derrière les autos, en faisant retentir les cris les plus divers. Pierrette avait mitonné un de ces repas savoureux qu'ils aimaient tous, avec un jambon cuit dans le sirop, des fèves à la mélasse et un gros gâteau des anges dont le « crémage » faisait lorgner les plus gourmands. Pourtant, il n'y avait pas moyen de les faire tenir en place ! Les plus jeunes couraient dans tous les sens, se tiraillant à qui mieux mieux, marchant sur les pieds des plus grands qui avaient bien du mal à se retenir de faire comme eux. C'était la «ronde des tannants», comme disait Pierrette. Même Gaétan ou Roger ne pouvaient maintenir la moindre discipline! Il faut dire que ni l'un ni l'autre n'était trop sévère…

Dès que le gâteau eut été avalé jusqu'à la dernière miette, Gaétan et Roger sortirent de la remise, qui se trouvait au fond de la cour, les cannes à pêche, les hameçons, les lignes et les appâts. Les cris de joie fusaient. Les enfants battaient des mains en sautant et en scandant:

–On va-t'à la pêche! On va-t'à la pêche!

On entassa femmes et enfants dans la grande voiture de Gaétan. Les plus petits, en équilibre instable sur les genoux des plus grands, se faisaient un peu bousculer, mais riaient de bon cœur. La joyeuse petite bande enfin au complet, on descendit tout au long de la rue Papineau, on traversa le pont Jacques-Cartier d'où, en se retournant, on pouvait admirer la silhouette du centre-ville, langoureusement étalée au bord du Saint-Laurent. On fila sans encombre le long de la rive sud, jusqu'aux îles de Boucherville où l'on pouvait trouver partout des coins propices à la pêche au lancer. Chacun était sûr de soustraire au fleuve ses plus gros achigans. Les joyeux pêcheurs étaient à leur affaire.

Pierrette et Louise, qui avaient chacune leur bébé sur les genoux, restèrent sur un banc à l'écart, profitant du calme et de l'ombre prodiguée par un érable centenaire.

–Enfin, Louise, nous allons pouvoir parler! J'avais bien hâte…

– Sais-tu, Pierrette, que tu m'as intriguée en masse avec tes cachotteries! De quoi s'agit-il donc?

– Te souviens-tu, Louise, de cette jeune femme dont tu m'avais parlé lorsque tu travaillais à la prison des femmes?

– Quelle jeune femme? De qui veux-tu parler?

– Rappelle-toi, je sais que ça fait longtemps, mais tu m'avais demandé du linge de bébé pour elle, tu disais que son cas était bien mystérieux. Je t'avais donné deux boîtes avec des langes, des camisoles et des bavoirs…

– Oui, oui, ça y est, je me souviens. Attends un peu, elle était enceinte et on ne savait absolument rien d'elle! C'est vrai, j'avais oublié tout ça!

– Je t'en prie, Louise, donne-moi tous les détails que tu peux! Je crois bien qu'il s'agissait d'une de mes amies de la Sainte-Famille. Te souviens-tu de son nom?

– Arrête donc! Tu veux dire que tu ne savais pas à l'époque que tu connaissais cette femme et que, maintenant, tu te rends compte que tu la connaissais?

– Exact! Je vais tout t'expliquer. Elle avait disparu sans qu'on ait jamais de ses nouvelles et c'était bien étrange! Comment était-elle, ta prisonnière?

Louise fouilla quelques instants dans sa mémoire, manifestement ennuyée de n'y retrouver que des choses floues et imprécises. Elle ressortit deux ou trois bribes de souvenirs de cette époque, qu'elle n'avait pas aimée outre mesure:

– Attends un peu, elle était très gracieuse, très noire de cheveux. Les autres prisonnières disaient qu'elle était indienne…

Au fur et à mesure qu'elle avançait dans son récit, les indications recherchées devenaient plus précises. Elle continua :

– Oui, ça me revient ! Elles l'appelaient la sauvagesse ! Mais elle était spéciale, elle n'était pas comme les autres. Elle avait l'air triste et restait à l'écart sans jamais se plaindre. J'avais comme une sorte de… comment dire, je la trouvais plaisante, attachante même. Rien à voir avec toutes ces filles agressives !

Pierrette avait frémi. Plus Louise fournissait des détails et plus elle reconnaissait son amie. Elle en était sûre, c'était bien d'elle qu'il s'agissait :

– Je me souviens que tu avais pitié d'elle. Mais, vois-tu comme c'est étrange, à cette époque, on n'avait pas parlé d'elle plus qu'il fallait. Je savais seulement que tu demandais du linge pour une prisonnière enceinte !

– Absolument ! Ça y est, ça me revient maintenant ! Je ne pouvais même pas te parler d'elle, la consigne était de s'en tenir au secret le plus strict, au point qu'on m'avait menacée de me renvoyer si je laissais filtrer quoi que ce soit !

– Non !

– Véridique ! Le docteur Charlebois était venu la suivre pendant toute sa grossesse. À la prison, je n'avais jamais vu une chose semblable ! Même que, lorsque son temps est arrivé, ils l'ont fait transporter immédiatement à Sainte-Justine… Sainte-Justine ! Y a pas une seule prisonnière, à part elle, qui a accouché là-bas. C'était à n'y rien comprendre ! Un traitement de faveur…

– Louise, s'il te plaît, essaye de te souvenir de son nom ! Je suis sûre que c'est elle, celle avec qui je travaillais…

Pierrette voulait vérifier si son hypothèse était juste sans donner davantage d'indices à Louise.

–Ah, attends, son nom, son nom… maudite mémoire !

Louise se cognait le front d'une main, tout en maintenant sa petite dernière de l'autre, sur ses genoux. Elle n'avait pas la mémoire des noms. Mais, heureusement pour Pierrette, celui qu'elle cherchait n'était pas des plus répandus, il s'était gravé quelque part au fond de son cerveau. Louise revoyait en pensée la jeune prisonnière. Petit à petit, les conversations, les événements de cette année-là émergeaient. Son prénom jaillit enfin, clairement, comme si elle n'avait pu en porter d'autre : celui-ci lui allait trop bien.

–Oui, c'est cela, je crois ! Je l'ai, elle s'appelait Kateri…

–Sainte bénite ! Mon doux ! Kateri !

C'était presque un cri de détresse que Pierrette venait de lancer. Il fallait retrouver sa trace, même après tant d'années !

Louise se mordait les lèvres en berçant son bébé. Se pouvait-il qu'une chose pareille soit arrivée ?

*

Profitant du congé de la Saint-Jean-Baptiste et du fait que Louise, Roger et grand-maman s'étaient chargés d'amener la petite ribambelle voir le défilé, Gaétan et Pierrette se mirent en route pour Oka. Ils ne savaient pas trop par où commencer leurs recherches, ni même s'ils reviendraient avec quoi que ce soit qui puisse les aider.

Lorsqu'ils arrivèrent sur les terres des Mohawks imbriquées dans les terres paroissiales d'Oka, ils furent surpris de voir dans quel état de pauvreté se trouvaient les maisons habitées par les autochtones. C'étaient, pour la plupart, des chalets que l'on avait rafistolés avec les moyens du bord, et qui n'avaient plus aucune trace de peinture tellement ils avaient été marqués par l'usure implacable de l'hiver et du gel. Ici et là, le long de la route, des objets confectionnés sur place étaient proposés aux passants. On les annonçait sur des planches en bois appuyées le long des arbres et maladroitement peintes de quelques mots griffonnés à la main : *Indian Handicraft*. Des enfants jouaient un peu partout avec des chiens. De vieux réfrigérateurs ou des camions mis au rebut traînaient parfois derrière les maisons, autour desquelles séchait du linge. Le véritable intérêt de l'endroit tenait à la beauté naturelle du paysage. On apercevait, dominant le lac, des collines et des vallées recouvertes d'arbres impressionnants, appartenant aux espèces les plus variées. Bouleaux, érables, mélèzes, pins blancs et épinettes voisinaient par endroits avec des vergers aux pommiers déjà chargés de minuscules fruits. Derrière les bois et les bosquets, à perte de vue, et en arrière des terres cultivées, on pouvait admirer le lac des Deux-Montagnes, vaste réservoir du Saint-Laurent, richesse naturelle de l'ancienne seigneurie et plan d'eau incomparable. Il y avait dans cet endroit une sérénité, une douceur qui attirait le regard et qui faisait aimer cette terre, plus verdoyante et plus agricole que les âpres montagnes des Laurentides.

Pierrette et Gaétan s'arrêtèrent près d'une pompe à essence. Un vieil homme aux traits typiquement amérindiens, aux cheveux blancs et portant un large chapeau au bord duquel tremblotait une petite plume, se balançait sur une chaise berçante tout près de la porte de sa maison. Il fumait une grosse pipe, tirant des volutes en forme de cercles qui semblaient le captiver, et il ne semblait pas pressé de leur proposer le moindre gallon d'essence… Ils garèrent la voiture en bordure de la route et descendirent le saluer.

– Cet homme pourra sans doute nous donner des renseignements, dit Gaétan en prenant Pierrette par la main.

– Essayons et espérons qu'ils se connaissent tous !

La communauté amérindienne d'Oka étant très peu nombreuse, ils avaient sans doute des chances. Devant sa maison, l'homme fumait toujours. Les bras croisés sur la poitrine, il les observait du coin de l'œil, le visage grave. Poliment, Gaétan lui lança un bonjour, mais l'homme ne parlait pas un mot de français. Ni Gaétan ni Pierrette ne savaient converser en anglais. Ils connaissaient juste quelques mots essentiels. L'entrée en matière ne semblait pas facile, d'autant moins que l'Indien n'avait pas l'air bavard. Pierrette essayait de faire des signes, sans grand succès, expliquant en posant un doigt sur la poitrine de son mari, puis sur la sienne, qu'ils voulaient rencontrer un dénommé Gaby… Elle multipliait les gestes, essayant d'utiliser ce langage instinctif et universel qui pour l'instant se révélait parfaitement inutile. Pierrette alignait maladroitement les mots les plus simples dans un charabia qui, de toute façon, ne voulait plus rien dire :

– *Me and* Gaétan, vouloir rencontrer Gaby !
– *What ?*

L'autre la regardait, impassible, et répétait avec un fort accent:

–Gaby... Gaby... *OK, but I don't know who Gaby is!*

Une grosse femme en jupe longue, les cheveux tressés, avec un châle sur les épaules, sortit alors de la cabane et déversa un chaudron entier d'eau malpropre du coin du balcon, sans même se donner la peine de descendre les marches du perron. Puis, étonnée de cette visite inattendue, elle posa sa casserole, mit les mains sur ses hanches et fit le piquet devant la porte pour savoir de quoi il s'agissait. L'homme l'interpella. Pierrette et Gaétan eurent beau tendre l'oreille, ils ne comprenaient absolument rien. Des enfants aux yeux noirs et à la peau basanée les entouraient maintenant, alertés par le bouche à oreille. On leur lançait des questions qu'ils ne pouvaient saisir. Quelques chiens vinrent flairer les nouveaux venus, qui se sentaient dévisagés, évalués, observés de toutes parts. Un jeune homme au type amérindien assez marqué s'avança vers eux, grand et fortement musclé, le visage imberbe et la peau marquée de nombreuses cicatrices. Il portait des bottes de cow-boy et leur demanda dans un français cahotant:

–Que voulez-vous? Dis-moi, qu'est-ce que tu cherches? Veux-tu acheter des mocassins?

Pierrette fit signe que non. Puis elle répéta qu'ils voulaient voir un dénommé Gaby. Une bonne dizaine d'hommes et de femmes, en plus des enfants et du vieillard, les entouraient maintenant. Personne ne paraissait disposé à leur donner des indications au sujet du Gaby recherché... On aurait dit qu'ils se méfiaient tous, se regardant les uns les autres, sans broncher. Le jeune interprète leur indiqua:

– Icitte, personne connaît ça, un dénommé Gaby !… Gaby qui ? Mais qu'est-ce que vous lui voulez à c'te gars-là ? On voit bien que vous êtes pas des *natives*, vous autres !

Ce fut Gaétan, cette fois-là, qui répondit :

– On le cherche pour une affaire personnelle. C'est ma femme Pierrette qui a bien connu sa sœur, mais elle a disparu voici plus de cinq ans…

– Ça fait deux personnes que tu recherches ? Pourquoi vous voulez tant les voir ?

Le jeune Indien se tenait debout devant eux, les bras croisés, les toisant du haut de ses six pieds et demi. Pierrette était un peu déçue de cette absence de coopération. On tergiversait, on tournait en rond en répétant inlassablement les mêmes choses. Un chien se mit à flairer les vêtements de Gaétan en grognant et en montrant les dents. L'atmosphère devenait de plus en plus hostile. Les hommes et les enfants rassemblés ricanaient en les fixant de leurs regards noirs et moqueurs. Au bout de quinze minutes de ce manège, la tension monta. C'en était trop !

– OK ! OK ! Mon gars… On les cherche parce que nous aussi, on aimerait bien savoir ce que Kateri et Gaby sont devenus !

Gaétan se fâchait. Il y eut un léger flottement dans le groupe, mais personne ne rompit le silence. Un gros labrador se mit à japper, suivi par tous les autres chiens. On ne s'entendait plus.

Pierrette tira Gaétan par la manche et lança à la ronde :

– Viens, Gaétan, partons d'icitte puisque personne ne veut nous dire où est Gaby.

L'Indien répliqua :

– Mais tu sais même pas son nom de famille !

– C'est vrai, je sais pas grand-chose. Tout ce que je sais, c'est que sa sœur Kateri a travaillé longtemps avec moi, au couvent, et qu'elle a mystérieusement disparu. Mais maintenant je voulais voir Gaby pour lui donner des nouvelles. Il y a du nouveau que je viens d'apprendre. C'est tout !

Pierrette était en colère et s'impatientait. L'autre la regardait comme s'il ne comprenait plus rien. Ses yeux lançaient des éclairs lorsqu'elle enchaîna :

– Et puis, ce que je sais encore, c'est que la mère de Kateri s'appelait Wanda et qu'elle vivait icitte. Peut-être parmi vous... C'est tout. Et puis viens, Gaétan, on s'en retourne puisque personne ne veut rien dire !

Sous les regards des assistants, qui n'avaient pas bougé d'un poil, ils remontèrent dans la voiture et reprirent la route de Montréal, assez déconfits. Dès qu'ils furent repartis, tous les curieux qui s'étaient éparpillés se regroupèrent instantanément autour de Jack, le jeune Amérindien parlant le français, et y allèrent de leurs commentaires sur la conversation entendue quelques instants plus tôt. On se faisait donner tous les détails. Les langues allaient bon train... Il s'agissait bien de Gaby, le fils de Wanda, qui vivait de l'autre côté de la pinède, au fond du rang du Milieu. Chacun donna son opinion. Il fut décidé d'aller prévenir immédiatement Wanda de cette étrange visite et de transmettre à son fils, tout aussi rapidement, et par un système de relais très bien organisé, les renseignements qu'on leur avait communiqués. Kateri, la fille de Wanda, avait laissé des traces, au moins dans le souvenir de ces étrangers qui étaient venus leur parler d'elle! Rien que de savoir tout cela, la pauvre vieille allait connaître un regain d'énergie.

Jamais personne n'aurait laissé échapper la moindre information devant des Blancs inconnus débarquant d'on ne savait où. C'était une règle absolue, une coutume qui s'était créée d'elle-même au long du difficile parcours de cohabitation avec la population des Blancs, toujours considérés ici comme des envahisseurs. Dans toute la communauté de Kanesataké, l'histoire faisait le tour des familles. Moins d'une demi-heure après le passage de Pierrette et de Gaétan, tous étaient au courant, même le plus jeune enfant. On savait que cette femme avait connu Kateri et qu'elle voulait rencontrer Gaby, le fils de Wanda.

Wanda était couchée sur son lit. Depuis bientôt un an, elle ne quittait plus sa chambre, sachant que ses jours étaient comptés. Elle était affligée d'une toux sèche et rauque, qui lui montait de la poitrine jusqu'à la gorge et la laissait hors d'haleine pendant de longues minutes. Durant chacune de ces pénibles quintes, son corps déjà si menu était violemment secoué, son visage se congestionnait, son dos, son cœur et ses épaules lui faisaient mal, elle se mettait à transpirer et perdait complètement le souffle. Retombant alors sur son oreiller, épuisée, elle essayait de retenir encore un peu cette vie qui lui faisait défaut et qui circulait de moins en moins dans son corps malade. Wanda n'avait pas peur de mourir, elle était prête. Mais, avant de rejoindre le Grand Esprit, elle voulait absolument savoir ce qu'il était advenu de sa fille Kateri. Elle voulait au moins avoir de ses nouvelles et peut-être la revoir avant de laisser son âme s'envoler vers le paradis de ses ancêtres.

Wanda était une vieille femme dont la vie n'avait pas été facile, car elle avait dû se battre au long des années pour assurer le nécessaire à ses deux enfants. Ses cheveux avaient blanchi trop vite depuis la mort de son mari Martin Watoka. Celui-ci, guerrier traditionaliste, aidé de quelques frères de race venus des réserves mohawks, avait lutté farouchement dès 1930 contre les initiatives des Blancs, qui s'apprêtaient à aménager un terrain de golf sur leur territoire, et contre les Sulpiciens, menacés de faillite, qui revendaient des terres appartenant aux Indiens sans même les consulter. Recherché après une manifestation qui avait tourné à l'émeute et poursuivi par la Gendarmerie royale du Canada, Martin avait péri noyé durant le dégel, un jour où il traversait à grande vitesse le pont de glace long de plusieurs kilomètres, entre Oka et Hudson. C'était dans la période où le pont, menacé par les embâcles, était trop fragile pour supporter le poids de son camion chargé de bois. Les eaux noires et gelées du lac des Deux-Montagnes l'avaient englouti en quelques secondes, charriant son corps glacé que l'on n'avait retrouvé que trois semaines plus tard. C'est ainsi que Wanda était devenue veuve, avec deux enfants à faire vivre, Kateri et Gaby, alors âgés de sept et neuf ans. Elle était restée dans sa communauté où les autres familles l'avaient soutenue. Wanda avait survécu, avec ses deux petits, en confectionnant des mocassins, fort prisés dans tout le Québec. Un Blanc venait les acheter régulièrement pour les revendre et lui donnait quelques sous pour son long et délicat ouvrage. C'est cet argent durement gagné qui lui permettait d'acheter le strict nécessaire. Ensuite, fidèle à la mémoire de son mari qu'elle avait aimé tendrement,

Wanda avait refusé, pendant toutes ces années, les avances de ceux qui voulaient l'épouser. Gaby, son fils, devenu un homme, marchant sur les traces de son père, avait décidé de soutenir la cause de ses frères de race. Rebelle et insoumis, il parcourait le pays tout entier avec ses compagnons, ne revenant sur la terre de Kanesataké que lorsqu'il était sûr de ne pas se faire prendre. Sans cesse recherché par la police canadienne, Gaby avait pour objectif de venger la mort de son père et de mettre en échec le gouvernement et le clergé, qui avaient lésé son peuple, depuis des générations, au moyen de négociations qu'il considérait comme malhonnêtes. Depuis qu'il était parti courir les bois, Wanda se faisait un sang d'encre, car elle ne savait jamais si son fils était en liberté ou incarcéré pour une raison ou une autre.

Quant à sa fille Kateri, elle avait été son bonheur et sa joie tout au long des années. Belle, bonne, habile et douce, c'était une bénédiction que de lui avoir donné le jour. Malheureusement, lorsqu'elle était devenue femme, Kateri avait quitté la réserve et avait refusé de se marier avec Jacob, le fils d'un chef, refusant de prendre pour époux un homme pour qui elle n'avait pas d'estime. Étant donné que le travail manquait dans la réserve, elle était partie à Montréal à la recherche d'un emploi. Impossible, après les années de crise, de gagner de l'argent à Kanesataké… Depuis que Kateri s'était exilée dans la grande ville des Blancs, Wanda avait une immense tristesse dans son cœur : elle ne pouvait combler le grand trou laissé par sa fille. Kateri ne venait la voir que très rarement, lorsque son travail le lui permettait. Tout comme sa mère, Kateri cousait comme une déesse, ayant hérité de la grande habileté des femmes de son peuple et accomplissant des merveilles aussitôt qu'elle avait entre les mains un morceau de tissu ou de cuir, du fil et une aiguille. Depuis qu'elle avait trouvé au couvent un refuge et une place comme couturière, Wanda se sentait rassurée, sachant que sa fille était bien traitée et qu'elle gagnait un bon salaire. Kateri, qui n'avait guère de jours de congé, lui envoyait par Gaby quelques petites sommes d'argent, ce qui prouvait à sa vieille mère qu'elle n'était pas dans le besoin. Le seul regret de Wanda, c'était qu'elle allait mourir sans voir les enfants de ses enfants, ceux qui assureraient sa descendance.

Depuis quelques années, Gaby était sans nouvelles de sa sœur. Pourtant, il avait cherché partout, interrogé à gauche et à droite, rien à faire! D'un jour à l'autre, on avait perdu la trace de la jeune fille. Il régnait autour de sa disparition un mystère qui les inquiétait tous et qui avait précipité Wanda dans la phase la plus aiguë de sa maladie, malgré les soins prodigués par le vieux médecin qui venait l'examiner une ou deux fois par an. Wanda se mourait de vieillesse et de chagrin, les poumons brûlés par le tabac dont elle n'avait jamais eu le courage de se passer, sentant bien tout au fond d'elle-même que si sa fille ne donnait plus signe de vie, c'est qu'il lui était arrivé quelque terrible malheur.

La porte s'ouvrit en grinçant et Gloria, la femme du vieux Nelson, pénétra dans la cabane de Wanda. Elle venait lui apporter un repas et remettre un peu d'ordre, comme elle le faisait chaque jour. Mais Wanda se tordait sur son lit, aux prises avec une quinte de toux encore plus déchirante qu'à l'ordinaire. Gloria déposa le lunch sur la petite table et revint en toute hâte vers la porte entrouverte. Elle s'adressa à un jeune garçon qui se dandinait au milieu de la cour sur une vieille bicyclette à moitié rouillée :

– Appelle vite Mary, Bill, va la chercher! Dis-lui de rapporter un peu de feuilles de lobélie sauvage, dépêche!

Le gamin ne semblait pas vouloir obtempérer. Gloria répéta :

– Grouille, ça presse, entends-tu ? N'oublie pas… des feuilles de lobélie!

Bill enfourcha sa bécane et disparut en pédalant à toute vitesse. Gloria s'approcha de Wanda, replaça ses oreillers et ses couvertures, et la maintint fermement par les épaules pour la soulager. Puis elle lui frotta le front et les joues avec un onguent préparé par sa vieille mère qui connaissait toutes les recettes des médecines traditionnelles.

Quelques minutes plus tard, Mary arriva en courant, portant le précieux sachet de feuilles séchées. C'était une toute jeune femme rieuse, au visage rond, aux pommettes saillantes et au nez court, ressemblant trait pour trait à Gloria, mais avec les années et les kilos en moins. Il lui manquait également les quelques mèches blanches qui parsemaient les cheveux nattés de sa mère. Ses cheveux à elle, très noirs et très raides, étaient étalés sur ses épaules, et seul un bandeau perlé ceignait son front. Toutes deux portaient de longues boucles d'oreilles faites de plumes et de petites perles.

Mary s'arrêta net en voyant Wanda si mal en point. Gloria lui criait :

– Vite, prépare la décoction, il faut la soulager…

Mary avait hérité de sa mère la connaissance des plantes et le savoir-faire des guérisseuses autochtones. Elle attrapa une vieille casserole qui était accrochée au mur, y versa un peu d'eau avec un pichet posé à côté de l'évier, remit quelques morceaux de bois dans la vieille truie de fonte noire qui fumait au milieu de la pièce et jeta le contenu du sachet dans la casserole. Très vite, l'eau se mit à bouillir, prenant une teinte brunâtre et épaississant de minute en minute, tandis que le poêle ronronnait. Les feuilles de lobélie sauvage avaient été récoltées à la belle saison par les mères de clan perpétuant la tradition. On était allé les chercher jusque dans les vastes territoires encore vierges appartenant aux Cris et on les avait cueillies comme il se doit: un jour plein de soleil et quelques jours après la nouvelle lune. Aussitôt que le mélange fut prêt, Mary le versa dans un petit bol. Gloria en fit boire le contenu à Wanda, gorgée après gorgée, avec précaution, pendant que Mary lui soutenait délicatement la tête. Grâce à ce précieux liquide, qui avait permis à des générations d'Indiens de retrouver des forces, la toux se calma un peu. Mary lui fit alors mâcher quelques petites boules de gomme d'épinette, dont le suc agissait comme un sirop, agrandissant l'espace resserré et meurtri de sa poitrine où l'air s'infiltrait à chaque respiration en faisant un petit sifflement.

—Bon, maintenant, tu vas aller mieux, disait doucement Gloria en caressant les cheveux de Wanda, qui hochait la tête, les yeux fermés.

—Repose-toi, repose-toi, conseillait Mary.

Gloria aurait donné n'importe quoi pour alléger un peu la souffrance de sa vieille amie... Mais elle savait bien que l'échéance approchait pour Wanda, dont la santé s'était détériorée et dont la vie ne tenait plus qu'à un fil. Mary regarda sa mère :

—Sais-tu, *mom*, j'ai apporté de quoi lui faire un cataplasme. Je peux ?

Gloria fit signe que oui à sa fille. Alors, Mary prépara rapidement le cataplasme fait d'écorce de bouleau pilée qu'elle malaxa avec un peu d'eau chaude pour en faire une pâte. Ensuite, elle retint le tout dans un linge blanc et l'appliqua sur la poitrine de la pauvre vieille. Avec tous ces soins, Wanda, qui tenait la main de son amie, reprenait des couleurs. Elle était incapable de boire seule ou de s'alimenter tant elle était faible. Gloria se prépara à lui annoncer la nouvelle sans la brusquer.

—Sais-tu, Wanda, que deux Canadiens français sont arrivés tantôt juste devant chez nous. Ils ont parlé avec Nelson, mais comme mon vieux bonhomme de mari ne parle pas un mot de leur langue, c'est Jack qui a fait la traduction...

Wanda ne perdait rien de ce que lui disait Gloria, mais elle restait complètement immobile. Elle s'attendait à ce qu'on lui donne des nouvelles de son fils Gaby. Au bout d'un long moment, elle interrogea Gloria, à voix basse pour conserver ses forces :

—Est-ce que ces Blancs avaient vu mon fils ?

—Non, Wanda, ils le cherchaient.

—Pour quelle raison ?

Rien qu'à prononcer ces paroles, elle était déjà à bout de forces ; elle ferma les yeux comme pour mieux rassembler ses idées. C'est alors qu'elle vit derrière ses paupières le visage de sa fille Kateri qui la regardait gravement. Une douce chaleur lui emplit la poitrine, en même temps que son cœur de mère, ouvert en grand, vibrait à la communication subtile qui s'était établie hors du temps et de l'espace, comme cela se produit dans certains moments rares et privilégiés. Wanda sut alors exactement de quoi il s'agissait : sa fille était encore de ce monde... Elle dit, avec beaucoup de lenteur :

– Cet homme et cette femme connaissent ma fille.

– C'est bien ce qu'ils ont dit, ils voulaient parler de Kateri avec ton fils. Ils espéraient trouver Gaby !

Gloria ne voulait pas que Wanda s'épuise. Elle savait aussi que, si Wanda parlait de la sorte, c'est parce qu'elle avait reçu au fond d'elle-même des informations claires et précises. Wanda ajouta encore :

– Il faut retrouver ces gens... Je veux... leur parler... avant de mourir...

Gloria lui épongea le front et changea le cataplasme de sa poitrine.

– Jack et Dean les ont suivis pour faire passer l'information à Gaby aussitôt qu'il arrivera. Ton fils est en route, Wanda. Ne sois pas inquiète, rien d'important ne sera perdu. Repose-toi !

– C'est bien comme ça... Mais il faut que je voie cette femme, maintenant...

Wanda inclinait doucement la tête et parlait si faiblement que Gloria avait eu peine à comprendre ce qu'elle venait de murmurer. Elle se pencha encore plus :

– Tu veux voir la femme blanche et son mari tout de suite, vraiment ?

Wanda fit signe que oui, puis ferma les yeux et s'endormit, tenant toujours la main de Gloria.

Après un arrêt au restaurant où ils avalèrent des frites et un café, Pierrette et Gaétan filèrent sur la route menant de Saint-Eustache à Montréal, pressés d'arriver chez eux. Le soleil descendait déjà derrière les montagnes, et Pierrette ne pouvait s'empêcher d'admirer ce coin de pays somptueux, encadré par la silhouette imposante des collines. Le ciel s'enflammait de rose et de violet intense, juste avant la douceur estompée de la brunante. En femme tenace, Pierrette, déçue de n'avoir pas réussi dans ses démarches, se promettait déjà de faire une nouvelle tentative dans quelque temps. Gaétan, voyant son air piteux, lui prit la main et tenta de la faire sourire:

– Voyons, sa mère, c'est pas si grave après tout! Tant pis pour eux autres si y veulent pas nous aider! J'te gage qu'on va trouver une autre solution. Sais-tu, ma Pierrette, qu'y a rien à notre épreuve? On va savoir ce qu'elle est devenue, ta Kateri… Crois-moi, on va la retrouver!

La route était large et bien droite, presque déserte. Gaétan appuya sur l'accélérateur. Une motocyclette qui les suivait les dépassa en trombe et les obligea à ralentir de façon si soudaine que Gaétan fit une embardée en poussant un cri:

– Crisse, qu'est-ce que c'est que ce malade-là!

La moto roulait maintenant à la vitesse d'une bicyclette d'enfant. Chaque fois que Gaétan essayait de le dépasser, l'autre s'écartait pour l'en empêcher. Gaétan commençait à s'énerver vraiment lorsque le passager fit de grands signes avec ses bras. Il voulait dire quelque chose et gesticulait pour que Gaétan arrête son véhicule… Ils se rangèrent sur le bas-côté et sortirent de la voiture, intrigués. Gaétan, lassé de tout ce manège, claqua sa portière et prit son air le plus renfrogné quand il se trouva face à face avec deux des jeunes Mohawks qu'ils avaient vus une heure plus tôt :

— Voulez-vous bien me dire ce que signifient vos folies ? Vous n'êtes pas vraiment comiques ! Allez-vous nous faire virer fous encore longtemps ! On a déjà perdu pas mal de temps avec vous autres, aujourd'hui...

La colère poussait Gaétan à crier, lui habituellement si calme. Hors de lui, il enchaînait :

— On va jusque chez vous pour vous parler, vous nous recevez comme des criminels, puis ensuite vous nous courez après jusqu'icitte ! Alors, expliquez-vous donc ! Que voulez-vous à la fin ?

Les deux jeunes Indiens, portant le traditionnel bandeau sur le front, restaient immobiles. Dean et Jack se taisaient en attendant que Gaétan ait fini de leur faire la morale. Ils avaient laissé de côté l'air fanfaron qu'ils affichaient deux heures plus tôt. Sans dire un mot, ils s'avancèrent pour se planter à côté des deux promeneurs et leur tendirent la main, montrant ainsi que leurs intentions étaient des plus pacifiques. Encore une fois, ce fut Jack, dont le français était meilleur, qui s'expliqua :

— On s'excuse pour tout. On sait bien qu'on n'a pas été trop fins avec vous !

— Bon, alors, qu'est-ce que vous nous voulez à c't'heure ?

— Bien, c'est parce que Wanda, la mère de Kateri, a eu connaissance de votre visite. Elle voudrait vous voir !

Pierrette s'était rapprochée de Jack :

–Tu veux dire que si on retourne, on va pas se faire revirer de bord?

–Pas du tout, c'est promis! Wanda est bien, bien, malade. Elle voudrait apprendre ce que tu sais sur sa fille avant de mourir. Elle a dit que vous étiez de bonnes personnes, vous deux! Elle vous attend...

Pierrette et Gaétan se regardèrent, surpris. Jack avait insisté. Il était évident que Wanda ne pouvait pas les connaître, encore moins porter un jugement sur eux, aussi favorable soit-il. Décidément, les autochtones ne se comportaient jamais comme on aurait pu s'y attendre. Il s'agissait maintenant de décider si on retournait là-bas ou non. L'heure avançait, et bien que l'on fût dans les plus longues journées de l'année, il allait bientôt faire nuit.

Gaétan se hasarda:

–Peut-être qu'on pourrait revenir un autre jour, après les vacances? Qu'est-ce que tu en penses, Pierrette?

–Penses-y bien, Gaétan! Tu sais que, pour revenir, ça nous prend toute une organisation!

Jack l'interrompit:

–Wanda est en train de mourir. On a déjà fait appeler son fils Gaby pour qu'il arrive au plus vite. Si vous ne venez pas maintenant, je crois bien qu'y sera trop tard!

Pierrette et Gaétan acquiescèrent:

–OK, les boys! On retourne, mais j'espère bien que c'est pas une mauvaise plaisanterie.

Jack et Dean hochèrent la tête et firent signe que non. Ils remontèrent sur leur bécane.

–Suivez-nous, on va tout droit à la pinède, jusque chez Wanda.

Il restait encore une demi-heure de route. Lorsqu'ils s'engagèrent à nouveau dans Oka, ce fut sous bonne escorte… La journée s'achevait tout doucement, vaincue par l'obscurité qui envahissait le village. Ils passèrent la Longue Maison, bâtiment du conseil de bande, longèrent la route jusqu'au rang qui bordait la pinède et, suivant toujours la moto de Dean, se garèrent devant une maisonnette: la cabane de Wanda. Ils pénétrèrent dans la pièce éclairée par une lampe à pétrole et au milieu de laquelle la truie en fonte noire, chargée de bois, diffusait sa chaleur. Le mobilier était réduit à sa plus simple expression. En plus du lit qui était au fond de la pièce, il y avait, de l'autre côté du poêle, une table en bois et trois chaises devant l'unique fenêtre, plus une chaise berçante. L'évier était entouré de tablettes clouées au mur sur lesquelles étaient alignés quelques vivres et de la vaisselle. Dans le coin, une petite armoire. Deux ou trois vêtements étaient suspendus à des crochets de bois alignés derrière la porte. Une paire de raquettes pendait au plafond et deux photos ornaient les murs de bois mal équarris, encadrés par de simples morceaux de branches de bouleau reliés par de la babiche. C'était la maison dans laquelle Wanda et ses deux enfants avaient vécu toutes ces années.

Les visiteurs aperçurent la mère de Kateri, frêle et toute pâle dans son lit, entourée de la solide Gloria et de sa fille Mary. Pierrette eut un petit choc. À présent qu'elle était arrivée jusqu'ici, qu'allait-elle dire à cette pauvre femme si mal en point?

Pierrette s'approcha de la malade. Gaétan restait debout. Gêné, il n'osait pas trop pénétrer dans ce cercle de femmes. Wanda fit un petit signe de tête et Gloria invita les deux visiteurs à s'asseoir. Pierrette approcha du lit l'une des chaises et dit en s'assoyant:

—Bonjour, Wanda, je suis bien heureuse de vous rencontrer. Je m'excuse, je ne parle pas l'anglais…

Wanda n'avait pas la force de lui répondre. Elle se contenta d'avancer la main. Jack, qui était resté derrière Gaétan, leur expliqua:

—Wanda parle bien votre langue… depuis très longtemps… Elle n'a plus besoin de moi…

Il s'approcha de la vieille femme, s'inclina respectueusement vers elle et lui toucha le front avant de sortir. Mais Gloria l'interpella et lui demanda de rester encore: elle voulait savoir ce qui allait se dire. Jack était indispensable, il pourrait traduire et ainsi éviter d'épuiser la malade.

Pierrette prit la main de Wanda et la garda dans la sienne.

—J'ai bien connu Kateri quand j'ai travaillé à la Sainte-Famille…

L'autre ne disait rien, mais on sentait qu'elle réagissait à chaque parole.

—Kateri était ma meilleure amie. Nous avons travaillé plus de trois ans côte à côte. J'aimais beaucoup votre fille!

Pierrette était émue. Les yeux de Wanda s'étaient illuminés. Elle voulait tout connaître de la vie de Kateri. Le discours de Pierrette lui redonnait de l'énergie. Celle-ci continuait. Elle sentait que la vieille femme avait besoin de l'entendre donner tous les détails au sujet de leur passé commun.

—Je ne sais pas ce qui a pu arriver. Kateri semblait heureuse. Nous nous retrouvions chaque jour à la cafétéria, nous allions marcher ensemble. Et puis, un jour, elle a disparu…

Wanda eut un petit frisson. Gloria interrogea Jack qui lui traduisit rapidement.

—Comme ça… sans rien dire à personne?

—Exactement! Mais, ce jour-là, il y avait eu un événement bizarre au couvent…

Wanda ne put s'empêcher de demander:

—Qu'est-ce que tu veux dire?

—Le matin même, un chandelier avait disparu de la chapelle. Tout le couvent était retourné. Le Cardinal avait donné ordre de faire une enquête et, je ne sais pas pourquoi, Kateri s'est fait interroger…

Pierrette hésitait maintenant à avouer que l'on avait accusé Kateri d'être la voleuse, taisant ce moment difficile à entendre pour ménager Wanda. Mais celle-ci, ayant déjà fait un pas dans l'autre monde, ressentait les choses avec une sensibilité et une acuité toutes particulières. Bien avant que Pierrette ait donné les explications sur les événements qui s'étaient déroulés, elle savait. Les mots et les certitudes se gravaient en elle. L'histoire de sa fille lui était maintenant donnée par la voix du cœur et de l'intuition, en dehors de tout raisonnement. Elle fit un gros effort pour parler et dit en gardant les yeux clos:

—On a accusé ma fille… mais ma fille est honnête.

Pierrette, qui voulait lui éviter de s'épuiser inutilement, crut bon de continuer l'histoire jusqu'à ses derniers développements, en parlant lentement.

—Alors, je me suis fait beaucoup de souci, chaque jour j'ai espéré avoir de ses nouvelles… mais il ne se passait rien! Gaby est venu trois fois pour essayer de retrouver sa trace. Toujours rien! Lui et moi, nous étions inquiets. À l'archevêché, on semblait tout ignorer. C'est à peine si on savait encore qui était Kateri quelques jours après son départ. Mais enfin, voici quelques mois, une dame est venue me porter des boîtes de layette.

Pierrette s'interrompit quelques instants. Dans la petite maison, on aurait entendu une mouche voler. Ils gardaient tous le silence, hormis Jack qui traduisait doucement pour sa mère Gloria les propos de Pierrette. Celle-ci continua en pesant chaque parole :

– C'est à cause de ces boîtes que je me suis décidée à venir vous voir aujourd'hui avec Gaétan, car les vêtements de bébé qu'elles contenaient avaient été brodés par Kateri !

Ils avaient tous tourné vers elle un regard interrogateur. Wanda ne bronchait pas. Au bord de l'épuisement, elle sentait son corps l'abandonner, mais son esprit était plus en éveil que jamais. Lorsque Pierrette eut fini son histoire, elle avait raconté tout ce qu'elle savait, hormis une chose : le fait qu'elle travaillait chaque jour pour celle qui était devenue la mère de Myriam. Wanda dit simplement :

– Maintenant, je peux mourir. Je sais que ma fille est toujours vivante.

Ces mots, prononcés avec fermeté, tombèrent au milieu de la petite maison comme une masse d'énergie dont le poids s'imposait à chacun des assistants. Il y avait, concentrée dans cette simple phrase, une force inimaginable venant de la vieille Indienne prête à quitter son corps. Portée par le flot qui coulait en elle, elle continuait :

– Je sais aussi que Kateri a donné naissance à ma petite-fille. Cette enfant surprendra un jour ceux de mon peuple comme ceux de votre race. Elle est un lien entre nos deux civilisations et elle appartient aux peuples de demain! Souvenez-vous bien de ces paroles... Je n'ai plus qu'une chose à vous demander, ce sont mes dernières volontés: cherchez ma fille et retrouvez-la, elle est en vie!

Ayant prononcé lentement ces mots, Wanda se mit à respirer plus profondément. Une main dans celle de Pierrette, elle demanda à Gloria de venir tenir son autre main. C'est ainsi qu'elle mourut, sans avoir revu son fils Gaby.

Chapitre x

Automne 1954.

Depuis qu'on la retenait dans cet horrible hôpital, plus sordide qu'une prison, Kateri avait perdu la notion du temps. D'ailleurs, le temps existait-il encore ? Son corps amaigri s'inscrivait machinalement dans le rythme quotidien des gestes essentiels, mais son esprit s'en échappait de plus en plus. Un jour pourtant, elle avait quitté la petite chambre où on l'avait contrainte de rester en solitaire : pendant combien de mois ? depuis combien de temps ? Kateri aurait été bien en peine de donner un chiffre approximatif… Tout ce qu'elle reconnaissait maintenant, dans chaque journée qui passait, c'était l'heure de la toilette, celle des repas, et aussi celle de la promenade. Une jeune infirmière à l'air compatissant lui donnait la main pour l'emmener faire un tour le long des corridors de l'étage. Il arrivait quelquefois, comme ce jour-là, qu'on aille jusqu'à la salle commune où les internées se retrouvaient pendant une sorte de récréation et pouvaient recevoir des visiteurs. Kateri ne disait rien. Elle regardait le pauvre monde rassemblé autour d'elle.

Un jour, il y avait longtemps, il s'était passé quelque chose d'étrange dans cette salle. Kateri regardait une jeune femme qui était venue en visite. Celle-ci, prête à accoucher, avait un ventre énorme. Il s'était fait un grand remous dans la tête de Kateri aussitôt qu'elle avait vu ce ventre! Une lame de fond avait soulevé les fantômes endormis sous l'effet des énormes doses de médicaments qu'on lui faisait avaler, en même temps qu'un bruit de tempête avait empli son crâne. Tout à coup, trop de choses bougeaient à la fois, et trop vite! Incapable de supporter la douleur qui avait surgi à la vue de la future maman, Kateri avait poussé un long cri, elle avait mis les deux mains sur son abdomen et elle était tombée sur le sol, saisie par les convulsions. Que lui était-il arrivé? Le souvenir de l'incident restait flou... Elle s'était retrouvée attachée sur une table, avec quelque chose de métallique sur la tête et on lui avait administré des chocs électriques. À plusieurs reprises. Chaque fois que le courant passait, il se produisait dans son crâne une sorte de feu d'artifice très douloureux pendant un temps très bref. C'était fulgurant. Terrible. Tout son corps se raidissait sous l'effet de la décharge. Lorsqu'on l'avait ramenée dans sa chambre, épuisée, son esprit avait subi des transformations étranges. Depuis ce jour, la douleur semblait endormie et Kateri ne ressentait plus aucune peine ni aucun désir... Mais à partir de cet instant son esprit, lui, avait déserté son corps. Il s'amusait à vagabonder et pouvait très facilement se détacher de cette enveloppe désormais sans réaction! Son âme avait acquis la faculté de se déplacer comme un papillon. Elle pouvait aller, à la vitesse de la pensée, voir des lieux ou des personnes auxquels elle était rattachée par les liens subtils des sentiments et des émotions.

Kateri pouvait à tout moment rejoindre ceux qu'elle connaissait bien et qu'elle aimait. Abandonnant son corps emprisonné, elle vivait d'une autre vie, sur une longueur d'onde peu familière aux humains. Au rythme de l'esprit, quittant son corps ensommeillé, elle se promenait.

*

Après avoir pris un bon déjeuner en compagnie de sa mère et de la fidèle Pierrette, Myriam partait chaque jour pour l'école en limousine. Ce petit bout de femme perdue au milieu de la large banquette en cuir, harnachée de son écharpe, de ses mitaines et de son cartable, était surprenante à voir. Elle descendait de l'imposante voiture en agitant ses mains et en lançant:

– Bye, Johnny, à tantôt!

Puis elle grimpait en courant rejoindre sa classe, tandis que Johnny, se penchant respectueusement, lui tenait la portière. Le fidèle chauffeur d'Albert Pellerin se serait fait couper un bras pour la petite mademoiselle. Quelquefois, lorsque Johnny était occupé à l'heure de la sortie des classes par quelque mission urgente, la fillette prenait l'autobus de l'école pour rentrer à la maison, mais c'était fort rare. On lui évitait les efforts inutiles.

Petite fille joyeuse, spontanée, éprise de liberté, très vive et très espiègle, Myriam était le rayon de soleil de la famille Langevin et de ses grands-parents, les Pellerin, rendant généreusement à tous l'affection dont ils l'entouraient. Comme elle était une enfant brillante, douée d'un raisonnement rapide et très perspicace pour son âge, Philippe, Maguy ainsi qu'Albert croyaient bon de la pousser dans ses études. Celles-ci commencèrent avant les six ans requis, grâce aux relations de Philippe et au passe-droit qu'il put obtenir. Toujours première de sa classe, Myriam fréquentait le collège Regina Assumpta, tenu par les sœurs et non loin de la maison; elle en était la plus jeune élève et aussi la plus petite. Myriam était jolie. Elle avait des cheveux noirs et drus, une peau fine et dorée et de grands yeux brillants qui viraient du brun doré au brun très sombre suivant les circonstances. Prompte comme l'éclair, elle se laissait parfois emporter par des colères fulgurantes que l'on aurait pu considérer comme l'héritage paternel. Celles-ci d'ailleurs se dissipaient bien vite, tout comme elles étaient venues…

Dignement assise à son bureau, les lunettes sur le bout du nez et le visage imperturbable, sœur Sainte-Claire, baguette en main, dirigeait sa classe comme un véritable chef d'orchestre:

–Voyez donc! Encore une fois, notre Myriam a été la plus attentive… elle mérite un bon point! J'aimerais, mesdemoiselles, que vous soyez toutes aussi studieuses qu'elle! Myriam, viens au tableau et récite-nous la leçon d'aujourd'hui!

Myriam s'exécutait devant la classe. Fièrement, elle se levait, montait sur l'estrade et, sans une hésitation, en se tortillant les jambes sous sa petite jupe plissée, elle lançait à la cantonade le résumé d'histoire qu'elle avait appris par cœur avec aisance. La religieuse hochait la tête en murmurant:

–Bien, c'est très bien!

Les petites filles, admiratives, bras croisés, ne bronchaient pas. Ravie, sœur Sainte-Claire la donnait en exemple à ses camarades, et Myriam jetait tout autour d'elle un regard à la fois victorieux et espiègle. L'enseignante, bien que sévère, ne tarissait pas d'éloges sur son élève. C'est que, en plus des qualités propres à Myriam, il fallait prendre en considération les retombées de la fortune familiale. La générosité de Maguy avait un effet bénéfique sur l'humeur des religieuses. Aux yeux de toutes ses compagnes, Myriam était savante. Certaines fillettes la jalousaient un peu et l'appelaient « le chouchou ». Mais, comme elle était également la plus tête en l'air de tout son groupe, l'occasion leur était donnée de rire à ses dépens! Myriam était si étourdie qu'elle oubliait parfois toutes ses affaires. Elle perdait régulièrement, tout au long de l'année scolaire, son cartable, ses livres et ses cahiers. Elle ne savait plus où étaient ses mitaines, son écharpe, son chapeau, ou encore les trois à la fois. Dans tout le collège, ses oublis étaient devenus un sujet de plaisanterie. Souvent, pour se divertir, les fillettes de sa classe lui cachaient ses affaires, dans quelque recoin du corridor. Myriam semblait toujours tomber des nues et courir après un objet ou un autre. Comme elle avait un heureux caractère, elle s'amusait avec celles qui lui avaient joué un bon tour, s'esclaffant et faisant le pitre. Cela finissait toujours en fous rires et en joyeuses sarabandes. Les sœurs rappelaient vite à l'ordre tout ce bruyant petit monde :

–Allons, allons, mesdemoiselles! Un peu de calme, s'il vous plaît, un peu plus de discipline! Quelle est donc la cause de tout ce brouhaha?

Il y en avait toujours une ou deux pour vendre la mèche :

–Ma sœur, c'est Myriam qui a encore perdu ses affaires!

–Et puis elle nous fait rire...

La religieuse tapait dans ses mains et répliquait sévèrement:

–Myriam Langevin, il faut cesser de distraire tout le monde. Silence, mesdemoiselles! Myriam, serre donc tes affaires, tu es bien désordonnée! Silence, ou bien je vous punis toutes... Mettez-vous donc en rang deux par deux.

On se calmait. On n'entendait plus que des bruits de rires étouffés, jusqu'à la prochaine fois!

*

Cette année-là, quelque temps avant les fêtes de Noël, Maguy, désirant s'adonner à de longs et fastidieux magasinages, n'eut pas d'autre possibilité que de priver sa fille du chauffeur.

–Myriam, il faudrait que tu prennes l'autobus pour aller à l'école, pendant deux ou trois jours. Cela ne t'ennuie pas, n'est-ce pas?

Maguy eut droit à une explosion de joie aussi spontanée qu'inattendue: Myriam battait des mains et sautait sur place en scandant sa satisfaction. Enfin un imprévu qui allait lui faire découvrir le monde, celui que fréquentaient journellement ses camarades!

–Maman, maman, donne-moi la permission d'y aller avec Marie-Louise Descôteaux! Avec Marie-Lou, je prendrai l'autobus pas scolaire! S'il te plaît, maman! S'il te plaît, maman!

Maguy se mit à rire devant l'expression pour le moins originale employée par la fillette! Et puis les yeux de Myriam pétillaient de plaisir. Comment lui résister ? L'autobus scolaire parcourait un trajet si long qu'il fallait patienter au moins une heure avant d'arriver à la maison. Myriam était bien trop remuante pour supporter une telle attente !

– Celui qui passe le long du boulevard Gouin et s'arrête à tous les coins de rue, avec toute sorte de monde qui monte dedans...

Maguy l'écoutait avec de grands yeux ronds :

– Pourquoi donc, Myriam, veux-tu prendre l'autobus de la ville, alors que l'autobus scolaire te ramène à la porte ?

– Maman, maman, s'il te plaît, laisse-moi prendre l'autobus demain avec Marie-Lou ! Maman, je te promets que je serai sage !

Myriam sautillait et implorait sa mère de si belle façon que Maguy, déjà vaincue, ne put lui dire non.

– Mais voyons, Myriam, il ne s'agit pas d'être sage, là n'est pas la question ! Tu n'as pas du tout l'habitude du trajet en autobus... Tu vas te perdre !

– Puisque je te dis que je serai avec Marie-Lou ! Prends Johnny, maman... et moi, je prendrai l'autobus !

Maguy céda. Myriam, toute joyeuse, monta dans l'autobus, escalada les hautes marches et tendit fièrement son billet au chauffeur, toute excitée par son aventure. Elle papotait de tout et de rien avec Marie-Louise. Quel plaisir ! Ce jour-là, Myriam étudia mieux que de coutume. Elle avait l'impression de vivre une vie nouvelle, plus vraie que l'autre, où il ne lui fallait faire aucun effort...

À la fin de la journée, toute réjouie de s'asseoir sur les banquettes de l'énorme véhicule qui vibrait et tremblait tout le long du chemin, elle riait aux éclats à chaque secousse, regardant défiler tous ces gens qu'elle n'avait pas coutume d'observer. La foule était si disparate! C'était si étonnant, si nouveau! Lorsque l'autobus fut arrivé au coin de sa rue, Myriam, volubile, bavardait encore et faillit rater son arrêt. Marie-Lou la poussa du pied.

–Hé! Myriam, c'est ton arrêt, tu vas le manquer...

–Monsieur, monsieur, attendez-moi, je descends!

Elle attrapa son cartable, courut vers la sortie, dégringola les marches et se précipita dans la rue sans regarder, avant que l'autobus reprenne sa route. Le chauffeur refermait la porte. Il se leva d'un bond en voyant une automobile qui arrivait à vive allure.

–Attention, petite!

Trop tard! Myriam était par terre, renversée par la voiture qui lui avait heurté la jambe droite. Une femme qui avait vu la scène de sa fenêtre appela l'ambulance. Le chauffeur de l'autobus stoppa immédiatement. Myriam, pâle comme un linge, retenait bravement ses pleurs au milieu des passants qui s'étaient attroupés. Sa jambe ne bougeait plus. Lorsqu'on la mit sur la civière, les ambulanciers décidèrent de la conduire à Sainte-Justine, cependant l'enfant n'avait pas perdu sa présence d'esprit:

–Non, non, mon papa, il est docteur à l'Hôtel-Dieu, emmenez-moi là-bas!

–Mais voyons, ma petite, à l'Hôtel-Dieu, on ne soigne pas les enfants! On ne peut pas t'emmener là, c'est inutile!

–Mais moi, ils me soigneront, parce que mon père est là, c'est certain!

Elle leur tenait tête :

– C'est à l'Hôtel-Dieu qu'il faut me conduire !

Finalement, ils cédèrent à ses instances et Myriam arriva aux urgences avec une triple fracture du fémur, qui n'était pas trop belle. Le docteur Langevin ne se trouvait pas au dispensaire, la réceptionniste de l'hôpital l'appela à son cabinet :

– Docteur, votre fille est arrivée en ambulance, elle a la jambe fracturée. Elle vous réclame... Est-ce qu'on doit la conduire à Sainte-Justine ?

– Pas du tout... Torrieu ! qu'est-il donc arrivé encore ? Faites-lui passer des radiographies immédiatement ! J'arrive.

Pierrette était dans tous ses états en apprenant la nouvelle à Maguy, qui revenait de son magasinage. Johnny prit sur-le-champ la direction de l'Hôtel-Dieu, essayant de se faire rassurant :

– Ne vous tracassez pas trop, madame, la petite mademoiselle est entre bonnes mains ! Et puis nous serons vite arrivés !

Par chance, la circulation était fluide et Johnny conduisait de main de maître. Maguy, la larme à l'œil, lui répétait :

– Je n'arrive pas à croire que Myriam ait eu un accident, le premier jour où je la laisse aller au collège sans surveillance !

« Mais pourquoi donc ai-je eu l'idée de partir magasiner avec Johnny ? » se disait-elle encore, tout le long du trajet. Inquiète, Maguy s'en voulait terriblement, sûre d'avoir commis une impardonnable négligence. Reprise par son sentiment de culpabilité, elle se croyait une mère indigne et envisageait avec terreur un handicap sérieux pour l'enfant. Quant à Philippe, très soucieux lui aussi, il fit déployer les grands moyens. Rien ne fut négligé. Myriam se retrouva clouée sur un lit d'hôpital. Isolée dans une chambre privée, étant l'unique enfant dans tout le complexe hospitalier de l'Hôtel-Dieu, elle s'ennuya à mourir dès la première journée… Au fur et à mesure que les heures s'égrenaient, la fillette, qui ne supportait pas la solitude, perdait son entrain. Elle aurait voulu avoir tout son monde autour d'elle. Myriam passait son temps à réclamer Pierrette, ses grands-parents, tante Mimi et même Johnny et Betty…

Pendant cette triste période, ils s'efforcèrent tous d'aller lui rendre visite à tour de rôle, mais lorsqu'elle se retrouvait seule la situation devenait intenable. Avec la position qu'on l'obligeait à garder pour que sa jambe guérisse, Myriam était vite déconcentrée et perdait tout intérêt pour les livres qu'on lui avait apportés. Sa jambe fracturée était traversée par des vis et des broches et maintenue en l'air de façon rigide par tout un système de poulies et de leviers qui lui donnait différentes inclinaisons. Tout ceci était nécessaire pour redresser ses os. C'était la torture ! Maguy, tourmentée, passait toutes ses journées dans la chambre de sa fille. Et comme Myriam ne trouvait pas le sommeil sans la présence de sa mère, celle-ci eut bientôt l'autorisation de rester dormir auprès d'elle dans un lit pliant. Maguy ne quittait l'hôpital que pour aller en hâte à la maison prendre un bain, régler les problèmes quotidiens et passer quelques instants chez Albert et Anne. L'état de la jambe fracturée étant assez mauvais, on craignait des complications qui pourraient laisser de méchantes séquelles. Les chirurgiens pratiquèrent une première opération, puis une seconde, et finalement une troisième fut nécessaire. Myriam avait un plâtre sur toute la longueur de la jambe, jusqu'à la hanche. Les praticiens les plus chevronnés avaient déjà prédit une longue période de réadaptation. Tout cela n'était pas très encourageant. Philippe, surmené, se faisait un sang d'encre. Inquiet, impuissant face aux complications redoutées et préoccupé par l'état de sa fille, il toussait et négligeait de se soigner...

Redescendue du bloc opératoire, la fillette était encore endormie après la troisième intervention qu'on venait de pratiquer sur sa jambe. Dans la petite chambre blanche, les livres et les jeux offerts à Myriam s'entassaient à son chevet au milieu des fleurs; Maguy, installée dans un fauteuil, un petit banc sous les pieds, lisait une revue de mode. Elle guettait le moindre signe annonçant le réveil de sa fille. Philippe, qui avait assisté à l'opération, l'observait lui aussi, visiblement inquiet. Prenant le pouls de sa fille, il se mit à feuilleter son dossier en toussant d'une petite toux sèche et rauque. Il avait les yeux plus cernés qu'à l'ordinaire et le regard brillant.

– Pour Myriam, tout devrait être correct, expliquait-il à Maguy, le docteur Brisebois, qui a pratiqué l'intervention, a fait du beau travail. Il ne reste plus qu'à...

Tout à coup, il fut pris d'une forte quinte de toux. Incapable de prononcer les mots qu'il s'apprêtait à dire, continuant à tousser et changeant de couleur, il étouffait.

– Je vais appeler l'infirmière, dit Maguy en se levant.

Au même moment, le docteur Brisebois pénétra dans la pièce avec un collègue. Philippe, défait, continuait à tousser malgré lui, le front en sueur.

– Docteur Langevin, je n'aime guère votre toux ! Vous soignez-vous sérieusement ?

Philippe et Maguy firent tous les deux signe que non… Le docteur Brisebois n'était pas homme à laisser traîner les choses. Il s'approcha de Philippe et, après avoir jeté un œil sur sa petite opérée qui dormait toujours, commença à ausculter celui-ci. Le docteur Langevin fut bien obligé de se laisser faire.

– Évidemment, les cordonniers sont toujours les plus mal chaussés n'est-ce pas ? Je ne voudrais pas insister, mon cher, mais je vous emmène passer quelques radios. Ce que j'entends dans votre poitrine ressemble à une bronchite aiguë et ce sifflement dans vos poumons me déplaît beaucoup !

La bronchite ayant déjà atteint le stade de la pneumonie, Philippe se prêta de bonne grâce aux exigences du corps médical. Il se retrouva lui aussi alité à l'Hôtel-Dieu et contraint d'appeler Fleurette en catastrophe :

– Savez-vous, garde, qu'on ne me laisse pas sortir de l'Hôtel-Dieu ? À l'heure qu'il est, je suis carrément retenu prisonnier par les spécialistes des poumons ! J'en ai pour une bonne semaine !

– Bien bon pour vous, le repos forcé ! Ah, pour l'amour, je vous l'avais bien dit de vous soigner et de vous reposer ! Vous avez couru après, ma foi !

– Torrieu, vous êtes bien méchante avec moi, garde ! En tout cas, décommandez les rendez-vous et reportez-moi tout ça à la semaine prochaine…

– Vous pouvez en être sûr, docteur Langevin, et je vais faire bien attention de ne pas vous surcharger à l'avenir !

– Tatata, garde, faites donc ce que vous voudrez! Vous avez la tête dure! Puisque je vous dis qu'il me suffira d'une semaine; je me connais et je sais qu'il n'y paraîtra plus...

Myriam était immobilisée au troisième étage, alors que Philippe recevait des soins au cinquième. Maguy courait de son mari à sa fille et de sa fille à son mari. Elle n'avait même plus une minute pour se sentir coupable, passant tout son temps en allées et venues. Chez les Pellerin, Anne s'ennuyait à mourir de Maguy et de Myriam, et elle aussi dépérissait. La maladie s'infiltrait de tous les côtés. Le comble, c'est que Pierrette, qui était enceinte, en profita pour prendre un long congé de maternité, jusque bien après la naissance de son cinquième bébé, abandonnant pour un temps la pauvre Maguy à son casse-tête domestique... Tante Mimi, pour la soulager, venait rendre visite à la petite malade chaque fois qu'elle en avait l'occasion. Ces moments-là étaient précieux pour Myriam. La gentille dame arrivait avec des jeux de cartes de toutes sortes, qu'elle utilisait de façon très farfelue pour la faire rire! Tante Mimi trichait et tournait tout en blague, avec tant de bonne humeur que la petite ne pouvait plus se passer d'elle. Pendant des heures, elles se laissaient aller à des fous rires incontrôlables. Myriam riait aux larmes jusqu'à ne plus pouvoir se retenir, se trémoussait sur son lit en poussant de petits cris, jusqu'à ce que, vaincue par le rire, elle finisse par faire pipi dans ses draps! Chaque fois, on devait appeler les femmes de service qui venaient en maugréant changer tout son lit.

– Alors, aujourd'hui la petite mademoiselle s'est encore échappée!

–Eh, bien, oui, c'est encore ma faute, je l'ai trop fait rire, disait tante Mimi. Puis elle ajoutait avec son accent incomparable :

–Mais il faut bien l'amuser un peu, cette pauvre petite ! Ça n'est pas une vie pour une pitchounette de son âge, d'être ainsi immobilisée... et depuis si long-temps, dites ! Vous rendez-vous compte ?

La pitchounette ne riait plus. On la soulevait pour changer les draps.

–Aïe, aïe, aïe ! Oh, que ça fait mal...

Après le gros rire venaient les douleurs. Il fallait déplacer sa jambe et sa hanche. Tout son corps meur-tri la rappelait à l'ordre !

※

Le Cardinal, qui avait eu vent de l'accident survenu à Myriam, se mit à penser à elle. Étrangement, durant la nuit, le beau visage de Kateri s'imposait à lui. Il commençait à se poser des questions. Avait-il été trop dur avec la jeune femme ? Pourtant, étant donné son statut, il n'avait pas eu le choix... Et cette petite Myriam, si émouvante après tout, elle était bien de son sang, il en avait la certitude ! Ce sentiment, sou-levant patiemment, inlassablement, le couvercle du passé, devenait plus fort que sa volonté et adoptait, pour le convaincre, un langage qui le déstabilisait. Son Éminence songea à Myriam pendant de longs jours sans savoir quoi faire...

Un soir, pris d'un soudain accès d'émotion comme il en ressentait rarement et bien qu'il ne fît jamais ce genre de démarche, il décida de se rendre à l'hôpital. « Dès demain, j'irai passer un moment auprès de cette enfant ! » songeait-il en se répétant : « Cette enfant-là, n'est-elle pas ma fille ? Ma fille ! » Le Cardinal se surprenait lui-même ! Sa fille ! Était-ce possible ? Perdu dans ses réflexions, le prélat déambulait à grands pas dans les couloirs de l'archevêché, sans trop savoir où il allait, les yeux fixant le sol et la main droite serrant sa croix pectorale. Il croisa quelques nonnes s'attardant après la prière du soir et les salua sans les voir, puis il entra dans sa cathédrale. Deux ou trois personnes priaient, silencieuses et immobiles, anonymes dans la pénombre. Il flottait toujours cette même odeur rassurante d'encens et de cierge, une odeur d'intimité qui appartenait aux lieux de culte et qui entretenait la ferveur des fidèles. Les flammes des lampions tremblotaient. Tout était calme. Se faisant discret, il s'approcha de l'autel de la Vierge et alla s'agenouiller dans le coin le plus obscur. Le frère sacristain eut un mouvement de surprise en reconnaissant le Cardinal lui-même, recueilli comme un simple fidèle en dehors des heures des offices. Il s'approcha de lui pour bien vérifier que ses yeux ne l'avaient pas induit en erreur :

– Votre Éminence ?

Le Cardinal lui fit un signe de tête pour toute réponse et lui signifia de la main qu'il voulait être seul. Il se mit à prier. Les mots qu'il connaissait par cœur depuis si longtemps défilaient tout seuls dans sa tête, mais son esprit n'y était pas. Quelque chose qu'il n'arrivait pas à cerner l'obsédait. Le Cardinal était hanté par l'idée de la fillette sur son lit d'hôpital, et l'image de celle qui l'avait mise au monde venait sans cesse s'insinuer dans ses pensées. Troublé, il resta ainsi pendant plus d'une heure puis, n'arrivant pas à faire le vide, incapable de chasser ce qui le tourmentait, il sortit. De retour à ses appartements, Son Éminence se fit monter par sœur Thérèse du Sacré-Cœur une tasse de tisane et, contrairement à ce qu'il faisait d'habitude, il ne demanda pas à la religieuse de rester quelques instants auprès de lui. Il avait besoin d'être seul. L'angoisse s'infiltrait insidieusement dans toute sa personne.

Le Cardinal sentait que l'insomnie viendrait le harceler jusqu'à l'aube. Debout derrière la fenêtre, il espérait en vain que son corps se détendrait sous l'effet du liquide brûlant et parfumé. Soulevant un coin du rideau, il regarda dehors. La neige commençait à tomber. C'était une neige légère et scintillante, qui descendait doucement, élégante et aérienne, et qui venait se déposer délicatement sur le sol blanc et froid. Il eut soudain envie de marcher dans la nuit. Sentir la neige crisser sous ses pas et laisser son visage se refroidir sous la caresse piquante du vent et des flocons… Comme il était loin le temps où le petit Évariste, dans son village natal, allait avec ses camarades de classe courir et patiner dans la froidure de l'hiver! L'archevêque de Montréal avait depuis longtemps remisé au plus profond de lui ce petit garçon qui ne pensait qu'à jouer. Lentement, à petit feu, il l'avait obligé à mourir pour donner vie à un autre personnage, beaucoup plus prestigieux, mais combien plus à l'étroit! Poussé par un besoin vital plus fort que la raison, il quitta sa soutane et passa un vieux pantalon. Continuant sur sa lancée, il enfila un gros chandail, revêtit son grand manteau de drap noir, se chaussa confortablement de vieilles bottes et prit le chemin du parc, après avoir salué au passage le frère de garde absorbé dans sa lecture, immobile et solitaire à côté de la veilleuse. Celui-ci eut un air ahuri en le voyant et se leva précipitamment pour lui ouvrir la porte.

Il faisait froid. Le vent chassait les nuages et balayait la neige. Le Cardinal remonta son col, mit les mains dans ses poches et avança de son pas rapide au milieu de la grande allée. Montréal endormie lui paraissait lointaine, irréelle. Blottie au pied du mont Royal tout blanc et surmontée de la croix illuminée qui scintillait comme une parure de diamants, la ville se découpait comme un animal étrange tapi au milieu du ciel étoilé. Le Cardinal avait envie de courir comme un gamin! Il voulait sentir son corps s'élancer, il voulait se griser de cette sensation enfouie tout au fond de lui! Courir... Mais les longues années de discipline et de vie publique l'avaient tellement éloigné des gestes spontanés que ses jambes ne voulurent pas lui obéir. Elles se raidissaient et refusaient de répondre à l'appel de son corps. Il continua en marchant comme un automate, craignant malgré lui d'être découvert en flagrant délit de... manque de tenue, ce qui aurait été inqualifiable! Si quelqu'un l'avait surpris ainsi, en train d'essayer de courir! Pourtant, il faisait noir et, à cette heure tardive, le parc endormi sous la neige semblait désert: Son Éminence ne risquait pas d'être reconnue par la foule. Le Cardinal marchait, perdu dans l'insondable profondeur de ses souvenirs...

Soudain, il eut la sensation que quelqu'un le suivait. Il n'entendait pourtant aucun bruit de pas... Bah, il avait sans doute rêvé, assailli par sa mémoire qui ne voulait pas faire silence. Il continua sa marche qui prenait des allures étranges de pèlerinage, reprenant toujours les mêmes allées, jusqu'aux extrémités du parc. Il se trouva soudain nez à nez avec un individu sorti de derrière un arbre, qui l'interpellait de façon grossière :

– Allô, le Cardinal, on se promène à l'aventure ?

Le Cardinal s'arrêta net et fixa l'individu droit dans les yeux.

– Calmez-vous, mon ami. Que voulez-vous ?

– Je t'attendais, le Cardinal, j'ai quelques petites questions pour toi !

– Qui êtes-vous et que me voulez-vous ?

Nullement impressionné, le Cardinal se tenait immobile face à son interlocuteur qui était légèrement plus petit que lui et manifestement de race amérindienne.

– Je suis le frère de celle que tu as injustement accusée d'être une voleuse et qui a disparu, si cela peut te rafraîchir la mémoire ! J'ai demandé à te rencontrer en privé déjà trois fois, mais je me suis fait fermer la porte au nez par tes gardiens... Des vrais chiens de garde autour de toi, le Cardinal !

– Qu'est-ce que c'est que cette histoire ?

– Tu te souviens sûrement de ma sœur ? Kateri, le Cardinal ? Hein, Kateri ? Depuis six ans, on a perdu sa trace... Elle travaillait au couvent pourtant ! Et c'était une fille sage, ma petite sœur, alors je sens que toi, tu peux me dire ce qui lui est arrivé !

Le Cardinal avait sursauté, mais il ne bronchait pas, maîtrisant ses réactions. Gaby l'avait pris par le bras et tentait maintenant de l'intimider.

– Vas-tu me dire où est ma sœur ? Vas-tu me le dire ?

–Lâchez-moi immédiatement, je ne comprends pas ce que vous me voulez. Êtes-vous tombé sur la tête ? De quoi parlez-vous exactement ?

–Ah, bien sûr, tu ne sais pas de qui je parle ! Je te l'ai dit, je parle de ma sœur Kateri que tu as fait disparaître en la faisant passer pour une voleuse. Tu vas me dire tout de suite où est ma sœur, entends-tu ?

Gaby ne se contrôlait plus. La rage déformait son visage. Le Cardinal restait imperturbable malgré ses jambes qui tremblaient sous lui.

–Parlez moins fort ! Premièrement, je ne sais rien de ce que vous voulez me faire dire, deuxièmement, si j'appelle, vous allez vous retrouver sous les verrous dans la minute qui suit… Lâchez-moi !

–Ah oui, vraiment, tu ne sais plus qui est Kateri ?

Le Cardinal se dégagea brutalement de l'emprise du jeune homme.

–Partez, et ne vous représentez jamais devant moi, ou je vous fais arrêter !

Il élevait la voix et menaçait maintenant Gaby qu'il avait pris par les épaules. Sur le pas de la porte, le frère portier, étonné de voir le Cardinal sortir incognito à cette heure tardive, avait été alerté par le bruit. Il arrivait en courant :

–Avez-vous besoin d'aide, Votre Éminence ?

Le Cardinal avait lâché Gaby, qui fit le geste de la défaite et recula de trois pas, marmonnant à voix basse :

–Tu ne manques pas d'aplomb, Votre Éminence, mais puisque tu ne veux rien dire, je te préviens que tu me retrouveras sur ta route !

Gaby avait compris qu'il était inutile et imprudent d'insister. Il déguerpit dans la seconde et disparut derrière les bosquets. Le frère portier demanda au Cardinal :

—Monseigneur, connaissez-vous cet homme ? C'est insensé...

—Je ne l'ai jamais vu et je ne sais ce qu'il me voulait... un fou sans doute ! Merci de votre aide, frère François.

Le Cardinal ne put dormir cette nuit-là, tracassé qu'il était par le remords et hanté par l'image de Kateri qui lui apparaissait sous la figure de la Vierge à l'enfant.

*

C'est vers une heure de l'après-midi, le lendemain, que le Cardinal se rendit à l'Hôtel-Dieu en limousine. Il avait fait prévenir Maguy et Myriam qu'il monterait jusqu'à la chambre. Maguy fut très touchée à l'annonce de cette visite. Enfin une consolation dans ces jours difficiles ! Elle s'empressa de donner des explications à sa fille.

—Ma belle Myriam, le Cardinal va venir te rendre visite. C'est un grand honneur pour toi...

—Qu'est-ce que c'est maman, un honneur ?

—C'est une faveur qui n'est pas accordée à tout le monde ! Je vais te recoiffer un peu et te faire belle avant qu'il arrive !

—Ah bon !

Docile, Myriam se laissa faire. Elle aimait les imprévus. Dans tout l'hôpital, les religieuses hospitalières et le personnel, impressionnés par l'arrivée impromptue du prélat qu'on reconnaissait facilement à sa soutane et à sa cape pourpres, firent une haie sur son passage. On s'était donné le mot : on accourait de tous les étages pour le voir et être vu par lui. Les plus dévots faisaient la génuflexion devant lui et demandaient la faveur de baiser la bague que Son Éminence leur abandonnait avec grâce, en les bénissant. Les escaliers fourmillaient de monde, les commentaires allaient bon train. On s'interrogeait :

—Savez-vous donc quel est l'important malade que le Cardinal vient visiter ?

—Il paraît que c'est la fille du docteur Langevin !

—À moins que ce ne soit ce bon docteur lui-même ! Pourquoi notre Cardinal s'intéresserait-il à une enfant ?

—C'est plutôt ça, c'est pour le docteur Langevin ! C'est un saint homme lui aussi !

Le Cardinal, majestueux, entra dans la chambre de Myriam avec toute la pompe qui lui était coutumière, tandis que les deux diacres qui lui servaient d'escorte se tenaient discrètement au bout du corridor.

—Bonjour, ma chère Maguy ! Bonjour, ma belle Myriam ! Alors, Jésus vous a un peu éprouvées toutes les deux, ces temps-ci…

Il tendit sa bague à Maguy, qui était épuisée. La fatigue se lisait sur son visage aux traits tirés. Le Cardinal traça le signe de la croix sur son front, puis il s'assit à côté du lit de la petite et se pencha paternellement vers elle. Il souriait en observant l'enfant allongée :

—Dis-moi, ma belle Myriam, je vois que ta jambe te cause des problèmes ! Tu ne peux pas marcher, ma chère enfant… Cela doit être dur pour toi, cette immobilité ! Aimerais-tu que nous récitions une prière avec ta maman pour que Jésus t'aide à guérir bien vite ?

Myriam fit signe que oui de la tête. Pieusement, elle joignit les mains et récita avec le Cardinal et sa mère, qui s'était agenouillée, un Notre Père et un Je vous salue, Marie, puis, n'en pouvant plus de cette sagesse forcée, elle ne put se contenir :

–Mon papa, il est dans une chambre au cinquième ! Il a une pneumonie...

–Oui, je sais, mon enfant, la famille est dispersée dans l'hôpital. Je vais prier pour que toi et ton papa, vous soyez vite rétablis tous les deux.

–Moi, je voudrais rentrer à la maison !

–Il te faut encore un peu de patience, ma chère enfant. Si tu es sage, tu guériras bien plus vite.

–Mais je suis sage !

Les yeux de la petite s'étaient remplis de larmes si soudainement que ni le Cardinal ni Maguy ne savaient quoi dire. Elle se mit à sangloter :

–Je m'ennuie, je veux mon papa !

Le chagrin qui la secouait provoquait des douleurs dans toute sa jambe récemment opérée. Les larmes redoublaient. Le Cardinal, d'un geste impulsif, la prit dans ses bras et la tint serrée contre lui, lui caressant la tête pour l'apaiser. C'était la première fois qu'il enlaçait si intimement un enfant pour lui apporter soutien, tendresse et consolation dans un moment de détresse. Quelle étrange sensation... Il voulait la protéger !

Les pleurs de Myriam étaient comme une source intarissable. Ils se répandaient sur la belle soutane rouge du Cardinal, qui ne s'en préoccupait pas. Il tenait enfin sa fille sur son cœur, son enfant ! Maguy, qui assistait pour la deuxième fois à une scène d'intimité entre sa fille et le Cardinal, ne savait plus si elle devait laisser faire ou non. Une réalité profonde et invisible se faisait jour, qui la troublait quelque peu. C'est à ce moment précis que la porte s'ouvrit et que Suzanne Pellerin fit son entrée. Personne ne s'attendait à la voir. Suzanne fut stupéfaite du tableau qui s'offrait à elle. Myriam, qui n'aimait pas trop sa tante, la trouvant distante et bien trop sévère, passa spontanément les bras autour du cou de Son Éminence. Le Cardinal, peu habitué à de telles démonstrations d'affection, essayait de cacher sa gêne, souriant courtoisement à la nouvelle venue :

– Bonjour, ma chère Suzanne, vous aussi, vous venez rendre visite à notre courageuse petite malade !

– Votre Éminence, vous ici ? Comme c'est touchant ! Je ne savais pas que vous vous intéressiez à la santé de notre chère petite. Il est vrai que ma nièce est une enfant qui sort de l'ordinaire !

Le ton de sa voix était plus sec et plus pointu que jamais. Suzanne essayait de se faire aimable, mais elle glissait dans son discours des intonations acides qui faisaient douter de sa sincérité. Elle observait Maguy, qui baissait les yeux, et cherchait à comprendre pourquoi on avait tant d'égards pour sa nièce. Ses fils n'en avaient jamais reçu le dixième, malgré tout le travail bénévole qu'elle avait accompli depuis des années, alors que Maguy ! Suzanne tremblait de fureur contenue : « Ma belle-sœur n'a jamais rien fait à l'archevêché ! C'est trop fort ! » pensait-elle. Elle était jalouse... jalouse ! Allait-on un jour l'estimer enfin à sa juste valeur ? Quelle était donc la raison de tout ce tralala ? Suzanne avait maintenant l'air pincé des mauvais jours. Maguy sentait qu'elle-même et Myriam étaient devenues les cibles de son envie maladive. Le Cardinal, qui tenait toujours Myriam dans ses bras, demanda en voyant le malaise de Maguy :

– Ma chère Suzanne, me rendriez-vous un petit service ?

– Mais certainement, Votre Éminence, cela va sans dire.

– Voulez-vous aller chez le fleuriste de l'hôpital et faire monter une gerbe de roses pour notre chère Maguy, qui est si fatiguée. Quant à Myriam, commandez donc une boîte de chocolats pour elle ! Des prières et du chocolat, je ne connais pas de meilleurs remèdes ! N'est-ce pas, Myriam ?

– Oui, oui, des chocolats avec du caramel dedans !

Son Éminence ajouta :

– Suzanne, demandez donc à l'abbé Laporte de venir prendre une photo ! Myriam et moi, nous sommes de vieux amis, n'est-ce pas ? C'est le moment de poser ensemble !

Rien dans ces propos n'était de nature à apaiser Suzanne Pellerin, qui sortit en trombe, n'ayant pas d'autre recours que de s'exécuter... Myriam avait posé sa tête au creux de l'épaule du Cardinal et ne voulait plus bouger, mais à l'évocation du chocolat ses yeux se mirent à briller et elle quitta le refuge où elle se sentait si bien. Le Cardinal s'approcha de Maguy :

– Ma chère Maguy, je vous suis très reconnaissant de tout ce que vous faites.

Maguy écarquillait les yeux. Il la prit par le bras et l'éloigna un peu de l'enfant.

– Oui, oui, ma chère, vous ne saurez jamais tout ce que vous avez fait pour moi !

—Depuis que Myriam est entrée dans notre famille, je suis une mère comblée.

—J'en suis convaincu, mais, écoutez-moi bien, je veux profiter de notre tête-à-tête pour vous rappeler ceci : n'oubliez jamais le serment que vous avez prêté lors de l'adoption de cette adorable enfant ! Entendez-vous, Maguy, jamais !

Il parlait à voix basse, mais le ton était devenu soudain si impératif que la pauvre Maguy en eut des frissons dans le dos. À ce moment-là, l'abbé Laporte entra, portant un appareil photo et faisant quelques grimaces pour faire sourire Myriam. Le Cardinal, penché vers elle, s'immobilisa docilement sous la lumière du flash. Puis il quitta la mère et la fille avant que Suzanne revienne avec ses emplettes.

Lorsqu'elle fut de retour, les bras chargés, Suzanne ne put supporter plus longtemps la situation. Voyant que le Cardinal l'avait plantée là sans même l'attendre, elle lança la boîte de chocolats sur le lit, déposa brutalement les roses sur la table de chevet et monta jusqu'au cinquième étage, décidée à passer sa colère sur son beau-frère, le docteur Langevin.

—Bon, eh bien, puisque Myriam a de si nombreuses visites, moi je vais aller voir ce pauvre Philippe qui doit se morfondre !

Myriam et sa mère la regardèrent sortir comme une furie, riant de son caractère bizarre… et dégustant les délicieux chocolats. Dans le couloir, Suzanne croisa son beau-père Albert qui arrivait portant plusieurs paquets enrubannés pour ses deux chères petites. En lui donnant un baiser sur la joue, elle pensa : « Les cadeaux et les gentillesses sont toujours pour les mêmes ! » Arrivée auprès de Philippe, Suzanne ne trouva rien de mieux que de lui tenir un discours susceptible de le mettre dans tous ses états en moins de cinq minutes. Installé dans son lit, Philippe lisait le *Montréal-Matin*. Ce dont il avait besoin plus que tout, c'était de repos. Il ne souhaitait donc nullement avoir des visites. Suzanne tombait plutôt mal! Elle s'approcha de lui, doucereuse:

–Mon cher Philippe, je viens d'aller voir Myriam et Maguy, et j'ai pensé que je ne pouvais pas repartir sans venir bavarder un peu avec toi et te mettre au courant des dernières nouvelles.

–Merci, Suzanne. Je ne vais pas si mal, dit-il, en levant un œil distrait vers elle.

–Sais-tu que je viens de croiser notre cher beau-père? Il n'est pas encore venu te voir, n'est-ce pas?

–Non, pourquoi?

–C'est étonnant!

–Ah oui, pour quelle raison devrais-je m'en étonner?

Décidément, Suzanne l'agaçait toujours autant.

–Mais parce que ta fille attire tout le monde, mon cher!

Philippe tournait les pages de son journal sans se laisser impressionner.

–Le Cardinal sort de la chambre de Myriam!

–Oui, oui, on me l'a dit, et alors?

–Mais voyons, Philippe! Son Éminence aurait bien pu venir te rendre visite jusqu'à ta chambre, il me semble, non?

–Et pourquoi donc, Suzanne?

–Mais parce que, mon cher beau-frère, je ne vois pas pour quelle raison Myriam serait plus importante que toi!

– Qu'est-ce que tu veux dire exactement ?

– Eh bien, de deux choses l'une : si le Cardinal n'est pas venu jusqu'à toi, qui es pourtant chevalier du Saint-Sépulcre, c'est peut-être parce que, pour lui, Maguy est plus importante que toi !

– Vas-tu donc te taire ! Es-tu devenue complètement folle !

Elle rit malicieusement, prit le temps de faire une pause pour voir l'effet produit par ses paroles et enchaîna :

– À moins que ce ne soit Myriam qui soit terriblement importante pour lui ! Peux-tu me dire, Philippe, laquelle des deux hypothèses est la bonne ?

– Sors donc d'ici, Suzanne, tu n'es qu'une mauvaise langue ! Et ne t'avise plus de venir me dire de pareilles saloperies !

– Oh, Philippe, comment peux-tu me parler ainsi ? Depuis que je connais notre Cardinal, il n'est jamais allé rendre visite à un enfant. Les seules visites qu'il ait jamais faites à l'hôpital, c'était pour donner l'extrême-onction aux vieux vicaires ou aux diacres ! Ah, ah, tout cela est bien étrange, je finirai bien par savoir pourquoi il est venu voir votre fille...

Elle avait insisté sur le *votre* fille.

Après son départ, Philippe fit appeler Maguy :

– Maguy, Suzanne sort d'ici, je l'ai presque mise dehors.

– Qu'est-ce que cette chère Suzanne a encore imaginé ?

– Comprends-moi bien, Maguy, tu vas faire très attention. Suzanne est une vraie langue de vipère. Il ne faudrait pas qu'elle se mette à fouiller dans les papiers. Les circonstances entourant la naissance de

Myriam lui paraîtraient plutôt bizarres. Et surtout le fait qu'on ne leur ait jamais rien dit, à elle et à Jean-Paul… Si elle apprenait quoi que ce soit maintenant, elle serait capable de faire un beau gâchis! Tout Montréal saurait que Myriam a été adoptée, et de quelle façon!

–Mais voyons, Philippe! Premièrement, je ne lui ai jamais rien laissé entendre qui puisse lui mettre la puce à l'oreille et, deuxièmement, je ne vois pas où tout ça la mènerait!

–Maguy, pour l'amour de Dieu, vas-tu être prudente?

–Philippe, pour l'amour de Dieu, vas-tu cesser de douter de moi?

Maguy était fâchée. Elle avait le sentiment que son mari ne lui faisait pas confiance.

*

On avait passé sans s'en apercevoir le solstice d'été et les fêtes de la Saint-Jean. Le mois de juillet, torride, tirait à sa fin. Myriam était enfin de retour à la maison. Son séjour à l'hôpital avait duré plus de six mois; on avait fêté son sixième anniversaire non pas au milieu des roses, mais dans la petite chambre de l'Hôtel-Dieu.

Maintenant, elle devait réapprendre à faire fonctionner ses jambes, munie de cet instrument barbare qui lui permettait de se tenir debout: une marchette… Cela demandait encore une bonne dose de patience à Maguy, qui n'était pas arrivée au bout de ses peines, mais au moins elle n'avait plus à courir chaque jour pour veiller sur tout et sur tous. Pierrette la secondait avec efficacité, ayant repris son travail après avoir donné le jour à un gros garçon au début de mai. Myriam avait été si heureuse le jour où Philippe et Maguy l'avaient ramenée de l'Hôtel-Dieu! Philippe l'avait portée à bout de bras pour lui faire faire le tour de toutes les pièces. Elle voulait tout voir! Sa chère maison n'avait pas changé et Pierrette était là, accueillante et chaleureuse. Myriam n'en finissait plus d'explorer sa chambre, sa salle de bains, touchant fébrilement chacun des objets qui lui avaient tant manqué. Sa vieille collection d'ours en peluche, ses livres, ses ballons et ses jouets, tout était comme elle l'avait laissé : elle voulait tout examiner. Et puis il faisait si bon dehors! Le jardin resplendissait, à l'apogée de sa floraison. La roseraie d'Albert était un véritable enchantement que Johnny entretenait avec un soin méticuleux.

Après les premières retrouvailles, grand-maman Anne, qui avait traversé l'allée pour la circonstance, lui avait raconté des histoires durant tout l'après-midi, et grand-papa Albert, pour la distraire un peu, avait couronné la journée par une promenade en limousine avec sa petite-fille, tous les deux conduits par Johnny, tandis que Betty et Maguy s'étaient associées pour préparer un repas de fête. Myriam était entrée à l'hôpital au début de l'hiver et elle en était sortie au plus fort de l'été. Après tous ces mois si longs et si pénibles pour une enfant de son âge, Myriam avait beaucoup changé. Bien sûr, elle avait grandi, mais il n'y avait pas que cela… Son caractère n'était plus tout à fait le même. Une petite fille exemplaire et presque raisonnable avait été renversée par une voiture, mais ces six mois l'avaient tant éprouvée qu'elle avait, sans même s'en apercevoir, laissé toute la tranquillité qu'il pouvait y avoir en elle sur son lit d'hôpital. Sa famille retrouvait un bon petit diable en convalescence, qui se laissait aller à son désir de s'amuser et qui délaissait ses leçons plus souvent qu'autrement.

Pierrette et Maguy se relayaient pour aider Myriam à procéder matin et soir à la rééducation de sa jambe. L'horrible marchette rendait Myriam impatiente. Elle ne s'habituait pas à la lenteur que celle-ci lui imposait et, chaque fois qu'elle devait se rendre d'un point à un autre, impulsive, elle se mettait en colère. Elle tapait avec acharnement sur l'instrument qui freinait son fougueux tempérament. Puis, après ces accès d'impatience, immanquablement, elle pleurait. Maguy accordait toute son attention à sa fille, comprenant très bien que l'enfant avait accumulé durant la dernière année une forte dose d'insatisfaction. Elle pensait qu'elle aurait besoin d'encore un peu de temps avant de retrouver son équilibre. Il fallait aussi lui faire apprendre régulièrement quelques leçons dans l'espoir de rattraper le temps perdu. Mais Myriam boudait les devoirs et les leçons. Il n'était plus question de progrès scolaires : elle ne pouvait pas espérer retourner à l'école avant les fêtes de Noël et, lorsqu'elle reprit le chemin du collège, elle dut redoubler une année. Toutes les connaissances qu'elle avait acquises durant ses deux premières années d'école s'étaient envolées, reléguées dans un coin très obscur de sa mémoire. Myriam n'avait plus le goût d'être sage. Tout ce qu'elle voulait maintenant, c'était rire et s'amuser. Se venger des longs mois où elle n'avait pas eu d'autre possibilité que de se morfondre toute seule dans sa chambre, pendant que ses petites camarades jouaient et s'amusaient dehors à toutes sortes de choses passionnantes.

Après son retour au collège, elle devint en quelques jours le chef de file de l'indiscipline, passant ses journées à inventer toutes sortes de façons de s'amuser pendant les cours. Myriam s'employait continuellement à faire rire les autres, au risque de se faire punir. Lorsque sœur Adélaïde, sa nouvelle institutrice, la prenait en flagrant délit d'inattention, elle l'interrogeait :

– Peux-tu nous répéter, Myriam, ce que je viens d'expliquer ?

Myriam, faisant jouer son tempérament rebelle, prenait un malin plaisir à faire des grimaces et à répondre de travers. Ses fantaisies la conduisaient presque inévitablement dans le bureau de mère Camille, la directrice. Le scénario était réglé d'avance. Presque tous les jours, Myriam déclenchait quelque incident qui attirait l'attention sur elle. Puis, fière de son exploit, ayant le don de faire rire toute sa classe, elle s'en donnait à cœur joie et sœur Adélaïde l'envoyait chez la directrice. C'était immanquable ! Lorsque Myriam arrivait devant la porte du bureau de la Supérieure, elle était bien loin de redouter les réprimandes, car elle savait que quelques bons moments lui seraient réservés. Dès qu'elle frappait à la porte, mère Camille ouvrait, sûre d'y trouver Myriam. Souriante, elle la faisait entrer :

– Bon, voici ma petite amie ! Qu'as-tu donc inventé encore pour donner du fil à retordre à notre pauvre sœur Adélaïde ?

Myriam prenait un air penaud qui lui allait à ravir. Ses yeux brillaient de mille feux pétillants. Elle ne disait mot, mais elle était si cocasse… Victorieuse, elle avait réussi à sortir de la classe! Sœur Camille, attendrie par l'espièglerie qui se lisait sur les traits de la fillette et qui illuminait son visage, la faisait asseoir en face d'elle et lui faisait faire ses problèmes en riant. Toutes deux, elles étaient complices de ces moments qui rompaient la monotonie de la journée.

Myriam, qui savait instinctivement se servir de son charme, était devenue la meilleure amie de la directrice! Lorsque sœur Adélaïde convoquait Maguy pour lui parler des résultats scolaires de sa fille, insistant beaucoup sur le manque de discipline de son élève, Maguy acquiesçait et promettait de surveiller sa fille… Mais aussitôt qu'elle rencontrait mère Camille, celle-ci lui faisait grand éloge de sa protégée et lui suggérait de ne pas s'inquiéter pour les petites choses sans importance que lui rapportait sœur Adélaïde… Alors, Maguy, n'y comprenant plus rien, laissait faire. Philippe était quant à lui du genre exigeant, aussi n'était-il pas très satisfait du carnet de notes qui lui parvenait. Il tempêtait un peu en voyant les résultats les plus faibles. Les commentaires de la religieuse, toujours les mêmes, le contrariaient: « Myriam manque de sérieux. Élève brillante, mais indisciplinée et tête en l'air… » Maguy s'arrangeait toujours pour que les remontrances soient oubliées. Elle n'aimait pas voir s'installer la mésentente entre le père et la fille. Myriam, qui se sentait soutenue par sa mère, n'était guère affectée par les reproches de Philippe: lorsque le malencontreux bulletin de notes faisait sortir son père de ses gonds, elle l'écoutait sans mot dire.

– Torrieu, Myriam, vas-tu t'assagir?

– Oui, papa.

– Oui, papa ! Ce n'est pas une réponse, ça, Myriam ! Je veux des efforts sérieux ! Si tu continues ainsi, je te mettrai pensionnaire !

– Oui, papa !

Myriam n'était nullement impressionnée. Tout ceci lui glissait comme de l'eau sur le dos d'un canard ! Elle savait bien que, même s'il avait un tempérament bourru, son père n'aurait jamais le cœur de mettre ses menaces à exécution et que sa mère, quant à elle, arriverait de toute façon à l'en dissuader.

Chapitre XI

Albert était parti en France pour un voyage d'affaires, depuis plus de trois semaines. Dans le grand salon de ses parents, Maguy, debout devant la baie vitrée, une revue à la main, attendait son retour avec Myriam, qui s'amusait à marcher sur les dessins du tapis. Anne se reposait dans sa chambre, ayant promis de descendre accueillir le voyageur aussitôt qu'elle l'entendrait arriver. Il faisait doux. Le coucher de soleil se reflétait jusque sur les murs de la pièce, qui se coloraient de reflets ondulants. Dans le ciel d'un bleu encore intense, le disque de feu sur son déclin lançait ses rayons au-dessus de la rivière, prenant des teintes rouges et dorées, soyeuses et dansantes comme les vaguelettes qui se formaient à la surface de l'eau. Par cette belle soirée d'automne, l'eau mouvante calquait ses couleurs sur celles des arbres vêtus de feuilles écarlates. Myriam se mit à battre des mains :

– Voilà papi ! Voilà papi !

Dehors, le profil de la limousine silencieuse semblait glisser tout doucement derrière la tête des dernières fleurs de la saison. L'automobile ralentit et s'arrêta net devant le centre du perron. À peine deux secondes plus tard, Johnny, casquette en main, ouvrait déjà la porte, tandis que Betty dévalait les marches pour l'aider à décharger les bagages de Monsieur. Maguy et Myriam se bousculèrent en riant dans l'entrée et se jetèrent dans les bras d'Albert.

– Le voyage s'est bien passé ?

– Certainement, me voici en pleine forme et affamé, s'il vous plaît !

Anne arrivait, enveloppée d'un châle qu'elle serrait frileusement sur ses épaules, impatiente d'avoir des échos du vieux pays. Comme d'habitude, Albert, tout à la joie de retrouver le confort de la maison, demandait des nouvelles de tout le monde et s'empressait de distribuer les cadeaux qu'il avait rapportés, pendant que Maguy allumait un bon feu dans l'âtre. Albert interrogea sa fille :

– Philippe n'est pas encore rentré ?

Maguy regarda sa montre en faisant signe que non. Tout en conversant, Albert prit son courrier, qui avait été déposé sur la petite table du salon, et Myriam se glissa avec un air enjôleur sur le canapé pour s'asseoir, tout près de son grand-père, qui lui passa un bras autour des épaules.

– Tiens, voici une invitation du Cardinal pour une soirée-bénéfice à l'hôtel Mont-Royal. C'est mardi, la semaine prochaine, dit-il en extirpant un carton blanc de son enveloppe. Il interrogea Anne du regard, mais celle-ci lui fit un signe négatif, comme on pouvait s'y attendre.

– Je n'irai pas.

– Moi, j'irai avec toi, papi, OK ? dit Myriam.

Albert, Maguy et Anne, surpris tous les trois de l'intervention de la fillette, éclatèrent de rire en même temps. Myriam, tout heureuse de la joie qu'elle venait de déclencher, se mit à rire elle aussi. Albert se tourna vers sa fille.

– Maguy, tu m'y accompagneras avec Philippe ?

– J'irai avec toi, papa, mais je ne peux pas te dire si Philippe sera disponible, il travaille tard le soir depuis que tu es parti. Il y a eu une recrudescence de sinusites ! Tu lui poseras la question quand il rentrera.

Elle fit une moue qui exprimait clairement sa déception d'être délaissée par son mari. Albert ne sembla pas y prêter attention. Au contraire, il eut un large sourire et se frotta les mains de contentement.

– C'est parfait, c'est parfait, trop d'ouvrage ne nuit pas ! Mon gendre est un praticien qu'on s'arrache !

– Pour ça, tu as raison !

Maguy avait l'air de vouloir se laisser convaincre. Anne, fière de son gendre, apporta elle aussi un commentaire, avec un brin de snobisme dans la voix :

– Ce qui est excellent, c'est qu'il a ajouté à sa clientèle toutes les célébrités du monde de la chanson, en plus des divas qui séjournent à Montréal quelque temps avant leur concert ! Dès qu'ils ont peur de perdre la voix, ils appellent Philippe Langevin, leur sauveur !

Albert jubilait :

– Je comprends donc ! Sa potion pour adoucir les cordes vocales est magique ! Et il ne refuse jamais de les recevoir, n'est-ce pas ? Ça, c'est ce que j'appelle un bon spécialiste ! Il sait maintenant comment s'y prendre !

– S'il n'y avait que cela ! Tu sais bien qu'il est de plus en plus débordé. Il s'occupe de tant de communautés religieuses ! Et on vient le voir de tous les villages de la province. Ça finit par faire beaucoup pour lui ! Avec l'épidémie par-dessus le marché, mon mari est devenu un vrai courant d'air, soupira Maguy en remettant une bûche dans le foyer.

– S'il a trop de clients, Philippe n'aura pas de peine à en passer quelques-uns à mon médecin de fils, n'est-ce pas ? C'est parfait, c'est ce qu'il faut pour Étienne. Dis-moi donc, Anne, quand Étienne revient-il des États-Unis ? Que j'arrange cette affaire d'ici à son retour...

– Il va recevoir son diplôme à la fin de son stage, juste avant les fêtes. Il sera avec nous pour Noël.

– Alors, nous aurons un nouveau cabinet médical en janvier : Langevin et Pellerin, Associés. Je m'en occupe dès demain avec mon gendre !

Maguy hasarda un timide sourire :

– C'est ça, à deux, ils seront peut-être un peu moins débordés !

– Et ton mari sera plus souvent à la maison, n'est-ce pas, ma belle ? dit Albert en l'interrompant et en la prenant affectueusement par la main.

Maguy regarda son père avec des yeux admiratifs. Il savait toujours la comprendre mieux que quiconque et lisait en elle comme dans un livre ouvert.

Avant de monter se coucher à la fin de la soirée, tandis que la maison s'était vidée, Albert, qui avait déjà enlevé son veston au début du souper, desserra sa cravate et pénétra dans la bibliothèque avec un air content. Profitant de ce silence qu'il aimait et qui enveloppait chacun des objets familiers, il alluma un de ses meilleurs cigares. Puis il se cala confortablement au fond de son bon vieux fauteuil de cuir après s'être versé un peu de cognac. Il regardait la fumée monter et s'étager autour de lui, traçant des cercles presque parfaits. « Ce sera bon pour Étienne de faire école avec quelqu'un comme Philippe Langevin. Je crois bien que j'ai eu une brillante idée lorsque j'ai pensé que ces deux-là pourraient travailler ensemble. Il est temps que mon fils devienne quelqu'un ! Demain, je convoque Philippe, nous nous mettons d'accord et nous aménageons ce nouveau cabinet. » Albert Pellerin était satisfait de la façon dont Philippe gérait ses affaires. D'abord parce qu'il était sûr que ses revenus mettraient Maguy et Myriam à l'abri de toute difficulté matérielle, ensuite parce qu'il prévoyait depuis longtemps proposer à son gendre de s'associer avec Étienne. Le temps de réaliser son objectif était arrivé. Selon lui, le dynamisme de Philippe servirait de moteur et contrebalancerait le tempérament trop passif d'Étienne. Lorsque Albert s'endormit un peu plus tard, tous les détails de l'association qu'il allait proposer à Philippe étaient très clairs dans sa tête.

Étienne, quant à lui, était toujours resté un éternel enfant à l'abri de l'effort et de la compétition, sans projets d'avenir bien arrêtés… Qu'à cela ne tienne, Albert avait tout prévu, tout arrangé ! Il lui avait fait faire des études de médecine et il l'avait poussé à continuer dans la même spécialité que Philippe. Le tour était joué ! Il avait payé à son fils des études dans la meilleure université de New York. Étienne avait réussi sans problème majeur, étant malgré sa nonchalance d'une intelligence incontestable, et il allait sous peu revenir au berceau familial muni du titre d'oto-rhino-laryngologiste. Le lendemain matin à la première heure, Albert appela Philippe :

–Dites-moi, mon gendre, à en juger d'après votre absence d'hier soir, je vois que vos affaires tournent toujours aussi rondement…

–Encore mieux que ça, beau-père. Je suis obligé de faire du bureau tous les jours, en plus du dispensaire, et souvent jusqu'à des heures de fou! Mais je ne me plains pas. Le travail, j'aime ça!

–Alors, le temps est venu de parler sérieusement d'une association et d'organiser vos affaires avec Étienne! Il revient dans quelques semaines, prêt à passer à l'attaque.

Philippe eut un moment d'hésitation, mais Albert ne lui laissa pas le temps de réagir:

–Bon, alors je vous vois ce soir après le souper, il est grand temps d'accorder nos violons! Préférez-vous chez nous, ou bien chez vous?

–On se voit chez vous. À ce soir, beau-père!

Philippe raccrocha et se gratta la tête. Cette idée d'association avec Étienne le rendait perplexe. Mais enfin, pourquoi pas? Pourquoi ne pas faire prospérer une entreprise familiale? Il y pensait en faisant le bilan de la situation. Étienne n'était pas a priori l'associé qu'il aurait choisi, mais, se sentant redevable envers son beau-père de bien des choses importantes dans sa vie, ne devait-il pas se prêter de bonne grâce aux désirs d'Albert? «Ma réputation fait tout naturellement boule de neige. C'est bien sûr que, même à deux, on ne manquera pas de travail.» Tout en pensant à sa réussite, Philippe ne pouvait s'empêcher d'être fier de lui. Il avait une priorité absolue: sa carrière et les coquets revenus que celle-ci lui rapportait. Maintenant que le dispensaire de l'hôpital tournait tout seul deux matins par semaine, il travaillait chaque jour à son cabinet et s'y rendait parfois même le dimanche matin à la première heure. La salle d'attente ne désemplissait pas. On savait lorsqu'on venait voir le docteur Langevin qu'on serait soigné vite et bien.

Il fut donc décidé que le cabinet médical accueillerait un nouveau médecin. On choisit d'acheter un local plus vaste : une grande maison de style victorien dans la rue Sherbrooke, non loin de l'avenue du Parc ; Jean-Paul fut réquisitionné pour rédiger la charte de la nouvelle société. Les deux spécialistes décidèrent qu'ils seraient secondés par Fleurette Dupuis, le type de clientèle et les actes médicaux pratiqués dans leur spécialité n'ayant plus depuis longtemps de secret pour elle. À la demande de Fleurette, on engagea également une jeune secrétaire pour s'occuper du travail administratif. Tout semblait s'organiser au mieux.

Étant donné le rythme de pratique du docteur, Fleurette avait abandonné son poste au dispensaire de l'hôpital pour se consacrer entièrement au cabinet privé. Depuis que Philippe avait eu cette pneumonie, elle lui faisait souvent remarquer qu'en dehors des vacances d'été il ne prenait pas assez de congés et elle s'inquiétait pour sa santé lorsqu'elle lui voyait les yeux cernés et le visage tendu.

– Vous n'êtes pas raisonnable de tant travailler, docteur ! Vous travaillez sans bon sens ! Vous n'avez plus vingt ans, même si vous n'en êtes pas convaincu...

Lorsqu'elle lui disait cela, il la regardait avec son air pince-sans-rire et il lui rétorquait :

– Savez-vous, garde, vous tomberez vieille bien avant moi ! C'est mon travail qui me tient en forme et qui me fait rester jeune ! Rien de tel que d'avoir accompli une bonne journée bourrée d'actes chirurgi-caux! J'aime ça! Ça, c'est plaisant!

En disant cela, il tâtait ses poches remplies de billets et il examinait d'un œil exercé la salle d'attente pour évaluer d'un seul regard le montant des hono-raires qu'il toucherait. Puis il courait d'une salle à l'autre, infatigable, le geste sûr et précis. Il était un véritable maître dans son art et maître de lui-même aussi, en toutes circonstances.

Aux premiers jours de leur coopération, les deux beaux-frères découvrirent qu'ils avaient le même amour pour leur travail. Ils aimaient échanger leurs opinions quant à tel diagnostic ou tel cas et discuter des traitements les plus appropriés. Philippe, ayant eu à plusieurs reprises l'occasion de constater que son jeune beau-frère avait un excellent jugement, se mit à lui faire confiance en tous points. Albert étalait sa satisfaction, tout heureux d'avoir assuré un brillant avenir à Étienne, qui jubilait.

Il avait enfin un statut qui lui attirait le respect et l'admiration de son entourage. Le dimanche, autour de la table familiale, on n'entendait plus parler que de médecine. L'enthousiasme des deux hommes était tel que, le repas fini, personne ne pouvait les distraire de leur sujet favori. Ils n'entendaient et ne voyaient plus rien autour d'eux, pas même les supplications de Maguy et des enfants, qui les réclamaient pour aller jouer dehors.

– Je n'ai jamais vu autant de laryngites œdéma-teuses que depuis deux ans. Pourtant, les cas de rou-geole sont en grande partie enrayés!

– Oui, mais n'oublie pas que la laryngite œdéma-teuse peut être la conséquence des nombreux cas de faux croup qui sévissent encore dans certaines petites villes. On obtient un bon résultat avec la sérothérapie antidiphtérique…

Chacun tentait de les interrompre :

– Allons ! Allons, Philippe et Étienne, nous allons patiner sur la rivière ! Venez donc avec nous, il fait si beau dehors !

Absorbés par la résolution d'un glaucome, d'une sinusite, ou encore démontrant la nouvelle façon de débloquer un canal lacrymal récalcitrant, gestes à l'appui, les deux compères ne répondaient même pas. Leurs discussions n'en finissaient jamais. De guerre lasse, après les avoir invités plusieurs fois à quitter la table, on laissait donc les deux partenaires en tête-à-tête. Insensibles et aveugles à tout ce qui se passait autour d'eux, ils ne s'apercevaient nullement de la disparition des petits et des grands. Leurs assiettes étaient encore pleines de dessert et elles le restaient pendant une heure ou deux, au désespoir de Maguy et d'Anne, dont les signaux restaient sans réponse.

– Un gâteau qu'on a fait exprès pour toi, Étienne, tu pourrais lui faire honneur !

Si le temps ne permettait pas d'aller jouer dehors, le reste de la famille se réfugiait dans le salon ou dans la bibliothèque : on les trouvait fatigants et monotones avec leurs histoires de maladies… Malgré ces petits inconvénients, la situation convenait à Maguy. Elle pensait que Philippe, partageant désormais ses responsabilités, verrait son fardeau s'alléger et lui reviendrait un peu. Quant à Jean-Paul et Suzanne, ils étaient persuadés qu'enfin Étienne se comportait en homme de devoir ! Les Pellerin étaient soulagés ! Les choses se gâtèrent lorsque, après quelques semaines d'adaptation pendant lesquelles Philippe s'efforça de ne pas se montrer trop pointilleux, il prit conscience de l'écart qui se creusait chaque jour un peu plus dans leur rythme de pratique.

*

Ce jour-là, pendant que Myriam se trouvait à l'école, Maguy s'arrêta au bureau. Elle avait fait quelques courses urgentes pour sa mère, qui ne sortait plus de la maison, et pour Albert, qui lui avait laissé une liste d'emplettes. Maguy souriait en pensant à la surprise qu'elle réservait aux deux praticiens, en particulier à son mari. Elle sentait s'étioler avec les années la complicité qu'il y avait entre eux autrefois…

Nicole, la nouvelle secrétaire était tout sourire lorsqu'elle la vit arriver. C'était une jeune femme banale, avec un accent de la campagne et un physique sans grâce. Même si l'on essayait de détailler son visage, on ne pouvait lui attribuer aucune particularité qui la distingue ou qui retienne l'attention ; de plus, elle était vêtue sans aucun goût. Maguy trouvait qu'elle manquait de raffinement dans ses gestes et dans ses paroles, mais Nicole semblait consciencieuse et aimable, ce qui, après tout, était l'essentiel. Dès qu'elle eut franchi le seuil de la salle d'attente, Maguy vit tout de suite que Philippe avait son air impatient des mauvais jours. Lorsqu'elle se pencha vers lui pour lui poser un baiser sur la joue, il ne fit nullement attention à elle et ne lui rendit même pas son bonjour. Ayant ouvert sa porte entre deux patients, elle s'était glissée derrière son bureau, silencieusement, comme une chatte, heureuse à l'idée de lui voler ne serait-ce que trois secondes de tendresse.

–Bonjour, mon chéri, j'ai fait un petit détour pour te saluer en passant!

–...

–J'avais hâte de t'embrasser! Tu vas certainement rentrer tard ce soir, alors...

Voyant son air maussade, elle se ravisa et enchaîna:

–La journée a-t-elle été pénible?

–...

–Je t'ai acheté des chemises comme tu les aimes et deux paires de gants superbes que j'ai trouvés chez Brisson et Brisson!

Philippe ne répondait toujours pas. Maguy n'aimait pas le voir dans cet état. Cela la prenait totalement au dépourvu! Lorsqu'il était ainsi, fermé sur lui-même, dur et froid, elle ressentait dans son corps une sorte de malaise qui frisait la détresse. Il y avait entre eux une tension qu'elle n'arrivait pas à dissiper et qui la faisait paniquer sans raison objective. Devant le mutisme de Philippe, Maguy se sentait perdue. Elle ne savait pas comment le faire changer d'humeur. S'il restait ainsi trop longtemps, cela devenait pour elle une vraie torture qui la faisait retomber dans ses tendances à la culpabilisation. Dès qu'il avait, comme aujourd'hui, ce qu'elle appelait un de ces accès d'efficacité professionnelle, rien ne pouvait le dérider.

Ne sachant plus que faire, déçue, frustrée et se sentant de trop, elle sortit du bureau. Étienne était invisible. Pour se donner une contenance, Maguy se réfugia quelques instants auprès de Fleurette. Celle-ci, qui était toujours enjouée, accueillit Maguy avec un grand sourire et quelques plaisanteries:

–Bonjour, madame Langevin, le docteur est occupé aujourd'hui, mais il aime ça voir que ses malades ne peuvent se passer de lui! Au moins, il est sûr de ne pas manquer d'ouvrage! Je me demande bien ce qu'il ferait, votre mari, s'il se retrouvait au chômage! dit-elle en riant.

–S'il se retrouvait au chômage, ma chère Fleurette, je serais sans doute la plus heureuse des femmes. Nous pourrions passer plus de temps ensemble!

Fleurette entrouvrit la porte de la salle d'attente, passa la tête dans l'entrebâillement, puis, prenant un air espiègle, la referma et s'approcha de Maguy:

–Avez-vous vu la salle d'attente? Tout Montréal s'est donné le mot pour avoir des amygdalites, je crois bien! Mon souper va m'attendre un bout de temps ce soir! On ne partira pas d'ici avant une bonne secousse!

Nicole, à la réception, avait l'air résigné en vérifiant dans l'agenda les noms de ceux qui restaient à voir, encore nombreux malgré l'heure tardive. Maguy en conclut que c'était bien là ce qui expliquait la nervosité de Philippe. Quant à Étienne, il ne sortait pas de son bureau. Rien ne bougeait. Sa porte restait close. Maguy fut étonnée lorsque Fleurette murmura discrètement en se penchant vers elle:

–Voici plus de deux heures que le docteur Pellérin est avec son patient. Le docteur Langevin a vu cinq personnes pendant ce temps-là!

Visiblement ennuyée, Fleurette allait et venait du bureau du docteur Langevin à celui du docteur Pellerin, sentant bien que le premier réprimait sa colère et n'osait pas intervenir en brusquant le second. Philippe sortit tout à coup de son bureau derrière une grosse dame et demanda à brûle-pourpoint en regardant sa montre:

–Garde, pouvez-vous donc me dire ce que fait le docteur Pellerin? Est-il encore endormi sur le cas de monsieur Plante?

Fleurette tressaillit. Elle était habituée aux propos un peu abrupts du docteur Langevin, mais tout de même il y allait un peu fort...

–Savez-vous, garde, je vois quatre ou cinq patients pendant qu'il en voit un!

Il parlait haut, au risque de se faire entendre dans tout le corridor. Fleurette referma vite la porte de la salle d'attente et haussa légèrement les épaules en signe d'impuissance. Elle répondit, pour excuser Étienne et pour détendre l'atmosphère:

–Le docteur Pellerin a sans doute eu des cas compliqués aujourd'hui.

–Et hier aussi, je présume! Et tous les autres jours! Mon beau-frère hérite de tous les cas compliqués et moi de tous les cas simples, c'est évident! Torrieu, garde! Je n'en peux plus!

Il se planta derrière Nicole et rugit:

–Combien de patients encore?

–Neuf, docteur! dit Nicole, qui ne savait pas quelle contenance prendre, comme si elle avait été la coupable. Philippe pinçait les lèvres. Apercevant sa femme, qui essayait de se faire discrète, il s'arrêta de parler. Maguy avait le visage bouleversé. L'agressivité de Philippe lui faisait horreur. Elle ne comprenait pas que son mari dénigre ainsi son associé. Elle aurait aimé excuser Étienne, surtout devant Fleurette et Nicole. Timidement, elle lança:

–Oh, Philippe...

Celui-ci la fusilla du regard. Vu le ton et la tournure des propos, Maguy s'esquiva le cœur gros; il valait mieux ne rien ajouter. Où étaient donc les bons moments de leurs premières années de mariage, quand Philippe savait encore rire et se détendre à ses côtés ? Elle repartit, craignant de voir la mésentente s'installer entre les deux beaux-frères. Pendant ce temps, Étienne Pellerin, imperturbable dans son bureau, s'entretenait paisiblement avec son patient, tout comme il l'avait fait avec les précédents depuis le début de la journée et depuis le jour de son arrivée. Bref, pendant que le docteur Langevin voyait quatre ou cinq patients, le docteur Pellerin en traitait à peine un, lui posant des questions sur sa vie dans tous les détails et l'écoutant lui conter ses malheurs, avec des airs compatissants qui n'en finissaient plus.

– Un bien brave docteur, le docteur Pellerin ! proclamaient ses malades.

– Un bien brillant praticien, le docteur Langevin, affirmaient les autres !

Plus les semaines passaient et plus Philippe s'irritait de la lenteur d'Étienne, qui ne voyait pas pourquoi il se ferait violence. Pour lui, la médecine était un art. Étienne n'avait nullement besoin de gagner sa vie et ne voulait pas se mettre la moindre pression sur les épaules. La chicane s'envenimait de jour en jour et finissait par envahir toute la famille ! Albert, qui essayait de ne pas s'en mêler pour ne pas avoir à départager les deux beaux-frères, trouvait que son gendre était dur avec Étienne et qu'Étienne aurait bien pu, quant à lui, faire plus d'efforts. Les maux de tête d'Anne redoublaient lorsqu'on abordait le sujet. Maguy pleurait. Jean-Paul prenait le parti de Philippe, et Suzanne tenait mordicus à faire appel au Cardinal. Jean-Paul lui dit un jour :

–Es-tu malade, ma pauvre Suzanne? Comment veux-tu que le Cardinal le règle, leur problème d'associés?

–Tout de même… le Cardinal est pour nous tous un précieux directeur de conscience! se mit à bêler Suzanne en faisant la tête à son mari.

–Ma pauvre amie, tu es stupide comme tout un troupeau de moutons! Tu confonds religion et administration.

–Oh, ça, par exemple, répète-moi donc ça! s'écria Suzanne en lançant son sac au travers de la pièce.

Mais rien ne fut résolu.

Philippe et Étienne se boudaient désormais toute la journée. Ils ne se saluaient même plus en arrivant au cabinet et arboraient un air détaché quand ils se croisaient dans le corridor. Ils s'envoyaient des messages en passant par Fleurette, qui se lamentait. Ce manège finissait par gruger sa bonne humeur. Elle en avait assez et leur disait:

–Deux vrais enfants d'école! Dites-moi donc, qu'est-ce qu'on va faire avec vous deux? J'ai l'air d'une girouette! Avez-vous déjà vu des médecins aussi mauvaises têtes? Encore heureux que les patients ne voient pas ce qui se passe…

Le soir, lorsque Philippe n'en pouvait plus de rancœur accumulée, il téléphonait à son beau-frère pour lui dire sa façon de penser.

–Torrieu, Étienne, encore une fois, ne peux-tu t'empêcher de placoter et de jaser comme une femme? Si j'avais agi comme toi, je peux te dire que jamais je n'aurais la clientèle que j'ai aujourd'hui! Vas-tu te raisonner et arrêter de commérer à n'en plus finir avec chacun de tes clients?

–Mon cher Philippe, j'aime mes malades et je pratique comme bon me semble. Je n'ai pas de comptes à te rendre et j'ai l'intention de faire mon devoir en leur donnant tout le temps que je peux leur consacrer.

–Oui, mais en attendant, Étienne, écoute-moi bien, c'est moi qui fais les frais de tes fantaisies! C'est moi qui fais rentrer quatre fois plus d'argent que toi pour le partager ensuite également. Je ne tolérerai pas cela très longtemps!

–Mon cher, tu confonds médecine et commerce. Tu es donc bien séraphin!

–Comment oses-tu?

Et Philippe lui raccrochait au nez. Étienne le rappelait et lui disait à nouveau quelque sottise qui le faisait monter sur ses grands chevaux. Philippe sacrait. Maguy voulait le retenir et se faisait rabrouer. Philippe et Étienne passaient des heures au téléphone. Maguy se cachait pour pleurer. La collaboration fraternelle se transformait en querelles, en même temps que s'envolaient les rêves d'Albert et de Maguy.

Au bout de quelques mois de cette pénible situation et bien qu'il fût très contrarié, Albert dut renoncer à réconcilier les deux irréductibles. Les associés se séparèrent et Philippe se détendit un peu. Étienne quitta le cabinet de la rue Sherbrooke et emmena avec lui Nicole, qui ne tarda pas à se déclarer sa fiancée. Les Pellerin étaient scandalisés! Étienne, fiancé à une simple secrétaire, qui sortait d'on ne savait trop où et qui n'avait guère d'éducation… C'est Suzanne Pellerin qui était la plus véhémente, répandant des propos mesquins sur sa future belle-sœur, appuyée par Anne. Maguy essaya de calmer le jeu et fit la morale à son frère. Inutile. Plus on lui faisait de remontrances, et plus Étienne s'entêtait! Il épousa bientôt Nicole, au grand désespoir de son père et de sa mère. On les vit de moins en moins souvent le dimanche à la table familiale.

Maguy voyait son rêve s'écrouler. Philippe, de nouveau seul à son cabinet, mit les bouchées doubles. Rien ne pouvait l'empêcher, déterminé comme il l'était, de se dévouer corps et âme à sa réussite professionnelle et de faire passer son travail avant tout. Ses journées étaient organisées par Fleurette, selon un horaire si bien rempli que pas une minute n'était perdue. Généralement, il commençait le matin à sept heures, à l'hôpital de la Miséricorde, où il opérait des amygdales une bonne vingtaine d'enfants. C'étaient des interventions sans histoire. Il les accomplissait en un tournemain, au grand soulagement des parents qui voyaient s'envoler les complications habituelles des rhumes hivernaux, «grâce à cet excellent docteur Langevin».

À onze heures ou onze heures trente, il était à l'Hôtel-Dieu, prêt pour une ou deux opérations de cataracte, suivant les jours. Il n'hésitait jamais à pratiquer l'intervention avec sa maestria habituelle, même sur des personnes très âgées, disant avec beaucoup de bon sens lorsqu'un de ses collègues avançait la moindre objection:

–Les yeux, à leur âge, c'est tout ce qui leur reste! Lire, c'est essentiel. Je ne connais pas de raison qui pourrait m'empêcher de les aider à mieux voir. Les risques sont minimes, j'opère!

Enfin, après cet intermède qui ne semblait nullement le fatiguer, il avalait une ou deux bouchées et il attaquait les consultations, voyant une trentaine de patients jusqu'au soir! Pas de temps mort, pas de perte de temps. La médecine était sa vie. Il s'y donnait entièrement et possédait l'énergie étonnante de ceux qui ont trouvé leur véritable vocation. Philippe était sourd et aveugle aux requêtes de sa femme, qui s'ennuyait de plus en plus sans lui. Maguy, au long des mois, se consolait et trouvait refuge auprès de ses parents.

*

Un dimanche matin, Pierrette et Gaétan revenaient tranquillement de la grand-messe avec toute leur ribambelle, tandis que grand-maman Leblanc était restée à la maison pour garder Pierrot, le petit dernier. En cette fin d'automne, on sentait déjà le vent refroidir les jardins et on voyait les nuages apporter avec eux les premières neiges et les gelées. Les érables avaient perdu leurs feuilles écarlates, abandonnées au sol en un tapis qui recouvrait l'herbe jaunie autour des maisons. Seuls les pommiers se paraient encore de quelques rares fruits, rouges et tentants. Gaétan arrêta la voiture dans la ruelle. Pierrette desserra son foulard. À peine sortis, les enfants, encore vêtus de leurs habits du dimanche, couraient et piaillaient, pressés de manger, pendant que leurs parents traversaient la cour bras dessus, bras dessous. Pierrette leur cria:

— Allez donc vous changer et vous laver les mains, et puis dites à grand-maman que j'arrive. Elle s'arrêta quelques instants dans le jardin, observant l'inévitable déclin de son potager:

– Vois-tu, Gaétan, dit-elle en se penchant, il y a encore quelques carottes et quelques navets. Je vais nous faire une bonne soupe !

Gaétan poussa du pied une petite voiture et un ballon qui traînaient au bord de l'allée et se mit à gratter, avec un bâton, dans le carré des légumes.

– Je vais te les arracher tantôt, y a aussi des beaux oignons par là, tu les auras pour préparer ton souper ! En même temps, ça va me faire retourner la terre avant le gel.

Au même moment, un camion rouge s'arrêta juste derrière le grillage. Gaby en descendit, claquant la portière, et les interpella :

– Allô !

– Tiens, si c'est pas Gaby ! s'écria Pierrette, surprise de le voir.

– Est-ce que je vous dérange ? Je passais par Montréal.

– Entre donc, viens t'asseoir avec nous.

– Ça sera pas bien long, je repars tout de suite dans le Nord. Il faut que je vous parle.

Assise autour de la grande table, toute la famille prenait son repas. Les enfants se taquinaient en regardant Gaby qui leur faisait des grimaces pour les amuser. Pierrette donnait le biberon à son petit dernier et Monique aidait grand-maman à faire le service. Gaétan sortit deux bières de la remise :

– Tiens, mon gars, dit-il à Gaby en lui tendant une bouteille, à ta visite !

Gaby tira des papiers de la poche de son blouson de cuir, l'air préoccupé :

– J'ai besoin de votre aide ! Malgré toutes les démarches que j'ai essayé de faire pour trouver trace de Kateri, y a rien qui aboutit. Chaque fois que j'ai essayé de rencontrer le Cardinal, comme on avait convenu, je me suis fait renvoyer, encore plus raidement que chez les bonnes sœurs. J'sais plus quoi faire!

—Puisqu'on ne peut pas la rechercher par l'archevêché, mon gars, laisse-moi y penser un peu, on va essayer de procéder autrement!

Pierrette prit les papiers que Gaby lui tendait et y jeta un coup d'œil. Il y avait un extrait du registre des Affaires indiennes, portant le nom de Kateri.

—En plus, dit Gaby, l'air gêné, y a autre chose!

Il poussa un soupir et ajouta:

—Comme j'sais pas lire ni écrire, j'arrive pas à débrouiller tout ça.

Gaétan et Pierrette se regardèrent.

—C'est bon, mon gars, on va t'aider, lui dit Gaétan.

*

Allongée sur son lit après une longue journée de va-et-vient entre leur maison et celle de ses parents, Maguy, qui essayait de lire depuis près d'une heure, était inquiète. Rien de ce qu'elle parcourait machinalement des yeux ne pénétrait dans sa tête. Elle avait beau lire et relire, les mots et les phrases qui défilaient n'avaient aucun sens pour son esprit éparpillé. Elle abandonna son roman. Le cadran de la petite horloge posée sur la commode marquait onze heures trente. Philippe n'était pas encore revenu. Lorsqu'il restait au bureau après le souper, retenu par une urgence ou quelque opération, Philippe ne rentrait jamais après neuf heures trente ou dix heures. Nerveuse, elle se leva, décrocha le téléphone et composa le numéro du cabinet.

– Bien évidemment, il n'y a plus personne ! dit-elle tout bas.

Pour en avoir le cœur net, elle laissa sonner long-temps, très longtemps… Tournant comme une âme en peine, Maguy revêtit son peignoir et se rendit jusqu'à la chambre de Myriam, qui dormait d'un sommeil paisible. « Comme elle est belle, ma fille ! Ainsi endormie, elle a l'air d'un ange », se dit-elle en admirant ses traits fins et son teint rosé. Ses cheveux très noirs dispersés formaient une auréole sur les draps blancs. Sa respiration régulière soulevait paisiblement sa poitrine ; en l'observant ainsi, Maguy se sentait envahie d'une immense tendresse. Myriam était son rayon de soleil… Laissant son esprit vagabonder dans le calme de la soirée, elle revoyait sa fille hospitalisée, la jalousie de Suzanne durant la visite du Cardinal et les craintes de Philippe, qui alors lui avaient paru superflues : « Après tout, se dit-elle, Philippe a peut-être raison de se méfier des paroles de notre belle-sœur. Il est important de protéger Myriam des commentaires qui pourraient un jour arriver jusqu'à ses oreilles. Je ne veux pas que la spontanéité de ma fille soit affectée, sa sécurité menacée. » On lui avait souvent rapporté des histoires d'adoption qui devenaient déchirantes, tant pour les enfants que pour les parents nourriciers, lorsque, après des années de recherches, un adolescent devait choisir entre quatre parents. Le sentiment d'appartenance était alors ravagé, remis en question, divisé en deux parties qui s'affrontaient face à un être fragile pris en otage et incapable de faire un choix objectif. Les conséquences de ce genre de situation pouvaient être dramatiques. Myriam s'étira doucement dans son lit avec un petit gémissement. Puis, sentant la présence de sa mère, elle entrouvrit un œil et sourit à Maguy.

–Dors, mon ange, rendors-toi vite!

Myriam se retourna en soupirant. Elle ne s'était même pas réveillée. Maguy lui donna un baiser sur le front, replaça ses couvertures et regagna sa chambre, tourmentée par l'absence inhabituelle de son mari. Ne sachant plus comment échapper à l'insomnie, elle descendit jusqu'à la cuisine, se versa un scotch et remonta se coucher, son verre à la main, puis elle éteignit la lumière. Elle n'arrivait pas à retrouver son calme. Derrière la fenêtre, malgré l'épaisseur du rideau, la clarté de la pleine lune se reflétait jusqu'au pied de son lit et emplissait la pièce d'une atmosphère étrange. La ronde incessante de ses pensées tournait et tournait encore. « J'ai prêté serment, j'ai juré de ne jamais rien dire, et c'est tant mieux! Le Cardinal, en nous demandant le secret le plus absolu, nous a mis à l'abri de tous ces tracas insupportables. Si jamais il devait arriver quelque chose de fâcheux ou de troublant pour ma fille, un événement qui l'éloignerait de moi ou la perturberait émotivement, j'en mourrais, c'est sûr! » Connaissant bien sa propre fragilité, Maguy se savait incapable de passer à travers ce genre d'épreuve. Rien que d'y penser, elle en avait des frissons. Elle mit les deux mains sur son visage et, encore une fois, se laissa envahir par les doutes et les craintes! Le spectre d'une deuxième mère, le fantôme de la mère biologique de sa fille continuait de la hanter... Parfois, elle aurait voulu savoir ce qu'il était advenu de cette femme, cette Kateri qu'elle avait à peine entrevue. Parfois, comme ce soir, elle rejetait avec violence l'idée que celle-ci pouvait être encore en vie… Et pourtant que se passait-il donc ? Maguy sursauta. Le visage de Kateri était là, immobile au milieu de la chambre ! Elle cligna des yeux, mais l'image ne disparaissait pas. La mère de sa fille, étrangement belle et nimbée d'un nuage de lumière dorée, la regardait gravement. Maguy eut peur et mit la main sur sa bouche en lâchant un petit cri. Kateri était toujours là… Alors, elle se leva et éclaira la pièce. La vision s'évanouit aussitôt. « Voyons, se dit-elle, essayant de museler la terreur qui menaçait son équilibre, je suis seule au milieu de la nuit, mes fantasmes m'entraînent un peu trop loin ! Ce qui est vrai, c'est que je n'ai rien à craindre. Ce qui est vrai, c'est que Myriam est ma fille et celle de personne d'autre. Mais, où est donc Philippe ? »

Il était un peu plus de minuit lorsque Philippe tourna la clé dans la serrure :

– Maguy ? Tu ne dors pas encore !

– Philippe, tu rentres bien tard, lui dit-elle en faisant la moue.

Il savait qu'il valait mieux donner tout de suite une explication :

– Oui, je suis allé au Club Saint-Denis avec Paul Duquette. Il envisage de s'associer avec moi et nous devions parler de nos affaires. Je suis un peu réticent, je ne sais si je dois m'embarquer avec lui, après mon expérience malheureuse avec ton frère !

– Arrête donc de parler de mon frère ! Tu n'as pas pensé à me téléphoner ? Ça ne te ressemble guère ! Je me faisais un sang d'encre…

Maguy se colla contre lui, dévorée par son besoin de tendresse. Elle aurait aimé qu'il efface les inquiétudes torturantes dont elle était assaillie quand elle se sentait seule ! Philippe y arrivait rien qu'en la caressant, en la prenant dans ses bras. C'était si facile ! Lorsqu'il se glissa entre les draps après avoir éteint la lampe de chevet, il se contenta de lui donner un baiser rapide sur la joue. Maguy poussa un petit grognement de reproche et posa la tête sur sa poitrine, attendant son dû : un geste d'affection, de désir... Comme elle aimait le contact chaud et sécurisant de sa peau ! Déplaçant un peu l'oreille, elle entendait battre son cœur. Maguy aurait voulu faire durer éternellement ces quelques secondes et devenir minuscule pour rester là, toujours. Elle se sentait chavirée par la discrète odeur émanant du corps de Philippe, qui faisait monter en elle un torrent de sensualité. Mais lui ne réagissait toujours pas.

– Oh, chéri, il y a si longtemps !

– Il y a si longtemps que quoi ? répondit Philippe, imperméable à ses demandes.

– Décidément, tu es bien cruel. Tu ne sembles pas t'apercevoir qu'on fait de moins en moins l'amour ! Philippe, prends-moi dans tes bras, j'ai besoin de toi, j'ai si peur !

– Voyons, voyons, de quoi as-tu peur ? C'est ridicule !

Elle l'enlaçait avec tout son corps. Elle se faisait chatte. Il ne réagissait toujours pas.

– Je suis fatigué, Maguy.

– Philippe, tu es toujours fatigué ! Tu travailles trop ! On dirait que tu ne vis plus avec moi. Pourtant, ce soir, tu as des choses à te faire pardonner...

Maguy se faisait si pressante et mit tant d'ardeur dans ses caresses que Philippe céda. Mais le cœur n'y était pas. Ses mains, malgré toute leur habileté, ne transmettaient pas l'essentiel. Il faisait l'amour comme un technicien, reproduisant des gestes précis, programmés par la raison et non par la passion. Il n'y avait pas de sensibilité amoureuse pour étancher la soif de Maguy. Impuissante, elle sentait se creuser entre eux un fossé qui devenait plus profond au fil des années. Après leur étreinte qui laissa à Maguy un goût d'insatisfaction, Philippe s'endormit immédiate-ment, l'abandonnant à des peurs incompréhensibles pour lui : «Des peurs de femme, des niaiseries irra-tionnelles... Maguy devient agaçante avec sa façon d'avoir peur de tout et de rien! Je n'ai plus de patience avec elle. Mais après tout c'est ce qu'elle cherche!» En moins de deux minutes, il était loin, bien installé dans l'univers de l'inconscient, à côté de sa femme qui ne réussit pas à s'endormir cette nuit-là.

*

Grand-maman Anne dépérissait chaque jour. Les traits de son visage se creusaient. De grands cernes noirs entouraient ses yeux. Elle qui n'avait jamais été solide maigrissait à vue d'œil, ne mangeant presque plus. Même son légendaire penchant pour la coquet-terie semblait envolé. Maguy multipliait les efforts d'imagination pour varier les menus afin de la voir s'alimenter convenablement. Auparavant, Anne avait presque toujours la migraine, maintenant elle était affligée de douleurs dans tout le corps, qui la clouaient au lit plus cruellement que jamais. Le médecin venait la voir régulièrement et lui prescrivait toute une série de potions et de pilules. Les remèdes s'alignaient sur sa table de chevet, mais Anne n'allait toujours pas mieux. Cloîtrée, elle cédait à la mélancolie, hormis les jours où tante Mimi, sa chère amie, venait lui faire la lecture et lui raconter tous les potins qui couraient dans le voisinage. Alors, c'étaient des parties de fous rires auxquelles Myriam se joignait volontiers lorsqu'elle revenait de l'école. Comme aux jours de son hospitalisation, on jouait aux cartes ou au Monopoly, on s'amusait à tricher jusqu'à ce que l'hilarité devienne collective. Les visites de tante Mimi faisaient entrer une véritable bouffée d'air frais.

Albert, inquiet pour la santé de sa femme, continuait malgré tout à gérer ses affaires ; il avait depuis si longtemps renoncé à avoir une épouse en forme que de la voir réellement malade ne faisait pas grande différence ! Il s'embarqua à ce moment-là pour un voyage en Europe afin d'y négocier quelques gros contrats. Albert avait une peur maladive de l'avion sans jamais l'avouer. Saisi par le mal de l'air dès qu'il franchissait un pont, il utilisait régulièrement le bateau comme mode de transport, prétextant trouver les transatlantiques plus sûrs et plus confortables.

Un matin, alors que Philippe et Myriam dormaient encore, Maguy s'était levée pour prendre soin de sa mère souffrante. Il était à peine six heures. Dès qu'elle eut franchi le seuil de sa chambre, elle entendit Anne crier :

– Monte vite, Maguy, j'ai besoin d'aller aux toilettes...

La sonnerie du téléphone retentit, aussi agressive à cette heure matinale que la voix de la malade.

Maguy décrocha, sûre qu'il s'agissait d'une erreur de numéro:

– Allô, qui est à l'appareil?

L'homme s'exprimait en anglais et appelait de New York. Maguy fit des signes à Anne, certaine qu'on allait leur passer Albert. «Le départ du paquebot a peut-être été retardé pour une raison quelconque!» pensait-elle déjà. Mais à l'autre bout du fil l'homme poursuivait. Maguy ne comprenait pas où il voulait en venir! Il avait l'air de peser ses paroles:

– Madame Pellerin? Je dois parler à madame Pellerin voyez-vous. Je suis le constable O'Hara. Excusez-moi de vous appeler si tôt, madame, je devais absolument vous joindre...

– Maguy Pellerin à l'appareil, ma mère est souffrante, de quoi s'agit-il?

– Il s'agit de monsieur Pellerin, votre père.

Maguy sentit soudain son cœur faire des bonds dans sa poitrine.

– Désolé, madame, d'avoir à vous apprendre une si triste nouvelle au téléphone! Il est arrivé un accident à monsieur Pellerin... mes condoléances, madame. Oui, oui, sur le bateau, monsieur Pellerin a été victime d'une crise cardiaque. Sa dépouille est ici, au Sloane Memorial Hospital à New York, où il a été transporté en hélicoptère. Nous vous attendons, madame...

Maguy n'arrivait pas à reposer le combiné. Ses jambes ne la portaient plus. Elle ne savait plus trop où elle se trouvait. Les paroles du constable O'Hara faisaient écho dans sa tête. Pour Maguy, la terre entière était en train de s'écrouler. Anne, qui avait tout compris dès la première seconde, hurlait, assise sur son lit, la tête entre les mains. Albert avait été et était encore le pivot de leur vie, l'homme qui représentait tout, qui était présent quoi qu'il arrive et qui prévoyait chaque événement de leur existence.

Maguy fut durement ébranlée par ce choc aussi dramatique qu'inattendu. Mais il fallait réagir et régler rapidement les problèmes pratiques. La nouvelle avait plongé Anne dans une prostration complète et ne fit qu'aggraver les symptômes déjà alarmants de ce qui était un cancer généralisé. Trop souffrante, elle refusa de se lever pour aller à New York chercher la dépouille d'Albert. Son lit avait toujours été son refuge : à partir de ce jour, elle ne le quitta plus, même pas pour la cérémonie funèbre.

– Mon Dieu, que nous arrive-t-il, Maguy ? Je ne survivrai pas au décès de ton père, je vais mourir moi aussi. D'ailleurs, c'est moi et non Albert que le bon Dieu aurait dû prendre ! Quand je pense que je ne le reverrai plus ! Il nous a abandonnées...

Anne ne cessait de répéter ces propos comme un automate et Maguy se mit à jouer à la femme solide, essayant de redonner un certain allant à sa mère :

– Voyons, maman, il faut être forte, il ne manquerait plus que cela, que toi aussi, tu flanches ! Te rends-tu compte ? Nous avons tous besoin de toi !

Anne levait les yeux au ciel en répétant qu'elle ne voulait pas survivre à son mari. Devant son incapacité à réagir, ce fut Maguy qui se chargea de tout et qui s'occupa en particulier d'organiser les funérailles. Elle partit pour les États-Unis, en compagnie d'Étienne.

Myriam avait beaucoup de peine à comprendre que l'absence d'Albert était définitive. Il laissait un vide dont elle ne mesurait pas les conséquences et elle dut faire face, comme tous les enfants, à ce mystère qui fait inévitablement partie de la vie : la perte d'un être cher. Son chagrin se traduisait par des moments d'inattention encore plus fréquents qu'à l'ordinaire et par des colères inexplicables qui surgissaient au moment où on s'y attendait le moins. Comme la fillette n'avait pas revu le vieil homme, il lui était difficile de pleurer ; sa douleur restait une chose abstraite, se cristallisant au fond d'elle, pesante et impossible à exprimer par des mots ou par des gestes cohérents. Son chagrin prenait des détours insidieux tout à fait incompréhensibles. Myriam interrogea sa mère :

– Dis, maman, pourquoi il est mort, grand-papa ?

– Il a été malade sur le bateau.

– Pourquoi on l'a pas soigné ? Je voulais le revoir moi, mon grand-papa ! Mon grand-papa, je le veux ! Je veux qu'il vienne se promener avec moi.

Elle criait et tapait du pied. Pour Myriam, il était évident que, quand on est malade, il suffit de faire appel à un médecin comme son papa afin de guérir. Philippe intervint et voulut calmer sa fille.

– Myriam, laisse ta maman qui a beaucoup de peine. Viens avec moi, on part pour la piscine. Va chercher ton costume de bain.

Philippe réussit ainsi à la distraire un peu de son chagrin. Mais tout cela était bien obscur, car, selon la logique des grandes personnes, sa peine à elle était sans doute moins importante que la peine de sa maman. Elle essaya de la ravaler, cherchant refuge auprès d'Anne, mais grand-maman ne voulait plus parler ! La vieille dame si bavarde était devenue muette avec sa petite-fille, ne lui racontant plus ses belles histoires et ne sortant plus de dessous ses couvertures.

Lorsque Maguy et Étienne arrivèrent à New York, les formalités furent longues et pénibles étant donné qu'il fallait acheminer la dépouille jusqu'à Montréal en fourgon mortuaire. Maguy ne tenait sur ses jambes que par un énorme effort de volonté. Pour une fois, elle s'appuya sur Étienne, qui joua le rôle de frère protecteur, modelant son attitude sur celle qu'aurait eue son père. Lorsqu'ils identifièrent le corps d'Albert, Maguy se mit à sangloter en s'effondrant sur la poitrine froide du défunt.

– Je ne peux pas croire que tu nous as quittés si brutalement, papa. J'essaie d'être forte, mais je sais bien que je ne serai plus la même sans toi.

Étienne n'avait jamais vu Maguy pleurer. Durant leur enfance, toute forme de souffrance avait été soigneusement écartée par leur père, de sorte qu'aujourd'hui le choc était rude, pour elle comme pour lui. Il fallait s'adapter à la réalité. Pour la consoler, il la prit dans ses bras, tout aussi ému qu'elle :

– Tu sais bien, ma petite sœur, que père voudrait nous voir heureux. Sèche tes larmes ! Toutes nos larmes ne serviront à rien, crois-moi, la vie doit continuer !

Étienne l'embrassait et lui prodiguait pour quelques instants la tendresse qui lui manquait. Le triste convoi arriva en ville quatre jours plus tard et la messe de requiem fut célébrée dans la cathédrale par le Cardinal, qui prononça une vibrante homélie pour son vieil ami disparu. La mort inattendue d'Albert Pellerin avait surpris le Tout-Montréal et fait l'objet d'articles dans les journaux. Pour Maguy, une dure période commençait, car Anne se mit à dépérir et à mourir à petit feu. On fit venir des infirmières pour lui administrer ses traitements à domicile et pour veiller sur elle. Mais c'est sa fille qu'elle voulait et qu'elle réclamait à chaque instant. Aigrie, malheureuse, Anne trouvait à chacune des infirmières un défaut quelconque et elle lassait les plus dévouées, qui démissionnaient les unes après les autres. Maguy se mit à soigner sa mère, à la veiller chaque nuit, à répondre à ses exigences. À tout instant, Anne réclamait un verre d'eau ou bien elle ordonnait :

– Maguy, donne-moi donc un coup de peigne, et puis peux-tu retrouver mes lunettes ? Je ne sais plus où je les ai perdues !

Son manège devenait infernal.

– Maguy, où as-tu mis ma liseuse ?

– Tu l'as sur le dos, mamie !

– Maguy, pourquoi mange-t-on encore des épinards ? C'est du bouillon de légumes qu'il me faut. Avec mon mal de ventre, tu sais bien que les pommes de terre ne me conviennent pas ! Je ne peux me fier à personne… Maguy, j'ai mal !

Il fallait lui faire la lecture, la distraire. Heureusement que la précieuse tante Mimi venait lui rendre visite au moins trois fois par semaine, toujours prête à aider et à remettre un peu d'entrain dans la maison.

Au bout de quelque temps, on fit installer la malade chez Maguy et Philippe, afin d'éviter les allées et venues. La grande maison se vidait. Johnny et Betty quittèrent leur service, la larme à l'œil. On vendit la limousine d'Albert, devenue inutile. Maguy regardait tous ces changements en essayant vainement de ne pas trop ressentir les blessures qui l'affectaient si profondément. Lorsque sa mère fut installée dans la chambre voisine de celle de Myriam, le résultat ne fut guère plus brillant. La nuit, Anne se réveillait et agitait une sonnette pour appeler Maguy qui se levait d'un bond, contrariée à l'idée de perturber le repos de Philippe ou de sa fille. Alors, pour leur éviter ce genre d'inconvénient, elle déserta son lit et alla dormir dans la chambre d'Anne, sur le petit sofa. Devenue insomniaque à cause de la tyrannie de sa mère qui s'exerçait nuit et jour, Maguy prit l'habitude de se verser un verre de scotch pour se soutenir. Au matin, ayant de la difficulté à commencer sa journée, ne se sentant plus jamais en forme, elle se mit à consommer certains remontants fournis par Philippe, puis à prendre, le soir, un ou deux cachets pour dormir. Épuisée, douloureuse jusqu'au fond de l'âme, Maguy voyait son univers s'écrouler et son mari se détourner lentement d'elle.

Dans les premiers temps qui suivirent le décès d'Albert, Étienne venait rendre visite à sa mère et lui administrer les médicaments dont elle avait besoin. Il arrivait toujours escorté de Nicole, et grand-maman ne supportait pas sa bru. Comme elle n'avait jamais digéré le mariage d'Étienne, la vieille déception ressortait. Anne trouvait sa belle-fille quelconque et elle lui faisait la moue, prenant des airs distants, commentant ses robes et ses coiffures dès qu'elle avait tourné les talons :

— As-tu vu, Maguy, Nicole avait bien trop de mascara sur les yeux aujourd'hui, c'est affreux cette façon qu'elle a de se maquiller !

— Mais voyons, maman, ce n'est pas si important que cela !

— Ah, tu trouves, toi ? Veux-tu bien me dire un peu, de quoi elle a l'air ?

Maguy ne répondait plus, lassée de ces paroles peu charitables. Anne insistait, dressant la liste des faiblesses de Nicole : elle n'était pas assez soignée, elle n'avait aucune conversation, elle ne se comportait jamais comme quelqu'un d'éduqué, etc. Tant et si bien qu'Étienne venait de moins en moins la voir et ne restait auprès d'elle que quelques instants, refroidi dans ses ardeurs par les sous-entendus plus ou moins aigres qu'Anne lui lançait à propos de sa femme :

– Étienne, ta femme pourrait prendre rendez-vous avec ma couturière, je suis sûre qu'elle lui proposerait des choses ravissantes pour la mettre en valeur !

Nicole, de son côté, souffrait de cette animosité qui la paralysait. Se sentant mal accueillie, elle multipliait les bévues et se plaignit à son mari :

– Ta mère est insupportable. Chaque fois qu'on va la voir, elle me dit des choses désagréables ! Qu'elle se passe donc de nous, avec son mauvais caractère, après tout.

– Ma mère n'est pas méchante, tu sais, Nicole, elle souffre beaucoup, c'est pourquoi elle a des paroles blessantes.

– Même avant sa maladie, ta mère ne m'acceptait pas, je ne suis pas assez bien pour elle, je le sais !

Étienne baissa les bras sans protester, Nicole avait raison. Quant à Jean-Paul et Suzanne, ils arrivaient à l'improviste, s'installaient confortablement et s'invitaient pour souper. Claude et François sortaient jouer avec Myriam, ravie. Les enfants, insouciants, ne voyaient dans ces moments que l'occasion d'avoir du plaisir ensemble, sans se faire rappeler à l'ordre ! Ils s'en donnaient à cœur joie et rentraient à la maison bruyants, affamés, décoiffés, les joues rouges d'avoir couru dehors. Maguy s'organisait pour préparer le repas après le départ de Pierrette. C'était pour elle un surcroît de travail et de complications. Finalement, la terrible maladie d'Anne arriva à son terme. Son corps désorganisé ne fonctionnait plus, et il fallut alléger ses souffrances par quelques injections de calmants qui, quand ils perdirent leur efficacité, furent remplacés par de la morphine, dernier recours pour enrayer les terribles douleurs.

Dans la chambre où les rideaux étaient tirés depuis plusieurs mois, il flottait une odeur de produits pharmaceutiques et de renfermé. On n'y avait pas ouvert les fenêtres depuis tant de jours que l'on avait l'impression d'y étouffer aussitôt que l'on avait franchi le seuil de la porte. Maguy aurait aimé y faire circuler l'air, y faire entrer le soleil, mais Anne s'y opposait formellement, vaincue par sa phobie de la lumière qui devenait plus intense chaque année. Depuis deux jours, Anne avait perdu la tête, délirait et ne s'alimentait plus. On s'attendait au pire. Maguy et Suzanne entouraient la malade, elles attendaient Étienne et Jean-Paul dans un silence pesant. Le Cardinal avait envoyé l'un de ses vicaires pour lui administrer les derniers sacrements, et le vieux prêtre venait tout juste de repartir. On entendait en bas, dans le corridor, tante Mimi qui sanglotait bruyamment, incapable de refouler son chagrin, tandis que Pierrette emmenait Myriam chez elle pour la soirée. Le parcours terrestre d'Anne touchait à sa fin. Maguy s'approcha de sa mère qui semblait avoir un regain d'énergie, lui tenant la main pour la rassurer et lui prodiguant de bonnes paroles. Suzanne, assise sur une chaise dans le coin près de la fenêtre, ne disait mot. Elle écoutait Anne qui, se croyant seule avec sa fille, lui dit lentement en mesurant ses forces pour pouvoir exprimer les dernières choses importantes :

– Maguy, je veux que tu donnes à mes petits-enfants les livres et les objets personnels de leur grand-père. François et Claude sont de bons garçons. Quant à Myriam, même si elle n'est pas de notre sang, puisqu'elle a été adoptée, je l'aime comme si elle était ma petite-fille ! C'est une enfant merveilleuse. Je veux que tu lui donnes mon collier de perles, mes boucles d'oreilles et mon coffret à bijoux en souvenir de moi.

Suzanne, pour une fois, retenait sa respiration. Interloquée par les paroles de la grand-mère, elle sur-sauta. C'était la première fois qu'elle entendait mentionner l'adoption de Myriam. Avait-elle bien entendu ? Pourquoi lui avait-on caché cette histoire ? Venant de Philippe, cela ne l'étonnait guère ! Mais, de la part de Maguy, de telles cachotteries, c'était insensé... Elle n'en croyait pas ses oreilles ! Pourtant, étant donné les circonstances, Suzanne ne pouvait douter des propos qu'elle venait d'entendre. Maguy, toute à sa mère dont les forces déclinaient rapidement, n'avait même pas remarqué la réaction de sa belle-sœur. Les idées se bousculaient maintenant dans la tête de Suzanne, les conclusions les plus folles s'y tissaient pour s'imprimer dans son cerveau. Elle ne savait plus laquelle retenir. Une chose était sûre : Maguy, Philippe et les beaux-parents avaient concocté une affaire qu'ils avaient tenue religieusement secrète depuis la venue au monde de Myriam, et voilà qu'aujourd'hui, à cause du décès imminent d'Anne, elle avait découvert le pot aux roses ! Pourquoi ce secret avait-il été si bien gardé ? Étienne et Jean-Paul arrivèrent sur ces entrefaites et, quelques secondes plus tard, Anne ferma les yeux pour toujours.

Après les funérailles d'Anne, Maguy, à bout, n'était plus que l'ombre d'elle-même. Sa joie de vivre et son heureux caractère avaient été minés par trop de pertes, trop de pleurs et trop de peurs. Sa vie n'avait plus de racines. Loin de l'obliger à sortir d'elle-même, sa détresse la fit se replier. La disparition de son père et la longue maladie de sa mère avaient fait perdre à Maguy le goût de sortir et de voir du monde ; sans y prendre garde, elle s'était peu à peu enfermée dans sa solitude. Même le piano d'Anne que l'on avait déménagé chez elle, son cher piano, ne l'attirait plus autant, et pourtant la musique lui manquait... Dans ses rêves, fréquemment, elle se voyait assise au clavier, essayant de jouer, impuissante et malhabile. Les notes ne jaillissaient plus légères et harmonieuses, c'étaient des sons discordants et cacophoniques qui l'agressaient et la réveillaient en sursaut.

Et puis, souvent, l'image de Kateri revenait et s'imposait à elle, comme si cette femme voulait lui dire quelque chose, quelque chose qu'elle ne voulait surtout pas entendre...

Chapitre xii

Juillet 1954.

Au petit matin, Gaby se réveilla avec une faim de loup. Il sortit torse nu et se rendit à la fontaine derrière la maison, s'aspergea le visage d'eau glacée et secoua sa chevelure en respirant bruyamment. Puis il s'étira longuement pour se mettre en forme et, avec la cognée, se mit à découper quelques gros billots de bois qui traînaient dans la remise. L'exercice lui faisait du bien.

–Han!... han!

La hache s'abattait lourdement et faisait voler en éclats les restes d'un érable. Dehors, le ciel s'éclaircissait et des lambeaux de brume vaporeuse s'élevaient autour des berges du lac, apportant la promesse d'une journée ensoleillée. L'air sentait bon. Il annonçait la joie de la belle saison, lorsque la nature grouille d'une activité intense et légère sous les moindres petits brins d'herbe et que se répand le parfum de l'été. À l'orée du bois, des merles et des étourneaux picoraient les graines et les vers de terre, en piaillant sans retenue.

Lorsque son tas de bois lui parut suffisant, Gaby rentra dans la maison avec des bûches plein les bras. Son estomac criant famine, il alluma la truie, puis prépara rapidement une pâte faite de farine, d'eau et de sel qu'il pétrit dans ses mains en un long tortillon, qu'il enroula sur des baguettes. Les braises étant à point, il déplaça les ronds du poêle pour cuire sa banique, le pain indien, à même le feu. Quand elle fut croustillante et dorée, après quelques minutes, il en dévora de bon cœur la moitié, avec un bol de soupe au maïs qui lui restait de la veille. Un vrai régal!

Son appétit calmé, il passa une chemise à carreaux, rattacha ses cheveux et se mit à réfléchir. Avant de remonter dans le Nord pour trapper et chasser, il voulait prendre le temps de faire encore quelques recherches avec l'aide de Pierrette. Par où faudrait-il commencer pour retrouver la trace de Kateri? On piétinait depuis si longtemps! Tous les deux, ils s'étaient présentés quelques fois à la police et ils avaient rempli une déclaration de disparition, répondu à tout un questionnaire, donné des détails. Cependant, d'après les dossiers des policiers, aucun décès n'avait été rapporté qui corresponde au signalement de celle qu'ils recherchaient. Ayant déjà fait le tour des prisons et n'ayant rien obtenu de plus, ils avaient l'impression de se heurter à un mur. Tout ce qu'on leur disait, c'est qu'il n'y avait aucune prisonnière répondant au nom de Kateri. C'était décourageant.

Accroupi devant la petite armoire, Gaby, perplexe, cherchait dans les objets ayant appartenu à Wanda quelque chose que Kateri aurait pu laisser en quittant Kanesataké et qui lui donnerait un indice. Mais Wanda avait gardé si peu de choses et tout cela paraissait si lointain qu'il se sentit tout à coup démoralisé. Sa main se promenait sur les étagères et, derrière une pile de linge soigneusement plié, il sentit un objet métallique. C'était une boîte en fer-blanc, une vieille boîte décorée dans laquelle sa mère rangeait les biscuits lorsqu'il était petit. À l'intérieur de la boîte, au milieu de quelques souvenirs hétéroclites, il retrouva la petite bourse en cuir perlée que Kateri aimait tant, la première qu'elle avait brodée elle-même et portée à sa ceinture lorsqu'elle était une petite fille... Gaby revoyait sa sœur, leurs jeux et leurs rires, puis le drame de la noyade de leur père. Les souvenirs se bousculaient... À côté de la bourse, quelques photographies, de vieilles photos de son enfance, de sa sœur, de leurs parents. Enfin une autre, beaucoup plus récente celle-là, de Kateri aux côtés du Cardinal! Comme elle avait l'air heureuse... Gaby ne pouvait détacher ses yeux de la photo. En voyant avec quel air admiratif sa sœur regardait cet homme, comme s'il avait été un dieu, Gaby fut à nouveau envahi par la colère.

Depuis qu'il avait été écarté avec fermeté par le Cardinal, le jeune Indien cultivait envers lui une haine farouche et forgeait dans sa tête des plans de vengeance qu'il ne confiait à personne. Il détestait cet homme au cœur dur, à l'attitude de grand seigneur offensé, il abhorrait le mensonge qui se dégageait de sa personne, dressé autour de lui comme une barricade. Se sentant humilié, Gaby ne pouvait se résigner à avoir été évincé; il n'admettait pas non plus que ses requêtes les plus légitimes aient été ignorées.

En revoyant l'image de Kateri, il avait encore plus fortement la certitude qu'un malheur avait frappé sa sœur, et cela par la faute de cet homme de pouvoir, un de ces religieux qui se croient tout permis, qui méprisent la culture autochtone et rejettent les croyances pacifiques de ses frères de race. Ses pensées attisaient le feu de sa colère, en faisaient rougir les braises qui couvaient sous la cendre. « Les prêtres ont semé la désolation parmi les Premières Nations au nom d'un Dieu d'amour. Où est donc la logique dans tout cela ? » À genoux dans la petite maison de bois, Gaby pleurait sur Kateri, sa chère sœur convertie et bafouée, qui avait disparu. Il sanglotait comme un enfant. Cette révolte était douloureuse. Sa soif de justice criait au fond de lui. Plus les années passaient, et plus il errait comme une âme en peine et se sentait déraciné, souffrant de tous les revers subis par les siens et de la perte cruelle de sa mère et de sa sœur.

Il resta ainsi un long moment noyé dans sa douleur ; lorsque sa tête et sa poitrine devinrent plus calmes, laissant là son désir d'aller trapper, il grimpa dans son camion et se mit en route pour Montréal.

*

Pierrette et Louise faisaient leurs achats pour préparer la rentrée scolaire de leurs aînés. Déambulant le long de la rue Sainte-Catherine, les deux belles-sœurs parlaient de choses et d'autres, en particulier de leurs préoccupations quotidiennes, en admirant les vitrines colorées des nombreux magasins. Elles entrèrent chez Eaton.

– Tu sais, Louise, il faut qu'on aboutisse dans nos recherches ! Le problème finit par m'obséder et je sens que cela tourne la tête à Gaby aussi ! Pourtant, rien n'avance… Personne ne semble vouloir prendre cette affaire au sérieux ! C'est comme si la disparition d'une femme pauvre était sans importance ! On veut bien nous faire remplir des papiers, mais ça s'arrête là, débrouillez-vous donc ! Si c'était la fille d'un personnage important, je te gage que toute la province de Québec aurait été fouillée de fond en comble... et que ça n'aurait pas pris de temps ! On l'aurait retrouvée avant de dire ouf !

– Vous devriez orienter vos recherches vers les hôpitaux. Il se peut qu'elle ait eu une maladie après tout !

– C'est vrai, Louise, ce que tu dis a de l'allure ! Pourtant, quand on la connaissait, elle était en si bonne santé... Et puis la petite est en pleine forme ! Mais je suis toujours obligée de faire attention à ce que je dis à l'un et à l'autre ! Même Gaby ne sait pas que sa sœur a eu un enfant : je me demande comment il réagirait ! J'aurais bien trop peur qu'il me tire les mots de la bouche pour connaître cette enfant-là ! Imagine la suite...

Pierrette avait l'air préoccupée :

– J'aime Myriam comme si elle était ma fille et, en ce moment, elle a grand besoin de ma présence, car madame Langevin est dans un creux depuis la mort de son père et de sa mère. Mais, pour Kateri, comment doit-on s'y prendre ?

– Attends un peu, essayons d'imaginer : peut-être que son accouchement l'a perturbée, peut-être qu'il y a eu des complications, on ne sait jamais...

Louise se frappa le front du revers de la main.

– Mais j'y pense, je pourrais sans doute faire quelque chose ! C'est à Sainte-Justine que je devrais aller chercher, dans les archives. Je connais bien la responsable, je pourrais essayer de retrouver le dossier de Kateri !

Louise venait tout juste de reprendre du service à Sainte-Justine, quatre mois auparavant.

– Oh, Louise, tu ferais cela pour nous ?

– Je le ferais pour toi, ma chère, parce que tu es une personne que j'aime et que j'estime.

Les deux femmes exprimaient spontanément leur affection qui grandissait avec les années, en même temps que leurs enfants, cette joyeuse bande de cousins inséparables.

– Parfois, je me demande si je fais bien de m'entêter à vouloir retrouver Kateri. Mais j'ai promis ! J'ai été très impressionnée lorsque Wanda, mourante, nous a affirmé que sa fille était encore vivante. Elle en était si sûre ! On aurait dit qu'elle recevait des informations de l'au-delà. Même Gaétan, qui pourtant ne croit pas à toutes ces histoires, était persuadé qu'elle disait vrai.

– Certain qu'elle disait vrai, moi je crois qu'il y a des choses invisibles qui existent ! Même si on ne les comprend pas, ces choses-là, il faut les respecter... et savoir les écouter tout au fond de nous.

– Oui, mais quelquefois j'ai peur de tout ce que cela va déclencher. Imagine qu'on retrouve Kateri et vois la situation : je suis avec sa fille tous les jours et je ne peux pas lui en parler ! Je ne peux rien dire, car sinon madame Langevin, son autre mère, va en faire une véritable dépression. Déjà qu'elle n'est pas trop forte en ce moment ! Et puis la petite qui ignore tout et qui doit continuer à tout ignorer ! Quelle histoire, Louise, quelle histoire ! Je me sens prise des deux côtés. Qu'est-ce qui est honnête, d'après toi ? Qu'est-ce que je dois faire ?

La pauvre Pierrette soupirait.

– D'après moi, dit Louise, il faut que tu prennes les choses une par une. Premièrement, tu as promis de retrouver Kateri et c'est important pour toi. Tu te dois de le faire. Deuxièmement, tu ne sais pas encore comment tout ceci va tourner. Et puis tu n'as vraiment rien à te reprocher! Alors, c'est inutile de te torturer à l'avance, remets-toi à tes prières et à ta foi. C'est le bon Dieu qui te guidera le moment venu. Écoute ce que te dit ton cœur!

–C'est donc bien vrai, Louise, tu as raison! Où prends-tu donc cette sagesse-là?

Pierrette regardait sa belle-sœur avec une admiration enthousiaste et l'autre riait franchement en lui rappelant:

–Dans tes conseils, ma chère! Te souviens-tu que c'est toi qui m'encourageais lorsque mon travail à la prison me rendait maussade? Je te dois beaucoup.

Elles avaient beau fouiller dans le magasin, ne trouvant rien qui leur convienne, elles continuèrent leur promenade rue Sainte-Catherine, parmi la foule des badauds et des travailleurs; elles s'arrêtèrent pour boire un café dans un des restaurants des alentours. Pierrette ne tarissait plus sur le sujet qui la préoccupait tant. Après toutes ces années, pourrait-elle seulement reconnaître son ancienne compagne?

Dès le lendemain, Louise descendit à la salle des archives de l'hôpital. Pour avoir accès aux dossiers, elle devait convaincre son amie Francine Vital de la laisser fouiller, ce qui ne fut pas chose facile. Finalement, Francine céda et promit même de chercher le fameux dossier pendant son heure de repas. Elles disposaient d'à peine quinze minutes chaque jour pour éplucher des milliers de noms à moitié effacés par le temps et inscrits sur les classeurs en carton gris, souvent mal rangés. Ce n'est qu'au bout d'une semaine qu'elles découvrirent au fond d'un tiroir quelques dossiers couverts de poussière et qui semblaient avoir été mis à l'écart. Tout était là. Il y avait les circonstances de l'arrivée de Kateri transportée en ambulance de la prison des femmes, puis l'accouchement pratiqué par le docteur Charlebois, les rapports de ses crises nerveuses répétées et des calmants prescrits, ainsi que son transport en urgence à Saint-Jean-de-Dieu et l'adoption immédiate de la petite.

Louise frissonna. Était-ce possible?

– C'est horrible, Francine, je ne peux y croire! Cette femme est donc entrée à Saint-Jean-de-Dieu voici bientôt huit ans et personne n'a eu de ses nouvelles! Personne n'a su ce qui lui était arrivé, vu que sa famille ne s'est jamais présentée à l'hôpital!

Ses jambes tremblaient. Étant infirmière, elle savait ce que voulait dire un séjour «chez les fous». Il s'agissait maintenant de mettre Pierrette au courant de la situation. Elle le fit avec toute la délicatesse dont elle était capable; de toute façon, Pierrette était prête à tout entendre. C'est ainsi que Pierrette et Gaby prirent le chemin de Saint-Jean-de-Dieu.

Dans l'immense hôpital qui formait presque une ville, des milliers de malades, plus ou moins conscients de leur état, regardaient passer les jours, les mois et les années, englués dans un système impitoyable qui les avait relégués au rang de parias. Quelques-uns recevaient encore des visites. Mais pour la plupart, ils étaient abandonnés là par des familles trop heureuses de retrancher aux regards de la société «normale» la honte d'avoir un enfant ou un parent atteint de ce mal inacceptable et dérangeant: la folie.

On englobait alors dans ce terme de folie tout comportement qui déviait de l'ordinaire, tout ce qui était différent, tout ce qui était entaché de non-conformisme et d'insoumission aux us et coutumes de la société bien-pensante, toutes les souffrances qui s'exprimaient par la marginalité. La peur de ces désordres paralysait les proches maintenus dans l'ignorance de ce qui était la cause véritable et dans la crainte du qu'en-dira-t-on. On était sûr que toute forme de « folie » était dangereuse. On n'admettait pas encore qu'elle n'ait été que la conséquence d'une souffrance non accueillie, non reconnue, non écoutée : le refus de toute sensibilité émotive. Le corps médical avait tout pouvoir sur ces malades. On essayait toutes sortes de méthodes empiriques sur les patients livrés au système comme les victimes consacrées des sacrifices antiques. Nul ne posait de questions, car les questions étaient taboues, et quand bien même il y en aurait eu, les psychiatres pouvaient y répondre comme bon leur semblait. Eux seuls détenaient la clé du dangereux désordre. Eux seuls avaient le pouvoir d'intervenir, avec les résultats désastreux qui s'ensuivaient. La vie des malades leur appartenait.

Il y avait là des femmes et des hommes, des jeunes et des vieux, des doux et des violents, que l'on traitait avec les mêmes méthodes, les mêmes gestes froids et inhumains, sans égard à leur sensibilité, comme s'ils avaient eu un mal terriblement contagieux, comme s'ils n'avaient pas été des êtres humains à part entière. Certains avaient reçu des électrochocs, pratique malheureusement courante et douloureuse à l'extrême qui réduisait les possibilités de s'exprimer. D'autres recevaient des doses massives d'insuline, ce qui les plongeait dans un état comateux dont on ne pouvait plus les sortir. D'autres encore avaient été lobotomisés, ce qui, en plus de les faire souffrir dans leur corps, ne leur laissait plus aucune chance de conduire leur vie. Ils étaient tous réduits à l'impuissance, et ce, jusqu'à la fin de leurs jours.

Lorsque Pierrette et Gaby s'approchèrent de l'immense bâtiment flanqué de deux ailes sur plus de dix étages, il faisait un temps magnifique. La campagne alentour prenait ses couleurs d'automne, tranquille et immuable, imperturbable devant la folie des hommes. Les érables rougeoyaient et le paysage se parait de toute sa splendeur pour annoncer que l'abondance estivale s'achevait. La nature avait distribué avec largesse pendant quelques mois tout ce que l'on pouvait y puiser. Quel contraste entre les abords champêtres de la route qui les avait conduits jusque-là et l'hôpital lui-même, gigantesque, sévère et froid! Au premier coup d'œil à l'imposante façade où s'alignaient des centaines de fenêtres grillagées, le cœur de Pierrette se serra. Allait-elle enfin retrouver celle qui lui avait tant manqué? Ses recherches allaient-elles aboutir? Elle pensa: « Kateri, Kateri, nous arrivons pour te retrouver, tiens bon! »

Déjà, lorsqu'ils garèrent la voiture dans le vaste espace réservé aux véhicules, Gaby se sentait nerveux. C'était la première fois qu'il pénétrait dans un hôpital, et celui-ci n'était pas n'importe quel hôpital... Vu d'ici, c'était impressionnant. Immense. Dans le hall d'entrée, deux réceptionnistes, identiques dans leur uniforme blanc, étaient assises derrière une haute console et répondaient aux questions des visiteurs.

Des religieuses en robes noires, portant voile et tablier, accompagnaient ici et là ceux qui venaient rencontrer un des malheureux internés. Aux quatre coins de la salle, des portes s'ouvraient sous la poussée, puis elles se rabattaient d'elles-mêmes, ponctuant le passage incessant des entrées et des sorties, tandis que des gardiens surveillaient attentivement ce va-et-vient. Entre deux mouvements de porte, on apercevait au long des vastes corridors des malades en chemise, l'air plus ou moins hagard, escortés par des sœurs qui les tenaient fermement. On les amenait jusqu'aux salles communes, ou bien on les faisait vivement rentrer dans leur chambre.

Gaby s'approcha timidement de la réception en lançant un coup d'œil interrogateur à Pierrette comme pour lui demander : « Alors, on y va ? » Pierrette, qui avait saisi le message, lui fit un petit signe de tête : « On y va. » Une des jeunes femmes en blanc leur adressa la parole :

– Qu'est-ce que je peux faire pour vous ?

Un dernier regard à Pierrette et Gaby répondit :

– Nous cherchons ma sœur.

– Est-elle internée ?

– C'est-à-dire que… nous ne savons pas si elle est encore ici. Mais nous savons qu'elle a été conduite ici… seulement, mademoiselle, c'était en 1947 !

La réceptionniste, essayant de masquer son étonnement derrière l'attitude conventionnelle imposée par la direction de l'établissement, répondit simplement :

– Ah, dans ce cas, je dois vous obtenir un rendez-vous avec la personne qui tient les registres.

Ce fut Pierrette qui posa la question :

–Est-il possible d'avoir un rendez-vous tout de suite?

–Je vais m'informer. Pouvez-vous attendre quelques instants?

Une autre femme en sarrau blanc leur proposa de s'asseoir sur les chaises alignées le long du mur et leur tendit des revues qui traînaient sur un guéridon. Ils n'avaient pas le choix. La réceptionniste, fort occupée, répondait aux visiteurs, remplissait des papiers, manipulait l'interphone et ne semblait plus prêter attention ni à Pierrette ni à Gaby qui s'impatientait. Enfin, elle se retourna et composa un numéro sur le cadran du téléphone, signalant la demande de recherche au registraire et sollicitant un rendez-vous. L'attente sembla interminable. Gaby n'en pouvait plus. Il avait dû faire un effort inhabituel pour se rendre jusque-là et pour conserver autant de calme que Pierrette, beaucoup plus stoïque devant ce genre de situation. Il s'en fallut de peu qu'il n'éclate et ne fasse une crise nerveuse lui aussi. La préposée continuait d'attendre au bout du fil, imperturbable. Pierrette tendait l'oreille. Enfin, elle obtint une réponse et leur revint:

–Je crains que cela ne soit pas possible immédiatement. À deux heures trente cet après-midi, cela vous conviendrait-il?

–Ça n'est pas le plus commode pour nous, mais enfin nous serons ici à deux heures trente. C'est d'accord.

–Vous devez vous présenter au bureau 275, au deuxième étage. Apportez avec vous les déclarations de recherche de personne et vos papiers d'identité.

Finalement, ils avaient tout juste le temps d'aller manger une bouchée et de revenir. À deux heures trente comme prévu, le registraire les fit passer dans son bureau. Pierrette ne pouvait s'habituer à l'imposante sévérité des lieux. Nulle part, il n'y avait de reproduction encadrée ou de décoration, hormis un crucifix au-dessus de chaque porte. Des infirmières et des religieuses vaquaient à leur travail, le pas rapide et les yeux baissés. Ici, pas de commentaires ni de bavardages. Il régnait un silence monastique qui étonnait l'oreille et paralysait les plus hardis. Tous deux avaient la gorge serrée et les jambes molles lorsqu'ils prirent place sur les fauteuils faisant face au bureau du registraire.

Les lunettes sur le bout du nez, l'air rébarbatif, l'homme semblait s'harmoniser exactement avec le décor. Les cheveux gris plaqués sur la tête, les traits anguleux et le regard perçant, l'ensemble du personnage n'inclinait pas à la fantaisie. Pierrette et Gaby se sentaient transpercés par ses yeux inquisiteurs. D'une voix éraillée de fonctionnaire pointilleux, il leur dit:

– J'ai besoin de connaître l'identité de la personne que vous recherchez et vous devez me fournir une preuve de votre lien de parenté avec cette personne… ainsi que des démarches déjà entreprises.

Gaby sortit les déclarations qu'ils avaient remplies auprès de la police ainsi que les papiers qu'il avait sur lui, attestant qui il était, et les jeta sur le bureau.

– C'est ma sœur qu'on recherche.

– Voyons si tout est complet. Vous, madame, vous êtes de la famille?

– Non, je suis une amie très proche.

– Je vois, je vois…

Il examina chaque papier en détail, puis se leva lentement en soupirant, comme si on lui demandait un effort surhumain. Il était tout petit et légèrement voûté, ce qui faisait pencher sa tête vers son épaule gauche. Malgré sa taille rachitique, il n'avait pas l'air commode. Il se dirigea en traînant la patte vers les étagères où étaient alignés d'immenses registres, puis s'arrêta devant une rangée en levant les yeux d'un air las. Sur la tranche de chaque couverture était inscrit en grosses lettres un numéro indiquant l'année. Ouvrant la porte du bureau contigu, il appela une religieuse pour faire les recherches dans le registre de 1947 et lui cria les précisions nécessaires de sa voix grinçante. La nonne, souriante et silencieuse, s'empressa de tourner les pages en suivant de l'index la liste des noms pendant que l'autre revenait s'asseoir. Il demanda :

—Qu'est-ce qui peut vous faire croire que cette femme est ici ?

—On a su qu'elle est arrivée ici en ambulance, après son accouchement à Sainte-Justine, le 3 juin 1947...

—Bien, bien.

La religieuse avait relevé la tête et articula laconiquement :

—Voici, j'ai retrouvé le nom. Kateri est encore ici.

Elle n'en dit pas plus et se planta devant les deux visiteurs qui tremblaient d'émotion :

—Vous pouvez demander à la voir, mais je dois vous dire...

Pierrette s'était levée précipitamment, ayant en mémoire tout ce que Louise lui avait expliqué.

—Quoi donc, ma sœur ?

—Rien. Il vaut peut-être mieux ne pas trop vous attendre...

Gaby, que cette hésitation avait rendu très inquiet, murmura :

–Simonac, qu'est-ce qui va encore nous tomber sur la tête ?

La religieuse fit mine de n'avoir rien entendu.

–Oui, ma sœur, nous voulons absolument la voir ! Il y a des années que nous attendons ce moment-là.

–Alors, suivez-moi. Et surtout, soyez courageux. Nous allons prendre l'ascenseur, c'est au sixième étage.

Ils la suivirent comme des automates.

Les corridors n'en finissaient plus. Les portes des chambres étaient toutes closes et l'on entendait parfois un cri qui faisait dresser les cheveux sur la tête. Cela ressemblait à quelque plainte animale, quelque gémissement sans fin venu d'on ne savait où, qui vous transperçait le ventre et vous mettait la mort dans l'âme. Gaby serrait les dents. Pierrette ne savait plus comment ses jambes avançaient sous elle. Sœur Marie-Louise essayait de se faire rassurante. Elle se retournait et leur souriait :

–Ne faites pas attention. Ils n'ont pas toute leur tête. Cela peut paraître étrange... mais on s'habitue !

Enfin, elle s'arrêta devant une porte et sortit le trousseau de clés attaché à sa ceinture.

–C'est ici...

La porte donnait sur un couloir, au bout duquel se trouvait une petite salle. Quatre femmes en camisole de coton grossier se tenaient là, avec trois infirmières à l'air attentif. Deux de ces femmes, assises à une table, crayonnaient sur des feuilles blanches, riant comme des enfants de quatre ans, la troisième se balançait sur une chaise berçante en poussant des gémissements, et la quatrième, debout près de la fenêtre, immobile, regardait dehors. C'était Kateri.

Sœur Marie-Louise la fit appeler. Kateri porta les mains à sa tête, puis, lentement, elle se retourna. Pierrette avait le cœur qui faisait des bonds dans sa poitrine. Gaby se demandait déjà comment il pourrait en supporter davantage. Ni l'un ni l'autre ne pouvait dire quoi que ce soit. L'émotion était si intense qu'elle nouait toutes leurs facultés, les rendait muets, les rivait au sol.

L'une des infirmières prit Kateri par le bras et l'aida à avancer jusqu'à eux, au bout du corridor. Pierrette sursauta. Gaby ne réagit pas. Kateri s'avançait à pas lents, sans les regarder, n'étant plus que l'ombre d'elle-même. Sa beauté s'était envolée, chassée par les traitements de misère qu'elle avait subis ici. Ses cheveux ternes et courts, mal coiffés, n'auréolaient plus son beau visage. Ils étaient retenus par un bandeau noir qui accentuait sa pâleur presque cadavérique. Sa peau avait perdu son éclat. Ses mains se tenaient rigides de chaque côté de son corps, immobiles et froides. Des cernes noirs soulignaient la lassitude qui avait envahi son être, jour après jour, depuis si longtemps. Kateri avait l'air infiniment triste. Gaby, en la voyant de plus près, faillit pousser un cri qu'il refoula aussitôt. Pierrette sentit les larmes envahir ses yeux, tandis que son cœur se remettait à cogner dans sa poitrine. Suspendus à ses moindres réactions, ils attendaient tous les deux que Kateri ait un regard, un geste de reconnaissance. Ils auraient tant voulu se précipiter vers elle et la serrer contre eux qu'ils s'avancèrent d'un même élan.

Mais ils s'arrêtèrent et restèrent comme pétrifiés. Le regard de Kateri était vide, perdu dans un autre univers. Elle errait maintenant dans un monde qui n'appartenait plus qu'à elle seule, un monde définitivement séparé du monde ordinaire, sans communication possible avec lui, sans souvenirs et surtout sans espoir. Lorsqu'elle s'approcha d'eux comme un fantôme, Pierrette, qui avait sorti furtivement son mouchoir, sanglotait et essayait en vain de calmer les soubresauts qui parcouraient son corps du haut en bas. Gaby, tremblant comme une feuille, avait les jambes raidies par l'effort qu'il s'imposait afin de masquer la déchirure. Sans oser se l'avouer l'un à l'autre, ils avaient tout envisagé; ils s'attendaient à la trouver malade, souffrante, mais pas à cela! Pas à cette mort de chaque seconde, pas à ce comportement dénué de tout ce qui fait la vie et contre lequel on ne peut rien. Pas à cela... Aucun son ne sortait de sa bouche. Les avait-elle seulement vus? Elle ne les reconnaissait ni l'un ni l'autre! Gaby tenta de l'appeler:

– Kateri, c'est moi, Gaby... Kateri, nous t'avons enfin retrouvée! Kateri!

Elle fixait son frère en silence, sans le voir. Elle regardait par-delà les murs de cette prison qui l'avait anéantie depuis longtemps, qui l'avait emmurée à tout jamais. Passant devant Pierrette, elle tourna autour d'elle comme un automate et dit:

– Tu vois le soleil? Le soleil, il est toujours dans le ciel. Mon Petit Rayon de soleil, il est là!

Elle pointait l'index vers le ciel qu'on entrevoyait derrière la grille de la fenêtre et, de l'autre main, elle appuyait sur sa poitrine comme pour rythmer les battements de son cœur. La Kateri qu'ils avaient connue n'était plus. Celle qu'ils avaient retrouvée en cet instant vivait encore, mais son esprit démoli et détruit par l'ignorance humaine était sur une autre planète. Kateri était devenue un zombi.

L'un et l'autre, ils essayèrent encore et encore de lui parler. Sœur Marie-Louise attendait patiemment, toujours silencieuse, les laissant aller au bout de leur espoir. Avec des paroles simples, Pierrette tentait de faire revenir à sa mémoire quelques bribes de conscience, quelques lambeaux de souvenirs… C'était peine perdue.

–Kateri, tu te souviens, n'est-ce pas? Je suis Pierrette, ton amie du couvent!

–Kateri, ma sœur, je veux te parler de notre mère, Wanda…

La pauvre ne voyait plus que le rayon de soleil, celui qui passait dans l'encadrement de la fenêtre pour arriver au milieu du corridor et qui formait une tache ronde et dorée sur le sol. Vaincus par la triste réalité, ils repartirent tous deux en silence, le cœur en miettes. Pierrette essayait en vain de cacher son désarroi à Gaby, qui maintenant ne pouvait plus retenir son émotion. Il pleurait. Au bout d'un bon moment, Pierrette, voulant rompre la glace de leur déception et donner encore une lueur d'espoir à Gaby pour se convaincre elle-même qu'ils obtiendraient un jour quelque amélioration, lui dit:

–Gaby, sœur Marie-Louise a été formelle: Kateri reconnaît ses gardes certains jours et, quelquefois, elle les appelle par leurs noms. Nous reviendrons!

–Nous reviendrons, Pierrette, nous reviendrons et je la ramènerai à Oka. Je te le jure!

Lorsque Pierrette retrouva tout son petit monde à la maison ce soir-là, elle avait hâte de parler seule à seul avec Gaétan. Une fois les enfants couchés, elle entraîna son homme jusque dans leur chambre. Rien qu'à la regarder, il avait compris. Gaétan sentait combien Pierrette avait besoin de lui raconter à quel point la visite à Saint-Jean-de-Dieu l'avait ébranlée! Ils se glissèrent sous les draps et Pierrette se serra tout contre lui. Tant d'émotions appelaient un moment d'intimité apaisant. Gaétan lui caressait doucement les cheveux, attendant qu'elle trouve les mots justes pour lui raconter ce qui s'était passé. Il la sentait bouleversée et comprenait qu'elle avait besoin d'être écoutée, de s'appuyer sur sa force tranquille et sécurisante. Il y avait entre ces deux-là une grande tendresse, une entière complicité, qui les soudait l'un à l'autre à chaque événement de leur vie. Elle plaça sa tête au creux de l'épaule de son mari et laissa les larmes soulager le trop-plein de son chagrin. Pas besoin de discours compliqués. Quelques mots simples suffisaient.

– Tu sais, Gaétan, c'était terrible! L'avoir retrouvée pour la voir perdue à jamais. Je voudrais la sortir de là, lui dire que je l'aime. Elle ne nous voit pas, elle ne nous entend pas! C'est trop cruel.

– Ne crois pas que vos démarches soient inutiles, Pierrette. Un jour, peut-être…

– Non, non, Gaétan, c'est ce que j'ai dit à Gaby pour lui redonner du courage, mais, vois-tu, je n'y crois plus moi-même! Kateri est déjà comme morte…

Gaétan savait bien que sa femme avait raison. Il la prit dans ses bras comme on prend un bébé et la caressa pour effacer les marques de son chagrin; elle le laissa faire avant de s'endormir tout contre lui.

En repartant vers Oka, Gaby conduisait vite et pensait à sa sœur et au Cardinal. «Je te vengerai,

Kateri, sois sans crainte. Je te le jure, il nous le paiera. Même si cela doit prendre des années, je ne mourrai pas sans que justice soit rendue ! »

TROISIÈME PARTIE

CHAPITRE XIII

Octobre 1955.

Sous un ciel d'automne gris et menaçant, le vent faisait ployer les branches des grands arbres, arrachant les dernières feuilles, qui s'en allaient joncher les trottoirs du centre-ville. Dans la cour intérieure de l'archevêché, une grosse voiture noire tourna lentement vers l'abside de la cathédrale et s'immobilisa devant la porte de la sacristie. Suzanne Pellerin, trois jeunes novices et Joseph en descendirent en même temps que le chauffeur, un frère séminariste, qui se précipita pour aller ouvrir le coffre rempli de paquets. Tandis qu'on les sortait en faisant la chaîne pour aller les empiler dans la salle des offices, sœur Thérèse du Sacré-Cœur s'avança, souriante, vers les nouveaux arrivants :

– Nous vous attendions ! Sœur Cécile a déjà disposé les nappes brodées et nous étions impatientes de finir de décorer la cathédrale... Cela va être magnifique, magnifique ! Voyez les banderoles que nos chères sœurs ont confectionnées, ne sont-elles pas superbes ?

Elle montrait du doigt une large bannière brodée et enrubannée qui masquait une bonne moitié du mur au fond de la pièce. Suzanne fit un signe de tête affirmatif et ne put retenir son admiration :

– Mais c'est tout simplement superbe! Quelle chance nous avons de posséder autant de trésors! Je suis sûre que monseigneur Pucci va être touché de l'accueil que nous lui réservons.

Le rouge lui montait aux joues: Suzanne était tout excitée par les préparatifs de la prochaine cérémonie. Elle se retourna vers Joseph, qui regardait béatement la banderole blanche brodée d'or et de pourpre où il était inscrit en grosses lettres: «Bienvenue chez nous», et se mit à le presser:

– Voyons, Joseph, ne reste pas planté ainsi. Tu vois bien qu'il faut commencer à déballer tous ces paquets. Va donc aider sœur Cécile et ne fais pas de maladresse!

Le pauvre Joseph regardait Suzanne d'un air affolé et ne bougeait pas. Alors, sœur Cécile le prit maternellement par la main et, lui désignant une pile de boîtes, lui demanda d'en vider le contenu sur une table. On sentait, dans ces lieux si calmes, une agitation inaccoutumée, un empressement qui se traduisait dans toutes les allées et venues et dans les moindres gestes. Suzanne regarda l'horloge qui, au même moment, se mit à sonner trois fois, comme pour secouer tout le monde.

– Mon Dieu, déjà trois heures, nous n'aurons jamais fini à temps!

Les religieuses se hâtaient de déballer les objets sacrés du diocèse, que l'on avait réunis là pour la circonstance. Le Cardinal avait été formel, il voulait absolument que la visite de monseigneur Pucci, l'envoyé du Saint-Père, soit une réussite dont le prestige lui reviendrait. Il avait même réussi à convaincre mère Marguerite de mettre à la disposition de la cathédrale les chandeliers de l'autel de la Vierge ainsi que les burettes en or massif appartenant aux sœurs de la Sainte-Famille, afin de donner à la grand-messe de ce dimanche un faste tout particulier.

La semaine précédente, à l'approche de la date fatidique, le Cardinal, vêtu avec son élégance coutumière, armé de toute sa superbe et de son plus beau sourire, avait rendu visite aux religieuses. Il avait réuni la Supérieure et Suzanne Pellerin, s'était enquis des préparatifs dans les moindres détails et avait dit à mère Marguerite sur un ton enjôleur :

– Ma Mère, je promets des indulgences à chacune de vos religieuses, en échange de leurs services lors de la visite de monseigneur Pucci et moyennant le prêt de vos chandeliers, qui seront la perle de notre maître-autel !

– Les chandeliers de la Vierge ? Oh, monseigneur, vous n'y pensez pas !

Mère Marguerite était bouleversée. Gênée d'avoir ainsi réagi, elle avait ajouté timidement :

– Ne craignez-vous pas un nouveau vol ?

– Pas du tout, ma Mère, soyez sans crainte ! Une équipe de nos meilleurs séminaristes se relayera pour former un service de garde parfait, et nos bénévoles, sous la direction de madame Pellerin, veilleront au bon ordre pendant les cérémonies.

Mère Marguerite n'avait pas eu le choix : le ton était sans appel, quoique charmeur. Suzanne Pellerin rougissait de plaisir et minaudait. Le Cardinal avait ajouté :

– Par ailleurs, je vous promets une mention toute spéciale auprès du Saint-Père, afin qu'il vous accorde sa bénédiction ainsi qu'une audience privée lors de votre prochain séjour à Rome.

Le Cardinal avait eu un si beau sourire! Et puis il avait planté son regard de braise dans les yeux de mère Marguerite et, sans autres commentaires, l'avait prise par les épaules... Comment s'opposer à ce qu'il demandait? Elle s'était sentie fondre instantanément et, sans autres commentaires, avait aussitôt fait expédier à la cathédrale les chandeliers avec le linge sacré.

L'heure de la visite tant attendue était enfin arrivée. Toute la chancellerie était en émoi. Le corridor du premier étage résonnait du pas décidé de trois proches collaborateurs du Cardinal, les chanoines Plamondon, Bérubé et Dugal, qui entouraient l'émissaire du Vatican: le nonce apostolique, monseigneur Pucci. Ils étaient allés l'accueillir moins d'une heure auparavant à l'aéroport de Dorval. Monseigneur Pucci avait pour mission de visiter les principaux diocèses de l'Église catholique romaine et de s'entretenir avec les dignitaires en poste. Sa Sainteté ayant depuis le début de son pontificat nommé des cardinaux en dehors de l'État du Vatican, le nonce veillait à l'application des doctrines et au respect des positions dogmatiques entérinées par les encycliques. C'était indispensable à l'approche des fêtes marquant le cinquantenaire de la célébration de l'assomption de la Vierge.

Ces messieurs, suivis de toute une escorte de prêtres et de diacres, avaient une allure presque martiale qui contrastait avec leur bonhomie habituelle. On sentait qu'il allait se passer quelque chose d'important, bien que le calme régnât sur les lieux. Dans le vaste hall qu'ornait un grand portrait du souverain pontife, rehaussé d'une immense gerbe de roses blanches, on avait déroulé le tapis rouge réservé aux visiteurs de marque. Le coup d'œil était impressionnant.

Le Cardinal, empressé, vint à leur rencontre, descendant les marches du splendide escalier d'acajou qui dominait la vaste salle. La scène, colorée par les soutanes rouges et violettes autant que par le décor, avait quelque chose de grandiose. Tout à son affaire, Son Éminence arborait le sourire vainqueur d'un César recevant l'empereur ottoman, démontrant ainsi à son auguste messager que la ville de Montréal savait se faire magnifique et pouvait déployer une pompe inégalée lorsqu'elle recevait un émissaire de Sa Sainteté.

Le Cardinal avait bien connu monseigneur Pucci. Presque vingt ans plus tôt, celui qui était devenu le bras droit du pape lui avait enseigné pendant quelques années lorsqu'il préparait son doctorat en théologie. Ensemble, ils avaient séjourné chez des jésuites à Barcelone, et ils s'étaient découvert un certain nombre d'affinités, ce qui leur avait donné l'occasion de philosopher à maintes reprises. Ils étaient toujours restés liés en pensée malgré l'éloignement, et monseigneur Pucci avait commenté avec fougue les qualités remarquables de son élève, lui assurant une place au sein du Sacré Collège. Et c'est en partie grâce à ses recommandations que le Saint-Père avait fait de lui, quelque temps après, l'un de ses ministres… Le Cardinal ouvrit amicalement les bras et donna l'accolade à son auguste visiteur.

–Mon ami, mon cher ami, quel honneur pour l'archidiocèse de Montréal que d'accueillir un envoyé de Sa Sainteté en ces lieux. Soyez le bienvenu ! Comment allez-vous et comment va notre Saint-Père ? Comme je suis ravi de vous revoir ! Avez-vous fait bon voyage ?

Monseigneur Pucci, plutôt petit, un peu rond et d'allure joviale, tenait à la main son large chapeau et riait aimablement, heureux de retrouver son fils spirituel dans toute sa splendeur. Son accent italien aux notes chantantes ensoleillait déjà le cœur de tous ses hôtes. L'atmosphère se réchauffait.

– Je vous avoue que je ne suis pas mécontent d'être enfin arrivé! Votre belle province de Québec est à l'autre bout du monde et mes vieilles jambes ne me portent plus toujours où je souhaite me rendre. Il est vrai que mes fonctions m'obligent à être un véritable pigeon voyageur!

En disant cela, il riait franchement. La joie des retrouvailles donnait le ton à la cérémonie qui se fit plus détendue de minute en minute. Deux jeunes prêtres italiens, discrets, se tenaient derrière monseigneur Pucci, le suivant tout au long de son périple, prêts à prendre des notes et à obéir à ses moindres desiderata. Mais pour l'heure on en était encore aux préliminaires et il était évident que le Cardinal savait créer une atmosphère chaleureuse.

– Venez vous reposer, je vous en prie! Nous allons tout d'abord vous conduire à vos appartements afin que vous puissiez vous délasser, mais peut-être préférez-vous prendre immédiatement une collation?

Les religieuses s'empressaient, s'occupant des bagages de monseigneur Pucci, veillant à la préparation des repas, au confort des voyageurs. Silencieuses, humbles et anonymes, mais présentes et efficaces, c'étaient elles qui œuvraient, selon une tradition venue du fond des âges, aux choses matérielles indispensables à la vie de tous les jours, pendant que ces messieurs s'entretenaient des questions de l'esprit qui n'admettaient aucune interruption. Quelques jeunes séminaristes en robe noire, essayant de vaquer à leurs occupations routinières, suivaient des yeux le cortège et échangeaient les noms des envoyés du pape en les décrivant :

–Tu vois, celui qui est à la droite du chanoine Plamondon, le plus grand, c'est un des deux secrétaires du cardinal Pucci, il se nomme Galeotti. L'autre, je ne me souviens plus de son nom... ah, Reggiani, je crois, ou peut-être Ratelli !

Ils espéraient glaner quelques informations ici et là. L'événement venait briser l'ennui de tous les jours. Seule femme parmi les prélats à assister aux entretiens, sœur Thérèse du Sacré-Cœur, toujours aussi jolie sous sa cornette blanche, avait pour mission de veiller à tous les détails dont même les secrétaires de ces messieurs ne pouvaient se charger. Elle y excellait. Grâce à ses interventions efficaces, il ne manquait jamais un siège, ni un verre d'eau, ni le moindre morceau de savon dans les salles de réunion ou les appartements privés. Le Cardinal lui jetait souvent un coup d'œil interrogateur et discret, indiquant qu'il s'en remettait à elle pour tout ce qui regardait l'organisation matérielle. Ce soir-là, après le tumulte de l'après-midi, elle attendrait silencieusement le Cardinal dans sa chambre, comme il le lui avait demandé un peu plus tôt. Elle lui préparerait sa tisane relaxante, celle qu'il aimait boire avant de se coucher et qui lui permettrait d'avoir un sommeil réparateur en ces jours de grande activité. Sœur Thérèse était toujours parfaite. Indispensable. Jolie, active et discrète sous sa robe de nonne. Il ne pouvait pas se passer de cette présence féminine, délicate et attentionnée.

Après avoir reçu les vicaires et les curés des paroisses de l'archidiocèse, monseigneur Pucci et le Cardinal entamèrent une longue discussion en présence de leurs secrétaires. Bien que tous les points aient été abordés et même si on avait constaté que les dogmes adoptés par le Saint-Père se trouvaient respectés à la lettre, monseigneur Pucci ne semblait pas entièrement satisfait. Au fur et à mesure que leur conversation avançait, les traits de son visage se durcissaient et révélaient des tensions incompréhensibles. Il laissait voir quelques hésitations de mauvais augure que le Cardinal ne savait comment interpréter. Pourtant, le bilan des œuvres de bienfaisance était très positif. Les missions se multipliaient, et le financement arrivait toujours à point pour construire en terre impie quelque nouvelle chapelle, ceci grâce au charisme du Cardinal qui soulevait l'enthousiasme partout où il passait. Chaque jour, de nouveaux chrétiens se faisaient baptiser, en Afrique, en Chine, au Japon. Parmi ceux-ci, de nombreux convertis se découvraient même une vocation de prêtre ou de religieuse. Cette victoire avait été acquise en grande partie grâce aux fonds venus de Montréal, toujours aussi généreuse. Bien sûr, il y avait eu certains différends... On ne pouvait laisser ignorer à Sa Sainteté que le Cardinal ne ralliait pas toutes ses ouailles, mais enfin il n'était pas le seul parmi les membres du Sacré Collège à avoir quelques problèmes de la sorte. De plus, le nombre des récalcitrants était infime ! Ce n'était pourtant pas là que semblait se trouver le problème... La voix de monseigneur Pucci était devenue grave. Il lança soudain un regard excédé à sœur Thérèse qui remplissait sa tasse de café et annonça au Cardinal :

– Je dois aborder maintenant un point particulièrement important et pour lequel notre Saint-Père m'a
demandé d'avoir avec vous un entretien en privé. Je
vais demander à ces messieurs de nous laisser pour
quelques instants.

Les trois secrétaires, messieurs Robitaille, Galeotti
et Reggiani, qui assistaient aux discussions depuis le
début en prenant des notes, se retirèrent immédiatement; quant à sœur Thérèse, elle avait déjà disparu...
Le Cardinal se demandait ce que pouvait bien lui
vouloir son auguste supérieur, dont il respectait si
scrupuleusement les desiderata. Lorsqu'enfin monseigneur Pucci aborda le sujet, il vacilla, ne s'attendant
pas à pareil reproche :

– Mon cher ami, il m'est impossible de vous
cacher que notre Saint-Père le pape a reçu ces derniers
mois plusieurs plaintes, émanant de sources différentes, dont je dois discuter avec vous.

– Des plaintes ? Allez-y, mon cher ami, je vous
écoute attentivement.

– Plusieurs congrégations religieuses ont envoyé
des ambassadrices auprès du Vatican et il s'agit toujours du même problème !

L'étonnement grandissait.

– Quel est-il, je vous prie ?

– On nous dit que vous avez des, comment dirais-
je, des mœurs plutôt cavalières avec les jeunes religieuses !

Monseigneur Pucci toussota, ne sachant plus quelle
contenance prendre. Mais il devait continuer envers
et contre tout.

– Il paraît que vous avez suscité un grand nombre
de vocations parmi les jeunes filles de bonne famille,

et cela, mon cher, est tout à votre honneur. Le Vatican vous en est reconnaissant! Mais il semble cependant que de nombreuses religieuses soient troublées par vos manières et par votre galanterie trop marquée envers elles. Et c'est bien de ceci que nous devons, vous et moi, discuter. Ces plaintes nous ont été rapportées par les Supérieures de plusieurs couvents et communautés où votre devoir vous envoie régulièrement, que ce soit pour enseigner ou pour administrer les sacrements.

Il toussait encore et rougissait un peu, partagé entre son amitié et la mission à accomplir, tandis que le Cardinal devenait blême.

– Notre pape peut bien sûr fermer les yeux sur un certain nombre de choses, celles-ci pouvant être considérées comme naturelles lorsqu'elles n'atteignent pas l'opinion publique, mais vous savez que nous ne devons en aucun cas être des sujets de scandale, quels qu'ils soient. En ces temps marqués par un relâchement des mœurs qui entraîne une dangereuse baisse de la fréquentation de nos églises dans tout l'Occident, il est essentiel que rien, absolument rien, ne vienne entacher la réputation d'un seul de nos cardinaux. Vous avez la chance, mon cher, d'être, comme je l'ai dit publiquement aujourd'hui, à la tête d'un des diocèses les plus fidèles à son devoir religieux. C'est pourquoi vous devez garder vos ouailles pures et assidues dans leur pratique en étant vous-même un modèle irréprochable! Sachez que vous nous mettez en bien fâcheuse position, ne serait-ce qu'en ayant toujours auprès de vous de jeunes religieuses.

Il fit une pause et, l'air songeur, hochant la tête et souriant mystérieusement, il ajouta:

– Ah, les femmes, les femmes, Dieu les a mises sur notre route pour nous faire trébucher !

Monseigneur Pucci était troublé. Son attachement sincère au Cardinal lui faisait formuler des phrases pleines de circonvolutions. Il était pris dans des hésitations qui ne lui ressemblaient guère... Il ne pouvait se résigner à être aussi catégorique que Sa Sainteté le lui avait demandé. Le Cardinal, en l'écoutant, se demandait comment de pareils ragots étaient parvenus jusqu'à Rome. Il ne pouvait croire que son goût marqué pour les femmes fût une des préoccupations majeures du Saint-Père et ne voyait pas là matière à pénitence. Il était ébranlé par ce discours qui surprenait venant de son vieil ami, lequel continuait sur sa lancée :

– Et puis, en tout dernier lieu, une dame très importante de votre diocèse a été reçue en audience privée par Sa Sainteté et cette dame a corroboré les témoignages de nos religieuses... euh... comment dirais-je, elle a fait remarquer que, bien que vous ayez accompli une œuvre d'une envergure extraordinaire, il régnait autour de vous un climat trouble qui perturbe la plupart des jeunes femmes, et qu'on ne saurait supporter cet état de choses. Enfin, vous comprendrez qu'on ne peut passer sous silence ces petits incidents, qui pourraient paraître anodins...

Le Cardinal était interloqué. Voici qu'on lui faisait la réputation d'un Casanova et qu'on allait se plaindre en haut lieu plutôt que de l'en aviser directement. Qui avait pu le trahir à ce point ? Que les Supérieures de certaines communautés aient été jusqu'à Rome pour ternir sa réputation était ridicule ! Une manigance politique ! Qu'il avait donc raison de se méfier de certains de ses chanoines! Mais qu'une simple laïque ait été se plaindre au pape, cela dépassait l'entendement! Il fallait une femme bien bigote, ou encore une jalouse. Immédiatement, il pensa à Suzanne Pellerin... Bien sûr, il ne pouvait s'agir que de cette femme! Il ne l'avait jamais laissée espérer qu'il répondrait à ses avances, cependant, elle continuait à lui en faire. Elle le harcelait! Elle était partout et jouissait de l'admiration de tous grâce à ses nombreuses années de bénévolat, mais ne voulait pas admettre qu'il ne la toucherait jamais. Dès qu'elle le voyait, elle semblait prise d'une véritable fièvre, envahie par une envie irrésistible de le séduire, et elle se trémoussait comme une chatte en chaleur! Il en était arrivé à redouter les rencontres en privé avec Suzanne, sachant qu'elle déploierait ses charmes en espérant le faire trébucher. Il sentait en elle quelque chose de terriblement excessif, de presque malsain. Cette femme faisait preuve d'un entêtement farouche!

Suzanne Pellerin avait fait récemment un voyage au Vatican avec des dignitaires, chevaliers du Saint-Sépulcre comme son mari, c'était voilà quelques mois... Oui, oui, tout cela lui revenait, il aurait dû se méfier. Madame Pellerin avait rencontré Sa Sainteté en audience spéciale et elle s'était sûrement laissée aller à glisser quelques mots pour semer le doute dans l'esprit du souverain pontife. Ce qui était pire, c'est qu'elle avait rencontré le pape en même temps que ses chanoines dissidents... Avaient-ils fait cause commune? Comment une simple femme avait-elle assez de pouvoir pour influencer ainsi le cours de sa vie, et pour oser lui faire semblable affront, à lui, le Cardinal? La colère le faisait maintenant trembler. Il sentait son estomac se tordre, alors qu'il devait écouter monseigneur Pucci énoncer la sentence prononcée par le chef de l'Église.

– Mon cher ami, nous allons nous entendre sur ce point. J'ai le grand regret... de vous avertir que vous allez être muté dans une des missions que vous avez fondées.

Il y eut un long silence. Le Cardinal n'en croyait pas ses oreilles. Monseigneur Pucci hochait la tête et continuait :

– Le Québec est actuellement la clé de voûte de l'édifice catholique et de l'Église de demain, vous le savez aussi bien que moi ! Vous connaissez la défection qui sévit dans tout l'Occident, hormis dans votre pays ! Aussi celui-ci doit-il être mené d'une main sainte et ferme, c'est indispensable. Chacun des prêtres est tenu d'avoir une conduite irréprochable. Il semble bien que vous ayez trébuché, mon cher ! Reconnaissez-vous les accusations dont vous êtes malheureusement l'objet ?

Dans la tête du Cardinal, les pensées tourbillonnaient à la vitesse de l'éclair. Il ne voyait plus rien, il entendait des sons bizarres lui traverser le cerveau, comme une volée de cloches. Ne pouvant accepter pareille chute, il devait se ressaisir et répondre adéquatement.

– Je reconnais, mon cher, que j'ai un grand plaisir à regarder les créatures que Dieu nous a données comme compagnes. Je reconnais encore que je suis faible dans ma chair... et je consens à m'en confesser à vous de toute mon âme ! Mais je dois dire pour ma défense que jamais, au grand jamais, je n'offenserais l'image de notre sainte mère l'Église dont je suis comme vous l'un des plus sincères représentants. Je vous supplie de me croire et d'avoir foi en mon honnêteté !

– Voulez-vous dire que ce qui nous a été rapporté est inexact ?

Avec assurance, le Cardinal planta son regard dans celui de monseigneur Pucci :

– Ce qui vous a été rapporté relève de la calomnie, je vous en donne ma parole !

Il prit le livre sacré du Nouveau Testament et posa solennellement la main droite sur celui-ci, en même temps qu'il pressait son autre main sur la croix pectorale suspendue à son cou. L'envoyé de Rome était impressionné et ne voulait pas commettre un impair.

– Comment expliquez-vous que les religieuses se plaignent de votre goût marqué pour les jeunes femmes ?

– Les religieuses n'ont pas un regard objectif. Ce sont des femmes qui doivent faire taire leurs sentiments, vous le savez tout comme moi ! Enfin, disons qu'elles sont très excessives ! Lorsque nous avons, les Mères supérieures et moi-même, des divergences, étant donné qu'elles n'ont pas le droit de prendre des décisions, elles s'abandonnent au sentiment d'envie qui les envahit, sans réfléchir davantage. Elles sont mises en échec par leur état de femme qui ne leur donne aucun pouvoir au sein de l'Église ! Elles déforment sans aucun doute la réalité, croyez-moi ! Et je suis étonné que notre pape, dans toute sa sagesse, accorde du crédit à leurs arguments, malgré tout le respect que j'ai pour lui. Entre nous, laissez-moi au moins le bénéfice du doute !

Monseigneur Pucci devait se rendre à l'évidence : après tout, les religieuses n'étaient que des femmes ! Il se frotta le menton.

–Il est vrai, mon ami, que nous ne pouvons vous condamner sans preuves. Mais ceci est un avertissement formel, comprenez-le bien. Alors, suivez mon conseil et, selon les ordres de notre cher Saint-Père, exprimez votre repentir, montrez-vous à partir de ce jour le plus strict défenseur de la chasteté et de l'obéissance aux règles d'ordre moral que nous enseignons. Soyez sur vos gardes ! Je crois pouvoir vous dire que nous prévoyons un délai de probation durant lequel aucune rechute ne sera tolérée. Engagez donc des frères pour vous servir et laissez la gent féminine dans l'ombre !

Le Cardinal n'aimait pas se faire réprimander comme un gamin, encore moins se voir condamner pour des ragots de femelles, cependant il n'avait pas le choix. Opinant de la tête d'un air convaincu, il promit tout ce qu'on voulait en pensant que Suzanne Pellerin allait bientôt avoir de ses nouvelles.

*

Sous la pluie battante qui tombait sans relâche, Suzanne arrivait à la cathédrale d'un pas décidé pour assister à la toute première messe, suivie comme son ombre de son inconditionnel Joseph. Fermant son parapluie, elle se rendit d'un pas rapide jusqu'à sa place devant le chœur. On célébrerait dans quelques heures cette grand-messe mémorable, durant laquelle de nombreuses responsabilités l'empêcheraient de s'acquitter de son devoir de chrétienne. Aussi voulait-elle communier avant que la foule prenne possession des lieux.

Hormis la tache claire des énormes bouquets de roses posés sur la nappe de dentelle recouvrant l'autel et le scintillement des imposants chandeliers, la pénombre régnait dans la cathédrale autour de laquelle on entendait siffler le vent. Les banderoles avaient déjà été placées, entourant les colonnes torses de leurs motifs colorés. De chaque côté du chœur, les flammes des bougies et des lampions dansaient et tremblotaient, répandant une lumière vacillante et dorée sur les silhouettes sombres des quelques personnes recueillies assistant à la célébration. Joseph, debout et le chapeau à la main, se tenait près de la porte latérale, quelques rangées derrière madame Suzanne. Celle-ci, agenouillée sur son prie-Dieu, les yeux fermés, les mains jointes et la tête couverte d'une légère mantille, suivait attentivement le déroulement des prières en latin, faisant écho aux religieuses qui se trouvaient là. Quelques heures plus tard, la grand-messe, bien plus solennelle celle-là, serait dite par le Cardinal.

Le nez penché sur son missel, Suzanne réfléchissait... Il lui resterait peu de temps après cette célébration pour organiser les festivités de Noël. Chaque année à cette époque, c'était la même fébrilité! Elle se revoyait clairement quelques années auparavant, à peu près dans les mêmes circonstances, à peu près à la même période, lorsqu'elle avait demandé à Joseph de dérober l'un des chandeliers qui étaient maintenant devant elle, et le pauvre bougre l'avait fait! En un tournemain, il l'avait caché dans la chambre de la sauvagesse qui avait les faveurs de Son Éminence.

Aujourd'hui, neuf ans plus tard, elle ne se sentait pas particulièrement fière de son geste... mais au moins personne n'avait eu vent de sa ruse. Pas même le Cardinal, qui avait pris sur lui de renvoyer la belle. Que s'était-il passé ensuite?

Suzanne ne saurait sans doute jamais ce qui était advenu de Kateri et, de toute façon, elle s'en moquait éperdument! En récitant un Ave Maria, elle s'efforça de chasser ces souvenirs encombrants, tandis que, dans la cathédrale, le vent perturbait l'office. Il faisait un fracas peu ordinaire, tournoyait sans aucune retenue dans les branches des grands arbres et venait heurter le portail qui craquait sous sa poussée. C'était impressionnant. Le chanoine, imperturbable, récitait les longues litanies lorsqu'un vacarme encore plus assourdissant se fit entendre. Quelque objet lourd était probablement tombé de la toiture. On entendit le bruit d'une chute, puis un bref cliquetis métallique. Enfin, la vitre d'une des hautes fenêtres se brisa et vola en éclats. La branche maîtresse d'un grand érable avait été arrachée et projetée dans les airs pour finalement venir crever un des vitraux! Instinctivement, tous les participants se signèrent, affolés. Deux religieuses reçurent quelques éclats de verre sur la tête, mais il n'y eut pas de blessures graves. Les autres mirent leurs bras devant leurs yeux et se recroquevillèrent sur leur banc pour échapper aux conséquences de l'imprévisible tempête, car c'en était bien une.

Alors, Joseph se précipita dehors en ouvrant la porte, voulant se rendre utile. Il essayait de réparer les dégâts. Mais il présumait de ses capacités et fut violemment rabattu par la bourrasque. Le lourd vantail se trouva plaqué le long du mur. Joseph poussa un cri, incapable de bouger. En moins de trois secondes, l'incroyable force du vent s'était engouffrée dans la nef centrale en hurlant comme une tornade. Avant que quiconque ait pu réagir, le monstrueux souffle avait déjà renversé l'un des deux chandeliers de l'autel, celui-là même qui avait disparu voilà neuf ans... Les bougies éparses avaient mis le feu à la nappe de dentelle et les quatre vases garnis de roses gisaient sur le sol en mille miettes, avant même que l'on ait pu intervenir. Les bannières arrachées à leur support avaient tournoyé pendant quelques secondes pour atterrir sur les statues des saints alentour. Les bonnes sœurs, tremblantes, avaient du mal à retenir leur voile. La mantille de Suzanne s'était envolée jusque sur la balustrade du maître-autel, et chacun se cramponnait à son prie-Dieu. Enfin, quelques séminaristes, accourus pour aider, réussirent, en poussant tous ensemble, à refermer la lourde porte. On ramassa les miettes du vitrail. On éteignit le début d'incendie, on fit appel aux menuisiers pour calfeutrer le châssis en toute hâte. Les religieuses tentaient de recréer un air de fête avec les moyens du bord: la nappe brodée n'était plus qu'un infâme chiffon brûlé et il fallait vite en trouver une autre! Le prêtre, obligé de finir sa messe en catastrophe, avait l'air navré, tandis que les renforts accouraient de tout l'archevêché. Il fallait coûte que coûte réparer les dégâts avant la cérémonie!

Suzanne, toujours assise sur son banc, s'était mise à sangloter sans pouvoir se maîtriser quand soudain Joseph, ce pauvre innocent venu se rasseoir auprès d'elle, se mit à crier, au grand étonnement des assistants:

–J'ai rien dit, j'ai rien dit du tout… du tout, madame Suzanne.

–Tais-toi, Joseph! Tais-toi donc!

Pour la première fois de sa vie, Suzanne craquait. Elle n'entendait même plus les paroles insignifiantes de Joseph, qui s'agitait et pleurait en beuglant. Les religieuses, perplexes, observaient ce débordement auquel elles ne comprenaient rien, car après tout personne n'avait été blessé! Sœur Thérèse du Sacré-Cœur s'approcha de Suzanne et lui parla doucement en la prenant par le bras pour l'emmener jusque dans la sacristie.

–Venez avec moi, je vous en prie, madame Suzanne, venez vous asseoir à l'écart de tout ce brouhaha.

Suzanne ne bougea pas. Aveugle et sourde à tout ce qui se passait, elle sanglotait toujours. Les religieuses s'empressèrent autour d'elle. On ne l'avait jamais vue dans cet état, elle si efficace et si forte! Finalement, elle céda aux conseils de la Mère supérieure et aux pressions de sœur Thérèse. On la fit asseoir dans la sacristie et on lui proposa une tasse de thé. Toutes se passaient le mot: «Madame Suzanne, habituellement si maîtresse d'elle-même, si vaillante, a une défaillance…» Elle tremblait si fort qu'elle faillit renverser sa tasse. Les minutes passèrent. Suzanne n'arrivait pas à reprendre son sang-froid. Elle était plus blanche qu'un drap lorsqu'elle ouvrit enfin la bouche et s'adressa à sœur Thérèse:

–Je voudrais voir immédiatement le Cardinal.

–Je crains que cela soit impossible, madame Suzanne, Son Éminence va dire la grand-messe dans quelques instants.

– Je vous en prie, sœur Thérèse, aidez-moi! Aidez-moi!

Sa voix était méconnaissable, atone. Reprenant tout à coup son accent français, elle insista :

– C'est essentiel, essentiel !

Elle paraissait si agitée, si fébrile ! Sœur Thérèse, n'écoutant que son bon cœur, s'éclipsa afin d'aller solliciter un entretien immédiat avec le Cardinal.

La tempête continuant de sévir, tout le monde s'affairait pour que le public assiste à la grand-messe sans être incommodé par la fureur du vent. Les lourds nuages noirs déversaient maintenant de véritables trombes d'eau. Pendant que les ouvriers placardaient la fenêtre défoncée, le Cardinal, entouré de quelques prêtres, protégé par un imperméable au col relevé bien haut et à l'abri d'un immense parapluie, constatait l'ampleur de la catastrophe d'un air désolé, avant d'aller revêtir la chasuble brodée d'or qui l'attendait pour la célébration. Tous se sentaient impuissants devant le déchaînement imprévisible des éléments. Sœur Thérèse se protégeait comme elle le pouvait sous son manteau et, arrivée jusqu'à Son Éminence, lui cria presque dans l'oreille, à cause du bruit, le message de Suzanne entre deux coups de marteau des menuisiers. Le Cardinal eut l'air surpris. Nerveux, il lui fit signe que c'était impossible. Il était trop occupé pour parler à madame Pellerin, surtout en de telles circonstances ! Mais sœur Thérèse insista avec tant de fermeté qu'il se laissa convaincre.

– Madame Pellerin est vraiment bouleversée, ce qu'elle tient à vous dire est sûrement important, Votre Éminence. Je vous en prie !

– C'est bon, je vous suis. Mais allez la prévenir que je ne peux lui accorder que quelques instants.

– J'y vais, Votre Éminence.

Sœur Thérèse courut devant le Cardinal, luttant contre le vent. On entendait maintenant les grondements d'un orage qui se rapprochait. Trempée des pieds à la tête, ruisselante de pluie, elle accrocha son manteau près de la porte et se précipita vers Suzanne pour l'emmener dans une des petites pièces où l'on disposait les chapes des officiants avant chaque messe. Elle s'était assurée que là madame Pellerin et le Cardinal seraient en tête-à-tête. Suzanne ne pleurait plus, mais elle avait l'air perdu, les yeux hagards. Lorsque le Cardinal s'approcha d'elle, elle se mit à genoux, les mains jointes.

– Ma chère Suzanne, vous êtes bien bouleversée... Relevez-vous et assoyez-vous, je vous en prie. Après tout, cet orage n'est pas si catastrophique, personne n'a été blessé !

– Votre Éminence, je dois me confesser...

– C'est impossible en ce moment, vous le savez bien, Suzanne, vous connaissez aussi bien que moi l'horaire de la journée.

Elle se remit à sangloter, s'essuyant le nez et les yeux avec un mouchoir aussi détrempé que son visage, aussi mouillé que s'il avait été sous l'orage ! Elle avait l'air d'une petite fille torturée par un épouvantable mensonge, tordant ses mains l'une dans l'autre et agitant la tête et les épaules. Le Cardinal était gêné de son trouble. Gêné et satisfait tout à la fois de la voir dans cet état lamentable ! Ainsi décoiffée et ravagée par les larmes, elle n'était plus la Suzanne qu'ils connaissaient tous. Il la détestait, mais en même temps elle lui fit presque pitié lorsqu'elle releva les yeux vers lui en reniflant et lui lança de façon imprévisible, avec sa voix et son accent pointus :

–Écoutez-moi bien, Votre Éminence, écoutez-moi ! Il y a neuf ans, c'est moi qui ai fait dérober par Joseph le chandelier de l'autel de la Vierge. C'est aussi moi qui lui ai ordonné d'aller le déposer dans la chambre de Kateri. Et c'est encore moi qui vous ai poussé à l'accuser, moi, Suzanne Pellerin !

Le Cardinal sursauta. Elle se frappait la poitrine, répétant le geste du mea-culpa et criant pour qu'il comprenne bien ce qu'elle lui disait. Ses pleurs redoublaient. À ce moment précis, un éclair illumina toute la pièce en même temps qu'un coup de tonnerre claquait sèchement dans le ciel. Le Cardinal, abasourdi, la regardait sans comprendre, ne pouvant articuler la moindre parole. Il pâlit. Son premier réflexe fut de frapper cette femme, de la punir de son inconséquence, de lui faire payer chèrement le tort qu'elle avait causé ! Mais n'était-il pas lui aussi lié par la loi du silence ? Il devait l'écouter et lui donner l'absolution, se maîtriser, et surtout se préparer pour la grand-messe. Il tendit la main vers elle, inscrivit sur son front le signe de croix du pardon et sortit pour revêtir sa chasuble et sa mitre. On l'attendait déjà…

Tout le long de l'office, qui malgré l'orage fut célébré solennellement dans la cathédrale, au milieu du clergé et des congrégations religieuses rassemblés pour la circonstance, le Cardinal récita les versets sans même se rendre compte des paroles que ses lèvres prononçaient. Sa conscience lui répétait inlassablement : « Cela fait tout juste neuf ans ! »

À chacun des cinq autels, celui du chœur plus les quatre autels secondaires des bas-côtés, l'un des cardinaux officiait, ce qui ne s'était encore jamais vu dans la province. Le coup d'œil était superbe. Des journalistes et des reporters de toutes les stations prenaient des photos de ces minutes inoubliables et enregistraient les cantiques et les grandes orgues en direct. On attendait le prêche de monseigneur Pucci. Le chœur était bondé, tous les bancs étaient remplis sans la moindre place libre. Quelques milliers de curieux qui avaient été refoulés hors de l'église attendaient patiemment dehors pour voir les prélats défiler dès la fin de l'office. Malgré le ciel encore menaçant et les gouttes d'une pluie devenue intermittente, chacun suivait pieusement les prières et les chants grâce à des haut-parleurs installés sur les montants extérieurs des portails de la cathédrale Marie-Reine-du-Monde.

Après la messe, lorsque les fidèles se furent retirés munis de la multiple bénédiction cardinalice, on servit un repas dans la grande salle de l'archevêché, pleine à craquer, où des tables avaient été disposées en rectangle le long des murs. Outre les membres du clergé, il y avait là quelques invités de marque, ceux qui collaboraient étroitement avec l'archevêché. En plus de plusieurs ministres, du maire de Montréal et de leurs épouses, on pouvait remarquer monsieur et madame Jean-Paul Pellerin, et monsieur et madame Philippe Langevin. Autour de la table, il régnait une atmosphère de liesse entretenue par le Cardinal qui savait répandre la gaieté parmi ses hôtes. La satisfaction de tous faisait plaisir à voir lorsque monseigneur Pucci décréta au nom du pape que Montréal était la dauphine du Vatican, le joyau de l'Église catholique.

*

Après cet incident, Suzanne était restée chez elle pendant plus d'une semaine, négligeant complètement ses responsabilités à l'archevêché. Personne n'arrivait à le croire! Elle laissait aller les préparatifs des fêtes de fin d'année sans même se préoccuper de déléguer quelques personnes aux tâches les plus urgentes. Le Cardinal, perplexe, gardait le silence sur le sujet et profitait de son absence pour étouffer les quelques remords qui auraient pu le tarauder lui aussi. Il ne voulait plus penser à cette malencontreuse histoire et il voulait surtout continuer à ignorer les motifs profonds de son geste vieux de neuf ans. Il se refusait à conclure qu'il avait commis un crime en envoyant Kateri enceinte à la prison des femmes. La véritable nature de Suzanne refit surface au bout de quelques jours de déprime. Elle revint à son poste, plus active que jamais et déterminée à tout savoir. Ce qui la tracassait maintenant, c'étaient les paroles de sa belle-mère, Anne Pellerin, sur son lit de mort. De cela aussi, il fallait qu'elle parle au Cardinal!

Elle longea le corridor du premier étage et se rendit jusqu'au bureau de sœur Thérèse du Sacré-Cœur. Ce matin-là, sœur Thérèse était en conférence avec Son Éminence. Ils étaient debout tous les deux, très près l'un de l'autre, tout à fait à l'aise, examinant des dossiers pour lesquels Son Éminence donnait des instructions précises. L'arrivée de Suzanne les surprit un peu et, de son côté, celle-ci ne put s'empêcher de remarquer la complicité qu'il y avait entre eux.

– Votre Éminence, je suis confuse de vous déranger ainsi, presque à l'improviste…

– Je vous en prie, Suzanne, lui dit-il, poli mais un peu froid. Comment allez-vous depuis notre dernière… euh… entrevue ?

Elle se fit cérémonieuse. Il l'invita à passer dans le petit bureau.

– Ma chère Suzanne, il me semble que j'ai entendu de votre bouche voilà quelques jours une confession pour le moins étrange.

– Oui, Votre Éminence, étrange, je vous l'accorde, mais ce que je vous ai dit était néanmoins la stricte vérité.

Ses yeux bleus lançaient des éclairs. Suzanne avait de beaux yeux, mais il manquait à son regard ce quelque chose de sensible et de profond qui fait le rayonnement d'une personne.

– Vraiment ? Ne cherchez-vous pas à vous accuser exagérément et de façon tout à fait charitable, j'en conviens ? Ne nourrissez-vous pas une culpabilité qui vous honore, mais qui est peut-être, comment dirais-je, peut-être un peu trop forte ?

– Votre Éminence, tout ce que je vous ai confessé ce jour-là était entièrement vrai, je vous le répète.

Le Cardinal voyait avec terreur se dessiner l'ombre de sa propre culpabilité. Si Suzanne avait manigancé toute cette histoire, il n'en restait pas moins qu'il était tout aussi coupable qu'elle, complice d'avoir fait emprisonner une innocente sans la moindre preuve. La confession de Suzanne Pellerin devait absolument rester sous le couvert du sacrement de pénitence ! Il lui fallait stopper de façon radicale les scrupules débridés de sa paroissienne la plus en vue. Il devait se servir des outils que la tradition catholique mettait, fort à propos, à sa disposition.

– J'accepte une nouvelle fois votre confession puisque la précédente ne vous a pas semblé satisfaisante. Pour votre pénitence, ma chère Suzanne, vous réciterez pendant neuf jours votre chapelet matin et soir, et vous prierez pour le salut de Kateri.

Il se leva, prit son air solennel, fit le geste de l'absolution et prononça les paroles rituelles: « *Ego te absolvo.* » Suzanne se sentit soulagée, tout ce cauchemar était terminé! Elle pouvait aller le cœur en paix. Il lui fallait maintenant régler un autre point:

– Vous savez, Votre Éminence, la tristesse que nous avons, mon mari et moi, depuis la mort de ma belle-mère. La pauvre a beaucoup souffert et je crois que les derniers jours ont été pénibles pour tous ceux qui l'entouraient! Dieu ait son âme!

Elle se signa. Les vêtements de deuil lui allaient à ravir, faisant ressortir le blond doré de ses cheveux.

– Votre Éminence, je viens vous confier une autre chose que j'ai entendue dans la chambre de ma belle-mère avant qu'elle ferme les yeux. Cela m'a tant remuée que je me demande encore si je dois y croire!

– Je vous écoute, Suzanne.

Le Cardinal commençait à perdre patience.

– Voici, auriez-vous pensé un seul instant que ma nièce, Myriam, n'était pas la fille naturelle de Maguy et de Philippe?

Il tressaillit, cette femme était une démone! Avant qu'elle continue, les suppositions se bousculaient déjà dans sa tête. Pourquoi fallait-il que Suzanne Pellerin soit toujours là, à rôder et à découvrir ce qu'elle devait ignorer?

– Que voulez-vous dire?

Il avait pâli.

–Myriam est une enfant adoptée…

Elle fut surprise de l'entendre presque crier :

–Qui vous a dit cela ?

–Je viens de vous le dire. Je l'ai entendu de ma belle-mère sur son lit de mort.

–Stupidité ! C'est impossible, la pauvre Anne était certainement un peu égarée, ce qui est très plausible dans un pareil moment.

–Votre Éminence, je ne demande qu'à vous croire, mais Maguy n'a pas contredit les déclarations de sa mère !

Le Cardinal s'était déjà radouci et demandait d'un air intrigué :

–En avez-vous parlé avec elle, à la suite de ce… de cet incident ?

–Pas du tout, nous ne sommes jamais revenues sur ce sujet. J'ai même cru remarquer à plusieurs reprises que, depuis ce jour, elle m'évite. C'est comme si elle refusait de me voir seule à seule.

Le Cardinal s'efforçait de rester impassible. Il prit son air des grands jours, celui qu'il voulait impressionnant.

–Ma chère Suzanne, à votre place, je ne chercherais pas à m'immiscer dans les affaires de Philippe et de Maguy !

–Vous voulez dire que je dois feindre d'ignorer une supercherie qui concerne ma famille de si près ?

–Je veux dire, ma chère, que, même si vous avez entendu certaines paroles de la bouche de votre belle-mère, vous ne savez absolument rien. Tenez-vous-le pour dit ! Je vous ordonne le secret le plus absolu. Il est de votre devoir de chrétienne de garder tout ceci pour vous. Est-ce assez clair ? Avez-vous bien compris ?

–Oui...

Suzanne s'obligea à s'arrêter là, s'efforçant d'obéir aveuglément même si elle n'y comprenait rien, et même si cette attitude ne correspondait pas à sa vraie nature.

Elle repartit chez elle complètement bouleversée, non seulement à cause de ses remords, mais parce que manifestement le Cardinal savait quelque chose au sujet de Myriam qu'elle-même ignorait depuis neuf ans. Ce qui lui revint alors à la mémoire, ce fut cette visite du prélat au chevet de sa nièce, lorsque celle-ci se trouvait à l'hôpital presque deux ans plus tôt...

Cette étrange visite pour elle toute seule, qui l'avait tant surprise, car elle n'en voyait pas la raison logique, serait-elle la clé d'un nouveau mystère ?

Chapitre xiv

Mai 1957.

Depuis le jour où elle avait été rabrouée par le Cardinal, Suzanne menait discrètement sa petite enquête. Se montrant de moins en moins impulsive au fur et à mesure que les années passaient, elle savait aussi se faire plus patiente, et, bien que jusque-là elle n'ait pas réussi à dénicher la clé du mystère, elle était sûre qu'un jour elle découvrirait ce qu'elle cherchait.

Par un beau dimanche de printemps, Louisette, la sœur de Philippe et la marraine de Myriam, qui avait trois enfants, avait profité de l'arrivée récente d'un grand cirque des États-Unis pour organiser une sortie familiale. Connaissant le goût marqué de ses enfants et de leurs cousins pour ce genre de spectacle, elle avait acheté des billets afin de passer un bel après-midi avec eux, après quoi on se retrouverait tous chez Philippe et Maguy pour souper. Comme ces occasions-là étaient devenues plutôt rares, on en avait parlé longtemps à l'avance et on prévoyait fêter ce même soir l'anniversaire d'un des « jumeaux » de Suzanne, qui tombait presque en même temps que celui de Philippe. Claude et François étaient maintenant des adolescents taquins qui aimaient faire enrager leur cousine chaque fois qu'ils en avaient l'occasion.

Le spectacle du cirque plaisait à tous, petits et grands, sans exception. Il s'agissait d'un grand rassemblement, bien orchestré pour amuser les Montréalais, sous un chapiteau ambulant, qui recevait à chaque représentation les applaudissements d'un public unanime. Le cirque avait dressé son immense tente au parc Jarry et les roulottes se succédaient de chaque côté du pavillon central, recelant des merveilles qui faisaient rêver les amateurs de tous âges et de tout poil... On pouvait visiter la ménagerie avant le spectacle, et les curieux se groupaient autour des cages pour apercevoir, entre les barreaux, les fauves ou les éléphants qui les regardaient d'un œil narquois, lançant quelquefois un rugissement exaspéré. C'était ce qui réjouissait le plus les badauds en quête d'exotisme et de danger.

Les enfants étaient au septième ciel. Myriam adorait le cirque. Les costumes, les flonflons, les roulements de tambour et les exploits accomplis par les artistes la passionnaient tout autant que les clowns. Depuis toujours, elle avait un penchant marqué pour les numéros de trapèze volant, qui la fascinaient. Myriam levait la tête, admirant les pirouettes, s'imaginant que c'était elle la trapéziste suspendue dans les airs, qui se balançait avec grâce entre les deux grands mâts. Sur son banc, elle était coincée entre Claude et François, ses cousins, qui prenaient un plaisir fou à l'agacer en la poussant chacun leur tour d'un habile petit coup de fesse.

– Arrête, mais arrête-donc, niaiseux!

– Hein, qu'est-ce que tu as dit? Répète un peu pour voir si je suis niaiseux!

– Les enfants, un peu de silence! Regardez et taisez-vous!

N'étant pas une petite fille disposée à se laisser faire, elle répliquait tantôt par des paroles, tantôt par un coup de pied bien placé sans quitter des yeux les évolutions de ses artistes préférés. Pendant qu'elle était ainsi en contemplation, Suzanne, assise non loin de là entre Louisette et Maguy, dévisageait discrètement sa nièce, observant chacun des traits du visage de Myriam, avec minutie. Puis son regard allait vers Maguy et s'arrêtait sur Louisette et sur Philippe, qui se ressemblaient comme deux gouttes d'eau. Bien sûr, on aurait dû trouver à Myriam certains traits communs avec les uns ou avec les autres. Mais non, rien. Pas la moindre petite ressemblance! L'esprit de Suzanne vagabondait; elle espérait dénicher une preuve quelconque. Mais elle n'en trouvait pas! Maguy avait les cheveux châtains, une peau claire et des yeux gris. Elle avait la bouche petite et des formes un peu rondelettes. Quant à Philippe et à sa sœur Louisette, ils avaient tous les deux le visage allongé avec de petits yeux bruns et un menton proéminent. Myriam ne ressemblait en rien à ces trois-là. Aucune des expressions qui passaient sur son visage ne rappelait celle de l'un ou l'autre membre de sa famille.

Aussitôt le spectacle terminé, toute la famille prit le chemin d'Ahuntsic pour aller souper. Il y avait du monde plein la maison. On commentait tout ce qu'on avait vu avec gestes et bruitages à l'appui. C'était inimaginable! Extraordinaire! Incroyable! Maguy était heureuse de retrouver l'atmosphère du bon vieux temps au milieu de ses neveux et nièces, qui rentraient et sortaient dans tous les sens. Aidée de Suzanne, elle s'affairait dans la cuisine, pendant que Louisette et Nicole préparaient la table. Philippe, Jean-Paul, ainsi qu'André, le mari de Louisette, et Étienne se passionnaient pour une discussion politique qui n'en finissait plus. On aurait pu se croire ramené dix ans en arrière. Le brouhaha était à son comble et la cuisine sens dessus dessous. Finalement, lorsque tout fut prêt pour passer à table, on avait déjà ouvert trois ou quatre bouteilles de vin d'Alsace en guise d'apéritif et tout le monde semblait fort gai. Suzanne ne lâchait pas Maguy, guettant le moment où, étant toutes les deux occupées au service, elle pourrait, malgré les ordres du Cardinal, questionner habilement sa belle-sœur.

L'occasion se présenta avant le dessert. Maguy, ravie mais un peu affolée par tout ce monde à contenter, avait vidé quelques verres de vin sans même s'en apercevoir. Elle devait être légèrement ivre, car ses gestes imprécis lui firent renverser, juste en le sortant de sa boîte, le gâteau destiné à Philippe sur le comptoir de la cuisine. Évidemment, elle en fut très contrariée. Le chef-d'œuvre du pâtissier arriva en piteux état sur la table du salon, un peu aplati, les décorations de roses en sucre réduites en mille miettes! Mais, au milieu de la joie et de l'excitation générale, l'incident vira à la plaisanterie.

Ce genre de petit malheur faisait plutôt rire. Sauf que Maguy, restée à la cuisine, se lamentait de sa maladresse et se consolait en se versant quelques verres de Monbazillac, ce qui n'arrangeait pas précisément son état... Au centre de la table, les deux gâteaux d'anniversaire, portés par Suzanne et Louisette, étaient tout illuminés. Les enfants battaient des mains. On attendait Maguy pour faire souffler les chandelles à Philippe et à François. Ils avaient déjà chanté en chœur *Bon anniversaire*, puis on criait à qui mieux mieux dans l'allégresse générale:

–On veut du gâteau, on veut du gâteau!

Maguy n'apparaissait toujours pas. Philippe demanda à Suzanne:

–Mais que fait-elle donc?

En guise de réponse, Suzanne se leva immédiatement pour aller dans la cuisine.

–Je vais voir, ne bouge pas.

Maguy, assise au coin de la table, un verre à la main, pleurait à chaudes larmes.

–Maguy, Maguy, pour l'amour du ciel, mais pourquoi pleures-tu donc ainsi?

Louisette fit son apparition sur le pas de la porte, mais Suzanne lui fit signe de les laisser seules. Les larmes de Maguy, pliée en deux, la tête appuyée sur les bras, redoublaient. Elle avait l'air pitoyable! Suzanne insista.

–Voyons, Maguy, ne reste pas ainsi, ne te rends pas malheureuse, un si beau jour de fête où tout le monde est réuni!

–Il manque le plus important...

–Que veux-tu dire, Maguy?

–Toi, Suzanne, tu ne sais pas ce qu'est la peine d'avoir perdu son père et sa mère! Ils auraient été si heureux d'être au milieu de leurs petits-enfants, de tous leurs petits-enfants! Oh...

Suzanne, interloquée, lui tendit un mouchoir et lui mit la main sur l'épaule.

–Allons, allons, Maguy, je le sais bien. Sèche tes larmes... Te souviens-tu que j'étais présente le jour où Anne s'est éteinte?

Maguy sanglotait de plus belle.

–Évidemment que je m'en souviens. Pourquoi parles-tu de ça ?

–Pour rien, Maguy, simplement parce que c'est toi qui en as parlé. Parce que c'est toi qui as du chagrin. Il ne faut pas te rendre malade, tu ne peux rien y changer. Tes parents te manquent beaucoup ?

–Ils aimaient tant leurs enfants et leurs petits-enfants… oh…

Suzanne se rapprocha de Maguy et lui parla d'une voix feutrée, qu'elle voulait douce :

–Je sais, Maguy, j'ai très bien entendu les dernières paroles de ta mère. Elle a dit qu'elle aimait Myriam, cette enfant qui pourtant avait été adoptée, tout autant que mes fils. Je me souviens encore de ses paroles.

Elle fit une pause, prit les mains de Maguy qui se demandait si elle avait bien entendu. Suzanne répéta avec un air moqueur :

–Alors, Myriam n'est pas ta fille ? Vous l'avez adoptée sans rien nous dire ?

Les paroles de Suzanne entrèrent dans la poitrine de Maguy comme un coup de poignard. Dégrisée à l'instant, elle se leva et répliqua en criant :

–Suzanne, comment oses-tu ?

–Mais voyons, Maguy, je n'ai rien dit jusqu'à aujourd'hui. Seulement, j'ai entendu ce que j'ai entendu ! Et je ne suis pas folle ! Avoue que Myriam n'est pas ta fille…

Elle avait à peine fini de prononcer ces mots qu'elle reçut une gifle en plein visage. La patience de Maguy avait ses limites, même si celle-ci n'était pas méchante. Les paroles de Suzanne venaient aviver ses inquiétudes et l'alcool qu'elle avait ingurgité ce soir multipliait ses craintes.

–Myriam est, et sera toujours…

Suzanne secouait maintenant sa belle-sœur par les épaules. La gifle qu'elle avait reçue de Maguy ne passait pas. Ses bons sentiments s'étaient envolés.

–Pourquoi m'as-tu fait ça, Maguy, pourquoi?

Maguy était tombée mollement par terre sans répondre et elle tentait maladroitement de se relever en criant à Suzanne:

–Va-t'en! Va-t'en!

La porte s'ouvrit. Jean-Paul, Philippe, Louisette et les enfants scandèrent tous ensemble:

–On veut Maguy! On veut Suzanne! On veut Maguy! On veut Suzanne!

Mais le spectacle qu'ils avaient devant les yeux les surprit et leur bonne humeur se figea. Suzanne se tenait le visage à deux mains. Elle était toute rouge. Maguy, encore assise sur le plancher, le mouchoir à la main, était défigurée par les larmes. La joie de la fête était gâchée. Personne ne dit mot de l'incident, mais ils se regardèrent tous, consternés, comprenant qu'il s'était passé quelque chose de très fâcheux. L'atmosphère des réunions de famille d'antan n'y était plus! Pour une fois que l'on était tous réunis, il fallait que se produise ce drame! Tout le monde était mal à l'aise. C'était la première fois que Maguy se disputait avec quelqu'un de la famille, et les circonstances n'étaient guère à son honneur! Habituellement, c'était elle qui réconciliait tout le monde, c'était elle qui faisait oublier les divergences. Sentant qu'elle devenait plus mauvaise qu'elle ne l'aurait cru malgré tous ses efforts, elle avait honte d'elle-même! Mais enfin, pourquoi Suzanne se mêlait-elle toujours de ce qui ne la regardait pas? Pourquoi Philippe était-il si distant quand elle avait besoin de lui ? Pourquoi le secret juré au Cardinal l'amenait-il à mentir ?

La soirée fut courte. Un vent de désenchantement avait balayé la bonne humeur et les beaux souvenirs du spectacle. Philippe, exaspéré de voir Maguy dans cet état, se doutait bien que l'incident était dû au mauvais caractère légendaire de sa belle-sœur. Il n'était pas encore neuf heures que tout le monde était reparti. Myriam était montée et se prélassait dans son bain en écoutant de la musique. Philippe, assis en face de Maguy dans la cuisine, était de plus en plus contrarié de la voir à moitié soûle et il tentait de lui faire dire ce qui s'était passé avec Suzanne. Mais Maguy, insultée, n'avait pas envie de lui faire des confidences.

– Voyons, Maguy, qu'est-ce qui t'a mise dans cet état ?

– Dans quel état ?

– Maguy, ne fais pas la dinde, d'abord, tu as trop bu... et ensuite, tu t'es chicanée avec Suzanne.

Elle prit un air narquois et le toisa du regard :

– Qu'est-ce qui te fait dire ça ?

– Torrieu, Maguy ! N'es-tu pas capable d'admettre que tu as trop bu ?

– Peut-être que d'après toi j'ai trop bu, mais d'après moi je n'ai pas encore assez bu pour ne pas savoir que mon père et ma mère m'ont laissée orpheline, puisque tu ne t'occupes jamais de moi...

– Ah, c'est encore ça qui revient ! On est repartis !

Il en avait vraiment assez de ses jérémiades. Elle l'interrompit, voulant aller au bout de sa phrase :

– Et que Suzanne est une chipie qui se mêle toujours de ce qui ne la regarde pas ! As-tu compris ?

– Maguy, cela n'est pas nouveau ! Je t'ai toujours dit de te méfier d'elle !

Elle se remit à pleurer. Philippe ne pouvait pas supporter les larmes de Maguy. Elles lui semblaient stupides, mais en même temps elles lui donnaient mauvaise conscience. Il finissait par se considérer comme un bourreau. Il aurait voulu que Maguy sorte de cet univers de petite fille gâtée qu'elle n'avait jamais abandonné, même après la mort de ses parents.

– Maguy, tu sais aussi bien que moi, et depuis des années, que Suzanne a une langue de vipère ! Sèche donc tes yeux et dis-moi ce qui s'est passé entre toi et Suzanne !

Maguy eut un hoquet. Impossible de lui dire... Elle allait encore se faire réprimander ! Elle voulut finir le verre de vin qui était devant elle, mais Philippe l'en empêcha. Il jeta le vin dans l'évier et lui tendit un verre d'eau, puis tira une chaise, se rassit et attendit. Maguy était furieuse qu'il ait osé l'empêcher de boire. Cependant, comme elle se mit à hoqueter de nouveau, elle abdiqua.

– Je ne sais pas comment elle s'y est prise, mais Suzanne sait que Myriam... est une enfant adoptée.

Philippe avait envie de hurler de rage. Pourtant, il n'en fit rien. Il se contenta de donner un coup de poing sur la table, craignant que la petite entende prononcer le mot « adoptée ».

– Bon, on y est ! Maguy, quand as-tu trop parlé ? Maguy ! Allons, dis-moi ?

– Philippe, je n'ai rien dit !

– La preuve que tu as parlé, Maguy !

– Non, Philippe Langevin, je n'ai rien dit ! En fait, c'est ma mère Anne, le jour où elle a fermé les yeux, qui ne savait sans doute plus ce qu'elle disait. Elle a parlé devant Suzanne... devant Suzanne! Le pire qui pouvait nous arriver... Oh!

–Beau travail! Beau résultat! Alors, depuis plus d'un an, tu savais qu'elle était au courant! Encore heureux qu'elle ait mis tout ce temps à t'en parler... mais qui sait, entre-temps, auprès de qui elle est allée s'ouvrir la boîte!

Il était hors de lui, mais il baissa le ton, car on entendait Myriam qui sortait de son bain en chantant à tue-tête. Maguy avait encore le regard égaré. Elle était vraiment ivre. Philippe était écœuré. Quelle plaie, toutes ces histoires de famille!

–Maguy, je te préviens que si le Cardinal apprend...

–Quoi, si le Cardinal apprend? Hein, dis-moi quoi? C'est encore moi qu'on va blâmer?

Elle attrapa la bouteille de scotch et s'en versa une rasade qu'elle but précipitamment, après quoi elle n'arrivait plus à tenir debout. Il la prit par la taille et l'aida à monter jusque dans leur chambre, la déshabilla et la coucha. Maguy se laissait faire avec délices, oubliant tout. Il y avait si longtemps que cela n'était plus arrivé! Elle s'endormit comme une bûche. Philippe la regardait, perplexe. Pour quelle raison se laissait-elle aller à ce point? Depuis déjà quelques mois, il la surprenait à boire plus que de raison. Il se gratta la tête. Maguy avait pourtant tout ce qu'elle pouvait désirer et sa vie ne comportait aucun sujet d'inquiétude. Myriam, en peignoir, les cheveux trempés, fit irruption dans la chambre.

–Ta maman dort, Myriam.

–Elle était déjà fatiguée?

–Oui, c'est cela. Elle était déjà fatiguée.

–Moi, j'ai pas envie de me coucher tout de suite !
C'était si beau, les trapézistes… et leur musique…
tralala lala, lala… Papa, viens-tu avec moi faire un
peu de sport ?

–OK, mon petit sportif, j'arrive ! Mais pas trop
longtemps !

–Es-tu fatigué, toi aussi ?

–Non, mais il est tard maintenant et demain il y
a de l'école. Pour toi et pour moi aussi ! Il faut que je
parte de bonne heure.

–Alors, on va faire un petit tour de bicyclette ?

–C'est ça… juste un petit tour.

Ils rirent tous les deux. Myriam s'habilla rapidement pour aller faire du vélo avec son père.

*

Lorsque Jean-Paul et Suzanne arrivèrent chez eux,
Jean-Paul, habituellement si résigné devant les frasques
de sa femme, décida de mettre les choses au point. Il
voulait savoir ce qui s'était passé, n'ayant pas du tout
apprécié la querelle qui avait éclaté dans la cuisine
entre Suzanne et Maguy. Une fois que les deux garçons
furent montés dans leur chambre, il prit un air bourru
et entraîna sa femme vers le sofa du salon.

–Suzanne, peux-tu bien me dire quelle mouche
t'a piquée pour que Maguy soit dans cet état ? Êtes-
vous donc assez stupides toutes les deux pour faire
une pareille scène au beau milieu d'une fête de
famille ! Je ne te trouve pas drôle du tout ! C'est même
parfaitement imbécile.

Suzanne, qui avait l'habitude de faire la pluie et
le beau temps, fut surprise du ton de reproche adopté

par son mari et de ses paroles cinglantes. Elle sursauta, prit son air pincé et ressortit son accent pointu, n'étant pas d'humeur à se laisser faire la morale.

–C'est bien cela… fais-moi donc une scène, à ton tour ! Tu as bien vu que Maguy avait trop bu !

–Suzanne, vas-tu te taire, espèce de mauvaise langue ! Ma sœur n'avait pas bu plus que les autres. À nous tous, on a descendu un certain nombre de bouteilles ! Et Maguy a toujours été une personne douce. Elle n'a jamais essayé de provoquer qui que ce soit. Dans la famille, ce n'est pas elle qui est connue pour son mauvais caractère…

Suzanne ne pouvait tolérer ce genre de reproches. Il n'en fallait pas plus pour qu'elle se déchaîne. Prenant un livre qui se trouvait sur le canapé, elle le lança à travers la pièce.

–Dis tout de suite que c'est moi, tant qu'à faire ! C'est bien ce que je disais ! Tu vas encore me faire passer pour la méchante ! C'est trop fort ! Jean-Paul, tu exagères vraiment !

Tout à coup elle se ravisa. Elle baissa le ton et dit en minaudant :

–Moi qui voulais faire une bonne action et écouter les confidences de ta sœur !

–Quelles confidences ? Que racontes-tu à la fin ?

Elle était bien décidée à l'emporter dans la discussion, selon ses méthodes habituelles, et à calmer Jean-Paul en usant de paroles séduisantes, auxquelles il ne savait pas résister. Elle se fit chatte et enjôleuse. Sa vraie nature reprenait le dessus. Mais, ce soir-là, Jean-Paul n'avait vraiment pas le goût de rire et ne trouvait aucun charme à sa femme, bien au contraire. Il en avait assez de la voir semer la zizanie partout où elle passait.

Depuis qu'ils étaient mariés, il lui avait laissé la plus grande liberté. Il l'avait laissée dire tout ce qu'elle avait envie de dire, le plus souvent à son désavantage, à lui. Il l'avait même laissée faire lorsqu'elle avait commencé à organiser les festivités cardinalices et à se rendre à tout bout de champ à l'archevêché, au point de délaisser carrément son rôle d'épouse au foyer. Mais sa patience avait des limites. Si elle se mettait à insulter sa sœur Maguy, il allait se comporter en homme. Suzanne aurait à le regretter! Elle s'assit tout près de lui et baissa légèrement le ton, pour lui faire sentir qu'elle allait lui faire part d'une chose de la plus haute importance. Jean-Paul recula un peu. Étant sur la réserve, il enleva la main qu'elle avait posée sur son genou.

–Jean-Paul, dis-moi, est-ce que Maguy et Philippe t'ont déjà parlé de Myriam?

–Comment ça, parlé de Myriam? On parle de nos enfants chaque fois qu'on a l'occasion de se voir en famille! Tu le sais aussi bien que moi!

–Oui, mais sais-tu qu'il y a un mystère au sujet de cette enfant?

–Suzanne, pour l'amour, est-ce que tu perds la tête?

–Savais-tu que ton père et ta mère étaient au courant, mais qu'on nous a soigneusement caché les origines… de la fille de Philippe et de Maguy!

–Es-tu complètement folle? Les origines de la fille de Philippe et de Maguy!

–Jean-Paul, Myriam est une enfant adoptée!

Jean-Paul se leva d'un bond. Suzanne en avait trop dit, ou pas assez.

–Vas-tu arrêter de faire des histoires sur tout et sur tous! Je comprends que Maguy t'ait envoyée promener!

—Je te l'ai dit, mais tu ne veux pas m'écouter! Écoute-moi donc à la fin, Maguy était soûle!

Jean-Paul ne put se retenir, Suzanne reçut une gifle. La deuxième en quelques heures. Ce qui ne lui était jamais arrivé. Elle se jeta sur Jean-Paul et voulut lui rendre la pareille, mais il lui maintint solidement les deux bras, décidé à en finir avec les caprices de sa femme.

À cet instant-là, il lui parlait en plein visage, les yeux hors de la tête et avec un air menaçant qu'elle ne lui avait jamais vu. Ce visage-là, cet homme-là, autoritaire, ferme et sûr de lui, elle ne le connaissait pas encore! Depuis bientôt quinze ans, Suzanne était mariée à un homme plutôt débonnaire, qui lui passait tous ses caprices et qui, pensait-elle, n'avait rien dans le ventre! Pour la première fois de sa vie, Jean-Paul l'impressionnait. Vu ainsi, il dégageait une énergie mâle très attirante… et il lui faisait mal aux poignets.

—Tu vas immédiatement me faire des excuses au sujet de Maguy et tu vas oublier cette histoire d'enfant adoptée qui ne te concerne pas. Ne te mêle plus jamais des affaires de ma sœur, entends-tu? Jamais!

—Lâche-moi donc! Es-tu devenu fou, toi aussi? Je te dis que Myriam est une enfant adoptée, et que Maguy et Philippe en ont gardé le secret! Lâche-moi!

—Peu m'importe! Tais-toi et tiens-toi tranquille.

Il ne la lâchait toujours pas. Elle le regardait dans les yeux, guettant sa défaite, mais il ne montrait aucun signe d'affaiblissement. Soudain, elle cessa de lui résister. Ce fut immédiat et incontrôlable. Sans préambule, sans même s'en rendre compte, elle avait fondu en larmes, ignorant ce qui lui arrivait. Un goût de remords et de honte s'emparait de toute sa per-

sonne, la submergeait. C'était douloureux, si douloureux! Les pleurs charriaient un torrent de culpabilité,
un océan... Suzanne n'était plus que ce remords qui
avait attendu son heure pour se jouer d'elle! Elle
n'avait connu cela qu'une fois dans sa vie: lorsque,
ébranlée par la chute du chandelier, elle avait avoué
au Cardinal sa faute envers la pauvre Kateri... C'était
tellement inattendu de se sentir, pour la seconde fois,
fragile et décontenancée en l'espace d'une seconde,
qu'elle pâlit et poussa un petit gémissement d'impuissance. En même temps, elle avait l'impression que ses
jambes se dérobaient et qu'elle n'avait plus aucune
force physique. C'est comme si elle perdait pied. Elle
eut très peur, se sentit complètement paniquée!

Jean-Paul, qui ne l'avait jamais vue ainsi, perçut
sa détresse, lisant sur son visage comme dans un livre
ouvert. Il en fut bouleversé. Suzanne la battante, la
guerrière, semblait fondre pour laisser la place à une
autre Suzanne, touchante celle-là. Humaine, fragile et
sensible. Sa femme. Avant même d'y avoir réfléchi, il
la prit dans ses bras. Il s'écoula un long moment pendant lequel ni l'un ni l'autre ne bougèrent. Muette,
elle se sentait bien et se laissait aller. Suzanne et Jean-
Paul n'étaient plus deux ennemis qui s'affrontaient,
ils devenaient à cette seconde même les deux amants
qu'ils avaient rêvé d'être, du temps de leur jeunesse.

–Calme-toi, là, calme-toi... Qu'est-ce qui te met
dans cet état? lui demanda-t-il d'une voix tendre
qu'elle ne lui avait jamais connue.

Il lui caressait les cheveux et couvrait son visage
de petits baisers. Suzanne, pour la première fois de sa
vie, se laissait faire et cédait à son homme sans résister. Le face-à-face, la lutte n'existaient plus, ils étaient

soudés dans une unité parfaite et restaient là sans bouger, abasourdis par la puissance de leur amour qui venait de leur être révélée. Comment avaient-ils pu vivre toutes ces années comme des étrangers, sans rien ressentir, sans rien éprouver l'un pour l'autre ? À cette seconde même, rien n'existait en dehors d'eux, ils ne faisaient plus qu'un. Un vrai miracle s'était produit au milieu du salon silencieux.

Jean-Paul lui murmura à l'oreille :

– Es-tu bien, mon amour ?

Vibrante, muette, étonnée et heureuse, Suzanne lui fit signe que oui. Elle glissa doucement son visage contre celui de Jean-Paul, tout le long de sa joue, pour aller chercher sa bouche, dans un baiser passionné. Un petit bruit les fit sursauter. Ils arrêtèrent net leurs effusions, se sentant observés. Les deux garçons en pyjama, alertés par les échos de la dispute, se tenaient immobiles et ébahis dans l'ouverture de la porte du salon. Ils étaient là depuis quelques minutes, descendus pour dire bonsoir, et ils avaient tout entendu. Sentant bien que le moment était crucial, ils ne dirent mot et remontèrent en courant dans leur chambre après avoir lancé un rapide « Bonne nuit ».

– Myriam a été adoptée, Myriam a été adoptée !

Chahuteurs avant tout, ils se lançaient maintenant les oreillers à travers la chambre. Claude et François avaient de quoi faire enrager bientôt leur cousine.

*

Chaque fois qu'elle pouvait faire garder ses enfants les jours de congé, Pierrette partait avec Gaby pour aller rendre visite à Kateri à Saint-Jean-de-Dieu. Enfin, si on pouvait appeler cela rendre visite! Les moments passés avec la jeune femme étaient toujours aussi stériles, c'est-à-dire qu'elle ne les reconnaissait pas, ne paraissait pas les voir et ne leur adressait pas la parole. Après les retrouvailles qui avaient été si pénibles, ils avaient tous les deux décidé de faire face à la situation et de braver la triste réalité pour essayer de déclencher, peut-être, un jour, une réaction, si minime soit-elle! Au cours de leur dernière rencontre, pourtant, elle avait eu un comportement qui leur avait donné une lueur d'espoir. Avaient-ils raison de se laisser emporter ainsi? Étaient-ils trop optimistes? Était-ce fou? C'était à peine une semaine plus tôt.

Comme d'habitude, ils s'étaient rendus au sixième étage, accompagnés de sœur Marie-Louise. D'autres personnes étaient déjà là, près d'une grosse femme qui riait béatement, tortillant un nœud de satin rose qu'elle s'était accroché dans les cheveux. La pauvre bêlait plus qu'elle ne riait et, rien qu'à la regarder, on ressentait un malaise indéfinissable. Hélas, tout dans cet endroit était semblable, immuable et atone, même l'odeur fadasse qui régnait dans les corridors, ainsi que la lueur blafarde diffusée par les plafonniers et par les quelques ouvertures donnant sur l'extérieur. Les malades étaient exactement les mêmes, sculptés comme des blocs dans des attitudes reproduisant les gestes auxquels se réduisait leur participation à cette piètre existence. Kateri, qui était assise près de la fenêtre, s'approcha de Gaby avant que celui-ci l'appelle. C'était la première fois qu'elle manifestait un peu d'intérêt envers lui. Elle le fixait intensément, d'un regard qui paraissait un peu plus vivant qu'à l'accoutumée. N'était-ce qu'une chimère? Pierrette, très étonnée, donna un petit coup de coude au jeune homme en lui soufflant à l'oreille:

–Regarde, elle t'a reconnu…

Alors, Gaby sortit maladroitement de sa poche un minuscule sac en cuir. C'était la petite bourse ornée de perles qu'il avait retrouvée dans la cabane de Wanda, celle que Kateri avait cousue voilà presque trente ans et qu'elle avait souvent utilisée, l'affectionnant autant pour ses jolis dessins de perles que pour sa signification traditionnelle. Il s'approcha de sa sœur, un peu craintif, lui passa délicatement un bras autour du cou et lui dit lentement en lui montrant l'objet:

–Kateri, je t'ai apporté ta bourse. Elle est à toi, tu t'en souviens?

Tout d'abord, elle ne réagit pas. Puis son regard fixe et traînant se posa sur le petit objet en cuir travaillé. Elle prit la bourse dans ses mains, la retourna, palpa longuement les dessins multicolores, releva la tête et regarda de nouveau son frère. Une petite larme roula au coin de son œil. Pierrette et Gaby étaient suspendus à son souffle et à ses moindres réactions. Ils avaient tous deux un nœud en travers de la gorge. Instinctivement et follement, si follement, ils espéraient une phrase, un message… mais elle ne dit rien. Elle se retourna, regarda par la fenêtre, se rassit sur son siège en posant les mains sur ses genoux. Et ce fut tout.

À la suite de cette rencontre, Gaby et Pierrette demandèrent à rencontrer le psychiatre de Kateri, ce qui fut long et difficile à obtenir. Gaby voulait en savoir plus sur le cas de sa sœur. Il voulait en avoir le cœur net et la sortir envers et contre tous de cet enfer, décidé à la ramener, quoi qu'il lui en coûte, sur les terres d'Oka, où Ruth et Mary voulaient prendre soin d'elle. Lorsqu'ils pénétrèrent dans le bureau du médecin, ils eurent un petit frisson dans le dos tant celui-ci avait l'air bourru et rébarbatif. Le docteur Guérin les reçut avec une désagréable condescendance et leur brossa sans ménagement un tour d'horizon de la situation. C'était un homme assez corpulent, de haute stature et s'exprimant avec un accent très prononcé. Il roulait ses *r*, ce qui lui donnait un air encore plus terrible. À chaque mot qu'il prononçait, son abondante chevelure, blanche et bouclée, s'agitait comme une crinière. Il les attendait, faisant les cent pas dans son bureau et fixant d'un air sévère la tenue vestimentaire de Gaby, dont le blouson de cuir et les bottes ne convenaient vraiment pas, avait-il l'air de penser... Gaby, se sentant dévisagé et jugé, se retenait de lui envoyer quelques mots grossiers à la figure, puisqu'il était toujours et avant tout un rebelle. Pierrette avait envie de disparaître dans un trou de souris avant même qu'il ait commencé à parler, car cette attitude hautaine la rebutait tout autant que ce langage ésotérique. Le jargon médical, hermétique et compliqué, lui était complètement étranger. Le psychiatre, l'air toujours aussi revêche, fixait maintenant les pages du dossier posé devant lui, s'appuyant de ses deux bras et de toute sa hauteur sur le bureau. Chaque fois qu'il tournait une page, il relevait la tête et plantait son regard dans celui de Gaby. Son discours se résuma à peu près à ceci:

–Votre sœur est maintenant dans une phase stable de la maladie. Son cas est un cas de schizophrénie aiguë. Depuis quelques années, nous avons tenté par tous les moyens de la rendre fonctionnelle. Elle a reçu pendant un certain temps des électrochocs, puis elle a subi une lobotomie voici quatre ans, après quoi son comportement est devenu plus souple... Il est impossible de penser qu'elle pourrait mener une vie normale, dans l'état actuel des choses. Elle dépend entièrement du personnel de cet établissement.

Timidement, Pierrette et Gaby se regardèrent. Ils avaient du mal à le suivre. Pierrette osa poser la question :

– Pouvez-vous nous expliquer ?

L'éminent praticien regardait ses interlocuteurs avec impatience. Qui étaient-ils donc, ces deux-là, pour qu'il faille leur expliquer un diagnostic ? Pierrette, mal à l'aise, eut l'impression qu'il tapait du pied sous le bureau pour mieux leur imposer son point de vue. Ses gestes étaient saccadés. Il tournait si rageusement les pages du dossier médical ouvert devant lui qu'il en déchira une. Ce mouvement maladroit accentua l'embarras général. Gaby se hasarda :

– Voyez-vous, nous aimerions la ramener dans notre famille...

– Impensable ! Je viens de vous le dire... elle est schizophrène et lobotomisée, comprenez-vous ?

– Non...

Il y eut un silence. Il avait l'air excédé. Pierrette osa poser encore une question :

– Mais en quoi consiste son traitement actuel ?

– Ce sont les soins prodigués à tous les internés, une surveillance continuelle et un suivi psychiatrique très serré.

– Prend-elle des médicaments ?

–Pour le moment, nous lui administrons une nouvelle médication, des neuroleptiques qui ont pour effet de neutraliser tout débordement des zones pathogènes du cerveau. Nous avons réussi à éliminer complètement les crises. Il n'y a plus de crises et il n'y en aura plus. Comprenez-vous?

Il avait l'air très fier d'avoir réduit à l'état de légumes la plupart de ses malades. Il se sentait victorieux: comme Jules César, il avait vaincu! La vie n'avait pas le dessus... c'était lui, le plus fort! Pierrette était atterrée. Davantage à cause de l'attitude arrogante de cet homme qui se prenait pour un dieu que pour son discours qu'elle ne saisissait pas.

–Mais alors... pourquoi pas?

–Parce que, ma petite madame, la schizophrénie est une psychose grave qui provoque une désagrégation de la personnalité. La malade vit dans un monde à elle, sans aucune possibilité de communiquer. Lorsqu'elle se retrouvera dans sa famille, elle subira un choc qui rendra son comportement imprévisible et désarticulé. Elle sera perdue. Aucune famille ne peut vivre tranquille en présence de cette sorte de pathologie.

Le ton était sans réplique; même s'ils ne comprenaient absolument rien au jargon technique de l'éminent praticien, il n'était pas question de lui demander de plus amples explications. Ce fut Gaby qui prit son courage à deux mains pour lui dire d'une voix qui se voulait ferme et assurée:

–Eh bien, puisque vous ne lui faites rien de spécial ici, puisqu'il suffit de lui donner des pilules, nous allons la ramener chez nous. Elle n'est pas démente ni dangereuse, que je sache...

—Croyez-moi, il n'en est pas question. Elle ne sortira pas de cet hôpital.

Il avait violemment refermé les pages du dossier.

—Ah, ma sœur ne peut pas vivre près des siens ? Vous voulez dire que sa vie vous appartient ? Vous appartient-elle ?

À ce moment-là, Gaby se sentait capable de tout. Le ton catégorique du médecin, son esprit fermé l'avaient piqué au vif. Il se leva d'un bond, prêt à se battre avec cet arrogant. Pierrette, discrètement, lui donna un petit coup de pied pour essayer de le ramener à une attitude plus diplomatique. Il prit une grande respiration, se rassit et se tut. Quant au docteur Guérin, il baissa les bras, ne trouvant pas d'autre façon d'exprimer sa rage devant l'obstination de ses deux visiteurs. Il n'avait jamais rien vu de semblable. Ordinairement, on se pliait à ses directives. On ne répliquait pas. Le public acceptait les yeux fermés les décisions, même arbitraires, du corps médical dont il était une figure de proue. Il murmura en hochant la tête :

—Inimaginable, inimaginable…

Il quitta la pièce en levant les épaules, agitant ses boucles blanches, sans même prendre congé de ses interlocuteurs. Gaby tremblait de fureur contenue. Ils prirent l'ascenseur et redescendirent jusqu'à la réception. Pierrette, voyant la colère refoulée de son compagnon, se dirigea vers les sièges dans lesquels ils avaient si patiemment attendu la première fois qu'ils étaient arrivés ici.

—Alors, Gaby, qu'est-ce qu'on fait ?

—J'crois bien qu'y faudrait trouver une solution, sinon j'vais faire un malheur !

– Viens, on va s'informer pour connaître nos droits à la reprendre. Une chose est sûre, c'est pas lui qui va nous aider !

Il fallait encore attendre, encore solliciter des entrevues. Il fallait rencontrer le personnel administratif, faire la demande, l'acheminer auprès des médecins, obtenir leur accord. On n'en finissait plus. La lourdeur et la lenteur de l'engrenage étaient telles qu'elles décourageaient les plus entêtés. Enfin, Pierrette eut une idée.

– Je vais demander au docteur Langevin de nous dire quoi faire. Peut-être même pourrait-il nous aider !

– OK, on va faire ça… Viens, rentrons. C'est assez pour aujourd'hui.

※

Ce soir-là, immobile sur son lit, Kateri rêvait en poussant de petits cris de satisfaction. L'infirmière, qui faisait sa ronde, s'approcha d'elle, étonnée. Habituellement, la pauvre fille était plus silencieuse… Elle sortit le dossier et vérifia que ses pilules lui avaient bien été administrées. Pas de doute, tout était en ordre et la malade ne s'agitait plus. L'infirmière fit le tour des lits de la salle. Rien à signaler. Comme tout était normal, elle éteignit sa lampe de poche et se rendit jusqu'à la salle suivante.

Kateri flottait au-dessus de son lit et regardait son corps endormi dont se dégageait une pâle clarté. Comme il était devenu terne et triste, son pauvre corps ! Mieux valait s'en éloigner le plus souvent possible… Alors, elle pensa très fort aux jours heureux de son enfance et à sa terre d'Oka, à tous ceux qu'elle aimait et à qui se rattachaient encore les racines de son existence. Au même moment, légère et lumineuse, elle se retrouva en plein milieu de la cabane de Wanda, à côté de la petite table en bois. Rien n'avait changé. Kateri vit son frère Gaby, assis sur une chaise, une bouteille de bière à la main. Ce qu'elle vit également, c'est qu'il pensait à elle avec tendresse. Elle s'approcha de lui en souriant, mais il ne semblait pas la voir…

Gaby était en grand conciliabule avec Mary, Gloria et un autre homme qu'elle ne connaissait pas. Kateri cherchait partout où pouvait bien être Wanda, mais sa mère n'était nulle part dans la maison! Elle tourna autour d'eux, étonnée, et leur dit:

– Regardez, je suis ici, je suis venue vous voir! Je veux revenir parmi vous!

Gaby s'interrompit une seconde, cligna des yeux, tourna la tête vers elle, mais il ne la voyait pas et ne l'entendait pas plus! Un peu triste, elle attendit quelques instants, puis, comme personne ne faisait attention à elle, elle fit une grande promenade en pénétrant dans toutes les maisons de ses anciens amis, avant de retourner dans son corps, sur son lit d'hôpital.

Chapitre XV

Maguy avait mal à la tête en revenant de l'archevêché où, comme d'habitude, elle s'était confessée auprès de Son Éminence pour recevoir de lui conseils et réconfort. Mais voilà que, sans raison apparente, il lui avait encore dit, sur un ton qui la terrorisait, de s'en tenir à son serment sous peine de châtiment divin! Maguy en avait assez de s'entendre répéter année après année que la fureur du Créateur allait s'abattre sur elle. Le pire, c'est qu'elle la craignait vraiment, cette colère! Elle se demandait pourquoi le Cardinal s'entêtait à douter d'elle. Il pouvait être très dur dans ses paroles et dans ses attitudes; Maguy avait remarqué des similitudes étonnantes entre lui et Philippe. Ils étaient aussi distants, aussi froids l'un que l'autre. Ils avaient tous deux le don de lui glacer l'épine dorsale lorsqu'ils plantaient leur regard d'acier dans ses yeux… et de lui donner la migraine! Tous deux brandissaient cette autorité contre laquelle elle se révoltait, maladroite et aigrie, retombant péniblement dans l'impuissance et la dévalorisation. En longeant la rue de la Cathédrale au volant de sa voiture, elle pensait qu'il valait mieux chasser toutes ces pensées dérangeantes, changer le cours de ses réflexions: un verre d'alcool remettrait de l'euphorie dans sa tête trop douloureuse. D'ailleurs, elle avait vraiment soif!

Lorsqu'elle arriva à la maison, Maguy, son manteau à peine retiré, se précipita vers le bar et fouilla parmi les nombreuses bouteilles. Elle eut beau en faire le tour, il ne restait plus de Glenlivet, son scotch favori. Elle avala deux comprimés d'aspirine avec un peu d'eau, mais pouah! c'était infect, et de plus le mal de tête persistait. Comme Myriam allait bientôt rentrer de l'école, Maguy envoya Pierrette en taxi lui en acheter deux bouteilles.

Comment occuper ses journées désormais? Lorsqu'Albert lui donnait de longues listes d'emplettes ou lui confiait l'organisation d'un cocktail, elle se sentait vivante. Vivante et utile! Ensuite, prise par la maladie d'Anne, elle n'avait même pas eu le temps de se poser des questions. Les jours filaient, bien remplis. Il fallait faire face. Depuis la mort de sa mère, prisonnière de la lenteur des heures qui s'égrenaient, sans but précis, Maguy aurait aimé consacrer son temps au bénévolat comme sa belle-sœur, mais elle savait que Suzanne aurait vu d'un mauvais œil qu'elle fasse une incursion sur son territoire! Il y avait des privilèges, des chasses gardées dans lesquelles il valait mieux ne pas mettre le pied... surtout avec le caractère tranchant de la chère Suzanne, tout aussi pointu que son accent! Quel sort aurait-elle subi si elle lui avait proposé de l'aider? Ou d'organiser de nouvelles activités? Elle imaginait le tableau: Suzanne lui aurait immanquablement fait sentir sa supériorité et se serait sans cesse mise en avant pour bien montrer qu'elle avait la première place, qu'elle dirigeait, que c'était elle la grande patronne! Infernal, tout simplement... Maguy, trop douce et trop sensible, n'avait pas le courage de lutter pour s'affirmer, de faire face à l'agressivité de sa belle-sœur, qui de toute façon en savait déjà trop. En fait, plus rien ne lui faisait envie ! Aller magasiner ? À quoi bon, avec qui ? Quelquefois, elle emmenait Myriam, mais la petite se fatiguait vite de courir les magasins. Impossible de faire cela toutes les semaines ! Philippe, fidèle à lui-même, était toujours absent et préoccupé par son travail. Dans son cas, au moins, des malades avaient besoin de sa compétence... On l'attendait toujours, que ce soit au cabinet, à l'hôpital ou à la maison. Hélas, c'était surtout elle qui attendait ! Chaque jour. Maguy n'en pouvait plus d'attendre. L'attente la tuait à petit feu. L'attente la consumait lentement, comme un poison mortel et non identifiable qu'elle aurait absorbé jour après jour, infiniment seule au milieu du rythme de plus en plus accéléré de la vie moderne.

Lorsque Philippe rentrait du bureau, Maguy l'interrogeait sur ses activités et ses tracas. Elle ne demandait qu'à l'écouter et à participer à ses victoires. Mais chaque fois c'était le même scénario.

– Comment s'est passée ta journée ?... As-tu eu des cas difficiles aujourd'hui, Philippe ?

– Oh, pas trop...

– Combien de cataractes as-tu opérées ?

– Trois.

– Mais voyons, Philippe, c'est de la folie ! Tu dois être à bout !

– Tu sauras, ma chère Maguy, que le travail ne me fatigue jamais.

– Quand prendrons-nous quelques jours de vacances ?

– Tu le sais bien, Maguy, toujours à la même date, au début février.

– Oui, mais c'est encore loin…

– C'est comme cela, Maguy, et tu le sais !

Ses tentatives de prolonger la conversation étaient de faibles coups d'épée dans l'eau. La grande artère de la communication, qui réunit les êtres, se bloquait d'un coup. Philippe prenait un livre, ou son journal, ou bien il s'isolait dans la salle de bains pendant une heure entière. La conversation s'arrêtait là… Heureusement qu'il lui restait Myriam ! Myriam qui remuait tout, Myriam qui mettait de l'entrain et qui faisait du bruit partout où elle passait. Mais, en dehors des moments où elle se trouvait à la maison, la petite était bien occupée elle aussi. Elle prenait des cours de patinage, des leçons de piano et de chant. Outre la natation, elle apprenait à monter à cheval et son père commençait à l'initier au tennis. Myriam était de plus en plus entourée d'une armée d'admirateurs, garçons et filles de son âge, qui la suivaient inconditionnellement dans toutes sortes d'aventures. Meneuse de jeu et boute-en-train comme elle était, elle ne passait pas beaucoup de temps à la même place. Il y avait un perpétuel défilé de jeunes qui allaient et venaient, la suivant comme de petits chiens. Maguy regardait l'activité débordante de sa fille avec attendrissement. Tout ce qui lui manquait à présent, Myriam le possédait. Elle avait l'air si heureuse que Maguy se réjouissait presque de son propre sacrifice, désirant ardemment pour sa fille ce bonheur fuyant qui s'écartait maintenant de sa route. Elle essayait bien de temps en temps de téléphoner à quelques-unes de ses amies de jeunesse, faisant des efforts pour garder le contact. Mais l'une d'entre elles, qui voyageait beaucoup, était toujours absente, une autre avait sept enfants et ne se trouvait pas disponible au moment où elles auraient pu sortir ensemble. C'était décourageant! Alors Maguy, prisonnière de sa solitude, errait dans la maison de ses parents et même dans sa propre maison. Elle s'assoyait devant son piano et commençait à jouer. Les belles mélodies qui avaient autrefois fait la joie de toute la famille avaient maintenant le don de la rendre nostalgique. Quelquefois, lorsqu'elle jouait, Pierrette accourait de la cuisine et tournait autour d'elle, l'écoutait en souriant et lui disait son admiration avec une franche spontanéité, quelques légumes dans une main et son couteau dans l'autre.

–Comme c'est beau, madame! Quel plaisir de vous écouter… c'est comme si j'étais au concert!

Maguy soupirait et hochait la tête:

–Merci, Pierrette, vous êtes bien aimable, mais je n'ai pas assez de talent pour donner des concerts.

–Pourquoi, madame? Je suis sûre que beaucoup de gens seraient ravis de vous entendre. Quel dommage de ne pas exploiter ce don!

Puis Myriam rentrait de l'école. Aussitôt qu'elle entendait sa mère jouer, elle se calait au fond du sofa, se détendait complètement, se laissant absorber par les sons mélodieux qui sortaient du piano de Maguy. Étant assagie pour quelques instants, Myriam faisait silence, admirative. La musique venait la toucher jusqu'au plus profond de l'âme. Au bout de quelques minutes, elle s'approchait de sa mère, lui donnait un petit baiser dans le cou, lui passait les bras autour des épaules et lui réclamait en la cajolant:

– Maman, maman, apprends-moi à jouer cet air-là avec toi! C'est tellement beau!

– Alors, assieds-toi, Myriam et suis-moi! Comme ceci…

La mère et la fille entamaient la répétition du morceau à quatre mains. Myriam riait en suivant les gestes de sa mère. C'étaient des minutes exquises. Maguy semblait heureuse. On jouait sans regarder l'heure qui avançait. Lorsque tout était prêt pour le souper, Pierrette repartait chez elle en fermant doucement la porte.

– À demain!

– À demain, Pierrette, répondaient-elles en chœur.

Il y avait dans la maison cette musique qui répandait sa joie. Tandis qu'elle attendait l'autobus, Pierrette ne pouvait s'empêcher de faire une petite moue en pensant: «Quel dommage!»

Sans en avoir l'air, les paroles de Pierrette avaient fait leur chemin. Maguy se remit régulièrement à son piano. Elle rêvait. Pendant que ses mains gracieuses couraient sur les touches, son regard vagabondait bien au-delà de la maison, sur le chatoiement des eaux de la rivière, dans le passage mouvant et mystérieux des nuages. Elle aspirait au calme, à la sérénité de la nature, à son immuable beauté. La musique la transportait dans l'univers fascinant des artistes. Ses doigts agiles allaient chercher les sons et les faisaient vibrer. Elle s'y donnait entièrement. Maguy devenait la musique. Tel un canal, son corps transmettait les émotions que les compositeurs avaient inscrites entre les lignes de chaque portée. Son seul public, c'était Myriam et Pierrette, quelquefois Philippe, lorsqu'il rentrait un peu plus tôt du bureau, mais c'était si rare…

Au bout d'un certain temps de ces exercices musicaux, lorsque Maguy était ainsi seule, concentrée dans le silence et dans le calme, un phénomène étrange vint la troubler. Toujours le même. Au moment où elle s'y attendait le moins, elle sentait dans son dos une présence, puis voyait tout à coup surgir Kateri, comme si elle avait été là, en chair et en os à côté d'elle ! La première fois, Maguy poussa un cri, tout comme le soir où le visage lui était apparu dans sa chambre. Se croyant le jouet d'une hallucination, elle se mit à trembler et ferma les yeux. Mais Kateri la regardait toujours, sans bouger. Puis, au moment où elle allait faire une crise nerveuse, la vision disparut. Après trois ou quatre répétitions de ce phénomène, Maguy se sentit terrorisée rien qu'à l'idée de s'asseoir au piano. Elle délaissa son instrument et, sans dire un mot de ce qui lui était arrivé, ayant une peur terrible de sombrer dans la folie, elle se replongea dans la réalité quotidienne, qui l'agressait de plein front. La seule personne qui pouvait lire dans la souffrance que Maguy dissimulait à tous, c'était Pierrette. Pierrette, avec son gros bon sens, sentait que sa patronne s'en allait tout doucement à la dérive.

*

Maguy avait depuis toujours une certaine faiblesse des vaisseaux capillaires. Dès qu'elle avait accumulé un peu trop de stress ou de fatigue, il se déclenchait chez elle des saignements de nez qui n'en finissaient plus. Sans être dramatique, c'était assez ennuyeux pour lui gâcher la vie en certaines circonstances, car son nez commençait toujours à couler sans crier gare, au moment où elle s'y attendait le moins.

À la suite de tous ces événements qui avaient miné sa stabilité émotive, ses hémorragies nasales devinrent encore plus fréquentes. Lorsque cela lui arrivait, Maguy allait s'allonger pendant quelques instants, mettant sur son front une compresse d'eau glacée et quelques tampons d'ouate dans ses narines pour faire cesser l'écoulement. Pierrette venait à son secours, prête à lui administrer quelque remède pour la soulager, lui tenant la main et restant auprès d'elle. Mais bientôt Maguy, qui n'aimait pas être vue ainsi même par Pierrette, la renvoyait en prétextant qu'elle allait dormir un peu.

– Ne vous tracassez pas, Pierrette, lui disait-elle alors, vous pouvez me laisser maintenant ! Ce nez va bien s'arrêter de saigner… Et puis ça n'est pas si grave après tout ! Même Philippe ne s'en inquiète pas ! Cela arrive toujours lorsque je suis fatiguée…

Son nez tout rouge et tout gonflé l'avait presque défigurée. Pierrette se désolait :

– Bon… êtes-vous sûre, madame, que vous n'avez pas besoin d'autre chose ? Restez allongée, et surtout ne bougez pas. Je viendrai dans quelques minutes changer vos cotons…

– Oui, oui, Pierrette, ne soyez pas inquiète. Je vais très bien m'arranger !

Pierrette lui ajoutait un ou deux oreillers sous la nuque et tournait autour du lit pour s'assurer que Maguy y serait bien à l'aise.

– S'il y a quoi que ce soit, madame, appelez-moi avec la clochette !

–Oui, c'est cela, Pierrette. Le pire, c'est le goût du sang qui me reste dans la gorge. C'est bien cela qui est le plus pénible ! Ça me donne envie de vomir…

Maguy était prise de haut-le-cœur et courait dans la salle de bains en toute hâte, puis elle revenait se glisser sous les draps, encore plus pâle, les yeux las.

–Qu'est-ce qu'on peut faire pour vous éviter ces ennuis, madame ?

–Pas grand-chose. Tenez, apportez-moi donc un scotch, ça va me réconforter et m'enlever ce goût affreux !

Pierrette s'exécutait et réapparaissait dans la chambre au bout de trois minutes, avec un petit plateau sur lequel étaient posés un verre rempli de glaçons et la bouteille de Glenlivet. Lorsque Myriam rentrait de l'école, criant à tue-tête comme d'habitude, Pierrette lui faisait un petit signe :

–Chut, ta maman se repose, elle a saigné du nez…

–Encore !

Myriam grimpait l'escalier quatre à quatre et trouvait sa mère endormie dans sa chambre. Alors, elle déposait un petit baiser sur le front de la malade et ressortait sur la pointe des pieds, silencieuse, ne voulant surtout pas troubler le repos de sa chère maman.

*

L'hiver était arrivé en douceur et la neige avait pris possession du paysage tout entier. Chaque nuit, le ciel se vidait de ses nuages menaçants, comme pour préserver l'optimisme des êtres humains. Tous les matins, invariablement, le soleil brillait, au beau milieu d'un bleu éclatant, faisant oublier le froid et les énormes glaçons qui s'allongeaient au bord des toitures, suspendus comme de gigantesques friandises translucides. Avant la brunante, les bancs de neige à l'horizon prenaient des teintes roses et mauves presque irréelles, épousant les nuances du soleil couchant. Lorsqu'on avait connu ces beautés-là, qui faisaient oublier les jours gris et cafardeux où le ciel tombe sur la terre, on comprenait l'amour des gens de ce pays pour leur hiver…

Dans sa cuisine, plantée devant une pile de linge à repasser, le fer entre les mains, Pierrette songeait à Kateri et se sentait un peu gênée de demander de l'aide à Philippe. «Si Maguy s'imagine que je veux parler de leur secret à propos de Kateri, comment réagira-t-elle? C'est très délicat… Peut-être vaudrait-il mieux aller voir Étienne plutôt que Philippe? Pourtant, à bien y penser, le résultat ne serait guère meilleur… Si Philippe a vent de tout cela, il ne trouvera sûrement pas de son goût de savoir que j'ai fait appel à son beau-frère sans passer par lui! Que faire?» Les filles préparaient une croustade avec l'aide de grand-maman et la maison embaumait les pommes, tandis que Gaétan, aidé de ses fils emmitouflés jusqu'aux oreilles, rentrait du bois dans la remise. Pierre, le plus jeune, ouvrit la porte en pleurant. Pierrette lâcha son ouvrage:

–Qu'est-ce qui t'arrive donc, mon Pierrot? Qu'est-ce qui ne va pas?

Le petit Pierre se tenait la tête à deux mains.

–J'ai mal aux oreilles!

–Encore!

Gaétan, la tuque de travers, entra précipitamment, inquiet lui aussi.

– Pierrette, il se plaint souvent d'avoir mal aux
oreilles, cet enfant ! Emmène-le donc voir le docteur.

C'était un prétexte tout trouvé. Pierrette irait
consulter Philippe pour le gamin… Elle obtint un rendez-vous avec le docteur Langevin pour le lendemain,
après ses heures de travail, ce qui lui permettrait de
présenter sa requête, sans mentionner toutefois qui
était Kateri.

Philippe fut un peu étonné de la voir arriver dans
son bureau.

– J'aurais pu voir votre garçon à la maison. Vous
auriez évité ce détour qui vous fait perdre bien du
temps.

– C'est que, voyez-vous, docteur, j'aurais également un petit service à vous demander.

Philippe avait déjà commencé à examiner le petit
Pierre, qui tirait la langue en grimaçant avec délices.
Équipé de sa lampe frontale, il inspectait avec soin les
oreilles et la gorge de l'enfant.

– Ne bouge plus, mon Pierrot, dis-moi si ça te fait
mal lorsque je fais cela !

– Aïe… aïe… aïe !

– C'est douloureux. On va lui administrer un traitement pendant deux semaines, et puis je veux le
revoir. C'est sans gravité, mais il ne faudrait pas laisser la situation empirer !

Il rangea ses instruments et griffonna une ordonnance sur une feuille, tandis que Pierrette se préparait :

– Docteur Langevin, ce que j'ai à vous demander,
c'est pour un de mes amis dont la sœur est internée à

Saint-Jean-de-Dieu. Il paraît qu'elle est schizo… phrène. Enfin, elle est là depuis plusieurs années et il voudrait la ramener dans sa famille. Elle a l'air si malheureuse là-bas. Ça fait pitié. Le psychiatre qui s'occupe d'elle n'a pas l'air d'accord avec sa demande. Que nous conseillez-vous de faire?

– Vous a-t-il dit que son cas nécessitait des soins particuliers?

– Non, il a dit qu'elle avait été lobo… Je ne sais plus le mot exact! Mais il paraît que cela fait quatre ans.

– Elle a été lobotomisée?

– Oui, c'est cela.

– Torrieu! Mais alors, en principe, il n'y a aucun danger à la ramener chez elle. Simplement, il faudra beaucoup de patience pour lui réapprendre les gestes de tous les jours. Lorsqu'ils séjournent en hôpital psychiatrique, les malades perdent encore plus le contact avec la réalité.

– Mais le docteur Guérin semble furieux rien qu'à l'idée de la faire sortir de l'hôpital! Nous sommes partis de là complètement découragés…

Philippe se mit à rire.

– Je connais de réputation le docteur Guérin, il n'est pas commode! Je vais appeler à Saint-Jean-de-Dieu. Je peux vous aider à la sortir de là! Avec ma recommandation, vous ne devriez pas avoir de problèmes.

– Ah, merci, merci, docteur Langevin! Dites-moi, combien je vous dois?

– Non, non, Pierrette, laissez donc. Ça me fait plaisir, vous vous occupez si bien de ma fille.

Si elle avait osé, Pierrette lui aurait sauté au cou! Philippe était satisfait de sa longue journée de travail, satisfait surtout d'avoir laissé à Pierrette une si belle image de lui-même. Il se regarda dans le miroir en se lavant méticuleusement les mains et il admira son reflet. Il se sentait beau et bon. C'est ainsi que, sans le savoir, Philippe Langevin permit à la mère de Myriam de quitter Saint-Jean-de-Dieu. Pour lui, ce fut chose bien facile.

*

Fleurette s'affairait depuis le matin au cabinet médical. Elle avait ouvert les fenêtres pour faire pénétrer le soleil, voulant chasser l'odeur tenace du désinfectant avec lequel elle avait soigneusement lavé les instruments avant de les mettre dans le stérilisateur. Mais l'air froid et le bruit provenant de la rue Sherbrooke en pleine activité la découragèrent bientôt. Elle frissonna. Aujourd'hui, il faisait froid, froid et humide… Les tas de neige accumulés devant les maisons commençaient à se maculer de traînées grisâtres. Fleurette se pencha pour regarder dehors. Il y avait une véritable procession de voitures arrêtées les unes derrière les autres jusqu'à l'intersection de la rue Saint-Denis, à cause d'un gros camion qui s'était immobilisé en plein milieu de la chaussée. «Quel vacarme, tant pis pour l'aération!» Elle referma la fenêtre, attrapa son chandail et le mit sur ses épaules.

Ensuite, elle jeta un coup d'œil à l'agenda: «Grosse journée en perspective…» Il lui restait encore à nettoyer quelques lentilles à réfraction pour les examens ophtalmologiques. Machinalement, Fleurette Dupuis sortit les gouttes anesthésiantes indispensables pour les traitements de canal lacrymal, les solutés servant à badigeonner les gorges infectées et les gouttes nasales dont le docteur avait fréquemment besoin. Elle s'assura que le carnet d'ordonnances se trouvait bien sur le bureau, puis elle inspecta les provisions de coton-tiges et les compresses stériles, sortit les rouleaux de gaze et les tampons ouatés, accomplissant tous ces gestes sans effort. Depuis tant d'années qu'elle y travaillait, la routine du cabinet était devenue pour elle une seconde nature. Elle connaissait par cœur chaque recoin de ces locaux et savait comment en utiliser adéquatement le plus petit espace pour la commodité de leur travail à elle et au docteur. Dans la pharmacie, le niveau des solutions cocaïnées qu'il utilisait pour les pansements des résections sous muqueuses était très bas. Elle prit le répertoire des laboratoires pharmaceutiques, composa le numéro de leur fournisseur habituel et passa une commande urgente pour le docteur Langevin. Maintenant, rien ne manquait. Tout était prêt : « Aujourd'hui, le docteur n'arrivera certainement pas de bonne heure, étant donné qu'il doit opérer deux cataractes à l'Hôtel-Dieu. » Le téléphone sonna.

– Bonjour, Fleurette ! Philippe est-il déjà là ?

– Ah, madame Langevin, comment allez-vous ? Est-ce qu'on vous voit aujourd'hui ?

– Je vais venir vous apporter un lunch. Si mon mari appelle, dites-lui que j'arrive avec quelque chose à manger... pour vous aussi, Fleurette, si, si, j'insiste. Vous n'avez pas encore pris votre repas ?

– Mais non, madame Langevin, ne vous tracassez pas ! Je vais aller me chercher un sandwich à côté !

– Non, non, pas de sandwich, Fleurette, c'est trop mauvais ! Attendez-moi... Aimez-vous les brochettes ? C'est ce qu'il y a au menu d'aujourd'hui, je vous en apporte.

Fleurette remarqua que sa façon de parler était inhabituelle, traînante… Elle insistait. Maguy était d'une générosité incorrigible. Mais décidément, aujourd'hui, Fleurette lui trouvait une voix bizarre.

Deux ou trois fois par semaine, après s'être assurée que Pierrette ne manquait de rien pour la bonne marche de la maison, Maguy allait jusque chez Eaton et faisait le tour des soldes du magasin. Ensuite, elle montait manger un morceau au restaurant du neuvième étage, adorant les petits lunches qu'on y trouvait chaque jour et redescendait au comptoir des plats à emporter. Là, elle se munissait de quelques spécialités pour le repas de Philippe et celui de Fleurette. C'était plus fort qu'elle, il fallait qu'elle les gâte un peu ! Fleurette eut l'air ravie lorsque Maguy ouvrit la porte du cabinet, juste avant le premier client qui d'ailleurs était un peu en avance.

– Comme c'est gentil, madame Langevin. Dites-moi donc, combien je vous dois ?

Fleurette fouillait déjà dans son sac pour trouver son porte-monnaie, mais Maguy l'en empêcha du revers de la main.

– Il n'en est pas question, Fleurette, quand j'apporte comme ça un petit repas pour vous, c'est un cadeau. Ne me posez plus jamais cette question, c'est moi qui vous l'offre !

En relevant la tête pour la remercier, Fleurette remarqua avec surprise que Maguy avait les yeux cernés et bouffis. Lorsque Philippe arriva, affamé, Maguy guettait sur le visage de son mari le moindre signe de plaisir. Il avait l'air content de la trouver ici et elle paraissait heureuse de le voir dévorer de bon appétit. Elle le contemplait amoureusement ; Fleurette s'en aperçut : « Elle le mange des yeux, c'est incroyable comme cette femme-là est amoureuse ! Peut-être qu'ils ont fait l'amour toute la nuit ! » imagina-t-elle, chassant bien vite cette pensée un peu folle, beaucoup trop intime ! En moins de deux minutes, Philippe avait fini d'avaler son repas ; Fleurette lui fit la morale :

—Docteur, vous avalez tout rond ! Prenez donc soin de votre estomac !

—J'avais faim ! Maguy a eu une vraie bonne idée, c'était bon !

Maguy était aux anges. Philippe demanda à Fleurette d'introduire le premier patient, sur un ton faussement sévère :

—Garde, commencez donc à travailler au lieu de me chicaner !

—Bon, vous voilà encore parti en grande vitesse ! Prenez-vous le temps de respirer quelquefois ?

Il haussa les épaules et jeta un œil au premier dossier. La récréation était terminée. On passait aux choses sérieuses. Maguy repartit bientôt, après un petit brin de causette avec Fleurette.

Ces visites étaient devenues une sorte de rituel pour l'infirmière, qui s'y préparait et racontait à Maguy toutes sortes de petites histoires afin de la désennuyer.

Chapitre xvi

Août 1960.

Kateri, assise sur une chaise berçante, isolée des bruits et des allées et venues autour d'elle, somnolait. Sa voisine de gauche tapait sur la table à deux mains, riant béatement de son exploit et, un peu plus loin, deux autres internées se tiraient les cheveux en poussant des cris bizarres. Kateri restait insensible à tout ce vacarme. Derrière ses paupières closes, elle revoyait la bourse en cuir perlée que Gaby lui avait apportée... Un étrange sentiment de déjà-vu, une infime sensation de plaisir parvenait jusqu'à sa conscience. Avec cette image surgissait le visage de Wanda tout auréolé de lumière rose et dorée, réveillant le vague souvenir d'une douce chaleur : celle de l'amour maternel. Kateri se sentait bien, plongée dans cet univers subtil qui faisait revivre de minuscules facettes d'elle-même. Au fur et à mesure que les minutes passaient, la sensation de bien-être augmentait. C'était comme si Wanda lui avait transmis quelque chose : un sentiment d'amour à l'état pur. Immatériel, immense et intangible. Kateri avait l'impression d'être un grain de poussière au milieu d'un nuage de lumière infinie. Toute petite. Toute remplie de lumière.

Des bruits de voix la firent sursauter, la tirant de sa torpeur. Sœur Marie-Louise et Danielle, l'infirmière, étaient penchées sur elle:

–Réveille-toi, Kateri, viens avec nous.

Kateri mit un certain temps à réagir. Elle était si bien dans le monde de l'au-delà! Que se passait-il donc? Comme tout était laid autour d'elle! L'emmenait-on encore rencontrer un médecin? Kateri ne voulait pas aller voir le médecin. Elle essaya de résister, mais dut finalement céder. On lui fit prendre un bain, puis on l'habilla de vêtements nouveaux, différents de l'éternelle camisole d'hôpital.

–Maintenant suis-nous, Kateri, on descend.

En bas, un homme et une femme l'attendaient: ceux qui venaient la voir de temps en temps et qui avaient un visage familier. Pour la première fois depuis longtemps, Kateri eut un large sourire. Ils l'entraînèrent avec eux en dehors de l'hôpital. On grimpa dans un vieux camion rouge, qui faisait toutes sortes de bruits, et on roula pendant un long moment avant de se retrouver à la campagne, sur des terres familières.

*

Les semaines et les mois passant, Myriam abordait les affres de l'adolescence en rêvant d'introduire du nouveau dans sa vie, qui commençait à lui sembler un peu fade. Elle s'ennuyait durant les cours au collège, elle s'ennuyait à la maison et elle s'était mise dans la tête de devenir pensionnaire. On aurait pu croire qu'elle avait retrouvé le goût des études. Mais non, la seule chose qui la passionnait vraiment, c'étaient les heures passées avec ses camarades de classe à inventer des jeux, à raconter des potins, à commenter minutieusement les transformations qui se faisaient sentir mois après mois dans leur corps. Toutes arboraient fièrement leurs seins, qui commençaient à pointer sous l'uniforme collégial, et réclamaient à leur mère leur premier soutien-gorge, se serrant la taille pour bien faire ressortir leur féminité naissante. On se mettait du rouge à lèvres aussitôt qu'on sortait du collège et qu'on arrivait au coin des rues, et l'on désobéissait avec désinvolture aux recommandations des bonnes sœurs:

–Mesdemoiselles, le maquillage est interdit. Tout comme le port des cheveux longs! Vous n'êtes plus en âge de vous comporter comme des écervelées! Soyez avant tout de jeunes filles bien éduquées et faites honneur à vos familles comme à votre école.

Mais la nature était plus forte que la morale, pourtant si bien structurée dans ces années-là! Aussitôt dehors, on défaisait les tresses, on se fardait, on riait en tortillant des hanches, on allait rencontrer des garçons... On avait douze ou treize ans.

Les garçons de leur âge, ces adolescentes les voyaient comme des princes charmants et leur lançaient des regards aguicheurs dont ils ne se souciaient guère, eux qui ne vivaient que pour le hockey, le base-ball et le football. Elles rêvaient déjà au mariage et au grand amour, imprégnées de ce romantisme qui se transmettait depuis si longtemps d'une génération à l'autre. Bref, la plupart voulaient avoir un *chum* et déjouaient par mille et une ruses la vigilance de leurs professeurs et de leurs parents. Quelques-unes avaient déjà leurs règles et prenaient des mines alanguies mois après mois, en chuchotant entre les cours des détails de ce phénomène étrange, dont on ne leur avait que peu ou pas parlé et qui les mettait dans un émoi inimaginable !

Myriam, toujours aussi décidée, voulait arriver à ses fins. Elle serait pensionnaire avec les autres, ces privilégiées, celles qui pouvaient passer des soirées et des nuits à faire les folles, à se raconter comment elles imaginaient l'amour, la sexualité, toutes ces choses de la vie refoulées dans l'ombre et que leurs parents feignaient d'ignorer en les passant sous silence.

Un soir, à la table du souper, Myriam choisit un moment opportun où son père et sa mère paraissaient détendus, et elle prit une grande respiration avant d'annoncer :

— J'ai quelque chose de très important à vous demander. J'aimerais bien ça, si vous me mettiez pensionnaire !

Maguy, qui dégustait un homard, faillit s'étouffer en entendant la requête de Myriam et laissa échapper la pince de l'animal. Elle regarda Philippe d'un air interrogatif. Lui aussi était décontenancé, car il repoussa brutalement son assiette. Myriam, sur sa lancée, sûre d'elle et inconsciente de l'effet produit par ses paroles, continua :

— Dis, maman, dis, papa ! Dites oui, dites oui ! Ça serait tellement chic de dire oui...

— Mais voyons, Myriam, le collège est à quelques minutes de la maison. Ce n'est pas comme si nous habitions à Trois-Rivières ou à Saint-Hyacinthe !

— Réfléchis un peu ! Ceci n'a aucun bon sens ! Sais-tu que tu n'auras pas ta chambre pour toi toute seule, ni ta salle de bains ? Y as-tu pensé comme il faut ?

Après les premières secondes de surprise, Maguy réagit, scandalisée par la proposition de sa fille qu'elle trouvait saugrenue, essayant de lui faire changer d'idée. Philippe, quant à lui, était stupéfait. Ni l'un ni l'autre n'avait imaginé un seul instant que Myriam aurait pu avoir envie de quitter le nid douillet, le confort et la liberté dont elle disposait, pour aller s'enfermer dans un dortoir, se soumettre à la discipline et s'éloigner d'eux durant toute la semaine. C'était ridicule ! Inattendu ! Devant pareille résistance, Myriam se tut. Stratégiquement, elle baissa les yeux en fille irréprochable et raisonnable. Puis elle revint à la charge. Entêtée, elle réitéra sa demande, sachant qu'elle devait leur donner au moins un argument irréfutable, et si possible plusieurs, pour les convaincre ! Elle se risqua :

– D'ailleurs, si je suis pensionnaire, je serai obligée de faire mes devoirs et d'apprendre mes leçons chaque soir, sous la surveillance de sœur Marie-Joseph. Elle est très sévère, tu sais !

Philippe faillit bien éclater de rire et en avala de travers. Il toussota.

– Depuis quand, Myriam, recherches-tu la sévérité ? C'est nouveau ça ? J'aimerais que tu t'en souviennes lorsque tu m'apporteras ton carnet de notes ! Je n'ai pas l'impression que tu te soumets quotidiennement à une grande discipline !

– Oui, mais regarde, papa : pensionnaire, je ne perdrais plus mon temps ! Dis oui, oh, dis oui !

Finalement, Myriam sut si bien y faire, déployant son charme et y mettant beaucoup d'insistance qu'elle finit par gagner la partie. Ses parents estimèrent que c'était là un caprice passager et qu'il valait mieux la satisfaire avant qu'elle en fasse une maladie. Ils acceptèrent. Myriam dansait de joie. Maguy, qui craignait d'être une nouvelle fois abandonnée, ne dit rien. Impuissante, elle voyait Myriam grandir et lui échapper, se sentant obligée de faire contre mauvaise fortune bon cœur. Philippe, pour sa part, imagina qu'ainsi sa fille allait enfin se discipliner, ce qui serait une excellente chose.

Au désir profond de Myriam de faire partie d'un groupe, d'être continuellement avec ses compagnes, venait s'ajouter un nouveau penchant : elle commençait à avoir des élans mystiques ! En quête de son identité au moment de se transformer en femme, ayant sous les yeux une société catholique à l'extrême, pieuse et guidée par la religion, elle rêvait de consacrer sa vie à Dieu. Dotée d'une imagination fertile tout autant que d'une grande impulsivité, Myriam voulait s'investir dans une grande cause et admirait les religieuses qu'elle voyait se dévouer chaque jour, leur attribuant un immense prestige. Myriam se voyait déjà revêtue de la robe noire, voilée, s'occupant des dossiers de l'Église… bref, indispensable aux desseins de Dieu. Quelle jolie missionnaire elle serait ! Et combien tous seraient contents d'elle ! Elle avait hâte d'accomplir son destin ! Contente d'avoir convaincu son père et surtout sa mère, elle se rendrait au collège dès la rentrée scolaire, avec sa petite valise contenant le linge indispensable pour la semaine, plus les quelques bonbons et friandises dont elle ne pouvait se passer. Et voilà !… Myriam jubilait. Une nouvelle page de sa vie allait s'ouvrir, celle où, en jeune fille autonome, elle poserait les fondations de sa future vocation.

C'est ainsi que Myriam devint pensionnaire à deux pas de chez elle. Par la force des choses, elle prit l'habitude de faire ses devoirs régulièrement et tissa de nouvelles amitiés. Les premières semaines de pensionnat furent un plaisir constamment renouvelé. Elle s'appliquait beaucoup dans ses prières, voulant manifester publiquement sa foi et brûlant de devenir sainte. Le fait d'avoir à partager un des recoins du dortoir, constitué de chambrettes à aire ouverte, avec son amie Monique Labelle, la rendait heureuse. Enfin, elles allaient pouvoir passer des nuits blanches à tout se raconter! Tout étant fait de rien à cet âge-là, et tout étant absolument indispensable. Elle avait déjà oublié sa magnifique chambre, ses jeux et son tourne-disque qui faisait la joie de ses amies et grâce auquel elle pouvait écouter son idole Elvis Presley pendant des heures entières en se dandinant, avec la bénédiction de Maguy et de Pierrette! Ici, il n'en était évidemment pas question. Ce nouveau chanteur qui faisait fureur créait bien des controverses : les religieuses avaient jeté l'interdit sur ses chansons que l'on qualifiait d'abominablement dévergondées. Myriam s'amusait aussi à la cafétéria où elle mangeait des choses nouvelles, des mets simples que sa mère n'avait jamais mis sur la table, apprenant à savourer les spaghettis, les lasagnes, les steaks avec des pommes de terre en purée et les poudings chômeurs qui faisaient les beaux jours des pensionnaires. C'était tellement différent! La pauvre Maguy ne voyait pas comment sa fille pouvait apprécier cette nourriture rustique et la dévorer de bon cœur. Ce que Myriam adorait avant l'heure du couvre-feu, c'était passer une heure ou deux à lire dans son lit. La bibliothèque du collège renfermait des milliers de livres qui venaient alimenter sa curiosité et sa soif d'apprendre. Avec un bon bouquin, bien à l'aise dans son lit, Myriam ne s'ennuyait jamais. Lorsque toutes les lumières étaient éteintes, venait le temps des bavardages et des confidences à voix basse jusque fort tard, avec Monique Labelle, sa grande amie :

–As-tu vu le frère de Muriel de Grandpré ? Il est beau, c'est incroyable comme il est beau !

–Oui, il t'a regardée ! Je suis sûre que tu lui plais ! Qu'est-ce qu'il est beau ! répondait Monique.

Un jour pendant la récréation, Myriam avait bousculé sans le faire exprès une de ses camarades, Louise Marcil, qui alla se plaindre à la redoutable sœur Adélaïde. Celle-ci fit appeler Myriam pour la réprimander.

–Myriam Langevin, sais-tu que tu as fait mal à cette pauvre Louise, qui va avoir une marque sur la jambe ! Tout cela à cause du coup de pied que tu lui as donné en courant. Ne peux-tu pas t'empêcher de te conduire comme une écervelée ? Tu es un vrai diable ! Le diable en personne !

Le mot était fort. Il toucha Myriam en plein cœur, tout autant que ce qui suivit :

–Comment peux-tu être la fille de ce bon docteur Langevin, ce saint homme ? Ne peux-tu prendre exemple sur ton père ?

Myriam avait été blessée par les propos de sœur Adélaïde. Ne pouvant répondre, elle ressentait de la culpabilité en même temps que de la colère. « Ces paroles-là sont injustes et méchantes, se disait-elle. Je n'ai jamais voulu faire mal à Louise, ce qui est arrivé est dû à un geste involontaire. Pourquoi faut-il qu'on me cite la sainteté de mon père en exemple ? » Ce qui fut pire encore, c'est que, à partir de ce jour-là, pour une raison qui lui resterait toujours inconnue, certaines de ses compagnes commencèrent à faire courir des bruits à son sujet. Quelques élèves lui disaient avec un rire moqueur :

– Myriam Langevin, tu n'es pas aussi bonne que ton père ! Ton père n'est pas ton père ! Tu n'es qu'une enfant adoptée !

Monique et Marie-Lou prenaient la défense de Myriam. Mais Myriam avait le cœur brisé. Pourquoi lui débitait-on de pareilles sornettes, pourquoi ? Elle se demandait comment pouvaient se justifier ces propos blessants. Est-ce que vraiment elle avait été adoptée ? Est-ce que ses parents n'étaient pas ses parents ? Le cocon sécurisant et bien calfeutré de son enfance s'évanouissait tout à coup.

L'une des jeunes filles se montrait plus véhémente que les autres, c'était Annette Coudrier. Il y avait entre Annette et Myriam un fossé creusé par la différence entre leurs tempéraments. D'un naturel assez hypocrite, prête à jouer la comédie pour se faire aimer des professeurs, Annette était une bonne élève. Ayant la réputation d'être sage et disciplinée, elle obtenait d'excellentes notes, qui lui assuraient une bonne renommée, et elle sortait avec des amis de François Pellerin, le cousin de Myriam. Se sentait-elle menacée par les bons résultats de Myriam ? Était-elle jalouse d'elle ? François lui avait-il fait quelque confidence sur des choses qu'il aurait dû ignorer ? Toujours est-il qu'elle se mit à la harceler, répétant chaque fois que l'occasion se présentait :

–Myriam a été adoptée! Elle n'est pas la fille du docteur Langevin.

Le bruit se mit à courir dans tout le collège et, comme toutes les rumeurs, celle-ci enflait au fil des jours, enfermant la pauvre Myriam dans un étau qui étranglait sa joie de vivre. S'il y avait une question qui ne lui avait jamais effleuré l'esprit auparavant, c'était bien celle-là!

Ce fut au restaurant que Myriam confia son tourment à Maguy et à Philippe. Tous trois célébraient la fin de semaine, confortablement attablés devant de savoureux desserts, dans l'atmosphère douillette et détendue qui caractérise la fin d'un excellent repas, servi par un personnel empressé et attentif. Un minuscule bouquet donnait à la table une touche champêtre, au milieu des assiettes garnies d'énormes morceaux de moka à la crème. Lorsque Philippe lui demanda comment s'était passée sa semaine, Myriam fit la grimace et se vida le cœur...

–Mal, papa, très mal!

–Que s'est-il donc passé, Myriam, ne me dis pas que tu as échoué à tes examens?

–Non, non, les examens ça va. C'est autre chose... c'est ce qu'on me dit à l'école!

–Qu'est-ce qu'on te dit?

–On me dit que vous n'êtes pas mes parents.

Maguy et Philippe se regardèrent. Leur réaction fut à peine visible. Le temps d'une fraction de seconde et Philippe, déjà maître de la situation, avait réagi.

–Qui t'a dit cela?

–Plusieurs filles! Elles n'arrêtent pas de me le répéter. Cela a commencé avec sœur Adélaïde, qui dit que je ne suis pas comme toi... parce que je suis un diable!

Philippe fronça les sourcils.

–Ensuite?

–Ensuite, ce sont les filles, pas mes copines, celles avec qui je ne me tiens pas, elles me disent que
j'ai été adoptée!

Myriam tremblait. Elle avait les larmes aux yeux.
Ces paroles-là ne passaient pas dans sa gorge. Philippe voulut régler une fois pour toutes cette fâcheuse
affaire.

–Écoute-moi bien, Myriam, tu vas cesser de t'en
faire avec ces ragots qui n'ont aucun bon sens! S'il le
faut, j'irai voir tes professeurs.

Maguy avait le cœur qui faisait des bonds; elle
essayait de se donner une contenance en roulant et en
déroulant sa serviette sur le coin de la table. «D'où
peut bien provenir cette rumeur?» songeait-elle. Elle
se fit convaincante:

–Veux-tu bien me dire pourquoi ces potins-là
seraient vrais, ma chérie? Sincèrement, peux-tu croire
un seul instant à ces stupidités?

–Tu ne dois jamais écouter les mauvaises langues, Myriam. Ce sont des propos insensés. Ta maman
et moi, nous sommes tes parents. Mettrais-tu notre
parole en doute à cause de quelques gamines insignifiantes? Je ne veux plus te voir dans cet état pour des
cancans, torrieu!

–Oublie tout ça, ma chérie. Les filles du collège
ont sûrement toutes sortes de raisons d'être jalouses
de toi!

–Mais pourquoi?

–Parce que nous vivons dans une grande aisance,
ce qui n'est pas le cas de la plupart d'entre elles, et

parce que ton père est connu dans tout Montréal comme l'un des meilleurs médecins.

Philippe éprouva beaucoup de fierté en écoutant Maguy, et Myriam fut rassurée de les voir si fermes, si affirmatifs! C'est tout ce qu'elle avait besoin d'entendre. Son père et sa mère étaient bien ses parents.

Pendant toute la fin de semaine, on oublia le cauchemar. Elle se sentit à nouveau légère et détendue entre Maguy, qui redoublait d'attentions pour elle, et Philippe, qui essayait de la distraire. La chaleureuse atmosphère familiale fit renaître la sérénité dans son cœur. Son père l'emmena jouer au tennis, puis sa mère l'emmena faire une visite à tante Mimi. Celle-ci était assise derrière sa fenêtre, en train de tricoter, lorsque Maguy et Myriam, qui l'avaient aperçue depuis le jardin, arrivèrent dans sa cour.

–Hé, la belle visite! Qu'y a-t-il de nouveau à me raconter? Cela fait bien longtemps que je ne t'ai vue, s'exclama-t-elle en serrant Myriam dans ses bras. Myriam lui confia ses tracas, tandis que Maguy hochait la tête et la laissait parler.

–Voyons, voyons, pitchounette! Tu ne vas pas te faire du mauvais sang pour quelques mensonges complètement farfelus, n'est-ce pas, Maguy? D'ailleurs, s'il y a quelqu'un qui a presque assisté à ta naissance, c'est bien moi! N'est-ce pas, Maguy?

Maguy acquiesçait. Tante Mimi lui tirait une épine du pied sans le savoir!

–Tu sais, ma chère enfant, ce jour-là, il faisait très beau. J'étais venue rendre visite à ta grand-maman qui était souffrante! Nous bavardions tranquillement de choses et d'autres lorsque ta maman est arrivée toute ronde! Eh oui, je l'ai vue comme je te

vois! Toute ronde et enceinte de toi! J'étais surprise... et si contente! Ah oui, quelle belle surprise!
Je m'en souviens comme si c'était hier! Je l'ai félicitée
et nous avons décidé ce jour-là que j'organiserais la
réception pour ton baptême. Nous étions tous si heureux... Tu vois bien que ce n'est guère compliqué!
Allons, allons, oublie vite ces idées-là et mangeons un
bon petit dessert!

Elle sortit en un tournemain trois assiettes de
porcelaine fleurie et des fourchettes en argent, qu'elle
disposa sur une charmante petite nappe brodée
devant ses visiteuses, puis disparut dans la cuisine
pour en rapporter victorieusement un gros gâteau au
chocolat. Tante Mimi avait toujours un gâteau au
chocolat qui attendait les gourmands! En riant, elle
ajouta:

– Tout ça ne nous rajeunit pas!

– Eh non! Ça ne nous rajeunit pas, renchérit
Maguy, radieuse, qui se disait: «On ne pouvait trouver plus bel argument. La petite sera complètement
rassurée avec le récit pimenté de tante Mimi!»

L'incident semblait clos. Philippe et Maguy n'y
pensèrent plus.

Malheureusement, lorsque les cours reprirent, les
cancans reprirent aussi. Myriam eut beau contredire
les propos qu'on lui adressait et soutenir qu'elle était
bien la fille de monsieur et madame Langevin, les
méchantes langues se déchaînèrent encore. Devant la
stupidité et l'inconscience des fillettes qui continuaient
d'enfoncer le couteau dans la plaie sans penser au mal
qu'elles pouvaient faire, Myriam se sentait bien seule.

Au collège, une nouvelle maîtresse de discipline,
sœur Marie-Vincent, venait tout juste de prendre son

poste, en même temps qu'elle avait pris le voile. C'était une jeune femme au grand cœur, rieuse et gaie. Les élèves l'adoraient, car elle n'était pas sévère mais juste. Elle cherchait à atteindre un équilibre harmonieux dans ses rapports avec les pensionnaires, sachant y faire tout naturellement et se servant de son intuition chaque fois qu'elle devait résoudre un problème.

Un soir, Myriam, qui s'était encore fait dire des sottises par Annette Coudrier, pleurait dans son lit. Annette menait la ronde, sans penser aux conséquences de ses paroles. Une fois qu'elle avait prononcé quelques méchantes allusions, elle se réfugiait derrière un sourire angélique, ayant lancé une flèche empoisonnée qui allait se planter au beau milieu d'une zone fragile à l'extrême. La pauvre Myriam ne pouvait toujours se protéger contre le chagrin qui l'atteignait dans son essence même et elle ressentait de la rage mêlée à de l'impuissance devant l'humiliation qu'on lui faisait injustement subir. Le dortoir était sombre et silencieux. Toutes les lumières étaient éteintes. On entendait à peine quelques chuchotements, couverts par le bruit du vent qui sifflait dehors, charriant les premiers flocons de neige. On allait vers une bonne tempête. La tête sur son oreiller, tourmentée par ce casse-tête qui surgissait sans cesse, Myriam refoulait ses larmes en reniflant et se retournait dans tous les sens. Elle aurait voulu arracher toute cette colère qui avait poussé en elle et qu'elle ne reconnaissait pas, soulevant des bourrasques bien plus effrayantes que celles de l'hiver. Elle aurait voulu que le Dieu tout-puissant, celui qu'elle savait si bien prier lorsqu'elle avait la paix du cœur, la venge sur-le-champ! Elle demandait que justice soit rendue, afin de pouvoir être, sans contestation possible, la vraie Myriam Langevin... Monique l'entendait soupirer. Au bout du dortoir, sœur Marie-Vincent, assise sur sa chaise berçante qui faisait un petit bruit cadencé, veillait tranquillement en priant tout bas, avant d'aller prendre un peu de repos. Il commençait à se faire tard. Les aiguilles de sa montre indiquaient déjà onze heures. Elle se leva pour aller faire un tour le long de l'allée centrale et s'assurer que toutes ses filles dormaient. Dans la pénombre, Monique, en chemise de nuit, s'approcha à pas de loup de sœur Marie-Vincent, lui chuchotant dans l'oreille quelque chose que celle-ci ne comprit pas.

—Monique, es-tu malade?

—Non, non, pas moi! Sœur Marie-Vincent, il faudrait aller voir Myriam, elle pleure depuis longtemps!

—Elle pleure? Mais pourquoi donc?

—Toujours la même histoire! C'est ce qu'on lui raconte...

Myriam sanglotait et se cachait la tête, refusant d'être aidée. Mais la sœur lui prit affectueusement la main en s'approchant pour la consoler. Myriam avait tellement besoin de parler qu'elle se dressa dans son lit.

—Myriam, qu'est-ce qui te chagrine? Viens avec moi, nous allons parler. Recouche-toi, Monique, et dors en paix, je vais m'occuper d'elle.

La jeune religieuse fit asseoir Myriam près de sa chaise et sut faire preuve de toute la patience requise. L'adolescente lui confia les affreux doutes qu'elle entretenait à propos de son identité. Maladroitement d'abord, puis avec confiance, elle exprima les peurs et les craintes qui l'assaillaient. On l'accusait de ne pas être la vraie Myriam Langevin, on se moquait d'elle. Alors, qui donc était-elle ?

– Comprenez-vous, sœur Marie-Vincent, si tout cela est vrai et que ma mère n'est pas ma mère, qui m'a mise au monde ?

La question était vitale et ne souffrait pas d'être mise de côté. Elle avait pris racine dans son âme : la réponse devait apporter une certitude. Impossible de s'en débarrasser, tout simplement.

– Ma chère Myriam, je sais que ce n'est pas facile, mais essaie de calmer tes angoisses. Ne te torture pas inutilement ! Tes parents sont tes parents. Je ne vois pas pour quelle raison ils t'auraient caché la vérité !

Myriam s'essuya bravement les yeux du revers de sa manche et chercha un mouchoir.

– Je n'en veux pas d'autres, je vous assure ! Je mourrais si je devais changer de père et de mère ! C'est si terrible d'avoir à penser à ça, je les aime tant ! Vous rendez-vous compte, avoir eu des parents pendant treize ans et découvrir que ce n'est qu'une histoire, un gros mensonge ? Je dois repartir à zéro. Ma vie n'est pas ma vraie vie ! Ma mère n'est pas ma mère et mon père n'est pas mon père !

Encore une fois, les yeux de Myriam se mouillèrent et de gros sanglots montèrent de sa poitrine. Le dortoir était silencieux. Sœur Marie-Vincent lui prit doucement les mains et lui fit signe :

– Chut, ne réveillons pas les autres ! Allons, allons, mon enfant, calme-toi ! Nous allons prier pour que Dieu nous aide à résoudre ce problème ! Le plus ennuyeux, c'est l'inconscience de tes compagnes. Rassure-toi ! Plus j'y pense et plus je crois que tout ceci est dénué de fondement.

Myriam se sentait bien avec sœur Marie-Vincent. Intelligente, la religieuse avait pris ses doutes au sérieux. Elles passèrent la moitié de la nuit à parler. Ce fut un grand apaisement. Le lendemain et les jours suivants, lorsque Myriam n'arrivait pas à trouver le sommeil, elle se levait et allait rejoindre sœur Marie-Vincent, qui devint sa confidente et son amie. La religieuse se tracassait au sujet de Myriam et elle se chargea d'interroger les incorrigibles mauvaises langues pour savoir s'il y avait du vrai dans les rumeurs qu'elles répandaient. « Il n'y a peut-être pas de fumée sans feu et les ennuis de Myriam ont certainement quelque racine obscure et inconnue. » Elle fit sa petite enquête, questionna les unes et les autres et leur demanda à toutes un peu plus de compassion. Elle s'adressa entre autres à Annette Coudrier :

–Annette, tu répètes souvent à Myriam des choses qui lui font de la peine. J'aimerais qu'on en parle.

Annette ne semblait pas disposée à s'expliquer. Protégée par une épaisse frange de cheveux blonds qui lui masquait la moitié du visage, elle baissait les yeux et paraissait butée.

–Annette, qu'est-ce qui te fait dire que Myriam est une enfant adoptée ? Pourquoi répètes-tu cela ?

–Parce que c'est vrai !

–Mais comment peux-tu dire que c'est vrai ?

–Parce qu'on me l'a dit !

–Qui t'a dit cela ? Tu sais que ce sont des paroles graves.

–Je le sais par François Pellerin, son cousin. Il a entendu son père et sa mère parler de l'adoption de Myriam.

La religieuse masqua son étonnement.

– Je veux bien croire que tu l'as entendu dire par François Pellerin, mais cesse de harceler Myriam, je t'en conjure, Annette, tu lui fais beaucoup de mal! Je te le demande au nom de la charité chrétienne: arrête de colporter ces propos malveillants qui font du tort à ton amie.

– Elle n'est pas mon amie!

– Voyons, Annette, qu'elle soit ou non ton amie, elle en souffre. Je sais que tu comprends ce que je viens de t'expliquer.

– Ce n'est pas de ma faute si ses cousins disent cela!

– Je pense que ses cousins n'ont aucune idée de la portée de leurs paroles. Toi non plus, Annette. Mais tu peux comprendre que nous devons être charitables les unes envers les autres. Je compte sur toi, je suis certaine que tu vas m'aider, car je sais que tu as du cœur!

Sœur Marie-Vincent revint souvent à la charge. À partir de ce jour-là, Annette mit ses commentaires en veilleuse. Par contre, la religieuse se posait de plus en plus de questions! Les paroles d'Annette l'avaient rendue perplexe. Très perplexe. Sœur Marie-Vincent pensait en toute bonne foi qu'il fallait élucider ce mystère et que Myriam devait être tenue au courant de tout ce qui la concernait.

Comme la religieuse ne pouvait plus se montrer aussi affirmative durant ses longues conversations nocturnes avec Myriam, le doute qu'elle laissait planer bouleversait la jeune fille. Alors, affolée par l'in-certitude, Myriam se mit à parler de mourir, de dis-paraître. Menacer d'attenter à ses jours était le seul moyen dont elle disposait pour briser le pacte du silence qui l'étouffait. Comment pourrait-elle être prise au sérieux, comment pourrait-elle, autrement qu'avec ces paroles saisissantes, faire reconnaître l'angoisse et la peine qui l'écrasaient? La pauvre Myriam avait envie de hurler, de jeter au visage de tous ceux qui lui mentaient:

– Je vous en prie, occupez-vous de moi! Je vous en prie, répondez à mes questions et ne me racontez plus de mensonges! J'ai le droit de savoir d'où je viens, et vous avez le devoir de me le dire! C'est mon histoire à moi! Ma naissance m'appartient, comme tout ce qui s'est passé après! C'est ma vie!

Mais elle ne le pouvait pas. Au fond d'elle-même, cela ne pouvait pas être si clair. Tandis qu'elle errait et tournait en rond dans ce désert de non-dit, le seul moyen qui lui venait à l'esprit, le seul argument susceptible de réveiller la conscience de ceux qui l'entouraient, c'était de dire qu'elle voulait mourir. Nul, hormis sœur Marie-Vincent, ne se penchait sur sa détresse. Chez les professeurs, tout comme à la maison, le mot d'ordre était de se taire! Parler semblait à tous terriblement dangereux. Cela aurait obligé à de sérieuses remises en question, libérant la vérité dans son essence, une vérité si crue que personne ne voulait l'admettre ni l'affronter. On préférait ne pas voir à quel point cette vérité était nécessaire à Myriam. Sœur Marie-Vincent était inquiète...

Lorsqu'elle rentrait à la maison les vendredis soir, Myriam était ravie d'avoir pour elle seule sa mère qui abandonnait immédiatement son casse-tête. Elle lui racontait sa semaine sans oser toutefois parler de ses doutes récalcitrants, voulant faire savoir à sa mère combien sœur Marie-Vincent était charmante et comment elle était devenue soir après soir sa vraie grande amie. Myriam n'avait plus que ce nom à la bouche : sœur Marie-Vincent, à laquelle elle vouait un attachement et une admiration sans bornes. Ces soirs-là, elle grimpait quatre à quatre les marches de l'escalier jusqu'à la chambre de sa mère :

– Maman, es-tu encore couchée ? Tu n'es pas malade au moins ?

En moins de trois secondes, assise au bord du lit, elle avait charmé sa mère.

– As-tu eu une belle semaine au collège ?

– Oui, pas si mal, mais enfin… toi, tu as l'air un peu malade ! Hier, j'avais un examen de français.

– Et puis ?

– Et puis, grâce à sœur Marie-Vincent, qui m'a beaucoup aidée…

– Comment a-t-elle pu t'aider ? Elle n'est pas professeur.

– Non, mais tu sais, tous les soirs après l'étude et le souper, on parle très longtemps. Elle est si gentille. Je l'aime beaucoup ! Elle dit que, quand elle avait mon âge, elle voulait déjà devenir religieuse. Elle en était sûre ! Et c'est ce qui est arrivé. Elle dit que sa vocation, c'est la plus belle chose de sa vie et qu'elle est heureuse. Elle me fait beaucoup réfléchir. Quand je suis triste…

Maguy coupait court et changeait de sujet. À l'âge de Myriam, on n'avait pas besoin de réfléchir, encore moins d'être triste, et puis tout cela était bien dangereux ! Penser à devenir religieuse, quelle idée !…

– Tu n'as aucune raison d'être triste. N'as-tu pas tout ce que tu désires ? Y a-t-il quelque chose qui te manque ?

–Non, mais sœur Marie-Vincent...

–Tu devrais aller te préparer, tu sais que nous allons souper au restaurant avec ton père et qu'ensuite nous allons au hockey. Tu as tout juste le temps de prendre un bain. Ne pense donc plus au collège et arrête de te casser la tête. Pense un peu à t'amuser!

Un soir, après le souper, Maguy entraîna sa fille dans sa chambre et sortit de sa table de chevet un petit écrin de velours bleu qu'elle tendit à Myriam, guettant sa réaction.

–Tiens, c'est pour toi. Ouvre-le! Je t'ai acheté un joli collier de perles cette semaine en me promenant. Maintenant, tu as l'âge des petites perles.

–Fais voir? Oh, qu'il est joli! Maman, maman, tu me gâtes!

Émerveillée, Myriam s'attacha fébrilement le bijou. Les perles minuscules avaient un léger reflet rose et soulignaient la délicatesse de son cou. Il n'était plus question de sœur Marie-Vincent... Myriam sentait que sa mère détestait son amie, mais elle ignorait pourquoi.

La seule raison de cette antipathie était l'angoisse profonde et viscérale qui habitait Maguy. Fondamentale, incontournable, née le jour même où elle était allée chercher son enfant. Maguy n'était pas la mère biologique de Myriam, c'est pourquoi il y avait en elle un trou béant qui se creusait au fil des ans, nourri par le silence et la peur. Il aurait suffi de peu. Il aurait suffi de parler et de communiquer pour éclairer le gouffre, ne rien cacher pour mettre en lumière son trouble. Les angoisses se seraient consumées d'elles-mêmes. Mais une partie vitale lui manquait, qu'elle imaginait essentielle, la grossesse et l'accouchement.

Ce morceau-là, appartenant à une autre, avait brisé un fil qui aurait dû continuer de se dérouler et de lui prodiguer la sérénité. Myriam ignorait tout cela et devait continuer à l'ignorer.

*

Dans la petite maison de bois mal entretenue, à l'orée de la pinède, au milieu des bancs de neige qui envahissaient le terrain laissant seulement un étroit passage permettant d'accéder à l'entrée, rien n'avait changé. Nuit et jour, la fumée sortait du toit, et il y avait sous l'escalier quelques grosses pierres des champs, habilement placées pour soutenir la dernière marche qui menaçait de s'effondrer. Tout autour de la cabane de Wanda, d'autres maisons, qui avaient été rafistolées ou repeintes, résonnaient des allées et venues d'enfants au teint coloré et aux cheveux très noirs, jouant avec les chiens du village.

Depuis bientôt quatre ans que Kateri avait réintégré le bercail, Gaby avait été presque continuellement absent. Mary et Ruth, en plus de Gloria qui commençait à se faire vieille, avaient déployé beaucoup de patience et d'amour pour s'occuper d'elle, faisant de leur mieux pour assurer à la pauvre malade, qui ne les reconnaissait pas, une présence tendre et sécurisante. On espérait encore qu'elle retrouverait la parole et le rire... Cependant rien n'y faisait, Kateri restait muette. C'est comme si son âme s'était envolée, très loin de son corps, ce corps exigeant qui avait besoin de nourriture et de repos, mais qui ne savait plus rien faire. Depuis des mois, la malheureuse errait du matin jusqu'au soir, sous les regards désolés des habitants de la communauté mohawk qui se relayaient pour prendre soin d'elle. Égarée, elle allait chaque jour faire deux ou trois fois le tour de la maison à petits pas, puis revenait s'asseoir sur la chaise berçante auprès de la fenêtre. Alors, elle regardait le ciel. L'été, si elle sortait en chemise de nuit, cela n'avait guère d'importance. Mais quand venait le redoutable hiver et qu'elle sortait sans se couvrir, on essayait de la raisonner, de lui faire mettre un gros manteau.

–Kateri, Kateri, tiens, il faut te couvrir! Mets donc tes bottes…

–Et ton manteau, attache-le, hein, Kateri? Enroule bien ton écharpe, comprends-tu?

Peine perdue. Il fallait la couvrir de la tête aux pieds. Kateri se laissait faire, mais elle ne semblait pas comprendre.

Quelquefois, mais c'était rare, lorsqu'on l'emmenait chez l'un ou chez l'autre, elle posait un chaudron rempli d'eau froide sur le poêle à bois. Lorsque les gouttelettes s'échappaient en roulant et chuintant sur le rond brûlant pour s'évaporer sous l'effet de la chaleur, elle riait par à-coups. Elle aimait ça! De temps en temps, lorsqu'on épluchait des pommes de terre, elle s'approchait pour aider un peu, mais si peu… On aurait dit que ses mains avaient oublié les gestes les plus simples! Kateri regardait Mary, Ruth ou Gloria, sans jamais prononcer la moindre parole. D'autres fois, elle voulait s'exprimer et poussait tout à coup un «Ah…» qui s'arrêtait bientôt. On ne savait jamais ce qu'elle avait voulu dire. C'est lorsque Gaby venait la voir qu'elle était le plus expressive. Entre deux allées et venues, son frère apparaissait quelquefois à l'improviste:

–Salut, les belles demoiselles! Comment va ma petite sœur?

Au son de sa voix, Kateri avait un petit frisson. Dès qu'il entrait, elle le reconnaissait. Son regard s'éclairait l'espace d'une seconde, elle se plaçait tout contre lui et posait la tête sur son épaule en enroulant les bras autour de son cou. Il en était remué chaque fois.

Ce soir-là, à deux milles du village, sur la montagne sacrée habituellement silencieuse, tout près de la pierre levée située juste au sommet, on célébrait la pleine lune. C'était le début de l'hiver. La terre, dure comme le roc, avait gelé depuis bientôt trois semaines, mais les champs tardaient à se couvrir de neige et les rares flocons qui s'étaient déversés avaient été balayés par le vent dans le creux des fossés qui bordaient les chemins. Le ciel était pur, la lune éclairait la colline et les étoiles en nombre infini scintillaient de mille feux, comme des pierres précieuses posées sur un écrin de velours. Au loin, derrière les lueurs orangées du grand feu de bois qui brûlait depuis l'aube en haut de la montagne, on devinait entre les cimes des arbres les dernières cabanes du village endormi. Les plus anciens de Kanesataké, ceux qui prêchaient le retour aux traditions et qui étaient dirigés par un chaman venu du Dakota, avaient préparé depuis deux jours le rituel de la hutte de purification si cher à leurs ancêtres. Ils avaient coupé vingt saules soigneusement choisis, qui constituaient la charpente de l'édifice, creusé des trous, qu'ils avaient rempli de feuilles de tabac aux quatre points cardinaux, et recouvert la hutte ronde avec les peaux traditionnelles. On avait installé des pierres chauffées à blanc sur les bûches du foyer creusé au centre de la hutte et jeté l'eau mainte-nant transformée en un nuage de vapeur opaque et brûlant qui se répandait dans tout l'espace.

Les femmes de la communauté avaient cueilli les pousses de sauge qui verdissaient encore ici et là dans les endroits abrités du vent, et elles en avaient fait pour la cérémonie des bouquets que le chaman avait disposés sur les braises à chaque phase de la purifica-tion. Dans la hutte transformée en sauna, on n'y voyait plus rien. Ils étaient seize à prier, dissimulés par une vapeur si dense qu'il était impossible de dire combien d'hommes ou de femmes étaient accroupis autour du foyer selon l'ordre établi par le rituel, reliés par la chaleur suffocante et le parfum des feuilles de sauge.

Gaby, à jeun depuis la veille, priait et méditait, appelant la vision qui apporterait des réponses aux questions les plus pressantes sur l'avenir de sa race. Assis sur le sol couvert de mousse et de brindilles de cèdre, son corps nu et ruisselant de sueur se balan-çait au rythme des incantations, laissant son esprit réceptif, prêt à capter tel un radar le message attendu. Tout à coup, il se leva, sortit de la hutte et alla se plonger dans l'eau glacée du ruisseau qui dévalait derrière les rochers. Puis il resta seul, habité par un bien-être incomparable, faisant corps avec la terre, le ciel et les étoiles, nu et insensible au froid mor-dant. On entendait encore les litanies sacrées venant de la hutte, reprises par les participants comme un bourdonnement rythmé et monotone. Gaby avait perdu la notion du temps, tout comme les guerriers qui sortaient un à un et allaient s'isoler dans les bois jusqu'au matin pour se relier à l'âme de l'univers.

Alors, au milieu de la nuit, dans la solitude et l'air pur, la vision se produisit. Imprévue, étonnante et limpide, elle se manifesta devant Gaby sous la forme de sa mère... Wanda, resplendissante, se tenait devant lui, faisant le salut des ancêtres, drapée dans une couverture aux dessins colorés, la tête recouverte d'un foulard de toile et ses cheveux tressés redevenus noirs comme du jais. Elle avait rajeuni et tenait dans la main droite la pipe sacrée d'où s'échappait la fumée, symbole de l'esprit qui se répand dans l'air. Devant son fils attentif, Wanda détacha lentement son manteau et, l'ouvrant, laissa place à Kateri. Sa fille, belle comme le jour, était vêtue d'une robe en peau de daim frangée, toute brodée, la tête ceinte d'un bandeau perlé orné d'une plume blanche. Kateri regardait tendrement son frère et lui dit:

–Petit frère, je ne peux m'adresser à toi dans la réalité, car tu sais ce que mon corps est devenu! Mais ce soir Wanda et moi, nous sommes réunies pour te parler! Écoute-moi bien, petit frère, car il y a quelque chose que tu ignores encore et que tu dois savoir!

Gaby ne bougeait pas et restait muet, profondément heureux d'avoir eu la vision qu'il espérait. Dans son cœur, il lui répondit:

–Dis-moi, petite sœur, parle... je t'écoute.

–Mon frère, lorsque j'ai disparu, voici treize ans, ce fut le début de mes malheurs! Tout ceci est arrivé parce que j'attendais un enfant!

Gaby tressaillit. Il savait vaguement que sa petite sœur était alors enceinte, mais il n'avait pas arrêté son esprit sur ce fait puisque, de toute façon, elle ne lui en avait jamais parlé. Kateri continuait, de plus en plus rayonnante...

–J'ai accouché, mon frère, je suis mère d'une petite fille. Petit Rayon de soleil est la fille du Cardinal. Hélas, elle m'a été enlevée aussitôt qu'elle a vu le jour! Alors, mon frère, tu sais ce qui m'est arrivé. Les malheurs se sont abattus sur moi. Mais rassure-toi, cette enfant est heureuse! Elle ne manque de rien et ignore encore sa véritable origine! Elle doit revenir un jour dans notre communauté. C'est ce qui doit s'accomplir…

Wanda réapparut alors, tenant la main de sa fille et dit:

–Mon fils, je l'ai déjà dit, la fille de ma fille est le maillon qui relie deux mondes et toi, toi qui ne t'es jamais marié, tu dois lui ouvrir le chemin!

Après avoir ainsi parlé, les deux femmes disparurent derrière un grand nuage doré et Gaby se retrouva seul. Il n'avait pas eu le temps de poser la question:

–Comment faire pour retrouver cette enfant? Où la chercher?

Le petit matin soulevait doucement la pointe de l'aurore et, sur la terre gelée, les guerriers s'étaient endormis autour du feu qui rougeoyait encore. Abasourdi par le discours qu'il avait entendu, mais léger et heureux, Gaby ramassa ses vêtements et descendit prestement la colline.

*

Sœur Marie-Vincent prenait très au sérieux les inquiétudes de Myriam; voulant partager son fardeau, elle alla trouver la Mère supérieure, quêtant un conseil éclairé afin d'aider sa chère adolescente. Elle traversa l'aile gauche du bâtiment où se trouvaient les dortoirs, descendit rapidement les larges escaliers où quelques écolières se pressaient en riant, leur sac sous le bras, salua deux ou trois religieuses en grand conciliabule. Elle frappa à la porte du bureau qui se trouvait au premier étage, au fond d'un long corridor faisant suite à la réception. La Mère supérieure, qui l'attendait, souriante derrière son imposant bureau, se leva pour l'accueillir et la pria de s'asseoir.

–Ma Mère, je dois m'en remettre à vous pour savoir comment résoudre la question que se pose Myriam Langevin. Est-elle une enfant adoptée, ou non?

Les deux femmes étaient assises face à face. La Supérieure eut un froncement de sourcils et son visage prit une expression sévère en entendant les propos de la maîtresse de discipline. Elle se releva, tenant ses mains réunies sous les revers de ses manches, et s'approcha de sœur Marie-Vincent.

–Ma chère enfant, il y a des questions qui n'obtiendront jamais de réponse dans nos vies. Myriam se torture l'esprit bien inutilement. J'aimerais que vous méditiez sur ce fait!

–Ma Mère, je ne peux croire que cette rumeur soit totalement sans fondement et, de plus, Myriam a le droit de savoir! Son équilibre est fragile en cette période où elle aborde l'adolescence...

Sœur Marie-Vincent se fit couper la parole assez sèchement.

–Justement! Sœur Marie-Vincent, dois-je vous rappeler que vous n'êtes pas ici pour faire des enquêtes, mais bien pour être au service d'une règle que vous avez choisie et qui encadre votre vie? Ne vous laissez pas distraire par quelques rumeurs placées sur votre chemin pour éprouver votre foi! Je ne veux plus entendre parler du cas de Myriam. Priez, ma chère sœur!

L'entretien était terminé. Sœur Marie-Vincent se sentit frustrée, déçue et de plus en plus perplexe. Qui donc allait prêter attention à Myriam et soulager sa peine? Elle sortit de l'entrevue en baissant les yeux.

Deux jours plus tard, la Mère supérieure convoqua sœur Marie-Vincent. Naïvement, la jeune religieuse pensait que peut-être, au bout du compte, elle aurait obtenu gain de cause. Légère et presque joyeuse, elle reprit place devant la directrice du collège, mais elle sentit tout de suite que l'atmosphère n'était pas celle qu'elle avait espérée. Droite, sévère et bien plus rigide qu'à l'habitude, mère Camille s'attaqua directement au problème.

–Ma sœur, je dois vous reparler du cas de Myriam Langevin. Ce que j'ai à vous dire est strictement confidentiel et ne souffre aucun relâchement de votre part. Ne vous y trompez pas, je vous en préviens!

Sœur Marie-Vincent ouvrait des yeux étonnés et interrogatifs, écoutant sa Supérieure lui parler sur un ton fort peu engageant qu'elle ne lui connaissait pas.

–Vous allez abandonner immédiatement toutes vos investigations à ce sujet. Vous allez ignorer tout ce que l'on a pu vous dire et tout ce que l'on vous dira encore! Je me charge de faire taire les ragots et je ferai passer en conseil de discipline les élèves qui auront le front de désobéir.

La jeune sœur croyait que sa raison lui faisait défaut. Tout ceci ne pouvait pas être vrai! Mère Camille, imperturbable devant l'émoi provoqué par ses paroles, continuait.

– J'insiste, car je n'ai pas fini : vous allez tout simplement user de votre influence sur cette enfant pour
lui faire entendre raison. Il n'est pas question d'adoption et il n'en sera plus jamais question ! À partir
d'aujourd'hui, ni vous ni les autres ne devez encourager Myriam à poser des questions à ce sujet, ni même
l'écouter si elle en pose. Ceci est un ordre. Et dans ce
cas-ci les ordres viennent de très haut, croyez-moi ! Si
jamais il y avait la moindre désobéissance de votre
part, il est clair que vous quitteriez sur-le-champ la
communauté. Le Cardinal vous relèverait de vos
vœux. J'ajoute encore ceci, qui me paraît aller de soi :
Myriam ne doit jamais savoir que vous avez reçu cet
ultimatum, car c'en est un ! Arrangez cela comme bon
vous semble !

Dans la tête de la jeune religieuse, tout basculait.
Sa recherche de vérité, son honnêteté fondamentale
étaient considérées par les autorités de sa communauté comme déplacées, comme une faute même. Son
désir sincère de charité chrétienne était emprisonné,
bafoué sans appel. Ne reconnaissant plus la bonne
mère Camille, sœur Marie-Vincent fut carrément
assommée par le message reçu. Qu'y avait-il donc
derrière toute cette histoire ? Elle n'avait même plus la
possibilité de se poser honnêtement la question. Son
avenir de religieuse dépendait de son silence. C'est le
cœur gros que sœur Marie-Vincent répondit désormais
à Myriam :

– Oublie donc toutes ces folies, ma chère enfant,
je crois bien que nous avons été menées par notre
imagination...

Myriam trouvait ce revirement un tout petit peu
bizarre. Mais, après tout, ce nouveau discours faisait

son affaire! Enfin, elle pouvait s'amuser et cesser de s'interroger sans cesse. Enfin, on ne lui dirait plus jamais de sottises! Enfin, elle était bien Myriam Langevin, personne ne contestait plus son identité et Maguy, presque chaque semaine, lui offrait de nouveaux cadeaux.

CHAPITRE XVII

Février 1962.

Maguy se réveillait lentement dans l'atmosphère blafarde du froid matin d'hiver. Elle s'étira en entendant le tic-tac régulier de la pendule posée sur la commode, qui résonnait à son oreille comme un tempo chargé de reproches: «Lève-toi, Maguy, lève-toi! Le monde appartient à ceux qui se lèvent tôt!» Ces paroles, que Philippe répétait souvent, venaient déranger sa conscience. C'est comme s'il avait été là, présent au pied de son lit, pour lui dire qu'il ne l'approuvait pas. Elle serait donc toujours coupable! Maladroitement, elle se retourna dans son lit, avec l'impression de revenir de loin, de si loin! Quelques lambeaux de rêve étaient encore gravés sous ses paupières, des images mélangées à des sons et à des situations plus ou moins farfelues. Ils s'envolèrent bien vite, pour repartir d'où ils étaient venus, dans ce monde impalpable et mouvant qui fait le tiers de notre vie.

Les bruits familiers de la maison parvenaient jusque dans la chambre. En bas dans la cuisine, Pierrette s'affairait à la vaisselle. Maguy entendait comme dans un nouveau songe le fracas des casseroles et de l'eau qu'elle agitait énergiquement en les frottant. Elle avait peine à se tirer de sa torpeur. Pourquoi donc avait-elle des matins si difficiles? Elle essaya de poser un pied par terre, mais la tête lui tournait et le sol semblait se dérober sous ses pieds. Elle se laissa retomber sur son lit, lourdement, comme une bûche, incapable d'exécuter le moindre mouvement. Lorsqu'elle ouvrit de nouveau les yeux, il était presque onze heures. «Allons, Maguy, allons, lève-toi!»

Soudainement, elle fit la grimace. Il y avait, dans sa gorge, le goût âcre qu'elle connaissait trop bien. «Encore un de ces fichus saignements de nez!» Au même moment, avant qu'elle ait pu faire un geste, une goutte de sang, écarlate et insidieuse, avait taché sa chemise de nuit en plein milieu de la poitrine. Instinctivement, elle bascula la tête vers l'arrière, se pinça le nez et courut jusqu'à l'armoire chercher un tampon d'ouate qu'elle enfila dans sa narine droite, celle qui coulait le plus; ensuite, elle descendit pieds nus jusque dans la cuisine. Pierrette, l'apercevant, surprise et désolée de la voir en si piteux état, laissa tomber une de ses casseroles qui résonna par terre avec un bruit strident, un de ces sons à vous crever les tympans! Maguy en frissonna d'horreur.

–Madame, madame, assoyez-vous et ne bougez plus! Je vais vous nettoyer. Voulez-vous que j'aille chercher quelque chose à la pharmacie? Ça n'a pas de bon sens, ces saignements de nez qui reviennent sans cesse…

–Non, non, Pierrette, c'est inutile! Mettez-moi une compresse d'eau froide sur la tête. Cela va encore me décoiffer, mais tant pis!

Maguy eut un haut-le-cœur.

–Ça coule très fort. C'est écœurant, le sang me revient dans la gorge!

–Tenez, madame, prenez ça ! Et surtout restez immobile !

Pierrette avait déjà apporté un verre de scotch pour lui faire passer le mauvais goût du sang. En même temps, elle lui passait ses mules, une chemise de nuit et un peignoir propres. Pendant que Maguy allait maladroitement se changer, Pierrette prépara un bon déjeuner avec tout ce que sa patronne aimait, navrée de la voir si vulnérable. Elle la surveillait, la choyait comme si Maguy avait été une enfant, souhaitant mettre dans son assiette le remède instantané pour faire disparaître son mal.

–Bon, si vous ne bougez pas, je pense bien que cela va s'arrêter. Mais il faut manger, ma pauvre chère madame ! Vous ne pouvez pas rester ainsi !

–Ne vous tracassez pas, Pierrette, vous savez bien que je ne me laisserai pas mourir de faim ! Je commence à en avoir plus qu'assez de ces saignements continuels.

–Voulez-vous que j'appelle votre mari ?

–C'est inutile, Pierrette, il ne pourrait rien faire de plus. Il faut attendre que cela s'arrête !

–En êtes-vous bien sûre ?

Tout compte fait, Maguy était ravie de susciter un tel empressement chez Pierrette. Grâce à son malaise, la journée était bien occupée. Les heures filaient…

Loin de diminuer, le saignement s'amplifiait. Maguy fit de son mieux pour avaler les rôties que Pierrette lui avait préparées pour accompagner un œuf poché et du jambon. Rien ne passait et le sang coulait encore, sauvage et persistant. Elle s'allongea sur le sofa, emmaillotée comme un bébé dans des serviettes de bain. De temps en temps, elle tendait le bras pour prendre le verre que Pierrette avait posé près d'elle. Un petit peu de scotch, cela lui redonnerait du courage… Au bout d'une heure et demie, Pierrette, voyant que la corbeille était remplie de tampons maculés de sang et que Maguy commençait à s'épuiser, prit la direction des opérations.

–Cette fois-ci, madame, même si vous ne le voulez pas, j'appelle le docteur.

Réduite à l'impuissance, Maguy laissa Pierrette composer le numéro du cabinet médical. Fleurette était à l'autre bout du fil.

–Le docteur n'est pas encore arrivé, est-ce qu'il y a quelque chose qui ne va pas, Pierrette?

–C'est madame Maguy qui m'inquiète! Depuis qu'elle est levée, elle saigne du nez et ça ne diminue pas, au contraire! Elle vient de vomir. Elle a l'impression d'étouffer. Je ne sais plus quoi faire et je sens qu'elle panique un peu…

–Ah, dites-moi, ça lui arrive souvent! Ne vous affolez pas, Pierrette, mettez-la dans un taxi. Le temps qu'elle fasse la route et le docteur sera là. S'il tarde, je ferai de mon mieux pour la soulager.

–Je vais venir avec elle.

Pierrette appela un taxi et revint vers Maguy, qui avait piètre allure. L'hémorragie déformait les traits de son visage. Elle semblait avoir vieilli de dix ans.

Lorsqu'elles arrivèrent au cabinet, Philippe, qui grimpait les marches de l'escalier quatre à quatre selon son rythme habituel, fut surpris de les voir arriver. D'un seul coup d'œil, il évalua l'état de sa femme. Pendant qu'il se lavait les mains, Fleurette installa Maguy sur la chaise de consultation:

–Comment se fait-il que tu saignes encore, Maguy? T'es-tu agitée ce matin?

Elle fit signe que non. Il l'examinait minutieusement avec le miroir et la lampe, constatant que ses muqueuses étaient à vif. De plus, elle sentait l'alcool.

–Avais-tu mal à la tête ces jours-ci?

–Non, je t'en aurais parlé.

–Bon, essaie de ne pas bouger. Respire doucement, voilà... Comme je te l'ai déjà dit, ce n'est pas grave, c'est surtout ennuyeux. Je ne peux rien faire de plus pour arrêter le saignement. Rien de plus que ce qui a déjà été fait! Des pansements compressifs avec des tampons... Et puis, Maguy, il ne faudrait pas boire! As-tu déjà pris un verre ce matin?

–Juste pour enlever le goût du sang. Je voudrais bien t'y voir!

Maguy était nerveuse et se cabrait. Avec un mari médecin, elle s'attendait à voir son problème résolu sur-le-champ. «Comment croire qu'il n'y a pas de méthode efficace pour me soulager, alors qu'il soigne avec brio la province tout entière?» Rien que d'y penser, elle lui en voulait: «Il est déjà prêt à me reprocher de prendre le seul remède que j'ai à ma portée! Ne peut-il essayer de me comprendre? Pourquoi est-il toujours si dur?»

–Philippe, tu vois bien que le problème revient de plus en plus souvent! Tu ne vas tout de même pas me laisser ainsi! Te rends-tu compte de ce que j'endure? Voyons, Philippe, fais quelque chose... Est-ce parce que je suis ta femme que tu me laisses souffrir ainsi? Je n'en peux plus!

Ce ton de reproche était bien malvenu, étant donné que Philippe ne pouvait pas améliorer l'état de ses vaisseaux. «Elle ne changera donc jamais, pensa-t-il. Maguy n'est pas plus réaliste qu'un enfant de huit ans ! » Il détestait son manque de cran face à la moindre petite difficulté. Tandis qu'elle lui débitait ces paroles aigres-douces, elle eut un nouveau haut-le-cœur. Philippe se gratta la tête, l'air pensif. Il y avait bien une solution, mais on ne pouvait y recourir qu'avec parcimonie et de façon exceptionnelle... Il appela Fleurette :

– Garde, nettoyez bien l'épistaxis de ma femme et préparez des tampons avec la solution cocaïnée.

Philippe la fit allonger dans le petit boudoir derrière son bureau et lui introduisit dans le nez les tampons imbibés de cocaïne qui assécheraient la muqueuse enflammée, dissiperaient la sensation de douleur et arrêteraient définitivement tout saignement. Maguy resta ainsi sans bouger pendant un bon quart d'heure. Fleurette la surveillait, allant d'une pièce à l'autre entre les malades et les préparations, essayant de la distraire en racontant une ou deux anecdotes, de celles que l'on garde en réserve pour détendre l'atmosphère.

– Madame Langevin, vous allez déjà beaucoup mieux ! Voyez, vous reprenez des couleurs ! Dans dix minutes, il n'y paraîtra plus.

– Fleurette, dites-moi, est-ce que je dois endurer ces tampons pendant longtemps ? C'est assommant d'avoir ça au fond des narines !

– Allons, allons, encore dix minutes et je vous les enlève.

– Pouah, c'est épouvantable ! C'est mauvais, c'est dégoûtant... Je n'ai plus de patience. Fleurette, vous devez me trouver bien détestable !

– Mais non, mais non... essayez de les supporter encore un peu, madame Langevin, sinon le saignement va recommencer ! On aura fait tout cela pour rien !

– Je vais essayer, mais, Seigneur, que c'est mauvais !

Pourtant, au bout de quinze minutes, Maguy avait retrouvé sa bonne humeur et son sourire. Elle se sentait bien. Étrangement bien. En pleine forme. Tout était rentré dans l'ordre. Pour la première fois depuis bien longtemps, elle voyait la vie en rose.

Le lendemain par contre, oppressée, elle retrouva sa mélancolie. Pour se donner du courage, elle avala un verre d'alcool et se mit au piano. Ses mains couraient sur le clavier. Aussitôt qu'elle entendit les premières notes, Pierrette sortit de la cuisine, enthousiaste ! Heureuse d'entendre Maguy se remettre à son cher instrument, elle souriait et profitait de ce moment privilégié en poussant de petits soupirs de contentement. Mais, au bout d'une demi-heure, Maguy dut abdiquer. Les souvenirs tristes s'étaient mis à jaillir au milieu des notes et des accords, bousculant sans ménagement la pauvre Maguy qui n'avait pas de carapace. Les fantômes d'Albert et d'Anne, tous ceux de son enfance heureuse, prenaient forme dans le salon, sautaient de toutes parts, envahissaient la pièce. Impossibles à dompter. Impossible de ne pas les entendre. La musique amplifiait son chagrin, faisait caisse de résonance et martelait cruellement sa peine jusque dans son ventre. Et puis le spectre de Kateri la poursuivait. Il était là. Maguy cessa de jouer. « Je suis perdue », pensa-t-elle. Ayant refermé son piano, elle monta dans sa chambre et se coucha. Oublier. Ne plus voir. Lorsqu'elle ouvrit les yeux, Pierrette était partie, la laissant seule. Maguy alluma la télévision et but quelques verres pour passer le temps. Les images défilaient sur l'écran, mais rien ne s'imprimait en elle, rien ne pouvait se rendre jusqu'à sa tête qui était pleine à ras bord de son terrible mal de vivre. Philippe rentrait toujours si tard, c'était devenu une habitude. Que pouvait-elle y faire? De plus, une fois rentré, les trois quarts du temps il ne desserrait pas les dents.

Maguy plongeait verre après verre dans une sorte de brouillard confus et ouaté qui lui faisait croire pendant un moment qu'elle était bien, qu'elle avait résolu tous ses problèmes. Plus elle s'imprégnait de la chaleur diffuse que l'alcool répandait dans son corps, et plus elle en avait besoin. Pour avoir chaud au cœur. Le silence lui déchirait l'âme et l'emmurait dans une tour de solitude, la rendant prisonnière de son oisiveté. La vie bougeait et remuait tout autour d'elle, entraînant ceux qui voulaient suivre, mais pour Maguy, immobile, il y avait le goût amer de ne pas avoir sa place parmi les gens actifs.

Philippe essayait parfois de lui faire la morale. Peine perdue. Pas moyen de la raisonner. S'il insistait, elle devenait agressive, subissant lentement, inexorablement, une dégradation de sa personnalité. Quant à son insurmontable problème de solitude, le docteur Langevin était loin de pouvoir le comprendre. Pour lui, il y avait une route, un chemin à suivre: c'était la voie du travail et de l'effort. Tout le contraire du laisser-aller et de la complaisance envers soi-même.

*

Vendredi soir. Un de ces soirs où l'hiver, désolé d'avoir à céder la place au printemps, fait encore des siennes dans un ciel tumultueux. Les amoncellements de vieille neige sale n'arrivaient pas à fondre et se recouvraient d'une croûte miroitante sous la lueur des réverbères. Les rues de Montréal étaient désertées par les flâneurs, découragés de ne pouvoir troquer manteaux et bottes contre des vêtements plus seyants. Philippe revenait du cabinet médical au volant de sa voiture et, comme d'habitude, il conduisait très prudemment en remontant la rue Saint-Denis. Il pensait à tous ces gens qu'il aimait soulager, à la satisfaction que lui donnait son métier et à la renommée qu'il lui procurait. Maguy était venue faire un tour vers la fin de l'après-midi. Très occupé, il l'avait laissée avec Fleurette dans le petit boudoir, ne prêtant pas attention à sa femme qui venait de plus en plus souvent : « Évidemment, elle s'ennuie ! Quelle idée aussi de passer ses journées sans rien pour s'occuper ! » Fleurette lui avait dit au moment de quitter le bureau :

– Madame Maguy n'avait pas l'air en forme aujourd'hui, docteur. Elle se plaignait beaucoup de son nez.

Philippe avait regardé Fleurette d'un air ahuri :

– Eh bien quoi, son nez ! Qu'a-t-il donc, son nez ?

– Elle aurait voulu que vous l'examiniez...

– Comment ça, l'examiner ?

Il avait haussé les épaules d'un air exaspéré, puis il avait ajouté :

– Je sais, je sais. Maguy me l'a demandé à moi aussi, mais quand elle a vu la salle d'attente pleine de monde, elle n'a pas insisté. Il n'y a pas d'urgence pour son nez ! Ne vous tracassez pas, Fleurette. Bonsoir, à demain.

Il revoyait Maguy, assise dans le boudoir avec un regard inhabituel. Un regard flou. Les paupières gonflées. Il lui avait semblé pendant une fraction de seconde qu'elle avait bu. « Encore ? Est-ce que cela deviendrait une habitude ? s'était-il demandé. Non, impossible. » Impossible, mais tout de même cette idée le contrariait.

Il y avait plus de circulation qu'à l'ordinaire. Tous les véhicules roulaient au ralenti à cause de la pluie qui gelait au sol, rendant la chaussée terriblement glissante. Les magasins avaient fermé leurs portes. Il était déjà tard. Philippe regarda sa montre. Bientôt six heures trente. « Myriam doit être rentrée depuis plus d'une heure. »

À cet instant, un gros camion le dépassa. « Torrieu, le fou ! Il conduit bien trop vite ! » L'énorme remorque fit une embardée et s'immobilisa en travers de la chaussée. Philippe donna un coup de frein. Heureusement qu'il roulait au pas, car il aurait pu se retrouver sous les roues du camion. C'est exactement ce qui arriva à l'automobiliste qui roulait dans la file de gauche. Son véhicule se mit à tourner sur lui-même, comme une toupie, gardant sa vitesse. « Ça va faire mal ! » pensa Philippe. On entendit un long crissement, puis le bruit mat du choc entre le mastodonte et l'automobile, dont le capot se trouva emprisonné sous l'arrière du routier. Quelques passants s'étaient arrêtés malgré le froid, à la fois effrayés et captivés par l'incident. Une dame qui traversait la rue glissa et tomba par terre au beau milieu du carrefour. Le contenu de son sac se répandit sur le sol. Un jeune garçon essaya de tout rassembler et tenta de la relever sans perdre pied lui-même, ne sachant plus où donner de la tête… S'étant probablement blessée, la dame n'arrivait pas à se remettre debout et glissait encore, sans appui. Personne n'osait se risquer sur la dangereuse patinoire.

Philippe arrêta sa voiture le long du trottoir et s'approcha pour lui venir en aide. Se campant solidement sur ses jambes, il lui tendit la main. Elle s'était heurtée à la hanche et au poignet, ce qui rendait son sauvetage difficile. Quant au conducteur du petit véhicule, encastré maintenant sous le gros, il avait eu plus de peur que de mal, il n'était même pas blessé! La dame avait réussi à se remettre sur ses pieds, avec l'aide de Philippe, quand les policiers arrivèrent sur les lieux. Le service de la voirie répandit, un peu tard, quelques sacs de sable le long de l'avenue.

–Ma pauvre dame, vous vous êtes fait mal. Voulez-vous que j'appelle une ambulance?

–Non, non, c'est inutile!

Refusant les secours, elle pleurait de douleur, surtout à cause de son poignet qui avait violemment frappé le sol gelé. Il la prit par le bras:

–Venez vous asseoir un instant dans ma voiture.

Le jeune garçon les suivit. Dans la voiture, Philippe examina son poignet.

–Chère madame, vous devez aller passer des radiographies. Je suis médecin, expliqua-t-il, docteur Philippe Langevin.

–Diane Fortin. C'est mon fils, Daniel.

Elle avait l'air d'une personne comme il faut. Pas extrêmement jolie, mais agréable à regarder. Pour l'instant, elle avait le visage tendu et les traits tirés, à cause de la douleur. «De quoi aurait-elle l'air si elle souriait?» se demanda Philippe en la regardant subrepticement du coin de l'œil.

–Chère madame, puisque vous ne voulez pas que j'appelle l'ambulance, je vous conduis à l'hôpital! Ne dites pas non, c'est un ordre médical.

–Je vous remercie, docteur Langevin.

–Habitez-vous loin d'ici ?

–Nous restons dans Ville Mont-Royal. Je m'apprêtais à prendre un taxi.

–Voulez-vous appeler votre mari ? Dites-lui de ne pas s'inquiéter et de vous rejoindre à l'urgence de l'Hôtel-Dieu.

–Je suis veuve, docteur.

Comme elle ne souriait toujours pas, il pensa qu'elle avait eu du chagrin à évoquer son mari.

–Et vous, docteur Langevin, ne voulez-vous pas téléphoner à la maison ?

Il ne répondit pas. Comme chaque fois que le verglas faisait des siennes à Montréal, il y avait affluence aux urgences. La réceptionniste eut un grand sourire en voyant Philippe :

–Docteur Langevin ! Vous voilà de retour ! Vous ne pouvez donc pas rester longtemps en dehors de l'hôpital ! Que puis-je faire pour vous ?

Philippe riait.

–Pouvez-vous faire passer immédiatement cette dame, qui est tombée ? Il s'agit de prendre quelques clichés du poignet et de la hanche.

–Bien sûr, docteur Langevin !

Empressée, la secrétaire appela le médecin de garde et remplit les papiers d'admission. Diane Fortin commençait à se détendre. Les clichés radiologiques montrèrent qu'il n'y avait rien de grave et elle reçut immédiatement les soins nécessaires. Philippe la raccompagna avec son fils à Mont-Royal. Lorsqu'il arriva à Ahuntsic, Myriam et Maguy l'attendaient pour aller souper au restaurant, pomponnées et affamées. Maguy faisait la moue, trouvant qu'il arrivait bien tard.

−Une urgence, Maguy. Une urgence et le verglas. Partons vite, j'ai faim !

−Moi aussi, papa, j'ai faim… j'ai faim !

*

Le lendemain matin, Philippe était parti tôt pour l'hôpital et Myriam, un peu désœuvrée, flânait en chemise de nuit. Elle passa en revue ses disques et ses livres et regarda par la fenêtre le temps qu'il faisait dehors, désolée qu'il soit si peu invitant. On ne voyait même pas le bord de l'eau… Une brume épaisse se déposait en couches superposées au-dessus de la pelouse enneigée et des branches des arbres suintaient des gouttelettes en chapelet, qui léchaient les bourgeons à peine perceptibles. Seuls un sapin bleu au fond d'un jardin, une haie de cèdres au long d'une clôture venaient ajouter une note colorée à la monotonie du paysage noir et blanc… « La saison du ski est fichue avec toute cette humidité et on ne peut ni sortir les bicyclettes ni jouer au tennis ! C'est si triste dehors ! » se lamentait Myriam. Résignée, elle ouvrit un roman en songeant que l'après-midi elle appellerait ses amis pour aller au musée. La sonnerie du téléphone la tira brutalement de sa lecture. Pierrette était au bout du fil.

−Myriam, je suis bien mal prise ! C'est la fête de Pierrot et, hier soir, j'ai oublié chez vous le cadeau que je lui avais acheté. Il doit être dans le vestiaire de l'entrée…

Myriam s'empressa d'aller vérifier.

−C'est bien ça, Pierrette, il y a une boîte dans un sac en papier rouge.

– J'espère avoir le temps d'aller la chercher dans l'après-midi, mais je n'ai pas l'auto et Gaétan travaille jusqu'à cinq heures. Ah, comme c'est ennuyeux de ne pas avoir de tête !

Maguy descendait de sa chambre à cet instant.

– Dis à Pierrette qu'on va aller lui porter son paquet, Myriam.

– Merci, vous me tirez d'affaire !

Quelques instants plus tard, Maguy proposa :

– Que dirais-tu, Myriam, si nous allions acheter un cadeau à Pierrot ? On passerait ensuite chez Pierrette le déposer avec celui qu'elle a oublié...

– Bonne idée, je ne savais pas quoi faire aujourd'hui avec ce temps bizarre.

Elles trouvèrent, chez Dupuis Frères, un magnifique camion de pompiers qui ferait sans doute la joie du gamin et prirent le chemin de Rosemont. L'atmosphère était chaleureuse lorsqu'elles arrivèrent chez les Toupin. Petits et grands entouraient leur grand-maman, Pierrette était en train de décorer le gâteau et les chatons faisaient leurs premiers pas sous l'œil attentif de la chatte qui tournait autour d'eux en miaulant. Gaétan accueillit les visiteuses avec empressement et les fit asseoir au milieu de la cohue.

– Comme c'est gentil à vous d'être venues jusqu'ici ! s'écria Pierrette en embrassant Myriam sur les deux joues.

– Nous avons apporté un cadeau pour Pierrot, dit Maguy.

– Vous allez souper avec nous, n'est-ce pas ?

Les enfants, enthousiasmés, battaient des mains.

– Non, non, Philippe va bientôt rentrer, nous ne pouvons pas rester !

Voyant la déception de Myriam, qui aurait voulu participer à la fête, Maguy accepta de rester un moment. Gaétan sortit la bouteille de porto qu'il gardait pour les grandes occasions, et Louise, son mari et leurs enfants arrivèrent sur ces entrefaites. Mais le plus surprenant, ce fut lorsque Gaby, que l'on n'attendait pas, fit son apparition au milieu d'un brouhaha indescriptible. Avec son air déterminé, son éternel blouson de cuir et son bandeau dans les cheveux, il survenait comme un tourbillon plein de dynamisme et d'imprévu :

– Bon anniversaire, mon Pierrot, tiens, ça mérite bien un petit cadeau ! fit-il en sortant de sa poche une bourse en cuir perlée qu'il tendit au petit garçon. Puis il souleva le petit Pierre, ravi, et le lança en l'air comme un ballon. À la vue de l'objet typiquement indien qui ressemblait exactement à celui qui l'avait si souvent hantée, Maguy eut un mouvement de stupeur à peine perceptible. Le gamin, tout heureux, déballait ses paquets et grimpait sur les genoux de Maguy pour lui donner un gros bec, impressionné par le camion rouge qui brillait comme un sou neuf, mais Maguy, lointaine, semblait s'être figée à la vue du petit sac en cuir et Pierrot ne savait plus s'il devait remercier ou non.

Gaby s'assit entre Gaétan et Louise, sous l'œil inquiet de Pierrette qui se demandait quelle raison avait poussé le frère de Kateri à venir chez eux juste le jour où madame Langevin était en visite. Quelle terrible coïncidence ! Myriam s'amusait de tout ce charivari, tandis que Maguy se taisait, lorsque Gaby fit sans le savoir une gaffe monumentale :

– Dommage que je n'aie pas amené Kateri avec moi pour un si beau jour !

Un éclair passa dans les yeux de Maguy. Elle regarda Pierrette, qui aurait aimé rentrer dans un trou de souris, et elle se leva d'un bond. Myriam, inquiète, se rapprocha de sa mère, ne comprenant pas sa réaction :

– Que se passe-t-il, maman ? On s'en va déjà ?

Pierrette, affolée, la suivit jusque dans l'entrée.

– Ne vous formalisez pas, madame Langevin, c'est juste une coïncidence. D'ailleurs, je vous assure…

– C'est bon, nous partons, Pierrette !

Maguy avait déjà remis son manteau. Gaby les suivait des yeux, ne pouvant détacher son regard de Myriam, sans trop savoir pourquoi.

– Viens, Myriam, ton père doit nous attendre.

Elle adressa un bref salut à toute la famille et Myriam suivit sa mère, regrettant de ne pas pouvoir parler plus longuement avec le nouveau venu, qui avait l'air si différent des gens ordinaires. Pierrette tenta de cacher son trouble et la fête reprit… Quant à Maguy, le reste de la soirée fut pour elle une véritable torture. Elle s'effrayait : « Comment se fait-il que Pierrette soit en contact avec le frère de Kateri ? Me trahirait-elle ? » La rencontre avec Gaby avait fait surgir de nouveau les mêmes questions horribles, mais cette fois la menace était devenue plus concrète. Furieuse, elle tremblait encore plus qu'à l'habitude. À qui pourrait-elle faire confiance désormais ?

*

Malgré son état pitoyable, Kateri jouait un rôle très important dans sa communauté. On lui reconnaissait, depuis quelque temps, un don magique qu'elle exerçait sans le vouloir sur les enfants. Immanquablement, les enfants étaient attirés par elle et s'agglutinaient comme des mouches sur le dos d'un cheval aussitôt qu'ils l'apercevaient dehors. Kateri les fascinait, sans doute parce qu'au fond son amour pour eux était resté intact et qu'ils le pressentaient… Un sourire énigmatique se dessinait sur ses lèvres et éclairait ses yeux dès qu'elle apercevait un enfant qui jouait au dehors dans la neige, ou lorsqu'un tout-petit venait vers elle en sautillant. Alors, elle s'assoyait, le prenait sur ses genoux et le serrait très fort. Comme pour le garder. Longtemps. Puis elle le caressait doucement, tout doucement. Sans rien dire. Quelquefois, l'enfant tentait de s'échapper pour retourner à ses jeux, mais elle ne voulait pas le libérer de son emprise. C'était comme si on lui arrachait une partie d'elle-même. Alors, quand le bébé réussissait à se sauver, elle avait l'air désemparée. Comme si on l'avait trahie! Ces derniers mois, on disait dans tout Kanesataké que, lorsque Kateri touchait un bambin, cet enfant-là recevait une protection spéciale. Les mères y croyaient dur comme fer depuis que le petit Jeff avait été guéri instantanément de la coqueluche après être monté sur ses genoux.

Ce jour-là, c'était au début de l'hiver, il faisait froid, et Jeff, âgé de quatre ans, qui toussait depuis trois semaines, s'était échappé de la maison pendant que sa mère était allée chez la voisine. Sans tuque et sans écharpe, il avait couru derrière son frère aîné pour aller glisser avec la luge en haut de la côte, au milieu de toute une armée de galopins s'amusant dans les bancs de neige. Lorsqu'une grosse quinte l'avait pris, il était devenu tout rouge, avait haleté et étouffé, à cause de ce maudit chant du coq qui ne le lâchait pas. Plié en deux au bord du chemin, il suffoquait sous le regard des plus grands, qui ne savaient quoi faire. Alors, la pauvre Kateri, qui se promenait en regardant les enfants s'ébattre derrière sa maison, s'était approchée de Jeff. Assise dans la neige, elle l'avait serré contre elle en lui caressant la tête. Le petit Jeff avait cessé de tousser aussitôt, et lorsque sa mère, Linda, était accourue, inquiète et affolée de le voir dehors malgré sa terrible maladie, elle avait trouvé son bébé guéri! Il n'avait plus ni coqueluche ni fièvre... Elle n'en croyait pas ses yeux! Jeff avait dormi paisiblement jusqu'au matin sans la moindre quinte, puis au déjeuner il avait mangé quasiment la moitié d'un pain, en riant avec son frère et sa sœur. Alors, Linda avait compris. S'enroulant dans un grand châle et prenant son bébé dans ses bras, elle était sortie et elle avait couru vers les maisons voisines en criant:

—Mary, Ruth, venez vite, il est arrivé un miracle!

Mary, en chemise de nuit et les cheveux défaits, avait ouvert sa porte et Ruth, qui revenait de l'épicerie, avait posé son sac de provisions sur le sol, laissant rouler quelques pommes de terre. Les enfants autour d'elles avaient soudain arrêté de courir après les ballons et de se passer la rondelle. Les chiens ne jappaient plus. Tous l'avaient écoutée en silence:

—Jeff est guéri! Il n'a plus toussé depuis que Kateri l'a pris sur ses genoux. Il n'a plus de fièvre! Je vous dis que c'est un miracle! Un vrai miracle!

Au début, on n'y avait pas prêté trop d'attention, on avait trouvé cela normal, car chacun connaissait l'histoire de Kateri. Puis, comme plusieurs bébés avaient été guéris de la fièvre et des convulsions dès qu'elle les avait touchés, le bruit s'était répandu comme une traînée de poudre:

−Kateri est une guérisseuse, une chamane. Vrai comme je te le dis!

−Il faut bien qu'il lui reste quelque chose, la pauvre! Elle a reçu le don parce qu'on lui en a fait trop endurer!

−Je vais dire à Carmen de lui amener son dernier-né!

−Et puis moi, je vais faire passer le message à ma cousine d'Akwesasné, sa fille est bien chétive...

Les semaines passant, chaque fois qu'une épidémie menaçait, on lui amenait les enfants des villages avoisinants pour qu'elle les touche. Les malades et les bien-portants! Depuis qu'elle voyait défiler tous ces enfants au long des jours, Kateri semblait heureuse. Chaque fois qu'une jeune mère accouchait, on venait avec le bébé jusque chez elle, comme dans une cérémonie rituelle, et on lui laissait tenir le petit dans les bras pendant quelques instants. Assise sur la chaise berçante derrière la fenêtre, les cheveux retenus par un bandeau et un châle sur les épaules, Kateri retrouvait une étrange beauté dans ces moments-là. On aurait dit qu'un esprit surnaturel l'habitait. Elle avait l'air d'une madone, une madone indienne évidemment... Ses yeux et son sourire impressionnaient les visiteurs. Pourtant, la pauvre ne disait rien. Tout ce qu'elle faisait, c'était prendre le bébé dans ses bras et le caresser quelques secondes. Alors, on repartait avec un air satisfait. La grâce de celle qu'on appelait désormais la chamane à la bouche close était descendue faire son œuvre sur l'enfant!

L'hiver n'avait pas été particulièrement froid, mais long, humide et persistant. Comme tous les dimanches matin, on se préparait pour la grand-messe. Philippe, levé depuis un peu plus de deux heures, avait déjà fait quelques kilomètres au pas de course, bravant les derniers frimas, ensuite il avait pris sa douche et maintenant il écoutait les nouvelles de huit heures à la radio en feuilletant *La Patrie*. Maguy venait tout juste de sortir du lit et se préparait un bon café, essayant en vain de trouver un sujet de conversation qui capterait l'attention de Philippe. Une tasse fumante posée à côté d'elle, elle faisait tourner adroitement dans une poêle la pâte à crêpes qui reposait depuis la veille au soir et qui, en cuisant, embaumait la maison. Habituellement, le grésillement de la pâte auquel s'ajoutait le savoureux parfum des crêpes suffisait pour que Myriam descende en pyjama et se mette à en dévorer une demi-douzaine noyées dans du sirop d'érable. Mais, ce matin-là, Myriam ne s'était pas encore montrée. Philippe regarda la pendule du salon.

–Il est grand temps que mademoiselle se lève! cria-t-il dans l'escalier…

Mais mademoiselle ne bougeait pas. Il grimpa les marches et ouvrit la porte de sa chambre.

–Allons, allons, debout les morts! Descends vite, sinon tu vas nous faire arriver en retard à la messe.

Myriam se retournait paresseusement dans son lit.

–J'y vais pas!

–Comment ça, tu n'y vas pas? Ai-je bien entendu?

–J'y vais pas!

– Myriam, tu sais que ta mère et moi nous ne sommes pas très exigeants sur les questions de discipline, mais, pour la messe du dimanche, je veux que tu nous accompagnes! D'ailleurs, donne-moi une bonne raison pour ne pas y aller...

– Je me suis couchée tard!

– Je le sais, que tu t'es couchée tard. Je t'ai entendue rentrer. Il était plus de onze heures.

– J'ai mal dormi...

– Pourquoi donc?

– Parce que j'ai fait un mauvais rêve, et puis après j'arrivais pas à me rendormir...

– Alors, tu dormiras cet après-midi. Tu feras la sieste. Descends maintenant et fais vite, ouste!

Il fit mine de lui tirer les pieds par-dessous les couvertures. Myriam savait qu'il était inutile de résister plus longtemps. Elle sauta à bas du lit et s'exécuta de bonne grâce, se promettant bien d'inventer pour la prochaine fois un bon subterfuge afin d'échapper à ce qu'elle considérait maintenant comme une punition: la messe. Sa vocation avait fondu comme neige au soleil!

Lorsque Philippe Langevin assistait à la messe du dimanche matin avec sa femme et sa fille, il aimait arborer, dans la cathédrale pleine de monde, ses qualités de chevalier du Saint-Sépulcre et de professionnel renommé. Promenant son regard sur la foule, il observait les visages familiers. Aujourd'hui, il remarquait, pour la première fois, que l'assistance était beaucoup plus clairsemée que dix ou quinze années auparavant. Les familles québécoises devenaient-elles moins prolifiques? Était-ce un signe des temps? La baisse des naissances, tant redoutée par le clergé, s'accentuait d'année en année. Myriam avait ouvert son missel et n'osait pas trop bouder, mais elle était moins souriante que d'habitude en saluant poliment ceux qui lui faisaient un petit signe. Quant à Maguy, elle se serrait tout contre Philippe, qui essayait discrètement de l'éloigner. Il avait sursauté lorsqu'elle avait posé la main sur son genou; devant tout ce monde, c'était gênant!

Dès qu'ils furent sortis de la voiture, Maguy se suspendit à son bras pour garder l'équilibre. Quand ils rentrèrent dans leur rangée, un peu à la dernière minute, elle se prit les pieds dans le prie-Dieu et Philippe la rattrapa de justesse, constatant avec stupéfaction qu'elle avait mis des souliers dont la couleur ne se mariait pas avec celle de son manteau. C'était si surprenant que, si on n'avait pas été au beau milieu de la cathédrale, il lui en aurait fait la remarque, n'étant pas accoutumé à ce genre d'ineptie de la part de Maguy. Finalement, il se pencha un peu vers elle et lui murmura:

– Maguy, si tu continues de me tasser ainsi au bord du banc, je vais être obligé de m'asseoir par terre au milieu de l'allée!

Maguy le regarda comme si elle ne comprenait pas, mais elle se déplaça légèrement et cessa de se coller contre lui pendant quelques minutes. Autour d'eux, l'assistance était silencieuse, attendant le point culminant de la cérémonie: le sermon du Cardinal.

Le Cardinal était toujours aussi imposant de sa personne, même si les années avaient fait blanchir ses cheveux. Ses traits étaient plus marqués, accentuant la proéminence de son menton, et quelques livres d'embonpoint donnaient à sa poitrine cet air d'importance qu'il aimait tant afficher. Sa silhouette, si familière aux fidèles, n'avait pas changé. Il monta en chaire plus lentement que d'habitude et toussota deux ou trois fois avant de parcourir des yeux toute l'assistance. Étonnamment, le Cardinal avait l'air las. Son regard, habituellement aussi perçant que celui de l'aigle en plein vol, avait perdu son éclat. Nimbé dans un halo mystérieux, il se fixait au loin… «Son Éminence serait-elle malade?» La question inquiétante circulait dans l'assistance. Comme une bulle légère emportée par le vent, elle planait sur les consciences. Après la messe, les paroissiens, réunis autour de la table familiale, se demandaient:

–Qu'a donc le Cardinal? Pourvu qu'il ne soit pas malade!

–As-tu vu comment il montait les marches? Il paraissait voûté!

–Je ne l'ai jamais vu si peu convaincant! Il cherchait ses mots.

Aussitôt qu'il eut prononcé le *Ite, missa est*, le Cardinal rentra tout droit dans ses appartements, ne voulant voir personne. Depuis un certain temps, il connaissait des bouleversements intérieurs qui l'affectaient au plus haut point. D'horribles doutes remettaient en question ses plus solides engagements. Son âme était à la torture. Il sentait gronder en lui un volcan, incontrôlable et dangereux. Depuis que sa mère était morte, voilà quelques mois, le Cardinal se comportait en ermite. Plus il se posait des questions, et plus il voyait Kateri, qui venait le réveiller, le harceler et transformer sa conscience en brasier. Cela ressemblait beaucoup aux affres de l'enfer… Il prit place dans son fauteuil familier, face à la fenêtre, le regard perdu au-delà de la cime des arbres qui entouraient le parc. «Ah, encore Kateri! Elle s'est glissée là, sans que je l'appelle… Elle m'obsède et vient raviver le souvenir de ma mère!» Nerveux, incapable de rester immobile, il se leva. Pourquoi ne se sentait-il plus le même? La vie avait fait son œuvre; tout cardinal qu'il fût, elle avait émoussé lentement les côtés trop abrupts de sa personnalité et maintenant elle lui dictait sa loi, une loi plus puissante que celle des hommes. Anxieux, le Cardinal choisit parmi sa collection de pipes celle qu'il affectionnait le plus, une pipe en écume, ronde et joufflue. Distraitement, il l'appuya sur le rebord de sa tabatière et remplit le fourneau avec minutie avant de la porter à sa bouche pour l'allumer. L'odeur bien particulière de son tabac emplit la pièce. Ce parfum familier de miel et de fumée âcre qui l'enveloppait maintenant lui redonnait un sentiment de paix, encore plus que l'odeur de l'encens. Il prit une légère collation et descendit à son bureau jeter un coup d'œil sur le courrier, qu'il n'avait pas ouvert depuis trois jours.

Une grosse enveloppe blanche, portant le sceau du Vatican, était posée bien en vue. Il l'ouvrit. Le Saint-Père donnait ses directives par la voie du bulletin et lançait un appel à tous ses cardinaux, leur enjoignant de remettre les brebis égarées dans le droit chemin. Des statistiques alarmantes prouvaient que la fréquentation des églises était en baisse. La possibilité de recourir à la contraception par la méthode des températures faisait tourner la tête aux maris, qui commençaient à s'égarer… Le mariage était considéré maintenant comme une aventure romantique, une recherche de plaisir et non plus comme ce qu'il devait être: un devoir à remplir envers le Créateur.

En outre, et fait encore plus grave, la libéralisation des mœurs, sous l'effet des films, de la télévision et des revues, était catastrophique. De jeunes couples vivaient maritalement, dans le péché, prenant à la légère le sacrement du mariage... La jeunesse se laissait entraîner par ce relâchement de la morale et faisait fi des valeurs traditionnelles, désormais tournées en dérision. Il fallait trouver le moyen de remonter la pente, redonner la ferveur et la foi à toute la communauté catholique. Même la province de Québec, ce territoire privilégié entre tous, perdait des points!... Sa Sainteté le pape était catégorique, il fallait anéantir les forces du mal sans plus tarder. Le Cardinal ne le savait que trop! Il arrêta sa lecture. Les métropoles devaient être évangélisées plus encore que les pays en voie de développement. Tout ceci était terriblement préoccupant. Repliant le journal, il tourna le bouton de la radio pour écouter les messages de Radio Vatican. Outre les événements qu'il connaissait déjà, un communiqué apprenait à toute la chrétienté que le pape était souffrant. La fièvre le clouait à son lit et son médecin officiel, le docteur Salvatore Mulino, se rongeait d'inquiétude sans pouvoir le cacher. L'état du Saint-Père s'était aggravé dans la nuit. Si Radio Vatican présentait ainsi la nouvelle, c'est que l'on s'attendait au pire... Comment donc discerner la volonté de ce Dieu qui restait silencieux au milieu de la tourmente? Comment empêcher le bateau d'aller à la dérive?

Il se mit à marcher de long en large, décidé à agir. Malgré ses difficultés personnelles, il devait coûte que coûte trouver un remède à chacun de ces maux et pour cela convoquer d'urgence les évêques, les chanoines et les vicaires. Organiser un événement capable de rassembler les foules, de faire vibrer les âmes… mettre la notion de pureté au goût du jour et demander à Dieu de sauver le pape ! Le Cardinal prit sa tête dans ses mains. Il était fatigué.

CHAPITRE XVIII

Avril 1963.

La petite cabane restée vide après la mort de Wanda avait retrouvé une vocation grâce à Kateri. Qui aurait pu imaginer cela? Les visiteurs se succédaient, apportant des cadeaux, de la nourriture, des vêtements et de l'argent que l'on redistribuait dans la communauté, car la guérisseuse n'en avait que faire! Son don faisait des heureux chez les plus pauvres. Il apportait au village une notoriété dont les habitants étaient fiers; quelquefois, on voyait même des Blancs venir frapper à la porte de la jeune femme. Mary, Ruth et Gloria disaient en riant:

– Qui aurait pu imaginer que, parmi nous toutes, ce serait elle qui recevrait le don?

Alors, chaque matin, l'une d'entre elles venait habiller Kateri, la coiffer et la préparer à recevoir les visiteurs. On prenait grand soin d'elle.

Le printemps arrivait enfin. On voyait fondre la neige à vue d'œil et, sur les rives du lac des Deux-Montagnes, on avait commencé à préparer les bateaux. Les dernières glaces n'en avaient plus pour longtemps! Les arbres et les sous-bois verdissaient de jour en jour. Dans la pinède, chauffée par le soleil, l'odeur des aiguilles de pin encore humides se répandait partout, et les fraisiers sauvages sortaient déjà au ras de la terre, parmi les herbes qui poussaient de minute en minute. Un pic-bois à la robe bleue s'activait bruyamment contre le tronc d'un grand bouleau : tac, tac… tac, tac, tac, tac. Au-dessus de chaque maison, les volutes de fumée qui montaient de la cheminée dessinaient une ligne blanche et sinueuse dans le ciel bleu. Les enfants étaient tout crottés à force de courir dans la terre encore molle, et les mères étendaient le linge sur la corde en les chicanant un peu.

Une voiture toute rouillée s'arrêta devant la station-service du vieux Nelson. Elle était remplie de monde. Trois ou quatre femmes aux cheveux tressés et au visage rond, avec des bambins sur les genoux et d'autres assis sur la banquette arrière, entouraient le chauffeur, un Indien, qui portait une casquette de toile rouge. L'homme abaissa la vitre et fit un salut à Nelson sans même prendre la peine de descendre de son véhicule :

– Peux-tu me dire si c'est bien par ici ?

Nelson, imperturbable sous son chapeau de feutre, les bras croisés et la pipe aux lèvres, se pencha vers l'auto et, voyant tout ce monde, fit un signe avant même que l'autre ait fini sa phrase :

– Oui, la maison de Kateri, c'est bien là-bas, au bout du rang du Milieu, juste en arrière de la pinède… la dernière cabane ! Tu peux pas la manquer, mon homme !

Il hochait gravement la tête en continuant :

– Sauf que je sais vraiment pas si…

Les femmes regardaient Nelson, essayant de comprendre ce qu'il voulait leur dire, mais il s'arrêta et se remit à tirer sur sa pipe en se concentrant sur la fumée. Ils lui firent tous un salut de la main et reprirent leur route.

Au fond de la cabane, dans le petit lit masqué par un rideau de toile, Kateri restait couchée. Depuis trois jours, elle avait la fièvre. Une grosse fièvre qui la faisait grelotter. Elle ne mangeait plus. Son souffle était court et sifflant. Avec ses mains, elle se tenait le bas des côtes et son visage s'était creusé comme celui d'une vieille femme. Ses cheveux avaient blanchi d'un seul coup, comme si elle avait eu plus de soixante ans! C'était terrible à voir. Ruth et Mary attendaient l'arrivée du docteur et préparaient le repas, inquiètes et tourmentées de la sentir ainsi. On entendit le ronflement d'un moteur. Mary se précipita vers la fenêtre. Ruth, son bébé sur les bras, repoussa un chaudron sur le coin du poêle et suivit Mary. Toute une ribambelle d'enfants sortaient d'une vieille voiture et grimpaient les marches branlantes. Avant que l'homme qui précédait trois femmes et sept ou huit gamins ait frappé à la porte, Mary était déjà dehors.

–Impossible, elle ne peut pas vous recevoir, dit-elle précipitamment. Elle est couchée.

Les trois femmes avaient chacune un bébé accroché dans le dos, solidement sanglé sur une sorte de harnais, à la façon des mères indiennes. Tous la regardaient, déçus. Mary se crut obligée d'expliquer:

–Elle est malade, bien malade. On attend le docteur!

Ruth, derrière elle, enchaîna:

–Elle est très faible…

–Ouais, fit l'homme en soulevant sa casquette et en se grattant la tête, dommage qu'on ait fait toute cette route. On vient de La Tuque. Ça nous a pris un bon cinq heures pour arriver jusqu'ici.

Ils avaient l'air désolé.

– Dommage pour elle et pour nos petits! dit la plus jeune des trois mères.

– Tiens, on a apporté ça. Tu le lui donneras quand même!

Elle tendit à Mary un gracieux panier d'écorce de bouleau, habilement décoré d'animaux sauvages. Il était rempli de lamelles de viande de caribou, séchée selon la coutume des ancêtres, et contenait aussi un paquet de feuilles de thé des bois, bien serrées dans un petit sac de toile. Mary prit le panier en remerciant.

– Sais-tu dans combien de jours on peut revenir? dit la deuxième.

Mary haussa les épaules. Elle ne savait vraiment pas. Juste à cet instant, un vieux camion rouge arriva en trombe et s'arrêta devant la porte dans un crissement de freins et un claquement de portières. Gaby était là avant le docteur, suivi de Jack, le fils de Gloria, et de Ben, le mari de Ruth. Ils saluèrent les visiteurs. Ruth s'écria:

– Entrez donc, vous autres! On vous attendait, Kateri est bien malade!

L'un des bébés, solidement emmailloté sur le dos de sa mère, se mit à pleurer, et les autres l'imitèrent. Alors, les voyageurs, qui n'avaient plus rien à faire là, redescendirent les marches et repartirent comme ils étaient venus.

Gaby, qui revenait tout droit de Maniwaki, traversa rapidement la pièce et se rendit jusqu'au lit. Sa sœur, les yeux fermés, était méconnaissable. Au milieu de son visage immobile, ses lèvres desséchées remuaient et prononçaient silencieusement des mots inaudibles : elle délirait. Étrangement, cet état de délire semblait lui redonner l'usage de la parole. Les femmes lui avaient appliqué un cataplasme de feuilles sauvages, comme on faisait dans l'ancien temps, mais sans grand résultat. Atterré, Gaby écrasa une larme et resta cloué auprès d'elle.

Le médecin arriva quelques minutes plus tard, prit sa température, lui tâta le pouls en regardant sa montre et, d'un doigt, lui donna de petits coups secs sur le thorax. Cela faisait un bruit étrange. Un bruit mat. Ensuite, il l'ausculta avec un stéthoscope. Ce fut bref. Il releva la tête en poussant un soupir, remonta les couvertures et dit en se lavant les mains :

– J'appelle une ambulance, il faut l'hospitaliser immédiatement.

Gaby se leva d'un bond et poussa un cri.

– Non, pas ça ! Pas encore ce maudit hôpital, crime, on l'a sortie de l'hôpital, c'est pas pour la remettre là ! Elle est heureuse ici.

Le médecin avait l'air soucieux. Il s'essuya les mains avec la serviette que Ruth lui tendait.

– Je comprends tes réticences, mon ami, mais nous n'avons pas le choix. Elle fait une grosse pleurésie. C'est encore heureux que je ne sois pas arrivé trop tard.

Voyant l'air interrogateur de Gaby et de Ruth, il expliqua :

– Ses poumons sont remplis d'un liquide causé par l'inflammation. Ce liquide s'est infiltré partout et l'empêche de respirer. Elle risque d'étouffer d'un moment à l'autre. Kateri peut mourir si nous n'agissons pas au plus vite ! Sa température est à plus de cent cinq degrés Fahrenheit. Si elle reste ici, elle ne s'en tirera pas.

Ils étaient tous consternés. Le médecin fit appeler une ambulance, puis s'apprêta à repartir après lui avoir administré une injection. Au moment de sortir, revenant sur ses pas, il ajouta :

– Elle est inconsciente. Couvrez-la bien. Je passerai la voir dans la soirée. L'ambulance sera ici dans une demi-heure au plus.

En attendant l'ambulance, ils mangèrent le ragoût que les femmes avaient fait mijoter, sauf Gaby, qui faisait nerveusement les cent pas. Le bébé de Ruth pleurait. Ben le prit sur ses épaules et le promena pour l'endormir. Gaby n'arrivait pas à retrouver son calme. Sa sœur, de nouveau à l'hôpital ! S'il avait pu prévoir pareille malchance, alors que tout semblait aller mieux pour elle ! Tendu comme une barre de fer, arpentant la pièce de long en large, il se frappait le front.

– Je ne suis qu'un lâche, m'entendez-vous ? Je ne suis qu'un lâche !

– Calme-toi, Gaby ! Toi, un lâche ? On t'a toujours connu plutôt vaillant comme gars !

Gaby s'assit sur la chaise berçante de Kateri. Jack alluma une cigarette, qu'il lui tendit, et décapsula rapidement trois bouteilles de bière. Ben attrapa une chaise et s'assit à califourchon, les bras repliés sur le dossier. Les femmes commencèrent à laver la vaisselle avec l'eau qui avait chauffé sur le poêle. On entendit Kateri râler dans son délire. Elle n'arrivait plus à reprendre son souffle. Mary, lâchant ses assiettes, se précipita vers elle et lui prit la main en murmurant :

– Si c'est pas malheureux, Kateri, de te voir ainsi !

Elle lui épongea le front tout doucement, replaça ses cheveux, humecta ses lèvres sèches avec un linge mouillé, puis elle ajouta :

–Tu vas guérir, ma belle, tu vas guérir !

Ruth lui glissa sous les pieds une bouillotte toute chaude. Kateri se mit à tousser et à haleter avec un horrible sifflement. Mary ne put se retenir : elle se signa ; Ruth fit le même geste.

–Vite, l'ambulance, vite !

Gaby s'était rapproché du lit et regardait sa sœur. Un tel sentiment d'impuissance s'était emparé de tout son être que ses bras et ses jambes ne voulaient plus bouger. Alors, il se retourna et dit pour que tout le monde l'entende :

–Je suis un lâche parce que je m'étais juré de venger Kateri, mais je ne l'ai pas vengée ! Je n'en ai pas été capable. Je l'ai laissée mourir à petit feu, mois après mois, sans aller régler son compte au Cardinal ni à ses collègues, qui nous ont tous dépouillés et rendus misérables.

–Peut-être que tu ne l'as pas vengée, mais tu l'as ramenée au milieu des siens !

–Pourquoi faire, puisqu'elle a vécu tout ce temps sans même retrouver la parole ? Hein, pourquoi faire puisque je n'ai pas été capable de briser la loi des Blancs, la maudite loi du silence, celle qui a fait notre malheur à tous et le malheur de ma sœur ?

Dans un clignotement de lumières et un fracas de portes, l'ambulance arrivait. Ce fut rapide. On transporta la malade à toute vitesse jusqu'à l'hôpital du Sacré-Cœur.

Kateri aurait pris trois fois l'ambulance dans sa vie : la première fois, pour aller donner naissance à sa fille Petit Rayon de soleil; la deuxième fois, pour disparaître aux yeux de tous, selon le désir du Cardinal; la troisième fois, pour aller mourir à l'hôpital, à peine arrivée, d'une pleurésie aiguë qu'on n'avait pas soignée à temps. Son frère Gaby la tenait dans ses bras, inconsolable, répétant tout bas qu'il n'était qu'un lâche!

*

De chaque côté du perron, les premiers crocus pointaient leur tige délicate au-dessus de la terre encore humide de la fonte des neiges récente. Quelques-uns avaient déjà préparé une fleur, qui hésitait à s'épanouir, attendant quelques degrés supplémentaires pour montrer sa splendeur... Maguy admirait ces bourgeons colorés, prémices de la belle saison, près de la rivière, qui, elle aussi, criait sa joie d'avoir été libérée des glaces. Un vacarme familier se fit entendre et elle releva la tête au moment où un vol d'oies sauvages, victorieuses au milieu du ciel, caquetant à tue-tête et volant à tire-d'aile, vint lui confirmer que le printemps était bien arrivé! Chaque année, leur passage avait quelque chose d'émouvant et leur cri était un cri de joie que chacun aimait entendre. Les voisins se passaient le mot, les portes s'ouvraient et on regardait vers le ciel:

– Les oies remontent vers le nord!

Maguy rentra dans le salon, se mit au piano et, pendant près d'une heure, joua avec une grande énergie. Puis, craignant de voir apparaître quelque vision angoissante, elle s'arrêta, monta dans sa chambre pour choisir une tenue printanière, retoucha un peu son maquillage et, au volant de son auto, fila vers le centre-ville pour aller magasiner chez Eaton.

Depuis la soirée chez les Toupin, Maguy ne faisait plus confiance à Pierrette, mais elle n'avait pas assez de courage pour poser les questions qui lui brûlaient les lèvres. Il fallait qu'elle se change les idées. Elle acheta quelques nouveaux accessoires pour la cuisine, monta jusqu'au restaurant, se fit servir un vol-au-vent aux fruits de mer, puis en fit préparer deux autres pour les emporter et prit le chemin du cabinet médical. Les mets étaient encore tout chauds lorsqu'elle s'arrêta devant la porte. Philippe était déjà au travail. Fleurette était ravie. Maguy la regardait avec plaisir se régaler et se trouvait bien bonne d'avoir apporté un repas pour son mari : « Pourquoi faut-il que je m'occupe de son confort, alors qu'il est si peu aimable avec moi ? » Lorsque Philippe sortit de son bureau, elle insista pour qu'il examine son nez.

– Je te dis que j'ai saigné ce matin, Philippe ! Heureusement, ça s'est arrêté assez vite, mais je sens que ça va recommencer.

Il s'exécuta :

– Maguy, je ne vois pas d'inflammation. Peut-être un peu ici, mais ce n'est presque rien. Que veux-tu que je fasse ! Il n'y a rien à faire !

– Comment cela, Philippe, que veux-tu que je fasse ? Comment peux-tu dire qu'il n'y a rien à faire ? C'est bien ce que je pensais, tu me laisses toujours me dépêtrer toute seule avec mes problèmes.

Sans prendre garde à son ton récriminateur, Philippe continuait :

– Essaie de ne pas manger trop épicé et, surtout, ne prends pas d'aspirine.

–Pourquoi donc? J'en prends lorsque j'ai mes maux de tête!

–Parce que c'est un fluidifiant sanguin qui risque d'aggraver l'hémorragie.

–Alors, je ne peux même plus avoir mal à la tête?

–Je n'ai pas dit cela, Maguy. J'ai dit que ce n'était pas le bon remède.

–Alors, donne-le-moi, le bon remède!

Le ton montait. Philippe lui tint tête en faisant signe qu'il ne lui donnerait pas de médicament.

Frustrée de ne pas recevoir plus d'attention de la part de son mari, Maguy s'efforça, à partir de ce jour-là, de lui prouver de toutes les manières qu'elle avait besoin de ses soins. Le surlendemain, elle revint avec un bon alibi: son nez saignait et, comme d'habitude, c'était une véritable hémorragie. Elle y avait peut-être un peu contribué en prenant quelques comprimés d'aspirine, mais enfin! Cette fois-ci, elle n'attendit pas d'être arrivée aux limites du supportable. Elle prit un taxi, se munit de quelques tampons de coton et arriva toute sanguinolente au cabinet médical. Les patients alignés dans la salle d'attente prirent un air de commisération.

–Pauvre dame! Vous voilà bien mal organisée, lui dit un vieux monsieur en lui avançant une chaise.

Au même moment, Fleurette ouvrit la porte et s'esclaffa en la voyant:

–Ah, madame Langevin! Entrez vite, je vais m'occuper de vous.

Dans la salle, on se passait le mot:

–C'est madame Langevin, la pauvre! Heureusement, elle est bien équipée avec un médecin comme lui! Il va régler son cas immédiatement.

Philippe constata que le saignement était important.

– J'admets que ça devient trop fréquent : ça pose un problème !

Maguy poussa un soupir.

– Bon, enfin, Philippe, tu es d'accord avec moi ! Tu vois bien que je ne peux pas rester ainsi ! Je t'en prie, donne-moi le remède le plus efficace.

Il l'examina encore en détail, longuement, puis il déposa ses instruments sur le plateau et se tourna vers Fleurette :

– Garde, préparez les tampons cocaïnés pour Maguy, je ne peux pas la laisser ainsi !

Lorsque Maguy sortit du cabinet, elle flottait sur un nuage. Elle avait obtenu ce qu'elle voulait et la cocaïne faisait son effet.

*

Fleurette avait terminé tous ses préparatifs. Il ne lui restait plus qu'à empiler sur la tablette qui se trouvait au-dessus du lavabo les linges propres qui venaient d'arriver de la buanderie. Elle s'assura encore une fois que tout était en ordre et regarda sa montre : « À peine onze heures… » Comme il courait dans toute la ville une épidémie de grippe qui tournait en laryngite, les malades s'affolaient. Depuis le matin, elle avait été obligée d'inscrire quatre nouveaux patients sur l'agenda, déjà bien rempli. Elle pensa : « Le docteur Langevin ne se plaindra sûrement pas du surcroît de travail, au contraire ! Il va ramasser beaucoup d'argent, mais, après tout, son argent, il le gagne bien ! » Fleurette lui reconnaissait des qualités de travailleur

infatigable. Elle fut distraite par la sonnerie du téléphone.

– Garde, voulez-vous me dire combien de patients
nous avons cet après-midi ?

– Ah, c'est vous, docteur… Justement, nous avons
quatre cas en surplus aujourd'hui, des cas de laryngite. Je suis soulagée que ça soit vous ! Je redoutais
qu'il y ait encore une urgence !

Il se mit à rire, puis s'arrêta brusquement :

– Tout cela tombe mal, bien mal ! Pour une fois,
garde, j'arriverai plus tard qu'à l'ordinaire. J'ai un
rendez-vous important avec un collègue. Faites patienter les premiers malades et je ferai de mon mieux
pour rattraper l'horaire en cours de route.

– Je vous fais confiance, docteur ! Y en a pas deux
comme vous pour travailler à grande vitesse ! Et puis
vous ne mangerez pas, comme je vous connais…

– Taisez-vous donc, garde ! Y en a pas deux
comme vous pour me chicaner ainsi ! À tantôt.

Il avait déjà raccroché. La porte s'ouvrit. De la
salle d'attente, Maguy, les bras chargés de paquets,
criait :

– Bonjour, bonjour, Fleurette ! Avez-vous faim ?

– Oh, madame Langevin, vous me prenez au dépourvu, je ne vous attendais pas. Le docteur vient justement
d'appeler pour dire qu'il sera en retard d'une heure !

Maguy déballait deux repas tout chauds :

– Fleurette, aujourd'hui je mange avec vous !

– Mais on va garder un repas pour le docteur ! Il
va arriver affamé…

– Tant pis pour lui. Ça, c'est pour vous et moi !
Ne vous occupez pas de lui. J'espère que vous aimez
les filets de sole !

Elle était si exubérante que Fleurette ne savait pas comment réagir et trouvait surprenant de la voir se comporter ainsi. Tandis qu'elle plaçait sur le coin de la table deux assiettes et deux verres, Maguy sortit une bouteille de bourgogne aligoté tout frais et l'ouvrit en un tournemain. Fleurette se sentait un peu gênée de ce repas gastronomique improvisé par Maguy, qui se servit un verre, puis un autre, pour finalement vider la bouteille sans même s'en apercevoir, devenant de plus en plus volubile au fur et à mesure que l'heure avançait.

Ce curieux repas terminé, théoriquement Maguy n'avait plus aucune raison de rester. C'est pourtant ce qu'elle fit. Elle s'installa dans le boudoir avec une revue et ne bougea plus jusqu'à l'arrivée de Philippe. Quand le docteur Langevin, pressé et affamé, fit son apparition, ce fut plus fort que lui : il eut un mouvement de recul en apercevant Maguy.

– Comprends-moi bien, Maguy, ce n'est pas que je ne veux pas m'occuper de toi, mais nous sommes débordés !

– Philippe, tu sais bien que j'ai besoin de remèdes et de soins pour mon nez. De plus, j'ai fréquemment des migraines, tu le sais, non ?

Elle agitait ses jolies mains aux ongles impeccablement manucurés, vernis de rouge, cherchant à tout prix un motif valable pour obtenir une consultation. Philippe regardait la forme délicate de ses doigts et suivait du regard ses mains, qu'il avait toujours admirées.

– Maguy, tu vas rentrer à la maison et je t'examinerai un autre jour.

– Ah, on voit bien que je passe après tout le monde, n'est-ce pas ! Voyez-vous, garde, tous ces gens-là sont plus importants que moi pour le docteur Langevin.

«Et voilà, on est repartis!» pensa-t-il. Elle avait ouvert la porte et montrait à Fleurette les patients alignés dans la salle d'attente, parlant assez fort pour que chacun l'entende. Les personnes qui se trouvaient là ouvrirent de grands yeux, gênées, ne sachant comment interpréter les paroles de madame Langevin. Philippe n'avait qu'une envie : la voir partir. Fleurette, ne voulant surtout pas être mêlée à une querelle de ménage, s'efforçait de sembler très occupée. L'atmosphère était à couper au couteau. Au bout de trois quarts d'heure, Maguy alla voir Fleurette. Elle avait un drôle d'air ; brusquement elle se pencha vers elle et lui chuchota à l'oreille :

– Fleurette, j'ai un secret! Ah, si vous connaissiez mon secret, il est si gros qu'il me fera mourir. Comprenez-vous, garde, il me fera mourir!

Elle avait les larmes aux yeux. Fleurette, surprise de sa mine de petite fille en détresse, ne prit pas garde à ses paroles et se remit à travailler. Maguy alla se rasseoir dans le boudoir, menaçant Philippe de faire un esclandre chaque fois qu'il passait devant elle. «Il ne manquerait plus que ça, un scandale à mon bureau! pensait-il. Le pire, c'est qu'elle en est bien capable! De quoi aurai-je l'air si elle se met à dire n'importe quoi ici? » Pour avoir la paix, il lui mit des tampons ouatés dans le nez et poussa un soupir de soulagement lorsqu'elle sortit. La tension se relâcha.

Sur le chemin du retour, Maguy était aux anges. Elle se sentait dans une forme extraordinaire et chantonnait, sur l'air de *La Traviata* : «Ah, si au moins Philippe avait voulu prendre quelques jours de congé, on aurait pu passer ensemble des moments enchanteurs! enchanteurs! enchanteurs!...» Elle avait retrouvé le joyeux optimisme de sa jeunesse et avait l'impression d'être amoureuse, heureuse. Tout son corps participait à son bien-être et transmettait à son cerveau une douce et agréable excitation. Elle se sentait jeune, belle, forte. Rien ne pouvait plus se mettre en travers de son chemin. De plus, il faisait beau. Le temps printanier était idéal. Elle arriva à la maison sans que la bonne humeur la quitte.

Brusquement, la sensation de bien-être et de plaisir disparut pour faire place à un affreux sentiment de manque et de désespérance. C'était atroce. Elle courut se verser un double scotch pour se relaxer un peu, pour oublier cette détresse au creux de sa poitrine. Cette horrible sensation, qu'elle avait déjà éprouvée, n'était donc pas morte à jamais? Elle resurgissait, envers et contre tout, au moment où elle ne l'attendait plus. Debout, s'appuyant sur son piano, Maguy cherchait des yeux quelqu'un qui pourrait lui venir en aide. La maison était vide. Pierrette était déjà retournée chez elle et Myriam, sortie quelque part avec ses amis. Même Myriam la délaissait! Sa fille, son bonheur, le but de sa vie, devenue aussi insaisissable que tous ceux qu'elle avait cru pouvoir garder autour d'elle! Toute seule... Maguy s'interrogeait. N'était-elle pas une bonne mère? N'avait-elle pas fait tout ce que l'on doit faire pour son enfant? Peut-être aurait-elle dû en faire plus? Peut-être devrait-elle donner plus à sa fille, puisqu'elle n'était pas sa vraie mère? Pourquoi se sentait-elle coupable de n'être pas sa vraie mère? Oh, ces doutes! Oh, ces douleurs insupportables qu'il fallait absolument enfouir, cacher!

Oh, ce secret qui l'empoisonnait! Les mères connaissaient-elles toutes cette douleur-là? Que fallait-il faire pour être une vraie mère? Maguy avait cru que tout serait facile... Elle avait pensé qu'il suffisait d'être attentionnée et aimante pour cristalliser définitivement le bonheur autour d'elle...

Au-dessus de la rivière, le soleil se couchait, dessinant sur l'eau un voile doré d'une beauté impressionnante. Elle replia les bras, posa la tête sur son cher piano et se mit à pleurer, revoyant dans sa détresse les premières années de Myriam, ses éclats de rire, ses petits gestes de tendresse.

Elle but la moitié d'une bouteille pour engourdir la tension douloureuse qui grinçait tout au fond d'elle. Inquiète et solitaire, elle s'assit devant la télévision jusqu'au soir, remplissant son verre aussitôt qu'il était vide.

Chapitre xix

Juin 1963.

Durant la réunion qui s'était tenue avec les évêques et les chanoines, le Cardinal avait confirmé la date des festivités extraordinaires qui auraient lieu à l'archevêché. Il avait lancé le mot d'ordre :

– Ce dimanche-là doit revêtir un caractère exceptionnel. De la cérémonie d'ouverture jusqu'à la clôture. Chaque paroissien doit avoir à cœur d'y participer... et se sentir coupable de ne pas y être !

Il fut décidé que les prélats et les vicaires au grand complet seraient présents à cette journée que l'on avait baptisée la Journée du renouveau. Il y aurait des professions de foi publiques et des témoignages sur le thème de l'engagement personnel envers Jésus. On ferait ressortir combien il était doux de vivre au sein de l'Église et quelle joie indicible prodigue le Seigneur à ceux qui le suivent.

Dès que la date eut été annoncée, Suzanne Pellerin fut prise d'un zèle débordant. Aidée d'une équipe de religieuses empressées comme des abeilles, elle était sur les lieux du matin au soir et ne savait plus où donner de la tête. Le parc qui entourait la cathédrale, l'archevêché et la cour était devenu un véritable champ de bataille. Il fallait synchroniser le déroulement des cérémonies, veiller à la préparation des uniformes, rassembler les accessoires de rigueur pour les différents mouvements de jeunesse, créer de nouvelles décorations et les installer… Bref, on n'en finissait plus. D'une chose à l'autre, chacun poussait à la roue: il fallait organiser le défilé, réunir les responsables, et surtout mener à bien la campagne de publicité afin d'obtenir un taux de participation record. Toutes les bonnes volontés furent mises à contribution. Devant l'ampleur de la manifestation et l'enjeu qu'elle représentait, le Cardinal et ses proches collaborateurs créèrent un comité formé d'une dizaine de personnes ayant chacune une responsabilité bien précise, avec toute une équipe sous ses ordres. Philippe Langevin, membre du comité, se chargea d'un élément essentiel de la journée, le discours du Cardinal, qui serait prononcé juste avant le divertissement final et serait retransmis sur les ondes des stations de radio et de télévision. Cela serait, pour toute la province, le clou de la journée, la cerise sur le gâteau.

Le matin de l'événement, dès la première heure, l'archevêché bourdonnait comme une ruche et grouillait dans ses moindres recoins d'une activité inhabituelle. La journée s'annonçait intense et belle. Les couleurs rougeoyantes de l'aurore avaient annoncé que le soleil serait au rendez-vous, et le ciel limpide, d'un bleu intense, laissait présager la clémence météorologique que l'on espérait pour ce jour-là. Inspirés par le printemps, hirondelles et merles d'Amérique s'agitaient eux aussi pour préparer leurs nids avant la ponte. Ils avaient investi les arbres du centre-ville dans un joyeux tintamarre.

Après la grand-messe en plein air, chantée par toutes les chorales réunies, un repas présidé par les évêques entourant le Cardinal fut servi dans la cafétéria. Il fallut deux services pour arriver à rassasier tous les participants, et les religieuses, au pied levé, en firent un troisième avec les quelques restes qu'elles se hâtèrent d'accommoder dans les cuisines. Les deux premiers étages de l'archevêché, occupés par les jeunes des mouvements scouts, résonnaient de cris et de rires qui contrastaient avec l'habituel silence de ces lieux. Sur le boulevard Dorchester, et jusqu'à l'avenue Viger, des autobus bondés se présentaient par dizaines, venant des villages les plus reculés. Les fidèles en descendaient en procession et exhibaient fièrement la croix suspendue autour de leur cou, signe de leur credo. Vu de loin, le cortège était des plus impressionnants! La plupart des paroissiens étaient en route depuis la veille, ils n'auraient pas manqué les célébrations pour tout l'or du monde. À deux heures tapantes, la foule joyeuse se rassembla dans le parc jouxtant la cathédrale. Une estrade entourée de gradins, montée pour la circonstance, permettait d'accueillir une foule impressionnante de fidèles. Des représentants de tous les mouvements d'action catholique défilèrent en grand uniforme, précédés de leurs oriflammes et de leurs dirigeants. Puis arriva le moment émouvant des professions de foi et des témoignages, retransmis par tous les médias. Les journalistes et les reporters, micros en main, filmaient et commentaient ces états généraux du Québec catholique. Derrière eux, de lourdes caméras étaient placées aux endroits stratégiques. Le coup d'œil était admirable. On avait rarement vu une participation si nombreuse et si enthousiaste.

Après un certain intervalle de temps consacré à diverses activités, on se réunit à nouveau. Impatients, tous attendaient les paroles de Son Éminence le Cardinal. Finalement, un divertissement musical viendrait clore la journée, avant l'émouvant chant des adieux : « Ce n'est qu'un au revoir... » Le Cardinal s'était préparé longtemps à l'avance, ayant méticuleusement choisi ses phrases et ses mots. Tel un véritable alchimiste de la rhétorique, il voulait utiliser toutes les ressources de son art pour faire passer son message, aussi vital dans son esprit que dans celui de Sa Sainteté. Il y allait de l'avenir de son diocèse. Étant donné sa lassitude extrême et l'enjeu que représentait la journée, il devait être vigilant, tout autant pour son prestige de prélat que pour celui de l'Église catholique. Malgré les inquiétudes que suscitait la santé du pape, qui s'était encore détériorée d'après les nouvelles du matin, le Cardinal s'était promis de rassembler ses ouailles dans une opposition unanime à la dangereuse liberté des mœurs. Il espérait vivement emporter leur adhésion... Enfermé dans son petit bureau en attendant l'heure fatidique, il méditait en relisant ses feuilles.

Dans les rangs réservés aux officiels, Suzanne Pellerin, accompagnée de ses fils et de Jean-Paul, qui la couvait des yeux comme un jeune marié, regardait avec une satisfaction toute légitime les résultats de ses efforts. La tenue des jeunes durant le défilé avait été magnifique, impressionnante !... À côté d'eux, les Langevin ; puis Étienne Pellerin, l'air distrait, et Nicole, toujours aussi mal accoutrée et faisant contraste avec Maguy, élégamment vêtue, qui ne pouvait cacher sa mélancolie. Philippe, toujours svelte, d'une mise impeccable, s'affairait de tous côtés avant le discours, vérifiant si l'on n'avait rien oublié. Soucieux de sa réputation, il s'entretenait avec l'un ou l'autre officiel, Monsieur le maire en tête. Myriam, plus jolie que jamais, parée d'un seyant petit chapeau et de longs gants blancs, avait pris le bras de sa mère tout en ayant la tête ailleurs. La journée était belle, mais elle avait hâte de rentrer à la maison pour retrouver son *chum* et pour lui voler quelques baisers avant d'aller dormir. Pour elle, l'important c'était plutôt cela ! Non loin de l'adolescente se tenait sœur Thérèse du Sacré-Cœur, un peu pâlotte, entourée des religieuses de sa congrégation tout de noir vêtues ; elle était impatiente de voir paraître son héros. Elle sentait son cœur battre comme celui d'une jeune fille ! D'autres religieuses, encore plus excitées qu'elle, vouant une admiration sans bornes au Cardinal, s'agitaient comme des collégiennes. Contraintes d'habitude à trop de sagesse, aujourd'hui elles ne pouvaient se contenir et babillaient à tue-tête. Trois couples de jeunes mariés venaient d'expliquer publiquement comment la foi avait donné un nouveau sens à leur vie, le tout accompagné d'une musique habilement exécutée par deux jeunes guitaristes.

– Nous avons trouvé un bonheur tout simple, quotidien, grâce au message transmis dans la pastorale et devenu chaque jour plus vivant.

– Le Christ nous guide, il éclaire notre vie chaque jour et fait grandir notre amour.

Les nombreuses personnalités présentes étaient ravies.

Lorsque le Cardinal sortit de l'archevêché, escorté de quelques prélats, pour aller rejoindre en procession le lieu de son allocution, la foule, qui avait débordé des limites de l'enceinte, s'était massée jusque sur le boulevard et se pressait sur son passage. Il était assailli de toutes parts, acclamé comme un prince. Il avançait lentement, drapé comme d'habitude dans sa soutane pourpre et sa cape des grands jours, prenant le temps de saluer aimablement tous ceux qui l'approchaient. Tous les quatre ou cinq pas, il bénissait la foule et s'arrêtait quelques secondes, donnant sa bague à baiser à droite, puis à gauche, aux personnes agenouillées au milieu de ceux qui avaient réussi à se glisser le long des barrières de sécurité.

Là-haut, sur l'esplanade, on chantait en chœur: « Je crois en toi, Seigneur, je crois en toi! » Sur les gradins, les rangées entières se balançaient, formant une immense chaîne avec les mains, donnant ainsi un mouvement impressionnant à l'ensemble. Vue de loin, cette spectaculaire ondulation ressemblait à celle du blé mûr sous le vent. Les reporters étaient maintenant figés dans une position d'attente. Ils ne voulaient rien laisser passer. Pas le moindre détail ne devait échapper à la pellicule lorsque Son Éminence parlerait. On les entendait ajuster leurs micros, on voyait les techniciens cadrer leurs plans en braquant leurs objectifs sur la scène, entourée d'une arène aux gradins garnis de plusieurs milliers de personnes. L'un des journalistes, micro en main, laissa son acolyte s'occuper de la caméra et suivit le Cardinal pas à pas en commentant:

−En cette solennelle journée du renouveau, des milliers de fidèles se pressent autour de la cathédrale de Montréal, attendant avec impatience et recueillement l'arrivée de leur prélat. Celui-ci vient de faire son apparition; de nombreuses personnes lui demandent la faveur d'une bénédiction personnelle, ce que le Cardinal ne saurait leur refuser.

Un silence recueilli précédait le Cardinal, et monseigneur Aubin, qui dirigeait la chorale, attendait qu'il fasse son entrée pour donner le signal d'un immense alléluia. N'était-il pas leur père spirituel à tous ?

Un bruit sec claqua dans l'air par deux fois. Dans la foule, on ne put se retenir de crier. Un courant de panique parcourut l'assistance. Des prêtres se hâtaient dans tous les sens, d'autres entouraient Son Éminence. Le Cardinal venait de tomber, il était allongé sur le sol au milieu du chemin, baignant dans une mare de sang. Plusieurs femmes criaient, d'autres couraient après leurs enfants. Il y eut un mouvement de recul. L'immense balancier s'arrêta net de scander la joie commune. Dans les gradins, on essayait de se glisser vers la sortie. On se bousculait. On s'affolait. Monseigneur Aubin s'empara du micro et déclara :

—Il vient de se produire un événement imprévu et qui semble concerner le Cardinal. En attendant de plus amples informations, s'il vous plaît, s'il vous plaît, mes bien chers frères, ne paniquons pas ! Veuillez rester à vos places et réciter avec moi un Notre Père ! Les secours sont déjà en route...

Les caméramans ajustaient fébrilement leurs objectifs. Trop tard, pas un seul n'avait filmé la fusillade dans le bon angle ! Sœur Thérèse du Sacré-Cœur, en entendant monseigneur Aubin, tourna de l'œil au milieu de la foule et s'effondra. On lui passa un linge mouillé sur le visage et elle reprit doucement ses esprits. Philippe avait couru immédiatement vers le lieu de l'attentat. Sa qualité de médecin lui dictait la marche à suivre. Les coups de feu avaient atteint le Cardinal à deux endroits, à l'épaule et au bras droit.

Philippe s'agenouilla sur le sol près de lui et fit un garrot de fortune avec un mouchoir; ensuite, il comprima la plaie le plus fortement possible et desserra ses vêtements. Il fallait faire vite et le transporter aux urgences. Agenouillé près de lui, il lui dit pour le rassurer:

–Surtout, Votre Éminence, ne parlez pas. Gardez votre énergie et ne bougez plus jusqu'à l'arrivée de l'ambulance. Ne craignez rien, vous allez vous en tirer. On a encore grand besoin de vous!

Le Cardinal cligna des yeux pour lui montrer qu'il avait compris, mais il se préparait à mourir et se disait: « J'en ai donc fini avec la vie ici-bas! Plaise à Dieu de me pardonner mes péchés! » D'un signe, il demanda l'absolution et les derniers sacrements à monseigneur Bérubé, qui fit chercher le saint chrême. Déjà, les secours arrivaient pour l'emmener à toute allure jusqu'à l'hôpital, tandis qu'il s'épuisait.

Quelques policiers postés aux abords de la cathédrale avaient sauté dans leur voiture et actionné la sirène, essayant de poursuivre on ne savait pas trop quel véhicule. Personne ne pouvait dire d'où étaient partis les coups... Cela ne pouvait être que d'une voiture ou d'une camionnette roulant sur le boulevard Dorchester. Personne n'avait rien vu! Dans la foule, tout le monde fixait des yeux la cathédrale et avait le dos tourné à la circulation. Seul un robineux complètement soûl, accoudé à un poteau, parla vaguement d'un camion gris en adressant aux enquêteurs quelques grimaces et quelques gestes obscènes. On l'emmena au poste. La fête avait viré au drame. L'allégresse s'était changée en détresse.

Monseigneur Aubin et monseigneur Bordeleau présidèrent une prière collective en attendant le bulletin de santé de l'hôpital, puis chacun rentra chez soi, triste mais quelque peu rassuré : le Cardinal était encore en vie ! Tous les postes de police de la métropole sonnèrent l'alarme... trop tard ! On essaya d'organiser des barrages, mais à quoi bon ? Personne ne pouvait donner le moindre indice. Et puis quel ennemi le Cardinal pouvait-il avoir ?

Pendant ce temps, Gaby et son acolyte Ben Williams, armés jusqu'aux dents, roulaient à toute allure vers le nord, dans un véhicule qu'on leur avait prêté. Dès qu'ils furent sortis de l'île de Montréal par le pont de Cartierville, ils surent que rien ni personne ne pourrait plus les arrêter. Ils étaient hors de danger. Quelques heures plus tard, suivant une piste de gravier, ils s'arrêtèrent au bord d'un lac, descendirent du camion et marchèrent jusqu'aux chutes qui se déversaient non loin de là, à grand fracas. L'endroit était désert et la brunante prenait possession de l'immensité sauvage. On entendait le hululement d'une chouette. Les deux hommes, grimpant prestement de rocher en rocher, jetèrent leurs armes qui disparurent à l'instant même, englouties par le flot tumultueux de la rivière. Kateri était vengée...

*

Toutes les polices du Québec et du Canada recherchaient les auteurs de la fusillade contre le Cardinal. Mais rien n'avançait. Tout ce que l'on savait jusqu'à maintenant, c'est que les balles qui avaient atteint Son Éminence avaient bien été tirées d'un véhicule garé boulevard Dorchester, que les occupants de ce véhicule avaient réussi à fuir sans être inquiétés et que l'arme était à coup sûr un fusil automatique de calibre quarante-cinq. Pour le reste l'enquête piétinait. Les officiers de la Sûreté du Québec s'étaient jurés de tirer l'affaire au clair et ils proclamaient devant les médias qu'ils finiraient bien par mettre la main au collet des criminels! En attendant, il n'était pas question de rendre publics les quelques indices dont ils disposaient... En réalité, les inspecteurs Massé et Talbot n'étaient guère satisfaits de leurs résultats, car au fond il n'avait aucun filon sérieux. On avait tout d'abord arrêté un homme à moitié idiot, un dénommé Joseph, qui répétait à qui voulait l'entendre que c'était lui le criminel. Il traînait dans la cour de l'archevêché au petit matin, le lendemain de l'attentat, en faisant mine de tirer vers l'endroit où le crime avait été commis, caché derrière un arbre. Les deux inspecteurs s'étaient regardés, stupéfaits, et lui avaient mis la main au collet:

–Que fais-tu ici?

–J'ai tué le Cardinal. Fini, le Cardinal...

–Embarque dans l'auto, tu nous raconteras tout cela au poste!

On l'avait interrogé longuement, mais tout ce qu'il avait à dire était insignifiant et relevait de la schizophrénie pure.

–J'ai tué le Cardinal, je l'ai tué, répétait-il, les yeux révulsés.

–Pourquoi l'as-tu tué?

–Parce que madame Suzanne m'avait dit de rien dire, mais j'ai rien dit, rien du tout. Et il ne saura jamais, jamais...

Lorsqu'on fit enquête auprès de madame Pellerin par mesure de précaution, il devint évident, d'après les renseignements qu'elle donna, que Joseph était bien fou! L'épouse de l'avocat Jean-Paul Pellerin avait travaillé comme bénévole à l'archevêché pendant des années, elle se consacrait aux bonnes œuvres. De plus, la réputation de son mari était excellente. Sur les conseils de sœur Thérèse du Sacré-Cœur, qui connaissait bien Joseph et qui, elle aussi, le disait dérangé, le pauvre bougre fut envoyé à Saint-Jean-de-Dieu, où l'on s'occuperait de lui.

Les principaux collaborateurs du Cardinal avaient répondu à toutes les questions posées. Aucun d'entre eux ne pouvait vraiment être soupçonné et personne ne connaissait à Son Éminence un ennemi capable de vouloir le faire disparaître. Qui se serait attaqué à cet éminent personnage qui avait voué sa vie à Dieu et à l'Église? Qui pourrait avoir accumulé assez de haine pour traiter ainsi un prince de l'Église, objet de la vénération populaire?

Jamais on n'avait vu personne lui manquer de respect, sauf peut-être ceux qui n'épousaient pas totalement ses idées. Pourtant, frère François, le vieux portier, était venu faire une déclaration: un soir dans le parc il avait trouvé le Cardinal aux prises avec un individu bizarre. Mais cela n'était qu'un incident ridicule, et c'était si loin! Cela remontait bien à huit ou dix ans... L'histoire avait fait le tour de l'archevêché à cette époque. Inutile d'en reparler, il n'y avait pas eu de suites. L'archevêché au grand complet était donc hors de tout soupçon.

Les premiers jours, les quotidiens avaient titré la fusillade à la une. Ensuite, ils n'eurent plus grand-chose à se mettre sous la dent, sinon le bulletin de santé du Cardinal qui avait réchappé miraculeusement de ses blessures. Un communiqué paraissait régulièrement, faisant état des progrès de Son Éminence, encore très faible. Quelques journalistes rôdaient dans les couloirs de l'Hôtel-Dieu, à l'affût d'un détail inédit, mais sans grand succès. Quelques semaines après l'incident, il n'y avait plus qu'un entrefilet laconique dans les pages des quotidiens : « L'état du Cardinal de Montréal est satisfaisant. Sa convalescence se déroule normalement. »

C'est à ce moment que le pape mourut au Vatican des suites d'une longue et douloureuse maladie, comme on pouvait le prévoir depuis quelques mois. La chrétienté pleurait la fin de son règne, en attendant de proclamer l'avènement d'un nouveau souverain pontife. Le Sacré Collège se réunit en ces heures solennelles afin de choisir le successeur de saint Pierre, sous le regard attentif des fidèles du monde entier. Des millions de téléspectateurs étaient rivés à leur poste de télévision, scrutant les images retransmises, dans l'espoir de voir apparaître la fumée blanche au-dessus de la basilique Saint-Pierre de Rome. La décision cardinalice tardant à se faire connaître, on avait relégué au second plan tout ce qui faisait l'actualité politique ou quotidienne. La rumeur de dissensions sérieuses entre ces messieurs, au Vatican, plongeait les chrétiens dans la perplexité.

Le Cardinal, cloué sur son lit d'hôpital, manquait au rendez-vous des princes de l'Église. La vie avait décidé de l'éliminer de la compétition et, au fond de son cœur, il en avait de grands regrets ! Il pleurait lui aussi la mort du Saint-Père, recommandant son âme au Seigneur et se demandant lequel parmi ses pairs serait finalement investi du pouvoir suprême. Ce décès l'avait mis dans tous ses états alors que lui-même venait d'être blessé. La mort a beau être le terme normal et inévitable de toute vie sur terre, elle vous secoue sans ménagement lorsqu'elle survient, même si on est cardinal! Bien protégé par des gardiens de sécurité qui faisaient les cent pas devant la porte de sa chambre, il avait les yeux fixés sur le petit écran au pied de son lit et relisait sans cesse le télégramme que son vieil ami monseigneur Pucci avait envoyé la veille au soir pour lui faire part de l'événement :

Cher ami,

Notre Saint-Père vient d'être rappelé par Dieu après avoir consacré sa vie à l'œuvre messianique Stop Vous savez comme moi qu'il fut un digne successeur de saint Pierre Stop

Je me joins à vous dans l'épreuve qui vous a frappé Stop Je prie pour votre prompt rétablissement Stop La paix du Christ soit avec vous et avec nous tous Stop

GIUSEPPE PUCCI, *nonce apostolique*

P.-S. – Je m'entretiendrai avec vous par téléphone aussitôt que vous serez de retour à l'archevêché Stop

Abattu, le Cardinal ne voulait voir personne. Lui aussi avait frôlé la mort et n'en était que trop conscient! Elle aurait pu l'emporter, n'eût été de son excellente constitution. Le Cardinal était méconnaissable. Il avait terriblement vieilli. Ses cheveux étaient devenus blancs comme neige. Il avait perdu de sa superbe...

Depuis quelques jours que son état s'était légèrement amélioré, les policiers lui avaient posé mille et une questions, essayant de retrouver les présumés assassins. Mais Son Éminence n'était pas d'humeur à collaborer, et ne voulait carrément pas parler! Le chef de la brigade criminelle avait mis sur l'affaire ses meilleurs inspecteurs. Ceux-ci étaient persuadés que les auteurs signeraient leur crime un jour ou l'autre, puisque, comme on le sait, la vengeance ne souffre pas l'anonymat. Lorsqu'on lui avait demandé s'il avait souvenir d'avoir été malmené huit ou dix ans plus tôt par quelqu'un qu'il connaissait, tout le monde avait été surpris de son évidente mauvaise humeur.

–Nous nous excusons, Votre Éminence, de cette incursion dans votre convalescence, mais nous devons rassembler tous les indices...

Le Cardinal avait grogné:

–Mmm, que puis-je faire pour vous?

–Avez-vous supposé que vous pourriez avoir un ennemi quelconque?

–C'est stupide, sûrement pas!

–Mais ne pouvez-vous imaginer qu'il y ait de l'envie autour de vous, ou encore de l'animosité chez certaines personnes? N'y a-t-il pas des membres du clergé qui s'opposent à certaines de vos idées?

–Non, vraiment, je ne vois pas. Cette question-là ne vous mènera pas loin.

–On nous a parlé, Votre Éminence, d'un homme qui aurait proféré des menaces contre vous...

–Qui vous a dit pareille sottise?

–C'est le frère portier, qui se souvient de vous avoir vu dans le parc, un soir, en train d'être malmené par un individu.

– Je ne m'en souviens pas.

– En êtes-vous sûr ? C'est très ancien, mais cela pourrait nous aider. S'il vous plaît, essayez de vous rappeler... Aidez-nous, nous devons assurer votre protection.

Sèchement, il avait répondu à l'inspecteur Leblanc :

– Je ne me souviens pas de cela. Cela fait trop longtemps, ou peut-être est-ce moi qui suis trop vieux maintenant. Qu'on ne m'ennuie plus avec cet incident. De toute façon, je suis toujours en vie, qu'on me laisse donc tranquille !

L'inspecteur Leblanc avait baissé les bras, trouvant étranges les paroles du Cardinal, mais bien obligé de constater que l'enquête débouchait sur un cul-de-sac.

Lorsqu'ils se furent retirés, le Cardinal avait senti naître une crainte au fond de lui. Il se doutait bien qu'il y avait un rapport entre l'homme du parc, le frère de Kateri, et l'attentat dont il avait été victime... Mais pourquoi avoir attendu toutes ces années ? Il y avait là un mystère qu'il n'arrivait pas à percer. De plus, comment pourrait-il avouer aux policiers les motifs de la tentative d'assassinat ? Que les policiers se débrouillent donc avec leurs problèmes ! Est-ce qu'un cardinal pouvait proclamer publiquement qu'il avait eu une fille avec une sauvagesse, que cette fille, il l'avait arrachée à sa mère, et que la pauvre femme était morte, rongée de chagrin, dans des conditions épouvantables ? Est-ce qu'il pouvait laisser la police continuer à fouiner dans ces choses très personnelles, qui seraient peut-être ensuite rendues publiques ? Pas question ! Toute cette affaire, qu'il croyait à jamais oubliée et enterrée, resurgissait, envahissant son esprit au point de le rendre fou. Il ne pouvait même pas envisager de se changer les idées en se consacrant à quelque nouveau projet : ses médecins lui interdisaient toute forme d'activité ou de stress, et même le tabac ! Sa chère pipe ne l'avait pas suivi jusque-là… confisquée, ce qui était un comble !

Le Cardinal méditait sur l'implacable déroulement de son destin. Il se sentait encore si faible. Il avait mal à la tête et tout son corps lui paraissait étrangement engourdi. Cette nuit-là, un mauvais rêve, un affreux cauchemar dont il avait perdu le souvenir l'avait épuisé, si bien que maintenant ses paupières se fermaient malgré lui. Lorsqu'il se réveilla, sa gouvernante était là, assise à son chevet.

Alité depuis longtemps, il ne supportait plus rien, hormis les visites de sœur Thérèse du Sacré-Cœur, qu'il envoyait chercher chaque jour avec sa limousine. Elle restait là pendant des heures, à lui faire la lecture et à lui parler de choses et d'autres. Cette présence lui procurait un grand apaisement. Lorsqu'il s'assoupissait un peu, elle veillait, tricotant des gants et une écharpe qu'elle voulait lui offrir quand il serait rétabli. Même les chanoines et les évêques qui venaient lui rendre visite, essayant vainement de trouver ce qui lui ferait plaisir, le fatiguaient… La plupart du temps, il refusait même de les voir, ne trouvant aucun intérêt à leur conversation ! Capricieux, il faisait semblant de dormir chaque fois que l'un d'eux interrompait son tête-à-tête avec sa chère gouvernante. Dès qu'ils avaient passé le pas de la porte, il ouvrait un œil. S'amusant de son subterfuge, elle pouffait de rire et lui disait :

– Votre Éminence, vous êtes impossible, un véritable enfant…

Il prenait un air innocent et lui répliquait:

– Moi? Croyez-vous?... Croyez-vous vraiment?

Alors, sans bouger de son lit, il lui attrapait la main et la gardait longtemps serrée dans la sienne. Rien ne pourrait désormais lui être plus précieux que cette douce présence. Depuis qu'il était devenu prêtre, la présence d'une femme lui avait tant manqué: elle lui était devenue maintenant tout à fait indispensable. Laissant passer quelques minutes, il ajoutait:

– Ma chère enfant, ne doutez jamais que je vous aime de tout mon cœur.

Il lui répétait cela trois ou quatre fois. Elle rougissait en entendant ces propos et cela la rendait encore plus jolie. Chez lui, plus encore que l'apparence physique, qui avait beaucoup changé en quelques semaines, c'est la volonté qui semblait bien différente. Elle n'était plus aussi spectaculaire qu'elle l'avait été, ayant perdu de sa rigidité. Le Cardinal s'était adouci... La souffrance avait révélé en lui des qualités inconnues jusqu'alors, la sensibilité et la simplicité.

Quelques-uns des membres de son entourage pensaient avec terreur que le Cardinal était devenu gâteux. Il refusait désormais de parler de ce qui concernait l'archevêché: «Cela se peut-il? C'est une vraie catastrophe! Ma foi, il n'a plus toute sa tête...» Chacun le pensait, mais personne ne se serait risqué à le dire ouvertement! Lui, il ne songeait plus qu'à une chose, il n'avait plus qu'une idée, tout à fait folle: partir avec sœur Thérèse. Ce nouveau désir le hantait, l'obsédait au point de devenir son unique objectif. Laisser à un autre sa charge de prélat! Fuir Montréal et l'archevêché! Défroquer et vivre enfin comme tout le monde, loin de ce carcan monstrueux. Se dégager de cette hiérarchie pesante qui l'obligeait depuis tant d'années à se comporter comme un personnage de légende.

La vie s'écoulait, inexorable. Le terme fatidique se rapprochait en lui donnant le vertige. Il serait bientôt anéanti sans avoir jamais été heureux! Le Cardinal voulait avoir une dernière chance de connaître ce qu'il n'avait jamais connu, ayant été obligé très jeune d'agir d'une manière exemplaire. Malade, il découvrait avec horreur que sa vie n'avait jamais comporté le moindre moment d'intimité. Souffrant dans son corps, diminué, il n'aspirait plus qu'à goûter la tendresse humaine dans toute sa plénitude. Cette idée de partir avec sa bien-aimée, de laisser derrière lui les contraintes et la représentation, lui tournait dans la tête comme une véritable obsession. S'il ne le faisait pas à ce moment-là, il ne le ferait jamais!

Deux femmes de service vinrent placer devant lui le plateau de son souper et le saluèrent avec respect. Il repoussa le repas sans même répondre à leur salut. Sœur Thérèse, attentive, lui fit quelques recommandations:

–Votre Éminence, je vous en prie, il faut vous nourrir! Vous savez que l'archevêché vous attend! Mangez, je vous en prie…

–Je ne veux pas retourner à l'archevêché!

Elle sursauta.

–Pardon? Ah, je vois, vous désirez partir quelque temps en convalescence et c'est bien naturel!

Il fit signe que non et lui demanda de s'approcher un peu. Elle écarquillait déjà les yeux lorsqu'il prit un air solennel pour demander:

– Que diriez-vous, ma belle amie, si nous allions tous les deux dans un pays de soleil pour y vivre ensemble le restant de nos jours ? Je sais que je vous demande sans doute un gros sacrifice, car le bonhomme que je suis est bien handicapé… Que diriez-vous, mon enfant, de cette idée ?

Sœur Thérèse n'en croyait pas ses oreilles. Elle ne savait pas quoi penser. Le Cardinal lui faisait une proposition matrimoniale ! Cela lui paraissait irréel, totalement fou ! Perdait-il la tête ? Était-elle victime d'une hallucination ?

– Mais, Votre Éminence, vous n'y pensez pas ! Et votre archevêché ? Et vos fidèles montréalais ?

– Ma pauvre amie, comme cardinal, je sens que je ne vaux plus rien ! Et ma tête s'est bien ramollie sous la fusillade ! Je peux aisément laisser la place à un autre… Je ferai au moins un heureux en partant ! Ils sont tous là autour de moi à se battre pour les honneurs et pour la gloire. J'ai compris ces jours-ci qu'il vaut bien mieux se laisser aller au bonheur, plutôt que de s'y refuser par une sorte d'orgueil aveugle, opposé au message du Christ. J'ai vu en songe la nuit dernière que le bonheur ressemble à la simplicité…

Il la regarda droit dans les yeux :

– Vous, ma douce amie, seriez-vous heureuse de partir avec moi en Chine ?

Sœur Thérèse releva les yeux. Elle avait le rose aux joues. Que répondre à son cher Cardinal ? Même si elle se sentait flattée, ces propos lui faisaient peur. Une peur viscérale. L'offre ne manquait pas d'attrait, mais elle n'avait rien de réaliste ! Il fallait parler clairement :

–Votre Éminence, je suis profondément touchée de votre proposition, mais…

En entendant son «mais», le Cardinal eut la gorge nouée. C'était la première fois qu'il ressentait cette sorte d'anxiété depuis que sa mère était morte. Étrangement, il n'éprouvait cette sensation bizarre que pour la seconde fois de toute sa vie. Il se mit à pleurer comme un petit garçon et se demanda, secoué par de gros sanglots: «Comment font donc les pauvres bougres qui vivent dans la solitude et l'insécurité tout au long de leur existence? C'est insupportable, insupportable!» Deux grosses larmes roulèrent le long de ses joues, ses lèvres tremblaient. Sœur Thérèse du Sacré-Cœur, peinée de le voir ainsi, continuait:

–Votre Éminence, comment pourrais-je quitter ma communauté et renier mes vœux perpétuels?

–Thérèse, je comprends bien que ma proposition vous pose un cas de conscience… j'en éprouve un moi-même. Dois-je entendre que vous ne voulez pas de moi? Parlez sans crainte, car je sais bien que je ne suis plus…

Il rassemblait sa volonté afin de la convaincre. Si elle disait non, il en mourrait! Le bonheur était-il donc irréalisable ici-bas?

–Il ne s'agit pas de mes sentiments, Votre Éminence, vous savez que cet amour que vous éprouvez pour moi, je le partage…

–Mais alors, ma douce?

En disant cela, il lui caressait et lui embrassait la main. Ce qu'elle n'osait lui dire, c'est qu'elle craignait que sa raison se soit envolée! Personne ne pourrait jamais imaginer le Cardinal de Montréal en défroqué.

Il valait mieux le croire sénile ou malade, plutôt que rendu fou par la passion amoureuse!

– J'ai beaucoup de mal à imaginer que je pourrais ainsi disposer de ma vie après en avoir fait don à Notre-Seigneur! Je ne crois pas pouvoir être heureuse en me reniant...

– C'est donc bien cela! Ma chère enfant, je reconnais la pureté de votre cœur! Ne vous pressez pas de me répondre, prenez votre temps, tout votre temps! Nous en reparlerons lorsque vous serez prête.

Sœur Thérèse du Sacré-Cœur acquiesça avec un certain soulagement. Elle avait besoin de prier et de réfléchir. Il l'avait prise au dépourvu... Et puis, vu ainsi dans son lit, il ne payait pas de mine! Elle pensait encore: «Il n'a vraiment plus toute sa tête, le pauvre homme!» Puis, aussitôt horrifiée, elle avait rectifié, annonçant à son cerveau: «Voyons, c'est le Cardinal. C'est l'homme le plus instruit et le plus respecté de toute la province! Tais-toi, sœur Thérèse, tu es bien impertinente!» La pauvre femme s'en voulait d'avoir osé penser, l'espace d'une seconde, qu'il était simplement comme les autres hommes. Comme tous les autres hommes! Elle se mit à l'observer. On n'aurait jamais pu imaginer que cet homme-là avait rassemblé les foules et fait palpiter les âmes pendant vingt ans. Amaigri, faible, méconnaissable... Elle prit un mouchoir et essuya maternellement ses yeux rougis. Il était sans défense. Abandonné comme un petit enfant sur son lit d'hôpital, le Cardinal s'en remettait maintenant corps et âme à la décision d'une femme, une simple nonne. Lorsqu'il s'endormit, elle quitta la chambre pour retourner au plus vite dans le calme familier et sans complication de sa communauté.

Environ une heure plus tard, l'infirmière Hébert, qui faisait sa ronde, entra chez le Cardinal pour lui donner ses pilules et prendre sa température. Il semblait dormir profondément. Elle tenta de le réveiller, mais il ne bougeait pas. Inquiète, elle prit son pouls. Il était faible et battait bien trop lentement. Elle courut chercher le médecin de garde. Précipitation, soins intensifs. Le Cardinal de Montréal faisait une embolie. Un caillot sanguin, arrivé jusqu'à son cerveau au moment où on le croyait presque rétabli, l'avait terrassé. Ils étaient cinq spécialistes autour de lui. Les médecins eurent beau s'acharner à le sauver, le Cardinal ne pourrait plus parler, ne pourrait plus bouger : il resterait paralysé et assis sur une chaise roulante, si par bonheur on pouvait lui éviter l'issue fatale. Quadraplégique. Un bulletin de santé alarmant fut diffusé sur les ondes, alors que, au même moment, la proclamation d'un nouveau pape semait l'émoi dans toutes les paroisses. On organisa partout des soirées de prières collectives pour demander à Dieu de garder en vie le Cardinal de Montréal.

*

Dans la cathédrale, Suzanne Pellerin et quelques dames bénévoles priaient avec ferveur, au milieu des religieuses. On avait allumé des lampions devant les statues des saints, et les fidèles se relayaient pour implorer le ciel d'intervenir, priant sous la direction de monseigneur Aubin, qui mettait beaucoup d'emphase dans chacun de ses gestes. Suzanne ne put s'empêcher de remarquer qu'on aurait dit une cérémonie mortuaire. Sur le banc devant elle, sœur Thérèse du

Sacré-Cœur pleurait doucement. Mais, au fond d'elle-même, la petite religieuse avait pris sa décision : elle ne partirait pas pour l'étranger. Elle aimait trop le couvent de la Sainte-Famille. Les prières chantées et les litanies se succédaient, monotones comme un éternel ronronnement, brisées quelquefois par l'arrivée de nouveaux dévots.

Tout à coup, Suzanne sentit une présence et tourna la tête. C'était Maguy qui venait s'asseoir auprès d'elle, l'air ravagé, le visage bouffi et les yeux rouges. Posant la main sur le bras de sa belle-sœur, elle lui dit sur un ton qu'elle voulait discret :

— Suzanne, il faut que je te parle. Tu as toujours été une vraie chipie...

Suzanne tressaillit. Maguy avait parlé si fort que tous les assistants l'avaient entendue et se retournaient discrètement vers elle. Elle lui fit signe de se taire :

— Chut, Maguy, voyons !

— Eh bien, quoi ! Chut, Maguy, voyons !

Monseigneur Aubin donna trois petits coups sur son micro pour réclamer le silence. Suzanne s'aperçut avec horreur que Maguy avait bu. Elle empestait l'alcool. La prenant par le bras, Suzanne s'apprêtait à la guider fermement vers la sortie :

— Viens, allons parler dehors.

Au moment où elles allaient se lever pour partir, le sacristain vint murmurer quelques mots à l'oreille de monseigneur Aubin. Celui-ci, dont le visage avait changé, monta immédiatement en chaire. Il ne gesticulait plus.

— Mes bien chers frères, c'est avec consternation que nous apprenons à l'instant le décès du Cardinal.

Après quelques jours d'espoir, Dieu a décidé de rappeler à lui ce bon et saint homme.

Il y eut un remous dans l'assistance, puis les prières reprirent. Sous l'effet de la nouvelle, il se fit comme un déclic dans la tête de Maguy. Elle murmura à Suzanne de façon complètement inaudible:

–Si tu savais, Myriam... a perdu... son père...

–Voyons, Maguy, que veux-tu dire?

Suzanne se demandait si elle avait bien entendu. C'était donc cela, le fin mot de l'histoire...

–Ça n'a plus... aucune importance...

Maguy, fouettée par l'annonce de la mort du Cardinal, reprit pour un instant possession de ses moyens et ne voulut plus répéter ce qu'elle venait de dire. Comme elle était vraiment ivre, Suzanne la raccompagna chez elle.

Chapitre xx

Par une belle journée ensoleillée du début des vacances, après avoir avalé un énorme déjeuner, Myriam sortit sa bicyclette. Le jardin embaumait et les parterres de fleurs explosaient de toutes leurs couleurs, non loin de la rivière qui clapotait langoureusement. La chaleur et la légèreté de l'air lui donnaient de petits frissons de plaisir. C'était une de ces journées bénies où l'on sent le goût du paradis terrestre. Un peu plus loin sur le trottoir, des écureuils effrontés cherchaient quelque friandise en labourant le sol au pied des arbres avec leurs pattes griffues. Dressant les oreilles, la queue en panache et l'œil avide, dès qu'ils avaient repéré une aubaine ils l'engloutissaient tout en dévisageant les passants d'un œil moqueur. Autour des nouvelles maisons construites ici et là au cours des dernières années, des enfants se balançaient sur une escarpolette pendant que d'autres jouaient dans un carré de sable. D'autres encore, plus âgés ceux-là, casqués et bardés de protections, le bâton en avant, poussaient gaillardement une rondelle jusqu'au but, avec des cris de conquérants.

Philippe était absent pour la journée et Maguy, qui ne se sentait pas bien, n'avait pas encore mis le nez dehors. Après avoir pris sa douche, Myriam se mit rapidement en tenue de plein air en chantonnant, puis elle prit le téléphone et s'employa rapidement à regrouper tout son monde. Convaincante et enthousiaste comme elle savait l'être, ce fut l'affaire de quelques minutes. Elle appela d'abord Christian, son nouveau *chum*, puis Monique, Jacinthe, Michel et Dédé, et leur proposa un pique-nique le long de la rivière. Ils acceptèrent avec enthousiasme. Il ne lui restait plus qu'à aller glaner auprès de sa mère des vivres et des jus de fruits en quantité suffisante. Le vélo plus le grand air, c'était un mélange à vous faire dévorer comme quatre. Elle pénétra à pas de loup dans la chambre encore sombre et s'approcha de Maguy pour l'embrasser.

– Maman, maman, aurais-tu de bonnes choses dans le frigidaire pour faire des sandwiches? J'ai donné rendez-vous à mes amis…

– Je sais, je sais, Myriam, je t'ai entendue placoter à n'en plus finir au téléphone…

– Je parle comme une toupie, hein? Ma petite maman, tu sais bien que je suis bavarde!

Maguy riait avec sa fille. Enfin un peu d'animation! Elle se leva pour aller préparer les sandwiches. En un tournemain, Myriam avait sorti le pain, la mayonnaise et la moutarde pendant que Maguy avait déniché dans les tiroirs du réfrigérateur toutes sortes de charcuteries et de salades. Au bout de quelques minutes, la pile de sandwiches destinés au pique-nique de Myriam et de ses amis était impressionnante.

– Je pense que vous en aurez assez comme ça!

– Et puis avec ça, maman, aurais-tu un petit dessert?

–Je vais te donner de l'argent. Vous irez vous chercher des cornets de crème glacée…

–Oh oui, maman, super bonne idée! Maman, t'es fine!

Myriam kidnappa quelques bouteilles de jus de pomme et de jus d'orange, prit des gobelets en carton, des serviettes en papier, embrassa sa mère sur les deux joues et se déclara prête. Maguy se laissait faire avec plaisir et observait «la petite» avec fierté. Myriam était devenue une jeune fille longue et mince, éclatante de santé. Ainsi vêtue pour aller se promener au soleil, avec une petite jupe de tennis et une casquette blanche, elle était adorable. Ses seins étaient arrondis sous sa blouse de coton, ses hanches bien galbées et sa peau toute dorée. À l'orée de ses seize ans, elle était ravissante! Tandis que sa mère la contemplait sans rien dire, Myriam emballait rapidement le casse-croûte dans une sacoche et l'arrimait sur le porte-bagages de sa bicyclette. Maguy n'essayait pas de retenir sa fille, qui lui échappait de plus en plus. À quoi bon essayer d'emprisonner l'eau vive entre ses doigts?… Elle avait à peine fini ses préparatifs que Christian sonnait déjà, pressé d'emmener sa dulcinée et de rouler tendrement pédale contre pédale jusqu'au bout du sentier.

–Bye, *mom*!

–Au revoir, madame! Merci pour les sandwiches!

Le jeune homme était agréable à regarder lui aussi. Blond aux yeux bleus, bien charpenté, il avait une allure solide qui contrastait franchement avec la minceur gracieuse de Myriam. Maguy les regarda s'éloigner en soupirant. Elle allait encore être seule jusqu'au soir. Et Dieu sait à quelle heure Philippe allait rentrer! Maguy se rendit jusqu'au salon et fouilla dans le bar pour trouver à boire. La bouteille de scotch était vide. Bon prétexte pour aller faire des emplettes! Au moment où elle enfilait sa veste pour sortir, son nez se mit à saigner. « Oh non, quelle malchance... » Encore la cérémonie habituelle des cotons dans le nez... Elle en avait par-dessus la tête de ce problème devenu chronique! Elle repoussa bien vite la vision des comprimés d'aspirine qu'elle avalait chaque jour malgré les recommandations de son mari : « Ce n'est pas ma faute après tout si j'ai souvent la migraine et si je ne me sens jamais en forme... Et puis, comme ça, il est obligé de s'occuper un peu de moi! » Maguy attrapa le téléphone :

–Bonjour, Fleurette, dites tout de suite à Philippe que je saigne du nez et que j'arrive en taxi.

Fleurette fit la commission et revint au bout du fil.

–Le docteur dit que vous devez faire vite, madame, car il doit partir d'ici trente minutes. Il a une réunion.

–Dites à mon mari qu'il prépare mon remède!

Maguy arriva au cabinet avec son air des mauvais jours. Philippe comprit en la voyant qu'il valait mieux s'exécuter et ne pas la provoquer, car son caractère devenait de plus en plus irascible. Il fallait éviter les scènes de ménage et les questions sur son emploi du temps de la soirée. Assise sur le fauteuil de consultation, Maguy se plaignait pendant que son mari l'examinait :

–Voyons, Philippe, ça n'a pas de bon sens, tu me fais mal!

–Comment pourrais-je te faire mal, Maguy, je t'ai à peine touchée?

Fleurette, qui passait un à un les instruments à Philippe, ne disait mot.

–Garde, avez-vous préparé la solution cocaïnée pour madame Langevin?

Sur le coup, Fleurette fut incapable de dissimuler son étonnement. Philippe se rendit compte de son trouble et enchaîna, comme pour se disculper:

–C'est la seule façon de soulager Maguy et d'arrêter l'épistaxis!

Sans un mot, Fleurette lui tendit les pinces et les cotons imbibés de cocaïne. « Ainsi, pensa-t-elle, il n'hésite plus à traiter madame Langevin avec la solution cocaïnée. Elle n'a qu'à se plaindre un peu, il ne résiste même plus! » Aussitôt que Philippe eut donné son traitement à Maguy, il s'éclipsa. Fleurette, songeuse, regarda partir madame Langevin. Celle-ci était d'excellente humeur, après les quinze minutes d'attente qui l'avaient radicalement transformée.

Cependant, à la fin de la journée, Maguy, angoissée, attendait son mari et sa fille. Philippe n'avait pas précisé l'heure de son retour et elle trouvait étrange qu'il s'absente un samedi, dont la soirée était habituellement réservée à une sortie au restaurant suivie d'un match de hockey. Au moment où elle se faisait cette remarque, Myriam et Christian firent une entrée bruyante, chahutant joyeusement. Ils riaient, se racontaient leurs exploits et ceux des autres. La maison s'était tout à coup remplie de soleil. Lorsque le téléphone sonna, Myriam répondit. C'était Philippe.

–Veux-tu dire à ta mère que je suis à mon club ? Ne m'attendez pas pour souper. Y a-t-il du nouveau à la maison ?

–Oh oui, papa ! Je suis avec Christian, mon *chum*, et on a passé la journée au parc, alors on raconte tout ça à maman ! Sinon, rien de nouveau.

–C'est bien, Myriam, à plus tard. Ah, dis-moi donc, ta mère ne saigne plus du nez, au moins ?

–Non, elle a l'air de bien aller, elle bavarde avec Christian. Bye, papa…

Maguy cachait sa déception : Philippe ne lui avait même pas parlé… D'ailleurs, était-elle déçue ? Elle ne savait plus trop ! Était-elle en colère, était-elle découragée ? Était-elle jalouse ? Tout cela était bien compliqué à démêler. Maguy invita le jeune homme à souper, à la grande joie de Myriam.

–Décidément, ma petite mère est adorable ! chantonnait-elle à tue-tête, en dansant le twist sous les yeux ébahis de Christian qui trouvait cela très sympathique.

Toujours aussi habile dans la cuisine, Maguy eut vite fait d'apprêter un vrai régal, tout en écoutant le récit des aventures des deux jeunes gens. Elle leur servit un apéritif et ouvrit une bonne bouteille de meursault millésimé pour accompagner les escalopes à la crème. Le jeune homme en fut impressionné et Myriam tout heureuse. Pourtant, Christian remarquait avec quel empressement madame Langevin vidait la bouteille et allait en chercher une autre. Chez lui, le vin n'était pas dans les habitudes. On en buvait quelquefois pour une fête, exceptionnellement. La deuxième bouteille fut expédiée aussi rapidement que la première, et une troisième y succéda. Maguy riait et trinquait avec le *chum* de sa fille, qui lui racontait ses exploits de collège. « Après tout, se disait Christian, je ne vais pas me plaindre de boire du bon vin! Profitons-en… » Il était un peu gris lui aussi.

Après le repas, Myriam trouva un prétexte pour quitter la maison avec Christian. Ils passèrent par le jardin en marchant serrés l'un contre l'autre et s'aventurèrent jusqu'au bord de la rivière, qui murmurait doucement au rythme du courant. Le beau temps avait fait sortir les promeneurs. Des couples s'arrêtaient ici et là pour savourer la plénitude de cette fin de journée. Sensuelle à l'extrême, Myriam tendit ses mains au-dessus de l'eau pour sentir ses doigts frémir sous le clapotis des vaguelettes. Christian la prit doucement dans ses bras. Ils s'embrassèrent longtemps à la nuit tombée, enlacés sous un grand orme, enivrés par le parfum de l'herbe et de la terre encore chaude. De l'eau, de la terre et du ciel montait la symphonie du retour de l'été et, dans les bras du jeune homme, sous la poussée de ses seize ans, Myriam se sentait devenir femme.

*

Diane Fortin, en tenue de tennis, raquette en main, venait d'arriver chez elle. Elle avait chaud et se servit un grand verre de jus frais en regardant la pendule. Déjà quatre heures trente… Philippe ne tarderait pas à arriver. Elle avait juste le temps de prendre un bain et de se préparer. Sportive, elle passait le plus clair de son temps libre au tennis, à la piscine et au club de golf. Son fils Daniel lui servait de partenaire lorsque ses horaires de cours le lui permettaient. Veuve depuis bientôt quatre ans, Diane menait une vie confortable grâce à la prime qu'elle avait touchée lorsque Jacques Fortin, son mari, courtier d'assurances, était décédé d'une crise cardiaque dans la force de l'âge. Jusque-là, l'idée de se remarier ne lui était jamais venue à l'esprit. Elle voulait profiter de cette liberté qu'elle n'avait jamais pu savourer du vivant de son époux. Jacques avait toujours été un homme possessif et rigide; aussi, le premier chagrin passé, Diane s'en donnait-elle à cœur joie, n'ayant ni talent particulier ni de passion dévorante, mais aimant vivre dans l'opulence. Elle remerciait le ciel, qui lui avait assuré un avenir à l'abri des problèmes matériels.

Elle versa des sels de bain parfumés au jasmin dans la baignoire, y fit couler une eau bien chaude et prit un livre, tout en pensant à Philippe. C'était un homme agréable, plus cultivé que la moyenne, qui l'impressionnait par sa tenue toujours impeccable et par ses bonnes manières. Et puis, ce qui lui plaisait surtout, c'était son côté sportif. Philippe jouait admirablement bien au tennis et au golf. Il lui avait également fait découvrir des restaurants où l'on servait une nourriture raffinée et variée: des mets qu'elle ne connaissait pas…

Entourant ses cheveux courts d'une fine serviette, elle se glissa dans l'eau, appliqua un masque de beauté à l'huile de pêche sur son visage et se ponça soigneusement les talons. Quel délassement!

En fait, elle se demandait où pourrait bien aboutir cette relation-là! Philippe ne lui avait rien demandé et, quoique ses propos aient toujours été pleins de délicatesse, Diane le savait marié, sans aucune velléité de divorce, même si ses rapports avec sa femme semblaient parfois tendus. «Enfin, c'est ce qu'il me dit, pensait-elle, mais les hommes mariés disent tous la même chose, c'est connu! Bof, on verra bien où tout cela va nous mener... au jour le jour! En attendant, sa compagnie est agréable! Et je compte jouer souvent au golf et au tennis avec lui.»

Au volant de sa voiture, Philippe songeait à Maguy, qui lui donnait bien du tracas. Il n'était pas fier d'avoir eu recours encore une fois à la solution cocaïnée pour la soulager... D'ailleurs, s'agissait-il vraiment de la soulager, ou bien commençait-elle à en être dépendante? Il se posait une multitude de questions à son sujet... Les tête-à-tête avec elle devenaient de plus en plus difficiles à supporter, avec leurs silences et leurs moments chargés de reproches, et ni l'un ni l'autre n'avaient le courage d'aborder les véritables problèmes. Elle ne pouvait plus se passer de sa bouteille de scotch! Il se rendait compte que cette faiblesse affectait considérablement l'humeur de Maguy, mais il gardait pour lui ce constat pénible qui le rongeait comme un véritable cancer. Sa femme alcoolique! C'était très dur à admettre. Et puis il y avait autre chose: l'aspect physique de Maguy changeait de plus en plus. Elle n'était plus la femme ravissante qu'il avait épousée vingt ans auparavant... Terriblement déçu, il ne savait comment lui faire comprendre qu'elle était en train de se détruire et il préférait s'éloigner d'elle, sans souffler mot, traînant silencieusement sa désillusion comme un fardeau.

Il avait presque des remords en prenant le chemin de Mont-Royal. Cela faisait déjà quelques fois qu'il voyait Diane Fortin, et sa conscience d'homme marié venait le titiller. Il n'aurait pas fallu que Maguy s'aperçoive de ses écarts! De quoi aurait-il eu l'air? Et si par malheur elle découvrait qu'il courtisait une femme, bien que pour l'instant il ne se soit rien passé en dehors de ces rencontres amicales, elle pourrait bien se comporter comme une tigresse. Diane vint lui ouvrir la porte avant même qu'il ait sonné, visiblement en forme et heureuse de le voir... Elle lui tendit sa joue:

—Bonjour, Philippe, j'avais hâte que tu arrives!

—Tu me guettais derrière la fenêtre, n'est-ce pas? dit-il en riant.

Il remarqua son air, plus enjoué qu'à l'ordinaire, et la robe qu'elle portait: nettement plus élégante que ce qu'il lui avait déjà vu porter. Des bijoux fantaisie et des bagues venaient compléter sa toilette. Il la trouva charmante.

—Entre donc!

L'ameublement était sévère, mais sur la table du salon se trouvait le plateau qu'elle avait préparé, avec un assortiment d'amuse-gueules et une bouteille de vieux porto. Cela n'était pas dans ses habitudes... Ils s'assirent côte à côte en riant.

—Y a-t-il ce soir une occasion spéciale à fêter?

—Oui, fit-elle en riant, c'est mon anniversaire!

—Alors, ma chère, je t'emmène souper au champagne!

Lorsqu'il rentra à la maison, il était plus d'une heure. Maguy l'attendait, soûle et jalouse... Elle avait passé la soirée à l'imaginer dans les bras d'une autre et, pour oublier ces images affreuses, elle avait bu encore plus qu'à l'accoutumée. Assise dans le fauteuil préféré de Philippe, elle faisait face à la pendule du salon:

– Ah, te voici, Philippe Langevin…

– Calme-toi, Maguy !

– D'où sors-tu, hein ? Dis-le-moi, d'où sors-tu ?

– Je te l'ai dit Maguy, j'étais à mon club.

– Mensonges, mensonges, tu ne m'as rien dit du tout !

Elle s'était levée et titubait.

– Chut, Maguy, tu vas réveiller Myriam…

Elle baissa le ton :

– Dis-le, hein, dis-le que tu sors sans moi maintenant, chaque fois que tu le peux !

– Maguy, qu'est-ce que tu vas inventer là ?

– Philippe Langevin, je te soupçonne de ne plus aimer que mon argent et de sortir avec d'autres femmes que la tienne. Maguy… est écœurée… écœurée de ton attiii… attude… attitude de saint homme.

Elle était tellement ivre qu'elle n'arrivait même plus à articuler correctement. Philippe la regardait avec horreur, incapable de voir la souffrance derrière les excès auxquels elle se livrait.

– Maguy Langevin, tu es complètement folle. Tu perds la tête !

– Alors, mon mari, si je perds la tête, explique-moi donc pourquoi tu n'étais pas à ton club ce soir ! J'ai appelé, tu n'y étais pas…

*

Philippe avait pris du retard dans sa consultation, deux patients ayant trouvé le moyen de le faire attendre. Il n'avait plus grand temps pour aller prendre Maguy et Myriam et se rendre avec elles aux funérailles du Cardinal. Fleurette entrouvrit la porte en lui faisant un signe et fit passer une dame qui se tenait la gorge à deux mains, n'arrivant plus à parler à cause de l'inflammation. Un cas d'amygdalite aiguë... Philippe enfila des gants de latex après s'être lavé les mains.

–Vous allez aux funérailles tantôt, docteur? Pourriez-vous m'emmener avec vous, j'aimerais aller voir une dernière fois le Cardinal? demanda Fleurette.

–Pas de problème, garde, mais je suis en retard sur l'horaire! Appelez donc Maguy et dites-lui de venir jusqu'ici avec Myriam. Je n'aurai pas le temps de repasser par la maison. Au fait, ajouta-t-il de son ton pince-sans-rire, je croyais que vous n'étiez pas pratiquante...

Il revint vers sa patiente et lui badigeonna la gorge avec une solution apaisante de sa composition. L'effet fut immédiat: la dame, soulagée, se confondit en remerciements, d'une voix fluette.

–Oh, merci, merci, docteur Langevin! Vous êtes vraiment le meilleur spécialiste! On me l'avait bien dit! Et puis aimable avec ça! Heureusement que vous êtes là, docteur! J'avais si mal, je me faisais tant de souci...

Philippe acquiesçait d'un air satisfait. La patiente, madame Soucy, la bien nommée, faisait des courbettes comme s'il avait été le roi d'Angleterre et sortit à reculons, ce qui faillit la faire trébucher deux ou trois fois... Fleurette la rattrapa au vol. Ensuite, elle téléphona à Maguy, qui lui répondit d'une voix pâteuse. Fleurette ne put s'empêcher de hocher la tête en pensant: «Elle a encore bu, comme c'est dommage! Une bonne personne comme elle...»

Une heure plus tard, un taxi déposait Maguy et Myriam au cabinet du docteur Langevin. Fleurette, qui n'avait plus vu « la petite » depuis longtemps, s'exclama :

– Myriam, mais comme tu es belle, une vraie femme ! Je crois bien que je ne t'aurais pas reconnue !

Myriam était jolie comme un cœur et toute rayonnante dans l'éclat de sa jeunesse.

– C'est vrai, il y a bien longtemps que je ne suis pas venue ici. Ces trois dernières années, j'étais pensionnaire, alors tu comprends, j'avais pas le temps !

– Est-ce qu'on va te voir un peu plus souvent maintenant ?

– Je pense bien. Avec papa et maman, on a décidé que j'irais au collège d'Outremont en septembre, comme cela je rentrerai tous les soirs à la maison. Tu sais, j'en avais assez d'être pensionnaire à mon âge ! Je pourrai venir te voir de temps en temps !

– Quelle bonne idée ! Félicitations, docteur Langevin ! Félicitations, madame, Myriam est vraiment une jolie jeune fille !

Sans préavis et de façon presque inaudible, Maguy murmura à l'intention de Fleurette :

– Si vous saviez ! Si vous saviez !

Fleurette ne prêta pas attention à ces mots. Myriam rougissait de plaisir sous les compliments qui lui étaient adressés et n'avait guère envie de suivre son père et sa mère. La seule pensée de cette cérémonie religieuse l'ennuyait. « D'ailleurs, je ne comprends même pas pour quelle raison mes parents ont tant insisté pour que j'y assiste. Je ne veux pas les décevoir, mais j'aurais de beaucoup préféré m'esquiver avec mon beau Christian. Après tout, je n'ai pas grand-chose à voir avec cette Éminence-là ! Pour maman, c'est son directeur de conscience, d'accord.

Quant à papa, il est chevalier du saint je ne sais pas quoi, d'accord, mais moi ? Le Cardinal n'est rien du tout pour moi ! » se disait Myriam.

Dès que Philippe en eut terminé avec son dernier patient, Maguy se faufila dans le bureau et se planta devant lui.

– Philippe, je ne me sens pas bien ! Mets-moi donc des gouttes...

Elle regardait avec insistance le flacon de solution cocaïnée.

– Maguy, es-tu devenue complètement folle ? Tu sais que je n'administre pas ces gouttes à n'importe quel propos !

Elle s'approcha tout près de lui. Il voulut la repousser. Elle fit la grimace.

– Philippe, soigne-moi pour que je me sente bien, au moins pendant les funérailles ! Philippe ! Philippe !

Elle frottait son visage contre son cou, le couvrait de petits baisers. Philippe ne savait plus où se mettre. Ces démonstrations-là n'avaient pas de sens ! Elle avait encore bu !

– OK, Maguy, mais je te préviens, c'est la dernière fois ! Fais vite, assieds-toi, et surtout tais-toi ! Torrieu...

Elle explosa :

– Tu es donc bien dur avec moi !

Il leva les épaules. Profitant de ce que Fleurette était en grande conversation avec Myriam, il prépara lui-même les tampons et en fit l'application à Maguy, qui reprit du poil de la bête très rapidement. Elle avait l'air parfaitement rétablie lorsqu'ils montèrent tous les quatre dans la voiture pour descendre jusqu'à la cathédrale.

Il y avait foule sur le parvis et aux alentours. C'est à peine si on pouvait trouver de la place pour se garer. Des milliers de Montréalais se pressaient pour voir une dernière fois leur saint homme avant la fermeture solennelle du cercueil qui précéderait la grand-messe de requiem. Philippe, Maguy et Myriam retrouvèrent Jean-Paul, Suzanne et leurs fils, ainsi qu'Étienne, Nicole et la petite Céline. Même tante Mimi était là avec son mari et toute sa famille. Fleurette, apercevant de loin Pierrette, Gaétan et leur ribambelle, leur fit un petit signe, mais il était impossible de rejoindre parents et amis tant la foule était dense. Philippe saluait de tous les côtés. Des personnalités appartenant à tous les milieux, hommes politiques, artistes, gens d'affaires, familles en renom, étaient venues de partout dans la province. Cette cohue silencieuse avait quelque chose de tellement étrange! La cérémonie terminée, Myriam eut vite fait de s'esquiver en jouant des coudes et en poussant. Elle retrouva quelques amies et quitta ses proches pour accompagner un groupe de jeunes qui se dirigeaient déjà vers la sortie, tandis que ses parents tournaient encore autour du cercueil.

– Monique, Louise, attendez-moi deux secondes, je viens avec vous autres!…

– Alors, grouille, Myriam, parce qu'on sort.

Allongé dans son écrin de satin blanc, le Cardinal était presque méconnaissable tant il avait maigri. Paré de ses plus beaux atours, coiffé de sa mitre et vêtu d'une chape écarlate richement brodée au fil d'or, il conservait malgré tout cet air imposant qui l'avait toujours caractérisé. Myriam remarqua sa bague, qui brillait de mille feux réveillés par la flamme des immenses cierges entourant le cercueil. Elle se souvint à cet instant du livre qu'il lui avait donné lorsqu'elle était petite, en lui disant de toujours le garder et de le lire en pensant à lui. Ce livre dormait au fond d'un tiroir depuis des années.

Sous l'effet des gouttes nasales miraculeuses, Maguy avait retrouvé sa dignité et ne pouvait s'empêcher d'avoir la larme à l'œil. Elle venait de perdre son confesseur et directeur de conscience, l'homme qui avait joué un rôle si déterminant dans sa vie de femme! Elle ne l'oublierait jamais... D'ailleurs, elle n'avait qu'à regarder sa fille pour se souvenir de lui à chaque instant!

Quant à Suzanne, elle se demandait si elle aurait désormais le courage de se dévouer pour un autre comme elle l'avait fait pour lui. Elle regardait la dépouille du Cardinal en s'interrogeant. Pourquoi fallait-il que Joseph ait perdu la tête devant les inspecteurs de police? Pourvu que ses vieux péchés n'aient pas été découverts... Sa conscience venait lui rappeler des choses qui lui donnaient le vertige ces jours-là. Mais tout cela était si loin! Comment avait-elle pu être assez folle pour se livrer au jeu de la séduction avec le Cardinal? Depuis qu'elle avait de nouveau succombé au charme de Jean-Paul, elle était devenue sage... une épouse modèle. Tout à coup, elle eut un éblouissement. Au moment où elle se trouvait face au cercueil, elle vit surgir au-dessus de celui-ci le visage de Kateri! Encore cette sauvagesse! Mais elle entrevit à cet instant une chose qui la bouleversa: sa nièce Myriam était le portrait de cette femme! L'évidence lui apparaissait ici pour la première fois! Comment n'y avait-elle pas pensé plus tôt? Suzanne Pellerin pâlit, porta la main à son front et s'écroula sur l'épaule de Jean-Paul, qui la rattrapa et la secoua un peu pour lui faire reprendre ses esprits, lui chuchotant :

– Je ne savais pas que les morts te faisaient tant d'effet !

– Jean-Paul, il ne s'agit pas du Cardinal, je t'expliquerai…

Philippe, Jean-Paul et Étienne prirent l'air grave de circonstance, conscients de ce que représentait la fin de ce règne. Son Éminence avait marqué son époque : l'époque de la toute-puissance catholique dans la province de Québec. Maintenant qu'il n'était plus, qu'allait-il advenir de cette institution dont on pouvait déjà pressentir le déclin ?

Fleurette, qui se tenait un peu à l'écart des Langevin et des Pellerin, fit un signe de croix devant le cercueil, tout en s'interrogeant. Le Cardinal était-il réellement le personnage devant qui tout le monde s'inclinait ? Qui était-il vraiment ? Quelles étaient ses passions, ses angoisses ? Il emporterait avec lui son mystère, gardant à jamais son image de sainteté, sans avoir dévoilé sa véritable nature.

Pierrette s'était approchée elle aussi. Malgré tout ce qu'elle savait de la vie cachée de ce personnage élevé au rang de symbole, malgré la souffrance qu'il avait causée et dont elle aurait pu témoigner, elle avait décidé de lui pardonner. Fidèle aux principes de la charité chrétienne, elle priait pour lui avec sincérité. Elle aurait aimé pouvoir lui parler de son vivant, mais il était toujours resté inaccessible… Pourquoi fallait-il que ce soit elle, pauvre femme anonyme, qui ait été le témoin discret de cette histoire incroyable ? Des liens occultes existaient entre une jeune fille qu'on laissait dans l'ignorance de sa propre histoire, une mère que l'on avait dépouillée jusqu'à la faire mourir de chagrin, et cette autre femme, fragile, étouffée, déséquilibrée par un secret trop lourd à porter...

Pierrette regarda Maguy par-dessus l'épaule de son aîné. « Elle a l'air en forme ce soir, tant mieux! » Tout à coup, dans la foule, elle aperçut un Indien qui agitait sa main vers elle : c'était Gaby! Ainsi, le cercle était complet. Même le frère de Kateri n'avait pu s'empêcher d'aller à l'enterrement. Il passa devant le cercueil, s'arrêtant un instant comme pour se recueillir, et Maguy, qui l'aperçut, devint soudain blanche comme un linge en pensant : « Mon Dieu, mon Dieu, que fait-il ici celui-là ? Oserait-il s'approcher de Myriam ? » Maguy cherchait sa fille des yeux, tout en surveillant Gaby, et tremblait en imaginant ce qui pourrait se passer si l'oncle et la nièce se rencontraient.

Le Cardinal avait été un homme de pouvoir, représentant deux mille ans de valeurs chrétiennes et de règles de vie ancrées dans la collectivité tout entière. Il avait balisé le chemin et maintenu les fidèles québécois dans la voie du salut. Son Éminence venait de mourir au moment où le tissu religieux s'effilochait, de plus en plus détérioré par la corruption, l'esprit individualiste et les idées nouvelles. Le pouvoir de l'argent s'exerçait partout comme un cancer insatiable, générateur d'illusions. Il avait déjà donné des coups fatals aux racines de la tradition. En pleurant la mort du Cardinal, on pleurait la fin d'une époque...

Après l'interminable messe, au moment où tout le monde remontait dans les voitures, Myriam était restée introuvable, ce qui avait mis Philippe de mauvaise humeur. Suzanne les avait tous invités à souper et Maguy, toujours sous l'emprise de ses craintes, imaginait le pire en se lamentant et en regardant nerveusement de tous côtés:

–Que fait donc Myriam? Il lui est certainement arrivé quelque chose!

–Mais qu'as-tu donc, Maguy, à t'agiter et à t'inquiéter comme ça? demanda Étienne. Elle n'a plus six ans!

La foule se dispersait lentement. On s'apprêtait à partir sans Myriam. Fleurette avait déjà traversé la rue pour aller attendre son autobus lorsque la jeune fille émergea d'un groupe et arriva en courant, le chapeau à la main.

–Myriam, que faisais-tu? Te rends-tu compte que nous sommes neuf personnes à t'attendre depuis presque un quart d'heure?

–Excusez, excusez, j'étais avec mes amis... Papa, ne sois pas fâché, OK?

–Alors, monte dans l'auto immédiatement! On va souper chez Jean-Paul et Suzanne.

–Partez sans moi, je vous rejoins en autobus!

–Myriam, tu ne peux pas faire comme tout le monde?

–Ça, c'est bien vrai. Merci, papa, à tantôt. Excusez, je vous rejoins...

Philippe soupirait, mais Maguy, rassurée, ayant aperçu Gaby qui remontait dans son camion, prit le parti de sa fille:

–Ne la chicane pas, Philippe, c'est de son âge!

Chez Suzanne, la soirée s'annonçait bien. Claude était accompagné de sa fiancée. On parlait des noces qui devaient avoir lieu l'été prochain, lorsqu'il aurait terminé ses études de médecine. Quant à François, futur avocat comme son père, il clamait qu'il voulait rester célibataire pour se sentir plus libre de voyager. Éternel farceur, il avait hâte de voir arriver sa cousine pour lui jouer des tours et la faire grimper dans les rideaux!

Le souper était presque prêt, la table avait été dressée et Nicole aidait Suzanne à assaisonner le rôti et les légumes. Maguy commençait à se sentir en état de manque. Les effets bénéfiques de ses petites gouttes s'étaient envolés à mesure que passaient les minutes. Alors, n'y tenant plus, elle buvait verre après verre et commençait à perdre la maîtrise d'elle-même. Jean-Paul et Étienne étaient passablement contrariés et commençaient à se poser des questions sur son comportement. Philippe, lui, n'en pouvait plus de la voir se soûler ainsi, surtout devant la famille. Il prenait des airs de martyr. Ce fut Étienne, incapable de se taire plus longtemps, qui intervint le premier, lui arrachant la bouteille des mains. Maguy était affalée sur la table et tentait de se verser un verre.

– Maguy, tu ne trouves pas que tu as assez bu?

– Depuis quand, Étienne, est-ce que tu me fais la morale?

– Tais-toi donc, Maguy, et arrête de boire. Tu as bu à toi toute seule plus que nous tous réunis!

– Tiens, tiens, un saint homme de plus dans la famille! Avec Philippe Langevin, ça fait deux!

Elle se leva, faillit s'écrouler et se rendit en titubant dans la cuisine, tout en essayant de donner le change: elle voulait ouvrir une nouvelle bouteille de bourgogne. Quand Suzanne tenta de l'en empêcher,

Maguy se mit à hurler comme une démente, à tel point que Suzanne s'arrêta net.

–Toi, ma Suzanne, occupe-toi donc de tes affaires! Toujours à te mêler de ce qui ne te regarde pas, hein? Depuis quand est-ce que tu ne m'as pas achalée avec tes beaux principes?

Philippe vint à la rescousse de sa belle-sœur. Il prit sa femme par les épaules et dut presque la porter jusqu'à un fauteuil du salon, où il la fit asseoir. Elle se débattait. Comme il la maintenait solidement, elle lui tira les cheveux. Il leva la main pour la gifler, puis, effrayé de son geste, il la lâcha et rajusta sa veste. Il régnait un vent de consternation dans toute la maison. Philippe avait la gorge serrée, comme s'il avait été sur le point de pleurer. Maguy les toisait tous en ricanant:

–Avez-vous vu, avez-vous vu la sainte famille qui se ligue pour me dire quoi faire? Savez-vous que vous êtes tous dans le même sac que le saint docteur Langevin?... Mon cher époux me laisserait mourir plutôt que de s'occuper de ma santé!... Pfft, tous dans le même sac. Pfft, si vous saviez!

Jean-Paul éleva la voix:

–Assez, Maguy, c'est assez! Tu n'as pas toute ta tête.

–Bien sûr que j'ai pas toute ma tête quand je vous dis vos quatre vérités, n'est-ce pas? Bande d'hypocrites, pffff...

C'en était trop. Philippe lui mit son manteau et se dirigea vers la porte en la poussant devant lui.

–Nous partons. Ce sera mieux pour tout le monde.

Suzanne et Jean-Paul acquiescèrent. En effet, cela valait mieux pour tout le monde... Maguy ne réagissait plus. Il la porta dans l'auto et revint sur ses pas.

– Ah, Myriam n'est pas encore arrivée…

– Ne t'inquiète pas, dit Étienne, on s'occupera d'elle dès qu'elle arrivera.

– Merci, Étienne, et vous aussi, Jean-Paul et Suzanne! J'espère que les choses se passeront mieux la prochaine fois.

– Mon pauvre Philippe, si on peut t'aider…

Tous hochèrent la tête. Cette soirée qui aurait dû être consacrée à la mémoire du Cardinal tourna autour d'un autre thème:

– Le pauvre Philippe, c'est terrible ce qui lui arrive. Comment Maguy peut-elle en être rendue là!

Lorsque Myriam fit son apparition, toute joyeuse, on lui servit son souper en disant:

– Maguy était un peu souffrante, alors ton père a préféré la raccompagner chez vous pour qu'elle se repose.

Myriam était inquiète et François n'eut même pas le cœur de la faire enrager. Quant à Suzanne, qui habituellement s'occupait bien peu d'elle, elle suivait Myriam partout et la regardait comme si elle ne l'avait jamais vue auparavant, ce qui intriguait la jeune fille.

C'est après ce douloureux épisode que la famille décida, malgré l'opposition de Maguy, de vendre la propriété d'Albert et d'Anne Pellerin. À cause de ces incidents et parce que les rapports devenaient trop difficiles, on vendit aussi les autres maisons. Étienne et Nicole s'installèrent dans un cottage sur la Rive-Sud, Jean-Paul et Suzanne choisirent d'habiter à Notre-Dame-de-Grâce, et Philippe et Maguy achetèrent une maison à Outremont. Ce quartier agréable, plein de verdure et situé à proximité du centre-ville, rapprochait Myriam de son nouveau collège et Philippe du cabinet médical.

Maguy, vaincue et amère, vendit le piano à queue de sa mère pour une bouchée de pain, liquida tous les meubles aux enchères et fit décorer son nouveau logis dans un style ultramoderne totalement opposé à celui de leur maison d'Ahuntsic.

*

Ce samedi-là, par un temps idéal, Philippe arrivait en compagnie de Diane au Montreal Golf and Country Club, le club de golf de Saint-Lambert. Situé sur la rive sud du Saint-Laurent, le terrain ne manquait pas d'attrait. Dès qu'on avait dépassé les bâtiments faisant face au fleuve, on pénétrait dans un décor somptueux planté d'arbres centenaires qui embellissaient ce paradis de verdure entretenu avec un soin méticuleux. Philippe et Diane retrouvèrent là les partenaires avec lesquels ils disputaient un tournoi qui s'annonçait des plus agréables. Ils s'installèrent dans les voiturettes avec leur sac et roulèrent jusqu'au premier tertre, à l'emplacement du départ. La semaine ayant été très chargée, Philippe avait des douleurs semblables à des courbatures dans tous les membres et l'impression d'avoir un sac de plomb sur les épaules. Il rajusta sa casquette en songeant : « Fleurette a peut-être raison de me répéter que je travaille trop et que je n'ai plus vingt ans ! » Terriblement las, Philippe comptait sur la belle journée, sur l'air pur et sur la compagnie de Diane pour se remettre en forme. L'attitude de Maguy, qui exigeait trop de lui, son alcoolisme et la dégradation de son état général, tout cela devenait intolérable. Heureusement que Myriam ne se rendait pas très bien compte de ce qui se passait. Toujours sortie, s'adonnant à mille activités et en général entourée d'une cour d'admirateurs et d'admiratrices, elle ne voyait qu'une petite partie du problème. Ses dix-sept ans l'empêchaient d'en mesurer l'ampleur.

La partie de golf se déroula sans anicroche et fut chaudement disputée. Une brise légère, ni trop fraîche ni trop chaude, venait caresser les joueurs réunis sur le vert. Dès les premiers trous, Diane montrait qu'elle était en possession de tous ses moyens. Elle jouait avec plus de précision que d'habitude et cela la rendait joyeuse. Un de leurs partenaires, un vieux camarade de Philippe, siffla d'admiration lorsqu'elle plaça un coup incroyable au cinquième trou, à cinq pouces du drapeau, ce que lui-même n'avait pas pu réussir.

–Oh, oh, mais elle est redoutable, cette chère amie!

Les autres joueurs lui lancèrent une pluie de compliments. Quant à Philippe, il était toujours aussi habile; il arrivait à se concentrer au bon moment, malgré sa fatigue, et pouvait utiliser la précision immanquable de son élan pour envoyer ses balles avec une charge tardive. Finalement, au dix-huitième trou, Philippe l'emporta après avoir mis sa balle en très bonne position. Le soleil se couchait au-dessus du Saint-Laurent lorsqu'ils revinrent au stationnement, éreintés mais satisfaits. Philippe appréciait les heures passées au grand air avec Diane. Le fait de pratiquer un sport avec elle favorisait le développement, partie après partie, d'une plaisante complicité entre eux.

Ce soir-là, détendu et heureux, il ne demandait qu'à prolonger ces moments de plaisir.

–Veux-tu que nous allions souper sur les bords du Richelieu? lui proposa-t-il.

Diane accepta sans l'ombre d'une hésitation. La vallée du Richelieu était un coin de pays ravissant, très propice à un souper en tête-à-tête. Ils s'arrêtèrent dans une charmante auberge au bord de l'eau, bavardant de choses et d'autres, la conversation prenant un tour de plus en plus familier. Diane découvrait que Philippe était quelqu'un de très bien, et lui trouvait de plus en plus de charme à sa compagne au fur et à mesure qu'il la connaissait mieux. Et puis elle n'était vraiment pas compliquée. Lorsqu'il lui prit la main, elle se laissa faire et, lorsque Philippe commanda une bouteille de champagne, elle se mit à rire.

–Avons-nous quelque chose à fêter ce soir?

La regardant dans les yeux, il ajouta simplement:

–Oui, si tu le veux...

Elle fut touchée tout à coup. Philippe avait à cet instant le regard intense et brûlant d'un homme amoureux. Il était beau. Rayonnant. Comme s'il s'était libéré d'un masque, d'un vernis superficiel qui jusque-là l'avait empêché de montrer son vrai visage. Attirant. Bouleversant. Diane se doutait bien qu'ils en arriveraient là! Lorsqu'ils sortirent de l'auberge et allèrent faire quelques pas le long du Richelieu, les grillons chantaient de toutes parts et les étoiles scintillaient par milliers. Sur la rive opposée, un clocher se découpait, gracieux sous le clair de lune, et Diane entendit le petit bruit métallique du dernier bac qui débarquait ses passagers. Philippe mit de côté ses scrupules, sa culpabilité et ses soucis habituels, ayant décidé de jouir pleinement de ces moments enchanteurs. Diane se rapprocha doucement de lui et lui offrit ce premier baiser qu'il attendait, contact sans retenue où leurs corps se cherchaient dans un élan incontrôlable. Ils étaient si assoiffés l'un de l'autre qu'un seul baiser ne pouvait les assouvir. Dans la voiture, sur la route du retour, mettant ses réticences de côté, elle se serrait contre lui. Comme Maguy le faisait jadis... Bien loin de la repousser, Philippe, envahi par une vague de désir, retrouvant sa fougue de jeune homme, se mit à caresser ses genoux et ses cuisses en roulant encore plus prudemment qu'à l'ordinaire. La texture soyeuse de sa peau faisait flamber son imagination, il n'avait plus qu'une hâte, faire tomber la barrière de ses vêtements et la tenir nue dans ses bras. Une voiture qui les suivait à vive allure essayait de les doubler sans y parvenir et lançait de pressants appels de phares. Philippe s'arrêta sur le bas-côté pour laisser passer ce fâcheux et murmura à l'oreille de Diane:

– Qu'il passe donc, ce fou! Nous, on n'est pas pressés...

Diane, éprouvant dans son corps une excitation qu'elle avait rarement vécue, décida alors qu'elle allait vivre un grand amour.

Lorsqu'il quitta sa chambre, vers une heure du matin, Philippe avait la mort dans l'âme en songeant que Maguy serait entre eux chaque jour et que les convenances rendraient irréalisables d'éventuels projets. Diane n'était pas femme à se contenter d'un second rôle; enflammée, chavirée par l'intimité qui s'était créée entre elle et Philippe, elle avait envie d'être plus que sa maîtresse. Car Philippe Langevin n'avait pas que son charme à offrir, il lui assurerait

une vie riche et confortable. Hélas, il était marié ! Sur-
voltée, toute sa sensualité éveillée au milieu des draps
qui gardaient la chaleur et le parfum de son amant,
elle ne dormit pas de la nuit.

QUATRIÈME PARTIE

Chapitre XXI

Outremont, août 1965.

Rue Bernard, il faisait une chaleur étouffante. Deux ou trois mères de famille, poussant tranquillement un landau, échangeaient les potins du quartier tout en faisant leurs provisions. Pendant qu'elles surveillaient leur petit dernier à l'ombre d'un arbre, les plus grands jouaient au ballon dans la cour de l'école, sous l'œil vigilant d'une grand-mère. D'autres enfants, perchés sur des bicyclettes, tournaient à grande vitesse avec des cris de victoire, retentissant en écho sur l'asphalte du terrain. À les voir se démener ainsi, on aurait dit qu'ils étaient tous insensibles à la chaleur écrasante. Quelques fillettes assises sur les marches des perrons jouaient sagement à la poupée et d'autres, un peu plus loin, sautaient à la corde en chantant des comptines.

Allongeant le pas, Pierrette tourna à l'angle de la rue Wiseman, au charme victorien. De chaque côté, les façades des maisons entourées de pelouses et de massifs fleuris s'agrémentaient de portiques à colonnades blanches et de fenêtres dont les vitraux étalaient des guirlandes fleuries. Les carreaux ciselés et biseautés des portes réfléchissaient la lumière tremblante du soleil qui perçait entre le feuillage des grands arbres. Pierrette monta les marches, franchit le seuil avec le front en sueur, posa son sac et enleva ses souliers, puis sortit son tablier dans la maison silencieuse. La nouvelle maison des Langevin, à Outremont, était plus petite que celle d'Ahuntsic et pourvue d'un confort ultramoderne. Dès qu'on avait passé la porte d'entrée, on pénétrait dans un grand salon, garni de sofas rebondis et de larges fauteuils recouverts de cuir coquille d'œuf. Dans les angles, des palmiers de taille imposante donnaient un relief particulier à l'ensemble et, sur les murs recouverts d'une tapisserie reprenant les tons du mobilier, Maguy avait fait poser quelques toiles non figuratives aux teintes éclatantes.

Les bibelots et les pièces d'argenterie placés ici et là sur les tables basses en bois de teck exposaient les courbes délicates de leurs formes au milieu de cet ensemble rectiligne. Tout au fond du salon, un peu à l'écart, comme un ami oublié, se tenait un nouveau piano. La salle à manger, dans le plus pur style scandinave, faisait suite à la cuisine superbement équipée, où tout ce qui se faisait de robots électriques était à la disposition de la cuisinière. Bien que la maison fût située à quelques pas d'un parc verdoyant, dans cette coquette rue résidentielle, il n'y avait pas de rivière à proximité pour apporter la fraîcheur par un jour de canicule comme aujourd'hui. Malgré tout, dans la cuisine orientée au nord, il faisait presque frais.

Pierrette se mit à l'ouvrage. On n'entendait pas un bruit, hormis le tic-tac de l'horloge au-dessus de la porte. Déjà dix heures ! Sa visite à grand-maman Leblanc à l'hôpital avait été plus longue que prévue. Pierrette soupira : « C'est un peu inquiétant, cette fracture de la hanche. Va-t-elle retrouver l'usage de ses jambes? Surtout que son moral n'est pas bon, on dirait qu'elle perd les pédales depuis sa chute... » Tout en pensant à sa mère malade et en essayant de trouver des solutions aux problèmes qui pourraient se présenter, elle faisait l'inspection du réfrigérateur... presque vide. Il lui faudrait bien aller faire quelques provisions avant ce soir. Auparavant, Maguy se chargeait d'acheter la nourriture, mais depuis quelques mois elle ne mettait presque plus le nez dehors. En fait, elle ne sortait plus que pour se rendre au cabinet médical. Ensuite, elle restait enfermée dans sa chambre, ou encore dans le salon, et regardait la télévision. Depuis ce malencontreux face à face avec le frère de Kateri, chez les Toupin, Maguy avait pris ses distances avec Pierrette et se confiait moins qu'auparavant. De plus, son état dépressif empirait de semaine en semaine, masquant les aspects positifs de sa personnalité, ce qui rendait la situation assez inconfortable.

Pierrette s'épongea le front et ramassa sur une chaise quelques exemplaires de la revue *Châtelaine* que Myriam avait laissés là, tout en organisant mentalement son travail: «D'ailleurs, la pauvre n'est pas encore descendue... Comme c'est triste de voir madame Maguy s'enfermer jour après jour dans sa chambre! Qu'est-ce que je pourrais bien préparer pour le souper?»

Elle venait d'ouvrir la porte du placard de cuisine pour faire l'inventaire des provisions lorsqu'elle reçut sur la tête deux ou trois bouteilles qui éclatèrent en mille miettes sur le carrelage en céramique. Elle laissa échapper un «Aïe!» en se frottant le front, cette fois sous l'effet de la douleur, et pensa qu'elle en serait quitte pour une légère bosse! Quelle ne fut pas sa stupéfaction en constatant que le placard était rempli de bouteilles de toutes sortes, vides évidemment! « Mais j'ai pourtant fait le ménage il y a à peine trois jours! » Armée du ramasse-poussière et du balai, Pierrette enleva consciencieusement tous les éclats.

– Allô, allô, Pierrette, as-tu cassé quelque chose?

– J'ai bien failli me faire assommer…

Myriam rentrait de sa leçon de tennis et refermait bruyamment la porte :

– Qu'est-ce que c'est, toutes ces bouteilles?

– Je n'en sais pas plus que toi!

Toujours aussi enjouée, la jeune fille posa sa raquette sur le comptoir de la cuisine et, sans prêter attention aux propos de Pierrette, s'approcha, lui frotta le front et lui donna un gros baiser, comme on le lui faisait à elle lorsqu'elle était toute petite :

– Tiens, voilà pour guérir ton mal!

Elles riaient de bon cœur l'une et l'autre.

– Comment va grand-maman Leblanc?

– Ce n'est pas brillant, ma chère petite! Je me demande si elle va se remettre de sa fracture. Il est question qu'elle sorte de l'hôpital dans deux jours et je ne sais pas si elle pourra rester seule à la maison! Et puis on doit l'opérer de nouveau dans quelques mois.

– Qu'est-ce que tu vas faire? demanda Myriam avec une pointe d'inquiétude dans la voix.

Pierrette haussa les épaules dans un geste d'impuissance et Myriam se jeta dans ses bras.

– C'est égoïste, vois-tu, mais je ne voudrais pas que tu nous quittes. Jamais!

–Et toi, ma chère enfant, tout va bien pour toi?

–Oh oui, la vie est belle... avant-dernière année de collège! Quand j'aurai reçu mon diplôme, je rêve de m'inscrire à l'université, mais je ne sais pas encore si papa et maman vont aimer mon idée!

–Pourquoi donc?

–Parce que maman dit que je n'ai pas besoin de me casser la tête à travailler et papa, qui m'écoute, répète que les femmes sont faites pour élever des enfants, pas pour s'occuper des problèmes de la société...

Maguy, qui descendait l'escalier à ce moment, ayant été tirée de sa torpeur par le fracas des bouteilles cassées, se fit interpeller:

–Hé, maman, tu sais que je voudrais faire mon cours de droit l'an prochain? Qu'en dis-tu?

–Je dis, Myriam, que c'est ridicule, quand on est une riche héritière comme toi, de vouloir faire autre chose que se cultiver, s'amuser et apprendre les bonnes manières!

–Oui mais, maman, mon rêve c'est d'être avocate.

Maguy haussa les épaules et regarda la pendule:

–Lorsque tu seras mariée, tu n'y penseras plus! J'ai rendez-vous à onze heures avec la manucure, il faut que je me dépêche.

–Maman, cet après-midi, est-ce que je peux me servir de ta voiture?

–Bien sûr, Myriam, il fait beau. J'irai au cabinet médical à pied, cela me fera du bien de marcher!

*

Malgré l'heure tardive, au coin des rues Saint-Denis et Sherbrooke, la crémerie était encore ouverte et faisait des affaires d'or. Fleurette, qui revenait de la Comédie-Canadienne, s'arrêta et commanda un gros cornet à la fraise. Rêveuse, elle était encore tout imprégnée de la pièce de Gratien Gélinas, *Hier, les enfants dansaient*, qu'elle venait de voir avec sa sœur et sa meilleure amie. Du beau théâtre! Quels magnifiques comédiens!... Continuant sa promenade, elle traversa le carré Saint-Louis, léchant sa crème glacée avec délices, remonta la rue Laval en croisant les nombreux flâneurs qui profitaient de la soirée chaude pour rester dehors et salua quelques voisins au passage. Fleurette aurait bien prolongé la soirée, mais Yvette et Madeleine s'étaient liguées contre elle, prétextant qu'il était déjà bien assez tard:

—N'oublie pas qu'on se retrouve avant huit heures demain matin au Terminus Voyageur, l'autobus ne nous attendra pas!

Les trois inséparables devaient aller passer la journée chez des amis à Chambly, où il y aurait une épluchette de blé d'Inde et peut-être une baignade dans le Richelieu si le temps le permettait. Alors, Fleurette les avait quittées pour rentrer chez elle en leur disant:

—Vraiment, les filles, vous êtes comme des vieilles! Pas capables de veiller! Je crois bien que vous êtes bonnes pour rester vieilles filles...

Fleurette monta les escaliers et ouvrit toutes grandes les fenêtres de son troisième étage pour avoir un peu d'air. Dans la rue, on entendait rire quelques promeneurs nocturnes attardés, et la musique d'un voisin montait jusqu'à ses oreilles, s'échappant d'un poste de radio un peu trop tapageur. Comme elle n'avait pas du tout envie de dormir, elle se versa un grand verre de limonade avec des glaçons et tourna le bouton de la télévision pour voir si elle ne trouvait pas quelque émission divertissante. C'est au moment où elle venait de se caler confortablement dans le sofa que la sonnerie du téléphone l'obligea à se lever de nouveau. Sûre que c'était Madeleine qui la rappelait, elle dit en riant :

– Ah, toi et tes envies de rentrer tôt pour aller te coucher !

– Allô... alors...

– Oh, excusez-moi, madame Langevin !

Maguy était au bout du fil, l'air complètement perdu.

– Madame Langevin, que vous arrive-t-il ? Êtes-vous souffrante ?

– Fleurette, dites-moi, savez-vous où est Philippe ?

– Bien sûr que non, madame Langevin ! Mais il ne faut pas vous mettre dans cet état ! Si quelque chose lui était arrivé, on vous aurait prévenue.

– Fleurette, êtes-vous sûre que vous ne savez pas où est mon mari ?

Fleurette était gênée par une telle insistance. Qu'allait-elle donc imaginer ! Pauvre Maguy, pauvre femme ! Elle avait la voix traînante de quelqu'un qui a bu !

– Le docteur n'a pas l'habitude de me dire où il se rend, madame.

– Ah... je pensais que peut-être il était... avec vous...

Cela, c'était le bouquet !

– Voyons, madame Langevin...

– Arrêtez donc de m'appeler madame Langevin, Fleurette, vous savez bien que c'est Maguy.

Fleurette était de plus en plus mal à l'aise. « A-t-elle vraiment perdu la tête ? Ça m'en a tout l'air », pensa-t-elle. Maguy avait cessé de parler et, au bout de quelques secondes de silence, Fleurette l'entendit pleurer.

– Madame, oh, pardon, Maguy, êtes-vous seule ? Myriam n'est pas avec vous ?

– Oh, Myriam sort beaucoup... C'est comme son père. Maintenant, ce maudit cochon, il sort tous les samedis sans moi ! Oh, je suis toujours toute seule !

Elle sanglotait sans retenue.

– Allons, allons, Maguy, cela me fait de la peine de vous voir ainsi à l'envers. Ne vous inquiétez pas, le docteur va bientôt rentrer.

– Vous pensez que le docteur va bientôt rentrer ? Pfft, il se moque pas mal de moi. Moi, je n'existe que pour la galerie. Oh, maudit, maudit cochon !

Imaginant sa détresse, Fleurette, abasourdie d'entendre la femme de son patron s'exprimer ainsi et ne sachant que faire, se mit à parler de choses et d'autres pour lui remonter un peu le moral. Elle se mit à lui raconter quelques potins en plaisantant un peu, exactement comme elle le faisait avec les patients ! Finalement, lorsque Maguy raccrocha, elle semblait s'être un peu calmée. « Ce qui est incroyable, se dit Fleurette, c'est que cette femme-là vive dans une telle solitude ! Personne ne fait attention à elle ! Et pourtant elle a tout pour être heureuse. »

*

Au début du mois d'octobre, les arbres du mont Royal étalaient leurs plus belles couleurs. Les érables de la métropole, voulant sans doute affirmer leur suprématie sur tous les autres, rougissaient un peu avant ceux des forêts environnantes. Les amateurs de promenades goûtaient pleinement ces jours magiques où la splendeur des arbres atteint son apogée et remplit les yeux de souvenirs inoubliables. De tous côtés, le panorama se piquetait de rouge et de cuivre doré, comme si la nature avait dressé d'innombrables oriflammes vers un ciel d'azur pour saluer la fin des récoltes. Ce serait bientôt le temps de mettre au four la dinde de l'Action de grâces et de préparer la tarte à la citrouille.

Dans la salle de classe du collège d'Outremont, tandis que soufflait un vent d'idées nouvelles, les nouvelles diplômées de philo II, animées d'une curiosité enthousiaste, étudiaient les textes classiques de Racine et de Molière, sous l'égide de sœur Josepha, leur professeur de français, qui savait capter leur intérêt. On se penchait sur les vertus d'Esther, sur les tourments d'Iphigénie et sur l'esprit insolent des femmes savantes. Toutes ces jeunes femmes, au seuil de leur vie adulte, envisageaient un avenir souriant et se sentaient à cent mille lieues de ces héroïnes au destin tragique. Quelques-unes pourtant avaient du vague à l'âme. Monique Labelle, l'inséparable amie de Myriam, qui suivait depuis si longtemps les mêmes cours qu'elle, lança à la récréation:

– J'aurais tant aimé vivre à cette époque...

Monique était plutôt rêveuse et romantique, avec de longs cheveux blonds qui auréolaient son regard doux, lui donnant des airs d'angelot vénitien.

–Hein, te rends-tu compte de ce que tu dis? Moi, je me sens bien au XXe siècle! Crois-tu qu'au XVIIe, les femmes étaient heureuses? rétorqua Christiane Saint-Onge, une petite brune pleine d'allant.

–Elles portaient de jolies toilettes, d'accord, mais on les obligeait à épouser de vieux barbons, enchaîna Myriam en se moquant.

–Et puis on les enfermait au couvent jusqu'à la fin de leurs jours pour une simple désobéissance! continua Christiane, pleine de feu. Heureusement pour nous, cela n'existe plus, des choses pareilles! Nous, les femmes modernes, on est libres de choisir notre avenir. Et puis nous vois-tu dans l'autobus avec des robes à paniers?

Ensemble, elles pouffèrent de rire.

–Ce n'était peut-être pas l'idéal, mais quand même… dit Monique avec une pointe de regret.

–Oublies-tu, Monique, qu'à notre époque on peut conduire une voiture et avoir un métier? renchérit Myriam. *Esther, Les Femmes savantes*, ce sont de belles histoires, mais cela ne suffit pas. Moi, je veux réaliser de grandes choses! Je veux que ma vie soit guidée par la passion! Apprendre quelques vers et écouter les commentaires du professeur sur les femmes du XVIIe siècle, cela n'est pas assez pour moi.

–Tu as raison, Myriam, dit Christiane. À nous de réaliser des choses que les autres n'ont jamais faites!

–Il me vient une idée, dit tout à coup Myriam. Si on montait une pièce de théâtre? On jouerait les personnages! Avec tout le groupe de philo II, on ferait les décors, les costumes, et on offrirait une représentation à nos parents, à nos amis et à nos professeurs. Ce serait amusant, non? On deviendrait nous aussi des femmes célèbres! ajouta-t-elle en plaisantant.

–Te rends-tu compte de la somme de travail que cela implique? lança timidement Monique.

–Oui, mais ça nous donnera une expérience extraordinaire! On pourrait présenter la pièce à la fin de l'année scolaire pour terminer nos études en beauté.

–Comment cela, terminer nos études? Elles ne sont pas terminées, mes études! Moi, je compte bien aller à l'université. Je veux devenir médecin! dit Christiane sur un ton décidé.

Les deux autres la regardèrent avec admiration.

–Oh, moi, enchaîna Myriam, la médecine, j'en ai trop entendu parler par mon père. Non, moi j'aimerais être avocate. Défendre ceux qui ont subi des injustices, ça, c'est important!

–Hein, avocate? dit Monique, stupéfaite. Mais il n'y a quasiment pas de femmes en droit.

Christiane, plus féministe, saisit la balle au bond:

–Justement, vous rendez-vous compte qu'il n'y a presque pas de femmes dans les universités, un point c'est tout? C'est surtout ça, le problème!

–On fait notre cours classique, et puis après on nous fait faire de l'enseignement ménager, on nous prépare au bénévolat. Malgré toute la liberté dont on nous rebat les oreilles, on nous ferme les portes. Nos grandes idées, ça finit souvent là!

–Mais moi, je suis d'accord pour avoir un mari et des enfants! J'en veux, des enfants, affirma Monique.

–Nous aussi, on en veut, des enfants, firent Myriam et Christiane à l'unisson. Travailler, cela n'empêche pas d'avoir une famille!

–Ah, vous croyez? lança Monique, sceptique.

–En tout cas, pour l'instant, on propose notre projet à sœur Josepha.

–C'est d'accord!

Elles vibraient toutes les trois d'un enthousiasme communicatif.

Le soir même, Christian vint chercher Myriam après le souper et ils allèrent au cinéma voir *West Side Story*, le film à succès. Dans la salle du Théâtre d'Outremont, il y avait un grand nombre d'étudiants et beaucoup d'animation. Les places étant rares, Myriam et Christian se retrouvèrent presque au fond de la salle, à l'extrémité d'une rangée, pas fâchés d'être un peu à l'écart de leur groupe... Un immense sac de *popcorn* sur les genoux, Myriam, profondément touchée par cette histoire de leur âge, se serrait contre l'épaule de son *chum* qui, profitant de l'obscurité, lui volait un baiser aussitôt qu'il en avait l'occasion. Au début de l'entracte, Myriam annonça:

–Tu sais, Christian, au collège on va monter une pièce de Molière! J'ai convaincu sœur Josepha, qui a accepté notre projet. C'est une grande première! De plus, c'est moi qui en ai pris la responsabilité! Es-tu fier de ta blonde?

–Ouais, ouais, pas mal...

Christian l'avait prise dans ses bras et lui caressait les seins en embrassant goulûment sa bouche. S'il avait pu, il l'aurait dévorée tout entière à la seconde même. Myriam, qui ne détestait pas ce jeu brûlant, fut malgré tout gênée de le sentir si pressant quand la salle s'éclaira. Elle le repoussa un peu:

–C'est tout ce que ça te fait?

Il lui glissa à l'oreille:

–Hmm, non, non, bien sûr. Dis-moi, ma blonde, quand vas-tu enfin faire l'amour avec moi ?

Myriam, fâchée de ces propos qu'elle trouvait trop crus, se dégagea de son étreinte :

–Christian, tu sais bien qu'on doit attendre encore ! Et puis moi je te parle de choses très importantes pour moi, et toi tu ne penses qu'à ça !

–Qu'à ça ! Normal, non, quand on a commencé quelque chose ? dit-il en lui caressant distraitement le menton.

–Peut-être, mais tu n'as pas terminé tes études, et d'ailleurs es-tu prêt à m'épouser ?

–Ah, ce que tu peux être vieux jeu ! grogna Christian.

Le mariage était une affaire bien trop sérieuse pour qu'il l'envisage déjà. À ce moment-là, étant donné la résistance de la jeune fille, c'est lui qui était fâché. Myriam s'éloigna un peu de lui et ne s'occupa plus que de croquer son *popcorn*, jusqu'à la fin du film.

*

L'état de Maguy empirait de semaine en semaine. Ses visites au cabinet médical pendant les heures de consultation étaient devenues presque quotidiennes, et Philippe n'avait pas le courage de lui couper les vivres. S'agissait-il réellement d'un manque de courage ? S'il lui arrivait de se poser la question, Philippe n'attendait pas que son esprit formule la réponse : il avait beaucoup trop de travail...

Ce jeudi-là, tandis que trois patients attendaient depuis un bon moment déjà, Philippe, courant d'une chaise à l'autre et ne voulant surtout pas mettre Fleurette à contribution en ce qui concernait Maguy, remit à sa femme un tout petit flacon de la fameuse solution.

–Tiens, Maguy, tu sais maintenant comment t'en servir. Prends aussi quelques tampons d'ouate, tu en auras besoin.

En grande hâte, il mit le tout dans un sachet et le glissa lui-même dans son sac à main, qu'il referma précipitamment. Maguy repartit calmée, sans même prendre le temps de dire au revoir à Fleurette ; soulagée de n'avoir pas eu à implorer, elle prit un taxi pour rentrer chez elle. À la maison, elle monta dans la salle de bains, fit sa préparation et se l'appliqua dans le nez, puis elle cacha le flacon tout au fond de l'armoire de toilette, derrière ses produits de beauté, comme pour se disculper de cette présence embarrassante.

La semaine d'après, elle se rendait de nouveau au cabinet médical pour faire provision. C'était devenu un besoin constant, impossible à maîtriser. Plus qu'une accoutumance, cet état de dépendance totale à deux substances toxiques, l'alcool et la cocaïne, lesquelles, ajoutées l'une à l'autre, formaient un mélange redoutable, attaquait à la fois sa santé et sa raison... Par moments consciente de son état, Maguy refusait alors de conduire sa voiture et prenait un taxi si le temps n'était pas beau ou si elle n'avait pas suffisamment d'énergie pour marcher. Sa voiture était de plus en plus souvent laissée à la disposition de Myriam, qui ne s'en plaignait pas, bien au contraire.

Côté famille, les rapports avec les deux frères et les deux belles-sœurs de Maguy s'étaient complètement détériorés. Ayant eu à plusieurs reprises l'occasion de constater que le comportement de Maguy déparait l'image de la famille, ils la mirent carrément à l'écart. Oubliant que, quelques années plus tôt, ils lui avaient confié la plupart de leurs problèmes, ils se conduisirent comme des ingrats. Depuis le fâcheux épisode des obsèques du Cardinal, on ne voyait plus guère les Pellerin. Quelquefois, Suzanne téléphonait à Philippe et lui glissait quelques réflexions peu charitables sur Maguy, avec toutes sortes de sous-entendus. Le pire, c'est qu'elle faisait cause commune avec Nicole, tant détestée jadis:

–Tu comprends, Philippe, nous nous faisons du souci pour cette chère Maguy. C'est invraisemblable de la voir manquer de volonté à ce point! Et toi, comment supportes-tu cette épreuve?

Sa voix prenait des intonations doucereuses, et Philippe, habituellement si méfiant à l'égard de Suzanne, l'écoutait malgré tout et répondait en prenant un ton de victime sacrifiée:

–Assez mal, ma chère, assez mal, merci.

Au début de l'hiver, Philippe, excédé par les supplications de Maguy jointes à sa mauvaise humeur presque continuelle, suggéra fortement à sa femme d'aller consulter quelqu'un d'autre que lui. Installé face à elle dans son fauteuil favori, les jambes nonchalamment croisées, il avait pris un air sévère et moralisateur. Maguy fut bien obligée de l'écouter et d'abandonner la télévision qu'elle était en train de regarder. Elle tourna le bouton en soupirant.

–Comprends-tu, Maguy, je ne peux pas continuer à te donner des gouttes nasales chaque jour. Étant donné la situation, il faut que tu ailles voir un de mes collègues.

Maguy l'entendait prononcer ces mots choisis à l'avance, des mots qui ne disaient rien de vrai et qui à cause de cela la perturbaient encore plus. Des mots si éloignés de la réalité... Elle pensait : « Si au moins il avait le courage de me parler de drogue, de cocaïne, au lieu de dire les "gouttes nasales"... les "gouttes nasales" ! » Mais elle avait encore moins que lui le courage de se dévoiler. Elle ne savait pas comment faire et leur dialogue était vide comme l'était leur vie commune, depuis si longtemps !

– J'espère que lui me comprendra mieux que toi, lui répondit-elle de façon assez acide.

Penaude malgré tout, admettant qu'elle devait se faire soigner, elle obéit à son mari. Philippe fit appel à un médecin généraliste de l'Hôtel-Dieu, une vieille connaissance. Il se rendit jusqu'à son cabinet et, trop embarrassé pour lui avouer le véritable problème de Maguy, ne mentionna nullement sa dépendance, demandant à son confrère de faire tout ce qu'il pourrait pour redonner à son épouse un peu de santé, car, lui dit-il :

– La pauvre dépérit depuis quelques mois, je préfère que vous y voyiez. Vous savez qu'il est bien difficile de soigner sa propre famille !

– C'est l'évidence même, mon cher !

– C'est que, voyez-vous, Maguy a un fâcheux penchant...

Les mots restaient pris dans sa gorge. Impossible d'aller plus loin. Rien qu'à cette idée, son estomac se nouait... L'autre vint à sa rescousse :

– Ne vous inquiétez pas, je vais m'occuper d'elle ! N'en dites pas plus ! Vous me faites l'honneur de me confier votre femme, j'y mettrai toute ma compétence...

– J'en suis certain !

Ils se serrèrent la main. Philippe avait l'air soulagé de quelqu'un qui a trouvé la solution miraculeuse et le docteur Landry se sentait très honoré. Cette marque de confiance du docteur Langevin entourait son nom d'une auréole glorieuse. Même s'il espérait qu'une cure serait imposée à Maguy, Philippe tremblait à l'idée qu'un médecin puisse découvrir où elle s'approvisionnait ! De quoi aurait-il l'air ? Tout le corps médical savait qu'il avait la drogue sur ses tablettes, à sa disposition… Inconsciemment, il comptait sur la vanité du docteur Landry. Celui-ci était sûr d'avoir été préféré à bien des collègues. Flatté, il recevrait Maguy avec le sentiment de rendre un fier service au renommé docteur Langevin !

Lorsqu'il reçut sa patiente pour la première fois, le petit homme bedonnant et bavard qu'il était s'en donna à cœur joie. L'entrevue prit des allures de conversation mondaine bien plus que de consultation sérieuse. Les yeux fixés sur les nombreuses photos qui ornaient les murs de son cabinet, il lui parla de sa progéniture d'un air attendri, racontant avec force détails la naissance de chacun de ses enfants, qui étaient au nombre de huit, et étalant devant madame Langevin les bonheurs de la vie en famille :

– Vous comprenez, nous avons dû nous arrêter là, ma femme et moi. Lorsque le septième s'est annoncé, elle commençait déjà à avoir des difficultés à mener ses grossesses à terme et nous mettions sa vie en danger à chaque accouchement !

Si Maguy comprenait… il n'avait pas idée à quel point elle comprenait ! Il l'ausculta rapidement, ses lunettes sur le bout du nez, puis il l'envoya passer quelques examens et déclara ensuite à Philippe que Maguy souffrait de diabète. Maguy, qui s'attendait à se voir infliger un long questionnaire, ne protesta pas et repartit sans avoir avoué quoi que ce soit. Quant à Philippe, il fut soulagé d'entendre ce diagnostic complètement erroné, lui qui ne voulait surtout pas qu'on lui dise : « Madame Langevin se drogue, mon cher ! Au fait, comment se procure-t-elle la cocaïne qu'on retrouve dans ses urines ? »

Le docteur Landry recommanda à Maguy de suivre un régime sévère, sans sucre, lui prescrivit quelques pilules et voulut la revoir tous les mois afin d'enrayer l'évolution de la prétendue maladie... Son traitement et ses conseils ne furent guère utiles à Maguy, mais Philippe, lui, en tira bien des avantages. Il couvrit son confrère de compliments qui laissèrent l'autre persuadé dur comme fer de la justesse de son diagnostic. Affichant sa bonne conscience, Philippe était désormais irréprochable aux yeux de tous : il avait confié sa femme aux soins d'un de ses collègues et il s'était ainsi dégagé de toute responsabilité envers elle.

*

Les semaines et les mois défilant au rythme de son activité fébrile, Philippe avait l'habitude, chaque année au mois de février, de s'envoler pour la Floride, paradis des golfeurs ; il partait trois semaines avec Maguy pour couper le long et dur hiver. Lorsqu'arriva cette année-là la date prévue pour leurs vacances, non seulement Maguy n'allait pas mieux, mais elle ne pouvait plus se passer de sa dose quotidienne de cocaïne et d'alcool. Le docteur Langevin lui en avait préparé toute une provision dans des flacons étiquetés, comme si cela avait été un médicament indispensable, car il était très dangereux de traverser ainsi la frontière des États-Unis.

Grâce à l'intervention d'un ami d'enfance assez haut placé à la Gendarmerie royale du Canada, le capitaine Roy, et grâce à sa qualité de médecin, Philippe avait obtenu un laissez-passer spécial de même qu'un traitement VIP pour voyageurs malades. Ainsi munie d'un papier officiel attestant son diabète et la nécessité d'avoir continuellement ses remèdes sur elle, Maguy passerait la frontière dans un fauteuil roulant, déclarant qu'elle ne pouvait marcher. Philippe la ferait sortir par le passage direct et ils échapperaient de cette façon aux déclarations embarrassantes, sous l'œil bienveillant et paternel des douaniers qui ne poseraient aucune question à l'éminent docteur Langevin. Pourtant, ni lui ni elle n'étaient tranquilles, ils étaient devenus complices! S'il fallait qu'on les prenne sur le fait... Philippe risquait gros, il savait qu'il mettait en jeu son droit de pratique.

Le jour du départ, Philippe eut quelques sueurs froides. Au moment de partir pour l'aéroport de Dorval, Maguy était dans un état lamentable. L'angoisse la rendait encore plus malade et elle avait déjà une certaine dose d'alcool dans le sang. Myriam proposa de les accompagner avec la voiture de Maguy.

– Non, non, Myriam, la route est encore enneigée et c'est trop difficile de trouver à stationner, appelle donc un taxi!

Myriam décrocha le téléphone, puis, comme sa mère réclamait avec insistance ses petites gouttes pour le nez, elle lui donna elle-même le remède. Philippe, redoutant que sa fille lui pose des questions, prenait son temps avec les valises et, afin d'échapper à la curiosité de Myriam, cherchait partout les lunettes et le chapeau de soleil qu'il prétendait avoir égarés. C'est Maguy qui en fit les frais, tandis qu'elle donnait un dernier coup de peigne à sa coiffure.

–Qu'est-ce que c'est, maman, ce que tu te mets dans le nez?

–C'est une solution que ton père utilise pour empêcher les saignements.

–Oui, mais quand tu n'as pas de saignements, pourquoi en prends-tu?

–Oh, pour me soulager. Tu vas voir, dans quelques minutes, je vais aller mieux. C'est un excellent médicament.

Maguy resta évasive. En effet, quelques minutes plus tard, elle avait l'air toute ravigotée. Myriam trouvait cela étrange. Curieuse, elle s'approcha de son père et lui demanda:

–Dis-moi, papa, qu'est-ce donc que ce médicament que tu donnes à maman tous les jours?

–C'est une solution qu'on emploie en oto-rhino. Ça la remet en forme, vois-tu!

–Oui, mais pourquoi dans son nez? Qu'est-ce qu'il a, son nez?

–Dépêche-toi, Myriam, on est pressés. Ta mère est malade, tu le sais! Il ne faudrait pas qu'on manque notre avion. Il part dans une heure à peine.

–Ah bon...

Tout le long du chemin, dans le taxi, assises toutes les deux côte à côte sur la banquette arrière, Maguy parlait avec sa fille de leur séjour en Floride, pendant que Philippe discutait de l'actualité avec le chauffeur.

– Je vais m'ennuyer de toi, je vais tellement m'ennuyer de toi! Là-bas, c'est encore pire qu'à la maison,
je suis toujours toute seule! Ton père va jouer au golf
toute la journée et il me laisse à l'hôtel. Je m'ennuie
en Floride! Je n'ai personne avec qui parler.

– Mais pourquoi ne te baignes-tu pas, maman?

– J'ai bien trop peur toute seule.

– Mais tu pourrais te faire des amies sur la plage.

– Non, non, je ne connais personne, la plupart du
temps, je reste dans ma chambre.

– Mais alors, maman, pourquoi pars-tu, si tu n'es
pas bien là-bas?

– Parce que, ici sans ton père, je ne pourrais
jamais avoir mes remèdes. Je n'oserais pas les demander à Fleurette.

Philippe se retourna et fusilla sa femme du
regard.

– Tais-toi donc, Maguy, tu dis n'importe quoi!
Ne peux-tu pas arrêter de débiter des niaiseries?

Maintenant, c'est Maguy qui avait l'air fâché.
« Quelle énigme! Je ne les comprends ni l'un ni l'autre », pensa Myriam.

À l'aéroport de Dorval, le hall des départs était
très animé. Des touristes enregistraient leurs bagages
avant de s'envoler vers les Caraïbes et, non loin de là,
des hommes d'affaires cravatés, l'air sévère, conversaient discrètement, serviette de cuir en main, avec un
fort accent du sud des États-Unis. Quelques prêtres en
soutane partaient pour la Ville éternelle avec des airs
de pèlerins, cherchant sur les tableaux d'affichage
leur porte d'embarquement, tandis qu'un haut-parleur

à la voix angélique répétait de minute en minute, en anglais puis en français :

–Monsieur et madame Higgins sont priés de se présenter au comptoir d'Air Canada.

Dès qu'elle eut passé la porte de l'aérogare, Maguy se tut complètement et prit place sur la chaise roulante que Philippe lui avait fait avancer avant même qu'ils aient enregistré leurs valises. Absente, elle ne répondit même pas aux souhaits de bonnes vacances que lui lança sa fille. Quant à Philippe, il avait l'air préoccupé en se présentant au comptoir, surveillant sans cesse le passage qu'ils allaient devoir emprunter. La jeune femme de l'accueil, souriante, lui indiqua la marche à suivre, alors que lui, pâle et tendu, poussait la chaise roulante de Maguy. Il avançait à toute allure, ne faisant même plus attention à Myriam qui les saluait de la main. Quelle était donc la raison d'une telle anxiété? Après avoir franchi le contrôle, avant l'embarquement, il faillit bien envoyer Maguy au moins deux fois dans le mur, à tel point qu'un douanier lui dit en plaisantant :

–Ne vous pressez pas tant, monsieur, vous allez la briser avant d'être dans l'avion! Vous avez encore cinq bonnes minutes pour vous rendre jusqu'à la passerelle d'embarquement!

Maguy maugréait tout bas.

–Veux-tu donc me tuer?

Lorsque ses parents furent montés dans l'avion, Myriam fut envahie par un sentiment étrange. Elle sortit de l'aéroport, héla un taxi et se fit conduire chez tante Mimi.

*

Par une grosse tempête de neige, un après-midi où ils n'avaient pas de cours, Christian, Myriam, Monique et quelques copains se trouvaient à deux coins de rue du cabinet médical, transis de froid sur le trottoir. Impossible d'aller patiner comme ils en avaient d'abord eu l'intention. Le vent les plaquait le long des boutiques et menaçait d'arracher leurs chapeaux. Plutôt que de se laisser geler ainsi, Myriam eut envie d'aller dire bonjour à Fleurette, histoire de se réchauffer un peu. Monique prit l'autobus pour rentrer chez elle et Myriam quitta les garçons, qui étaient en grande polémique au sujet de la stratégie à adopter pour marquer certains buts au hockey. Cela ne l'intéressait guère! Elle courut, grimpa les marches et poussa la porte. Tout était calme. Fleurette était en plein rangement. Lorsque le docteur était absent, elle en profitait pour faire l'inventaire des stocks de médicaments, vérifier les instruments, nettoyer à fond les linges et en acheter de nouveaux... Bref, en plus de répondre au téléphone et de planifier les rendez-vous pour le docteur Langevin, elle trouvait toujours quelque chose à faire. Surprise de voir la porte s'ouvrir, Fleurette fit un large sourire en reconnaissant Myriam:

–Ah, par exemple... Myriam, tu viens me voir?

–Mais oui, bonjour, Fleurette! On gèle, c'est la grosse tempête!

Myriam avait le bout du nez tout rouge et les yeux larmoyants à cause du froid. Son écharpe était toute blanche et pleine de petits morceaux de neige glacée. Elle enleva sa tuque et ses mitaines, secoua ses bottes et les plaça sur le tapis en caoutchouc en faisant mine de grelotter.

–Bon, viens donc te réchauffer un peu et raconte-moi. Comment vont tes parents?

–Ça va, ça va! Maman a téléphoné hier soir, elle disait qu'il faisait beau là-bas, les chanceux! Dis-moi, Fleurette, est-ce que je peux t'aider?

Fleurette n'eut pas le courage de dire à la jeune fille que, la veille, Maguy l'avait appelée elle aussi, complètement déboussolée, pour lui raconter que Philippe allait retrouver une femme sur le terrain de golf. Cette fois encore, elle avait beaucoup pleuré! À quoi bon troubler la jeune fille? Myriam faisait gaiement le tour de l'armoire à pharmacie, prête à obéir aux directives de Fleurette, sans se douter du drame qui accablait sa mère.

–Tiens, puisque tu es là et que tu veux m'aider, tu vas compter combien il y a de boîtes de pilules dans chaque catégorie. Tu me dis combien il y en a et moi, je note le résultat dans le cahier. Ainsi, je pourrai faire mes commandes demain matin!

Myriam énumérait sagement les boîtes, avec le nom des remèdes. Lorsqu'elle arriva au grand flacon sur lequel était inscrit «solution cocaïnée», elle demanda à Fleurette:

–Alors, pour celui-là, qu'est-ce que tu veux savoir?

–Eh bien, je veux savoir combien il en reste. Indique-moi le volume restant par rapport aux lignes qui sont inscrites sur le flacon.

–Il est presque vide…

–Hein? C'est impossible!

–Oui, oui, je te le dis! Y en a même pas jusqu'à la première ligne!

Fleurette avait l'air incrédule. Elle se leva pour aller vérifier elle-même.

–Pourtant, j'en ai fait venir trois ou quatre jours avant que ton père parte en vacances! La bouteille était pleine!

–Qu'est-ce qu'il fait, papa, avec cette solution-là?

Fleurette, hésitante, répondit en marmonnant:

–Vois-tu, c'est justement ce que je me demande...

CHAPITRE XXII

Le printemps était revenu, et avec lui la douceur de vivre dans la grande ville pleine de promeneurs. Les feuilles avaient reverdi et les oiseaux chantaient dans tous les parcs, mais les jeunes diplômées du collège d'Outremont n'avaient guère le temps de les voir ni de rêver. Les préparatifs de la cérémonie marquant la fin de l'année scolaire battaient leur plein. Le lendemain, on allait jouer *Le Malade imaginaire*, la fameuse pièce de Molière, devant un public nombreux ; Myriam, toujours enthousiaste et boute-en-train, était en effervescence. Allongée sur son lit, sa lampe de chevet allumée, ne pouvant trouver le sommeil tant elle était excitée, elle lisait la lettre de sa chère sœur Marie-Vincent qui lui était parvenue du fin fond de l'Afrique, où celle-ci avait été envoyée en mission.

Ma chère Myriam,

Même au cœur de l'Afrique, je pense souvent à toi. Tu ne peux pas imaginer à quel point ici la vie est pénible pour les femmes : nous essayons, avec les religieuses de ma congrégation, de leur rendre les choses un peu plus faciles, mais si peu…

Elles manquent de tout. Nous avons un hôpital, si on peut appeler ça un hôpital, où les jeunes mères emmènent leurs enfants. Nous les vaccinons et nous leur distribuons du lait, des bouillies et des médicaments contre le paludisme, car c'est le mal le plus redoutable. Une personne sur trois en est atteinte dans la brousse. Certains enfants très pauvres souffrent de rachitisme et nous avons beaucoup à faire pour apprendre aux mères à mieux les nourrir, avant même de les évangéliser.

Nous songeons à recueillir des fonds à Montréal pour moderniser un peu nos installations.

Je te remercie de ta dernière lettre, les nouvelles du Québec sont toujours une bénédiction pour moi et mes compagnes ; nous partageons toutes les informations qu'on nous communique. Il paraît que Montréal se prépare en grand pour l'Exposition universelle. Peut-être pourrai-je y aller en septembre dans le cadre des missions.

Envoie-moi des photos !

Bravo pour votre projet théâtral. Tu ne peux pas savoir à quel point il fait chaud ici. Quelquefois, l'hiver nous manque !

Je prie souvent en pensant à toi.

Ton amie,
Marie-Vincent

La lettre de la religieuse lui mit du baume au cœur. Leur amitié restait toujours aussi vivante malgré l'éloignement, et Myriam admirait sincèrement l'altruisme de son amie. Après tout, les problèmes des jeunes filles de son entourage n'avaient aucune commune mesure avec ce que les missionnaires devaient endurer. « À Montréal, on est tout de même gâtés ! » se dit Myriam en souriant. Généreuse, elle songeait déjà à demander à Maguy d'envoyer un don à la mission et posa la lettre bien en vue sur son bureau pour ne pas l'oublier.

Sous la direction de sœur Josepha, leur professeur de lettres, les jeunes filles avaient tant et tant répété leur rôle depuis le début de l'année scolaire qu'elles le savaient par cœur. Chacune d'entre elles pouvait le réciter sans même réfléchir. Mais Myriam avait le trac… un trac fou ! C'était comme un vertige qui s'emparait d'elle chaque fois qu'elle y pensait ! Dans sa chambre, le regard lointain, nerveuse après une journée passée à répéter, Myriam essayait de rédiger son dernier devoir de philo sans y parvenir, en mordillant le bout de son stylo. Elle écrivait quelques lignes, raturait, changeait de feuille et recommençait… Son esprit revenait toujours à la représentation : « Bientôt, je traverserai la scène avec des centaines de paires d'yeux fixés sur moi. S'il fallait que j'aie un trou de mémoire, s'il fallait que je perde la voix ou que je fasse une erreur dans mon texte, de quoi aurais-je l'air devant les parents, les amis et les professeurs ? J'ai trop peur, j'ai trop peur ! » Laissant là ses cahiers, Myriam alla chercher dans la penderie son costume qui attendait depuis quelques jours, bien ajusté par Pierrette pour qui la couture n'avait aucun secret. Ayant étalé la robe sur son lit, elle s'imaginait ainsi vêtue, sous les feux de la rampe, dans la salle pleine à craquer. Les billets s'étaient vendus comme des petits pains chauds. Il n'en restait plus un. Myriam souhaitait ardemment que le lendemain arrive et, en même temps, elle aurait aimé que la pendule s'arrête! Quelle chose étrange que le trac! Ce qui gâchait un peu son plaisir, c'est qu'elle s'était disputée avec Christian l'après-midi même. Ils s'étaient fâchés pour une bagatelle! Depuis un certain temps, Myriam sentait son *chum* beaucoup moins empressé avec elle. Comme d'habitude soupe au lait et impulsive, elle n'avait pas pu se retenir lorsque la conversation avait porté sur un sujet important pour elle, sa future carrière. Myriam ayant confié ses projets à Christian, il n'avait rien trouvé de mieux que de répondre :

– Je ne vois pas pourquoi les femmes deviendraient médecins ou avocates! Elles ont bien d'autres choses à faire dans la vie que d'aller se battre sur le terrain des hommes!

– Ah oui, et d'après toi qu'ont-elles donc à faire ?

– Élever les enfants et tenir la maison, c'est évident! Et c'est déjà beaucoup…

– Sais-tu, Christian, que tu es rétrograde ? Qu'est-ce que c'est, le terrain des hommes ?

Son *chum*, insulté, l'avait quittée sans se retourner et elle était revenue seule à la maison. C'était bien le moment! Toute la soirée, elle avait espéré un coup de fil… mais non. Lasse d'attendre, elle avait composé son numéro et la mère de Christian lui avait répondu :

– Christian est sorti. Je vais lui faire le message.

Et il ne rappelait toujours pas! Ceci l'enrageait d'autant plus qu'on aurait pu argumenter longtemps sur le sujet : Myriam était convaincue que les femmes sont au moins aussi compétentes que les hommes… Non seulement elle en était convaincue, mais cela lui semblait aller de soi! Mises à part les différences morphologiques évidentes, pourquoi y aurait-il des écarts entre les sexes en matière d'intelligence, de créativité ou de savoir-faire ? « D'où peut venir ce sentiment de supériorité si cher à certains individus du sexe masculin qui, en plus de les rendre odieux, engendre des rapports ridicules et faux entre les hommes et les femmes ? » se demandait-elle en pensant à certains de ses camarades.

Elle s'assit devant son miroir, enleva sa chemise de nuit et, toute nue, mit la robe devant elle pour en admirer le décolleté. Ses épaules étaient parfaites, bien arrondies, surmontées d'un cou fin et gracieux. Relevant ses cheveux, elle prit la pose… En ajoutant le petit collier de perles, cadeau de Maguy, ce serait très joli ! Myriam était assez contente de son image. Demain, avec le maquillage, ce serait encore mieux ! Tant pis pour Christian qui était assez sot pour ne pas voir à quel point elle était belle ! Elle se répétait : « Quel niaiseux, quel niaiseux ! » et devait se retenir à deux mains d'appeler Monique pour lui raconter tout ce qui lui passait par la tête… Cela l'aurait soulagée de parler, de faire fondre sa colère et sa déception en plaisantant avec sa meilleure amie au bout du fil. Monique écoutait toujours Myriam. Les deux amies pouvaient tout partager, elles se connaissaient depuis si longtemps ! Elle regarda l'heure. Son réveil marquait onze heures vingt. Inutile d'y songer, il était bien trop tard. Il valait mieux essayer de dormir. Elle prit un livre, mais elle n'arriva pas à calmer son esprit. Dans sa tête, trop d'idées se bousculaient C'était comme des bolides lancés à toute allure qui s'entrecroisaient en mugissant dans un vacarme infernal. Elle essayait de lire depuis un certain temps sans y parvenir lorsque Maguy, voyant de la lumière chez elle, entrouvrit la porte de sa chambre :

–Tu ne dors pas, Myriam ? Il est déjà bien tard. Dis-moi, est-ce que quelque chose te tracasse ?

–Non…

–Myriam, il y a quelque chose qui te contrarie !

–Non, non, c'est juste le trac, je t'assure ! Tu sais, maman, demain, c'est le grand jour ! J'ai hâte et puis j'ai peur en même temps. Et toi, tu ne dors pas ? Qu'est-ce que tu fais debout à une heure du matin ?

–J'avais faim, je suis allée me préparer une petite collation.

–Maman, sais-tu que j'ai reçu une lettre de sœur Marie-Vincent…

–Comment va-t-elle ?

–Elle dit qu'elles manquent de tout et qu'elles ont besoin d'argent pour les femmes du village…

–C'est bien, Myriam, demain je te préparerai un chèque à son intention.

–Oh, merci, maman, ma petite maman !

Maguy s'était assise sur le bord du lit. Elle avait le visage ravagé. Myriam s'aperçut qu'elle avait pleuré. Vue ainsi sans maquillage, sa peau, coupero-sée, avait perdu de sa finesse et paraissait très abîmée malgré tous les soins qu'elle lui apportait. Myriam eut un pincement au cœur en voyant sa mère dans cet état. Lorsqu'elle s'approcha de sa fille pour l'embras-ser, Maguy sentait l'alcool à plein nez…

–Bonne nuit, Myriam, dors bien !

Myriam se roula en boule sous sa couverture, comme lorsqu'elle était toute petite. Il fallait dormir, dormir ! En plus du trac, elle pensait à toutes ces com-plications qui lui arrivaient juste au mauvais moment.

Alors, elle fit son examen de conscience et demanda dans une courte et intense prière que tout soit arrangé pour le lendemain : « Que mon *chum* revienne, que maman soit pleine d'énergie, et que le spectacle soit un grand succès. Amen ! » Il était presque trois heures du matin lorsqu'elle sombra dans des rêves étranges. Une femme qui lui ressemblait, coiffée à l'indienne, lui tendait la main et lui disait : « Nous t'attendons… » La vision revint plusieurs fois au cours de la nuit, si bien qu'au petit matin le souvenir en était encore très présent.

Le lendemain, par un beau samedi d'avant les vacances, dans une atmosphère de kermesse, le grand amphithéâtre du collège d'Outremont était bondé. On manquait de sièges et certains spectateurs avaient dû s'asseoir sur les marches, programme en main. Le spectacle promettait d'être une vraie réussite ! Depuis le matin, tout le groupe de philo II s'était occupé de la mise en place sur la scène et dans la salle. Les élèves de philo I avaient aidé, et même celles de rhétorique avaient mis la main à la pâte… Une sonate de Mozart se répandait aux quatre coins de l'espace grâce à une énorme chaîne stéréophonique, mettant les spectateurs dans l'ambiance. On avait pris grand soin des éclairages. Les décors et les costumes avaient été confectionnés par une équipe de bénévoles enthousiastes. Le tout formait un véritable enchantement. Les religieuses des Saints Noms de Jésus et de Marie avaient préparé un magnifique buffet et l'honorable maire d'Outremont était au premier rang avec madame, entouré d'autres personnalités en vue…

Philippe et Maguy avaient pris place au milieu de la troisième rangée, accompagnés de tante Louisette et de tante Mimi qui ne voulaient pas manquer l'évé-nement. Quelques minutes avant le lever du rideau, Myriam, perchée sur un tabouret derrière le rideau rouge, promenait son regard dans la salle pour voir si elle n'apercevrait pas Christian parmi les élèves du collège du Mont-Saint-Louis. Elle avait beau scru-ter l'auditoire, elle ne le voyait pas. Puis, tout à coup, au moment où elle allait abandonner, il arriva préci-pitamment, inquiet d'être en retard, ouf! Myriam sentit l'anxiété diminuer dans son cœur... Tout s'en-chaînait à merveille. Mais ce méchant trac était là, plus lancinant que les jours précédents. Elle courut s'habiller et se maquiller, avant de rejoindre les autres.

Dans les coulisses, juste avant qu'on éteigne les lumières de la salle, au milieu du bric-à-brac des décors et des accessoires, Monique fut prise de trem-blements. Christiane courut à la toilette, craignant de vomir, trois minutes avant le lever du rideau. Michelle Bonenfant répétait son texte comme un moulin à paroles, et Myriam essayait de se concen-trer, la tête entre les mains. Dans la salle, le silence régnait et tous les invités avaient les yeux rivés sur la scène. La directrice du collège, mère Clotilde, fit un discours qui parut interminable. Lorsque le rideau se leva, après qu'on eut frappé les trois coups, il y eut un quart de seconde de panique. Ces demoiselles avaient l'impression que leurs jambes ne les portaient plus. Un silence à couper au couteau se fit soudain. On ne pouvait plus reculer! Sœur Josepha leur donna le signal. Texte en main, elle les encourageait, attentive et prête à leur souffler la réplique. Dès que la première phrase eut été lancée, tout se déroula très vite. L'assurance revint. Le premier acte fut applaudi à tout rompre… C'est lorsqu'on commença à déclamer le second acte que les choses se gâtèrent. Christiane, qui tenait le rôle de Béline, buta malencontreusement sur une chaise en faisant la révérence. Sa voisine Michelle, jouant Argan, très émotive elle aussi et devant s'asseoir à ce moment-là, tomba les quatre fers en l'air sous les rires de la salle! Perdant son sang-froid, elle se mit à pleurer; c'est alors que Myriam, qui faisait Toinette la servante, eut la présence d'esprit de rattraper les répliques par une tirade improvisée, donnant le temps à ses compagnes de reprendre le fil du texte. Tout le monde était ravi et admiratif… et les applaudissements fusèrent. À la fin du troisième acte, les rappels n'en finissaient plus et sœur Josepha vint saluer avec ses artistes, sous une ovation unanime! Philippe était fier de sa fille, et Maguy ne tarissait plus d'éloges, secondée par tante Mimi qui se démenait sur son siège.

– Oh, quelles merveilles, ces jeunes filles, elles sont excellentes! Et Myriam, avez-vous vu? Oh, que je suis contente! De vraies actrices professionnelles!

Le spectacle à peine terminé, Myriam était devenue célèbre… Elle se faufila dans la foule pour rejoindre son beau Christian, mais le maire Dagenais l'arrêta au passage pour la féliciter, un verre à la main. Gracieuse, elle lui fit la révérence en riant. Il lui présenta son neveu, Laurent, qui voulait la connaître. De nombreuses personnes s'approchaient de Myriam pour la saluer. C'était étrangement gratifiant. Myriam, grisée par sa popularité, se faufila jusqu'à l'endroit où se trouvaient ses amis. Les commentaires allaient bon train. On riait, on plaisantait sur l'incident. Découvrant la magie des planches, bien des jeunes filles avaient envie, grâce à cette entrée en matière, de faire carrière sur la scène… Christian était dans un coin, en grande conversation avec Danielle Laflamme, une ancienne du collège que Myriam n'aimait pas beaucoup, et qui avait l'air d'avoir hypnotisé son *chum*. Myriam s'approcha et les interpella tous les deux joyeusement. Pas de réponse… Christian semblait l'ignorer.

–Bonjour, Christian, as-tu aimé la pièce?

Myriam le tirait par la manche. Familièrement, elle avait passé son bras sous celui du jeune homme comme elle le faisait souvent. Christian lui répondit laconiquement:

–Ouais, ouais, c'était pas mal…

Il était trop absorbé par sa conversation avec l'autre, qui jouait les séductrices, prenant des airs de femme fatale.

–Mais qu'est-ce que tu as? Tu ne veux pas me parler? Es-tu fâché? lui demanda Myriam, qui aimait bien aller droit au but.

Il ne répondait toujours pas. Myriam, humiliée, était hors d'elle. L'indifférence de Christian l'atteignait à coup sûr. Elle avait envie de le gifler et de mettre dehors cette pimbêche de Danielle. Finalement, Christian prit Danielle par l'épaule, tourna carrément les talons à sa blonde et dit à sa nouvelle conquête:

–Viens, on s'en va!

Myriam se retrouva seule avant d'avoir pu dire quoi que ce soit. «Non, mais quel malappris!… "On s'en va!"» La colère l'aveuglait et lui donnait envie de taper du pied par terre, de tout démolir autour d'elle. « Décevant, il est décevant ! Et dire que j'avais tellement confiance en lui ! » Son cœur était en miettes, prêt à éclater. C'est à ce moment qu'elle entendit juste derrière son épaule :

– Mademoiselle Langevin ! Est-ce que je peux me permettre ?

Elle frémit. Laurent Dagenais ne l'avait pas quittée du regard. Il avait tout compris. Leurs yeux se croisèrent dès qu'elle se retourna et il y eut immédiatement un déclic. C'était comme si à ce moment quelque chose de très profond et de très ancien se renouait entre eux. Myriam oublia en moins d'une seconde Christian l'infidèle. Sa colère tomba. Un grand espace s'ouvrit dans sa poitrine et elle rejeta bien loin d'elle la peine d'avoir perdu un *chum*, prête à remplir son cœur d'un nouvel amour. Laurent, intuitivement, le savait. Il était prêt. Avec son irrésistible sourire, elle lui répondit :

– Pourquoi m'appeler mademoiselle ? Vous savez bien que mon nom est Myriam ! Et puis on peut se tutoyer, ça serait bien plus agréable !

Laurent n'attendait que cela.

– Que fais-tu, à part faire du théâtre et terminer ton cours classique ?

– Je fais toutes sortes de choses, et toi ?

– Je viens de terminer mon droit.

– Ça veut dire que tu es avocat ?

– Exactement, et j'ai de grands projets.

La conversation était bien engagée. Il lui proposa d'aller boire un café. Laurent était à la fois cultivé, fascinant et original… Très à l'aise, il interrogea Myriam, l'écouta raconter les anecdotes des répétitions et trouva toute une série de commentaires amusants à lui faire. Ils rirent tous deux comme des fous. Ils étaient bien ensemble. La glace était rompue, ils étaient déjà amoureux.

Le soir même, Laurent avait décidé qu'il épouserait Myriam.

CHAPITRE XXIII

Les jours qui suivirent la représentation passèrent bien vite. Laurent ne quittait plus Myriam et lui déclarait sa flamme avec un empressement et une sincérité qui la ravissaient. Le matin, il l'accompagnait à ses cours et passait la chercher à la fin de la journée. Enjoué, attentionné, il se montrait plus sûr de lui que les garçons de son âge, ce qui impressionnait la jeune fille. Myriam se laissait charmer, heureuse du sentiment qui se développait entre eux et rendue plus sûre d'elle-même, elle aussi, par leur complicité amoureuse. Sa personnalité s'affirmait de jour en jour. Déjà belle, elle devenait rayonnante... Le regard de son nouvel amoureux allumait un feu de joie dans son âme et dans son corps, un brasier qui forgeait les piliers de leur avenir. C'était sans doute cela, le grand amour! La nuit, Laurent revenait sans cesse dans ses rêves, elle savait qu'il serait l'homme de sa vie.

Il faisait grand soleil en ce début d'été et les rues du centre-ville résonnaient d'un joyeux tintamarre. Sortant de chez Eaton où elles étaient allées se restaurer entre deux achats, Myriam et Maguy remontaient la rue Stanley, les bras chargés de paquets. Elles s'arrêtèrent devant l'auto de Maguy afin d'y déposer leurs emplettes :

–Ah, soupira Myriam avec une pointe de regret, on a tout sauf le plus important! C'est dommage que la petite robe jaune ait été un peu trop serrée! C'est exactement ce que j'aurais aimé porter pour le bal.

–Viens, on va monter jusqu'à la rue Sherbrooke et faire un tour chez Holt Renfrew, proposa Maguy.

Bras dessus, bras dessous, elles étaient arrivées devant le magasin le plus chic en ville et admiraient en devanture une charmante robe de taffetas à l'encolure princesse:

–C'est joli ça, hein, maman! C'est du Lanvin!

–La ligne est très nouvelle, elle t'irait comme un gant, viens l'essayer!

À l'intérieur, elles tournèrent autour des présentoirs, regardant tout, dans cette atmosphère feutrée et élégante si propice aux achats. Passant au milieu des produits de beauté que Maguy adorait, sous le regard affable des vendeuses joliment maquillées, elles essayèrent quelques nouveaux parfums avant de prendre l'escalier mécanique pour monter jusqu'au troisième étage. Le bal des diplômées du collège aurait lieu dans moins de dix jours, dans les salons de l'Hôtel Mont-Royal, et Maguy, qui semblait aller un peu mieux, se faisait une joie de l'événement, heureuse d'aller magasiner et de participer aux préparatifs. Son sourire renaissait, et le nouvel amour de sa fille lui plaisait: Laurent était quelqu'un de solide, il lui avait fait bonne impression aussitôt qu'elle l'avait aperçu. Myriam, ravie de voir Maguy sortir de sa retraite, se disait que, pour sa chère maman, toute cette activité mondaine était un bon remède!

La robe exposée dans la vitrine semblait avoir été faite pour Myriam qui se décida sans hésiter. Maguy paya avec un sourire de satisfaction:

–C'est parfait, Myriam, ravissant.

–Oh merci, maman!

Le soir du bal arriva très vite, comme dans un rêve. La salle de l'hôtel Mont-Royal était un véritable chef-d'œuvre du siècle dernier, avec ses plafonds à caissons dorés à la feuille d'or et son majestueux escalier de marbre. Myriam arriva en limousine au bras de Laurent Dagenais, son cavalier, dans ce décor enchanteur. Quelle soirée merveilleuse! Les jeunes filles étaient toutes plus jolies les unes que les autres, escortées des garçons du collège du Mont-Saint-Louis. Monique et Christiane se retrouvèrent à la même table que Myriam avec leurs cavaliers, les trois amies s'étant déclarées inséparables, et les rires fusaient dans leur groupe.

Laurent était un excellent danseur. Myriam n'eut aucun mal à se laisser entraîner par lui toute la nuit sur les rythmes les plus fous, aussitôt que l'orchestre fit entendre les premiers accords... Lorsque le jeune homme la prenait dans ses bras, Myriam avait le cœur battant. Dès qu'ils s'élançaient sur la piste, leurs pas s'accordaient comme s'ils avaient toujours dansé ensemble. Si les musiciens annonçaient un slow, Laurent et Myriam se serraient l'un contre l'autre, heureux de la pénombre qui envahissait la grande salle, se faisant discrets au milieu des autres danseurs qui eux aussi recherchaient un peu d'intimité. Ils n'avaient pas besoin de mots pour se laisser porter par le désir qui les rapprochait à une vitesse vertigineuse. Christian n'était plus qu'un fantôme: avait-il jamais existé? À la fin de la soirée, les deux amoureux enlacés n'arrivaient pas à se quitter; Myriam restait passionnément accrochée au cou de Laurent qui lui murmura:

– Myriam, toi et moi, on va faire de grandes choses ensemble...

Laurent était un jeune homme de vingt-trois ans agréable à regarder, à l'esprit vif, intelligent et vivant, avocat depuis peu et animé par un idéal et des objectifs hors du commun. Son père, Robert Dagenais, homme d'affaires bien connu à Outremont, avait joué un rôle important dans le domaine politique, puisqu'il avait été député pendant plus de huit ans. Laurent, son fils aîné, ayant grandi au milieu des discours, était devenu un excellent plaideur; on le disait destiné à un brillant avenir et il adorait sa profession. En plus de sa taille et de son élégance, le ciel lui avait octroyé un beau visage, des yeux bruns brillants d'intelligence, une épaisse chevelure noire qu'il laissait pousser à la dernière mode et qui s'animait avec lui pour le rendre irrésistible ou provocateur, selon le cas. Faisant preuve d'une certaine originalité et d'une grande droiture, il possédait une qualité qu'on rencontre rarement chez les jeunes de son âge: il avait le sens des responsabilités. Depuis qu'il avait aperçu la fille du docteur Langevin, il était fou d'elle.

*

Au long de la petite route de campagne qui semblait flâner en arrivant à Chambly, le soleil s'était montré généreux ces derniers jours. Les sentiers côtoyaient des prairies et des champs où le maïs verdoyant et dru s'alignait en rangées prometteuses, et l'on apercevait dans ce coin de pays à la vocation agricole quelques maisons à colonnades de bois sculpté, disséminées ici et là. En pénétrant dans l'écurie, le choc de la pénombre obligea Myriam à cligner des yeux. Le martèlement des sabots sur le sol, l'odeur chaude du corps des animaux mêlée à celle du cuir, le va-et-vient des habitués et le bruit de leurs bottes, tout cela formait un univers qui lui était depuis longtemps familier. Bride et cravache en main, elle s'arrêta devant le portillon marqué du nom de sa jument, flattant au passage les chevaux qu'elle connaissait, suivie de Laurent qui lui aussi raccompagnait sa monture. Dans les stalles garnies de bottes de paille, trois ou quatre bêtes, l'échine frissonnante, tentaient de chasser les nuages de mouches qui venaient inlassablement les harceler. Leurs chevaux étaient en sueur. Myriam posa sa cravache et sa bombe, puis revint sur ses pas puiser dans un baril une bolée d'avoine dont elle gratifia sa jument en lui tapotant amicalement les flancs. Elle fit un signe au palefrenier:

– Je crains que Pepsie se soit blessée dans le dernier tournant! Il me semble qu'elle boite un peu, dit-elle avec un soupçon d'inquiétude, en lui montrant la jambe droite de la jument.

L'autre l'examina attentivement et fit un signe de tête:

– C'est bon, je vais la bander pendant quelques jours.

Myriam était une excellente cavalière, tout comme Laurent qui, après avoir bouchonné son cheval, l'attendait dehors, nonchalamment appuyé contre la barrière du manège. Il faisait bon. Lorsque Myriam revint près de lui, les deux cavaliers ne tarirent plus de commentaires enthousiastes sur leur dernier galop au long de la rivière, cette folle chevauchée qu'ils adoraient et qu'ils avaient accomplie ensemble encore une fois. C'était l'heure de reprendre la route de Montréal. Ils s'éloignèrent de l'écurie, marchant tous les deux main dans la main jusqu'à l'automobile. Un petit vent frais s'élevait dans la prairie. Myriam frissonnait. Les hautes herbes parsemées de marguerites se courbaient en murmurant, le soleil se couchait. Laurent prit sa veste et la posa sur les épaules de la jeune fille :

—Myriam, je n'ai jamais été aussi bien avec une femme !

Il la serrait contre lui.

—Que dirais-tu…, lui demanda-t-il en rougissant et en passant la main dans ses mèches rebelles, si je te demandais de m'épouser ?

Myriam, qui s'attendait depuis quelque temps à cette demande, eut une réplique très spontanée :

—Je dirais oui, oui, oui ! répondit-elle en riant et en lui sautant au cou. Toi et moi, je sens que c'est du solide !

—Youpi !

Ils s'allongèrent sur l'herbe, serrés l'un contre l'autre dans le pré qui sentait la douceur du soir, oubliant qu'ils n'avaient pas soupé, et ils restèrent là très longtemps, bercés par le chant des grillons, des cigales et des grenouilles. C'était la saison propice aux amours, chantée en chœur par la nature tout entière…

Mettant de côté les projets de carrière pour lesquels elle s'était battue quelques semaines plus tôt,

Myriam avait accepté sans l'ombre d'une hésitation. Elle se laissa couler dans cette relation délicieuse et dans les préparatifs du mariage devenus son unique préoccupation, confiante et heureuse, savourant à chaque seconde le romantisme dans lequel baignait sa vie de jeune femme. Au diable l'université! Les Langevin étaient ravis. Rien de plus heureux ne pouvait advenir à leur fille et, bien que Laurent se soit montré parfaitement d'accord avec les ambitions de Myriam, celles-ci furent reléguées au second plan.

*

Le visage de Montréal changeait de jour en jour. À l'approche de l'Exposition universelle, pendant laquelle tous les regards seraient tournés vers elle, la ville avait acquis ses lettres de noblesse. Les Montréalais se laissaient emporter par un vent d'optimisme. Le centre-ville, devenu un vaste chantier, grouillait comme une fourmilière avec la construction de nouveaux complexes, centres commerciaux, hôtels et tours administratives, voisinant pour accueillir quelques mois plus tard les visiteurs du monde entier. Le nouveau pont de la Concorde reliait le port à la Cité du Havre, et celle-ci se hérissait d'habitations à l'architecture avant-gardiste, résolument tournées vers les gratte-ciel qui sortaient de terre les uns après les autres. Sur l'île Notre-Dame, le futur site de l'Expo, on voyait se dessiner au fil des jours les pavillons de tous les pays, dont le plus spectaculaire était celui de la France, gracieux, racé et élégant entre tous.

Les soixante-dix États participants rivalisaient d'originalité afin de présenter au printemps suivant un éventail de leurs plus belles réalisations, dans une atmosphère de fête... Déjà, les premières stations du métro avaient été inaugurées avec un enthousiasme débordant. Le train électrique de l'Exposition s'apprêtait à véhiculer chaque jour des milliers de curieux et, malgré les grèves au long cours qui avaient sévi depuis la fin de l'hiver, les chantiers bourdonnaient d'activité. Tous ceux qui le désiraient pouvaient aisément trouver du travail et recevoir un bon salaire en échange de leurs services. Le Québec connaissait une ère de prospérité.

Au milieu de toutes ces transformations, Myriam et Laurent filaient le parfait amour. Les événements à venir soulevaient l'enthousiasme du jeune Dagenais qui, plein d'ambition, était pressé d'embarquer Myriam dans l'aventure conjugale. Les deux amoureux sortaient beaucoup, on les voyait dans les endroits à la mode, exprimant leur bonheur parmi tous leurs amis durant les soirées et les spectacles auxquels ils assistaient, que ce soit à la Casa Pedro, à la Rose Rouge ou à La Butte à Mathieu. Le Tout-Montréal connaissait Laurent Dagenais et Myriam Langevin, qui avaient annoncé leur mariage pour le mois de juillet 1967, pendant que l'Expo battrait son plein...

*

L'automne 1966, plein d'espoir, avait passé comme un tourbillon et l'on approchait déjà des fêtes de Noël. Dans la ville enneigée, les décorations se faisaient plus généreuses que les autres années. Des sapins enrubannés avaient poussé derrière toutes les fenêtres, et le centre-ville scintillait de milliers de petites lumières disposées dans les vitrines et suspendues aux arbres. Les magasins débordaient de cadeaux de toutes sortes qu'on achetait en grand mystère pour les échanger au pied de l'arbre illuminé avec ceux que l'on n'avait pas vus depuis de longs mois. Autour du mont Royal, des traîneaux tirés par de magnifiques chevaux à la crinière tressée tintinnabulaient allègrement. Le son des clochettes et des grelots attirait les promeneurs, qui se laissaient glisser, confortablement enroulés dans d'épaisses couvertures de fourrure. Pendant ce temps, une équipe d'ouvriers préparaient l'aire de patinage sur le lac des Castors déjà bien gelé. La veille de Noël, dans tous les quartiers de la ville, les églises carillonnaient et les rues résonnaient de joyeux souhaits qu'on s'envoyait d'une maison à l'autre. Les grandes familles sortaient en procession de la messe de minuit pour aller réveillonner.

Le matin du 25 décembre, dans Outremont aux portes coquettement parées de couronnes enguirlandées, Laurent fit envoyer une gerbe de roses à madame Langevin et un immense bouquet à sa future épouse. C'était le moment que l'on avait choisi pour faire l'annonce officielle des fiançailles et Laurent avait tenu à respecter la tradition. Myriam était aux anges. Depuis le matin, Maguy s'était abstenue de boire, et les petites gouttes qu'elle avait prises quelques minutes avant l'arrivée de son gendre et de la famille l'avaient revigorée… La maison avait un air de fête tout particulier pour recevoir monsieur et madame Dagenais, de même que quelques amis des fiancés. Bien sûr, Monique et tante Mimi étaient de la partie.

Lorsqu'ils furent tous réunis et que les visages se furent tournés vers lui, Laurent s'adressa à Philippe sur un ton des plus officiels, ému et agitant plus que jamais sa chevelure :

– Monsieur Langevin, j'ai le grand honneur de vous demander la main de votre fille Myriam, et j'espère de tout mon cœur la rendre heureuse. Je rêve d'elle tous les jours depuis que je la connais !

Pince-sans-rire, Philippe enchaîna :

– Qu'est-ce qui te fait croire, mon cher Laurent, que je vais laisser ma fille s'embarquer sur ton bateau ?

Il disait cela en riant, alors que Maguy avait la larme à l'œil. Myriam était consciente de franchir une étape déterminante. Jouant le jeu, Philippe s'adressait maintenant à Myriam :

– Ma chère Myriam, est-ce bien ce jeune homme que tu veux pour époux ? En es-tu bien sûre ?

– Oh oui, papa !

Retrouvant ses habitudes de petite fille, elle battait des mains sous l'œil attendri de l'assistance qui se mit à applaudir les fiancés. Philippe déboucha quelques bouteilles de champagne qu'il servit dans les coupes en cristal venant de la grand-mère Anne. Sur le grand plateau d'argent ciselé, dans le salon qui sentait le parfum de Noël, mélange incomparable des odeurs d'épinette et de chandelle, les coupes gracieuses brillaient de mille feux. On leva les verres en portant un toast dans l'euphorie générale. Monsieur et madame Dagenais affichaient une grande joie. Philippe était satisfait : Laurent correspondait exactement au portrait type du gendre idéal, l'homme dont il avait rêvé pour sa fille. Alors, devant les Dagenais et les Langevin, Laurent passa au doigt de Myriam la bague qu'ils étaient allés choisir ensemble : une émeraude sertie d'une couronne de petits brillants dont la monture avait été créée par un jeune joaillier. Ensuite, on mit de la musique et on dansa jusqu'à une heure tardive…

Maguy, sans oser le montrer, avait la mort dans l'âme. Les noces de Myriam lui faisaient appréhender un nouveau deuil qu'elle ne se sentait pas en état d'assumer. Elle entrevoyait avec horreur combien la maison serait vide lorsque Myriam aurait épousé Laurent et elle repoussait amèrement la vision qui s'imposait à elle : celle du départ de sa fille. Elle redoutait les soirées passées à attendre Philippe, qui se faisait de plus en plus rare et devenait de plus en plus détestable avec elle. Myriam sentait bien la détresse de sa mère. Mais que pouvait-elle y faire ? Pouvait-elle sacrifier son bonheur ? L'équilibre de Maguy, de toute façon, semblait irrémédiablement compromis.

*

Malgré le froid de cette triste journée de janvier, Maguy avait décidé de marcher jusqu'à l'église Saint-Viateur d'Outremont pour y rencontrer son confesseur et directeur de conscience. Ayant été obligée de changer ses habitudes depuis la mort du Cardinal, elle délaissait l'archevêché et préférait maintenant accomplir ses devoirs de chrétienne auprès du chanoine Drainville, curé de sa nouvelle paroisse. Quelquefois, elle allait encore à l'église Notre-Dame porter un bouquet ou allumer un lampion, mais c'était devenu de plus en plus rare.

Le curé Drainville était un vieux bonhomme bavard, aux manières empruntées, encore marqué par les pratiques religieuses et les idées surannées du siècle précédent. Il ne semblait pas avoir remarqué que le monde était en train de changer autour de lui, persuadé qu'il était que la vie suit un cours immuable, selon des cycles qui se répètent depuis des millénaires, enchâssant dans son histoire des êtres humains qui n'ont aucun pouvoir sur leur destin. Il avait le don d'attirer les dames les plus pieuses et les plus riches de sa paroisse, auprès desquelles il pouvait récolter les fonds dont il avait toujours grand besoin. Généralement, c'est d'une oreille un peu distraite qu'il écoutait madame Langevin, convaincu que cette bonne âme était bien engagée sur la voie de la sainteté. Il ne décelait rien d'inquiétant dans sa vie, puisqu'elle possédait l'essentiel : la foi et beaucoup d'argent ! Le curé Drainville ne cherchait pas à aller plus loin, se satisfaisant des apparences et, chaque fois qu'il recevait Maguy, tandis qu'il égrenait de belles paroles agrémentées d'un sourire affable, il pensait aux dons qu'elle pourrait faire à son église. Il était fasciné par la générosité évidente de cette paroissienne. Devant ses yeux défilaient des centaines de dollars, qui viendraient mettre de l'huile dans les rouages des activités paroissiales. Ce prêtre était également plein d'une admiration aveugle pour Philippe Langevin, qu'il considérait comme le meilleur des spécialistes depuis que Philippe avait soigné en un tournemain sa cataracte naissante, et cela sans accepter un sou d'honoraires ! Le curé Drainville faisait des courbettes et se confondait en remerciements qu'il prodiguait à monsieur et madame Langevin avec ses bénédictions.

Ce jour-là, tremblante, Maguy avait grand besoin qu'on la conseille et qu'on la rassure. Naïve, mettant sa confiance de femme pieuse en son curé, elle allait le voir pour obtenir de l'aide, sachant bien que l'isolement ne lui valait rien. Elle gravit les larges marches menant au portail central et poussa la porte, qui tourna sur elle-même avec un léger grincement. Dans l'église presque déserte, Maguy s'avança, le cœur battant, jusqu'au confessionnal. Chacun de ses pas résonnait sous la haute voûte un peu sombre et se répercutait dans l'immense espace. Son regard s'arrêta un instant sur la lampe allumée au-dessus du tabernacle. Elle baissa la tête et fit un signe de croix, puis, agenouillée, coiffée de sa mantille, son chapelet de nacre ornant ses mains jointes, elle se répétait que le moment était venu de s'accuser. Du fond de son cœur montait une amère prière: «Mon Dieu, mon Dieu, je ne suis pas digne... Donnez-moi le courage... »

La désastreuse habitude qui envahissait sa vie, qui détruisait sa volonté et sa santé, était bien plus forte qu'elle. Maguy voulait lutter, bien décidée à crever l'abcès et à arracher de son âme l'horrible dépendance qui l'anéantissait. Ayant besoin d'une main secourable qui la dirigerait fermement, l'épaulerait et la soutiendrait un peu, la pauvre avait rassemblé dans sa démarche tout ce qui lui restait d'énergie pour quêter un soutien, un conseil qui l'aiderait à se sortir du gouffre, à retrouver la vraie Maguy. C'est ce qu'elle espérait obtenir du curé Drainville, se recueillant en attendant qu'il se tourne vers elle, masqué par les barreaux sculptés, et qu'il murmure la formule sacramentelle. Les minutes s'écoulèrent, dix fois plus longues qu'en d'autres temps, pendant qu'elle s'efforçait de réciter quelques Notre Père. Le volet glissa avec un petit bruit sec. Maguy se rapprocha et sentit le souffle chaud du vieux prêtre au milieu de son chuchotement.

Faisant le signe de la croix, elle se lança comme on se jette à l'eau, répétant machinalement les paroles consacrées :

– Mon père, bénissez-moi parce que j'ai péché.

– Je vous écoute, mon enfant.

– Mon père, ce que j'ai à vous dire est de la plus haute importance.

– J'entends bien, mon enfant.

– Je m'accuse… d'avoir un grand sentiment de colère envers mon mari… car…

– Je comprends, mon enfant, je comprends. Voyez-vous, votre mari, le cher docteur, a de grosses responsabilités. Et je sais bien que les époux qui travaillent trop ont souvent la fâcheuse tendance à délaisser leur compagne pour se consacrer à l'œuvre ô combien humanitaire et ô combien indispensable qui est la leur ! Je sais, ma fille, qu'il vous faut beaucoup de courage, mais connaissant votre foi et votre grandeur d'âme…

– Mais, mon père, je m'accuse…

– Ma chère enfant, souvenez-vous que, lorsque vous avez prêté votre serment de fidélité le jour de votre mariage, il s'agissait de fidélité à sa cause tout autant qu'à sa personne. Le rôle d'une épouse comme vous est d'accepter de se détacher. Il est vrai qu'il est bien difficile, j'en conviens, de…

Maguy avait perdu son élan et elle essayait vainement de le retrouver, tandis que le prêtre lui débitait un discours parfaitement inutile. Elle avait tout oublié de ce qu'elle avait préparé ! Le curé Drainville l'avait désarçonnée. Elle se sentait comme une naufragée perdue au milieu d'un lac immense et terriblement profond. Incapable de nager, se débattant, elle tentait de parler à son tour :

–Mon père, j'ai également une autre grande difficulté…

–Ma fille, je devine bien quelles sont vos difficultés quotidiennes, lorsque vous vous dites: mon mari me délaisse! Mais vous savez que notre sainte mère l'Église ne vous délaissera pas, elle. Et Jésus encore moins! Soyez sûre que Jésus…

Il n'en finissait plus, mais c'en était fini de la volonté de Maguy. Celle-ci s'était évanouie. Dissoute. Elle n'avait pas pu placer une seule phrase complète. Ni lui dire qu'elle buvait, ni qu'elle se droguait avec la complicité de son mari, ni qu'elle ressentait une terrible culpabilité et un grand désarroi… Maguy faisait semblant d'écouter mais n'entendait plus rien. Seul le ronron anesthésiant des paroles du vieux prêtre parvenait jusqu'à ses oreilles. Il avait dissipé le peu de courage qu'elle avait rassemblé, au prix d'efforts inimaginables. Il lui fit un discours interminable, un discours qui n'avait ni queue ni tête et qui ne résolvait rien… On entendait parfois le bruit assourdi des pas d'un nouveau pénitent qui venait s'agenouiller, puis un froissement d'étoffe. Maguy pleurait en silence. Découragée, désillusionnée, elle reçut une absolution accompagnée d'une incitation à faire un don généreux aux œuvres de la paroisse pour sceller son pardon. De quel péché avait-elle reçu le pardon?

Sortant son carnet de chèques, elle alla au presbytère remettre quelques centaines de dollars à la secrétaire du curé, désormais sûre d'une chose: personne ne pouvait l'aider. Alors, prise de tremblements, taraudée par l'angoisse et par l'affreux manque qui finirait bien par la rendre folle, incapable de conserver ses bonnes résolutions, elle revint jusqu'au cabinet médical pour quêter auprès de Philippe les gouttes infernales…

Le soir, à la maison, au moment de monter se coucher après avoir vidé la bouteille de cognac, Maguy fut secouée par une grosse quinte de toux. N'en pouvant plus, Philippe lui fit une scène :

–Maguy, tu vois bien que tu te rends malade ! Aujourd'hui, tu es venue deux fois pour avoir de la solution nasale ! En plus, évidemment, tu bois à longueur de journée… Le docteur Landry t'a pourtant bien dit de moins boire avec ton diabète. Il faudrait que tu ralentisses, Maguy. Tu dois comprendre combien c'est dangereux ! L'alcool plus la solution cocaïnée, hein ! Torrieu, Maguy, tu sais comment on appelle cette consommation journalière ? Le sais-tu ?

Elle lui fit signe que non, la main devant la bouche. La toux la faisait suffoquer et elle n'entendait rien de son discours.

–C'est de la toxicomanie, Maguy, comprends-tu ?

Maguy aurait voulu lui dire qu'il n'avait rien fait pour briser sa dépendance et qu'il agissait comme si la situation l'arrangeait, lui, mais en vain. Ivre, malade, sous l'emprise de cette violente toux, elle ne put lui répondre. À tousser de la sorte, se cramponnant au dossier d'une chaise, secouée des pieds à la tête, Maguy ne comprenait qu'une chose : au lieu de l'aider, Philippe la réprimandait comme si elle avait été une enfant. Il lui procurait la cocaïne et ensuite il lui en faisait reproche ! La toux se transforma en un long sifflement qui lui paralysait la poitrine et, pour couronner le tout, son nez se mit à saigner. Les muqueuses nasales, de plus en plus irritées et desséchées, se rebellaient elles aussi contre ces excès… Maguy faisait peine à voir. Philippe l'aida à monter, la coucha et lui administra deux cuillerées de sirop, de même qu'un calmant. Lorsque le saignement se fut arrêté, il sortit de la chambre. Dès qu'il eut le dos tourné, elle prit dans son petit meuble de chevet la bouteille de scotch qu'elle gardait là en cas d'insomnie et elle en but une large rasade afin de s'endormir, sombrant dans le seul refuge qui lui restait : l'inconscience.

Philippe était redescendu au salon pour écouter le journal télévisé. Bien calé dans son fauteuil, la tête entre les mains, il se demandait comment ils en étaient arrivés à cette situation invivable. Depuis longtemps déjà il n'éprouvait plus de compassion pour Maguy, qui avait choisi de se détruire ; il lui avait fermé son cœur, préférant oublier que si Maguy se trouvait dans cet état, c'est parce qu'il lui avait toujours fourni le poison. Philippe n'avait opposé qu'une mince résistance quand le processus s'était enclenché. Il avait mis de côté tout scrupule depuis qu'un ressort invisible s'était brisé entre eux. Il remonta l'escalier. Dès qu'il eut ouvert la porte, il entendit le bruit saccadé de la respiration de Maguy. Elle dormait d'un sommeil de plomb. Philippe, songeur, erra dans la maison silencieuse, en proie à des pensées moroses. Il se gratta la tête, reconnaissant déjà les effets pernicieux de la drogue dans les symptômes que présentait son épouse. Pourquoi Maguy avait-elle fait de leur vie un enfer ? Pourquoi n'avait-elle jamais voulu le suivre dans ses activités sportives, se contentant de s'enfermer jour après jour ? Pourquoi s'était-elle laissée couler comme la personne faible qu'elle était ? N'étant pas homme à laisser les remords l'envahir, encore moins à cultiver les regrets, le docteur Langevin chassa ses scrupules du revers de la main. Pas question de se laisser aller! Et puis il était trop tard, les dés étaient jetés et Maguy n'avait plus sa place auprès de lui. D'ailleurs, l'avait-il réellement aimée? Peut-être, mais quelle importance désormais?...

Myriam n'était pas encore rentrée. Philippe s'enferma dans la bibliothèque et composa le numéro de Diane, qui fut agréablement surprise de l'entendre:

–Philippe? Comment se fait-il? À cette heure-ci?

Il parlait bas, mettant sa main autour du récepteur.

–Elle dort après avoir toussé toute la soirée. Elle est dans un état épouvantable. J'avais juste envie de t'entendre et de te dire bonsoir, chérie. Que fais-tu?

–Ça me fait du bien de te parler. Je m'apprêtais à aller dormir. Bonsoir, Philippe, je t'aime...

–Moi aussi, je t'aime. J'ai envie d'être dans tes bras...

–Bientôt, dors bien, mon chéri.

Les mois passant, le désir qu'il éprouvait pour Diane n'avait pas diminué et elle avait pris beaucoup de place dans sa vie. Elle avait le comportement idéal d'une femme qui sait se faire désirer sans perdre de vue son objectif. Pour Diane Fortin, Philippe Langevin était un trop beau parti pour qu'elle le laisse échapper!

Chapitre XXIV

Cette année-là, dès la fin de l'hiver, Montréal connut une fébrilité sans égale, car l'Exposition universelle tant attendue serait enfin inaugurée le 27 avril. À deux semaines de l'ouverture, la panique s'était emparée des médias, rejaillissant sur bon nombre de citoyens, persuadés que l'on serait inondé par la marée de touristes qui menaçaient d'envahir les hôtels et les endroits publics, habituellement si paisibles. Certains pavillons de Terre des Hommes, malgré tous les efforts déployés, ne seraient pas achevés pour la date fatidique ! Les chantiers, si actifs durant des mois, avaient fait place à de magnifiques réalisations, toutes plus modernes les unes que les autres, et les Montréalais, fiers de leur ville qui rivalisait avec les grandes cités du monde entier, voulaient tous essayer le train électrique. Celui-ci reliait le sud de Montréal au site de l'Expo : quatre cents hectares de rencontres surprenantes et de découvertes sur l'île Notre-Dame... Quelques heures avant l'ouverture officielle, le maire de Montréal inaugura enfin l'autoroute Décarie, première étape d'un vaste réseau à venir, sous les acclamations d'une assistance nombreuse.

Pour les étudiants en liesse, la fin des cours coïncidait avec l'inauguration de l'Exposition, miroir incomparable du monde en marche. C'était la manne qui tombait du ciel et donnait au Québec un goût de Terre promise, puisqu'on découvrait ici même les autres continents. Au moment de l'ouverture, alors que les bancs de neige avaient à peine fondu, des hordes de jeunes convergèrent de tous les coins de Montréal vers le parc La Fontaine. Les étudiants montréalais s'étaient réunis pour aller par milliers vers Terre des Hommes afin de célébrer dans un esprit de fraternité la fin de l'année scolaire au Pavillon de la jeunesse. Ce fut un débordement tel qu'on n'en avait jamais vu! Au milieu de la foule, Myriam, Laurent et leurs amis, regroupés dans la cohue, étaient de la fête et ne voulaient rien manquer. De l'île Notre-Dame, site exceptionnel tapissé de massifs fleuris, on découvrait, par un temps idéal, l'un des panoramas les plus majestueux du monde: les flancs de la ville s'étendant le long du fleuve large de plusieurs kilomètres. C'était si inattendu que Myriam en resta bouche bée. Ordinairement, on admirait la ville du haut du mont Royal, c'est-à-dire dans une perspective opposée à celle-là. La jeune femme se rapprocha de Laurent:

– Regarde, Laurent, cette vue de Montréal, je ne l'oublierai jamais! Ma ville, comme tu es belle! ajouta-t-elle tout bas, fière d'y être née.

– Dire que, pendant six mois, on va pouvoir profiter de toutes ces merveilles, jubilait Laurent en se frottant les mains.

Les visiteurs étrangers étaient encore plus frappés que les Canadiens français par les perspectives qui s'offraient à eux de tous les côtés. C'étaient des plans d'eau à perte de vue, avec des îles verdoyantes et des pavillons aux architectures téméraires, comme la pyramide retournée de Katimavik placée en équilibre au milieu des autres bâtiments, ou bien le remarquable pavillon de la France. Les bordures de fleurs et les drapeaux de tous les pays venaient compléter l'ensemble en jetant ici et là des notes de couleur. Derrière leurs appareils photo, les touristes se démenaient. On entendait dans toutes les langues, à chaque pas:

–Comme c'est beau!

Les visages affichaient des sourires épanouis, les commentaires élogieux se multipliaient.

Le lendemain, entraîné dans le tourbillon général, Philippe, voulant participer à la fête et adorant les manèges depuis toujours, emmena Laurent et sa fille inaugurer le gyrotron. À la fin de l'après-midi, après avoir attendu pendant des heures, les trois complices, ravis, prirent place dans une des cabines du monstre prometteur de sensations nouvelles. Décontractés, ils se laissèrent emporter par la spirale montante, si rapide qu'ils furent obligés de se cramponner à leur siège. Myriam faillit perdre son chapeau, si bien qu'en riant elle le confia à son père. Aussitôt que la machine accélérait sa course, les sensations se succédaient à un rythme fou. De partout, les cris et les rires fusaient… Myriam et Laurent étaient agrippés l'un à l'autre. Philippe affichait un air d'adolescent comblé qui surprenait sa fille et la ravissait.

–Dommage que l'on n'ait pas emmené maman, lui fit-elle remarquer en voyant la joie inscrite sur tous les visages.

–Voyons, Myriam, tu sais bien que ta mère ne s'intéresse pas à ce genre de divertissement!

–Lui as-tu proposé de venir avec nous?

–Non, pas vraiment…

Philippe changea de sujet en montrant du doigt la foule regroupée tout en bas, devant le manège. Les malchanceux qui attendaient leur tour, alignés au ras du sol, levaient la tête d'un air envieux, goûtant d'avance le plaisir qu'ils connaîtraient. Tout à coup, au moment où la vitesse atteignait son point culminant, il y eut un soubresaut. Un quart de seconde de panique, un bruit de freins avec un grand ralentissement, puis le gyrotron s'immobilisa.

–Qu'est-ce qui se passe? s'écria Myriam en se serrant un peu plus entre son père et son fiancé.

Un grand silence succéda à l'agitation. En se penchant un peu, on avait une sensation de vertige assez impressionnante. Certains riaient, d'autres criaient ou lançaient des questions aux machinistes en mettant leurs mains en porte-voix. D'en bas, on leur faisait des signes. Puis, d'un haut-parleur, on entendit:

–S'il vous plaît, votre attention, s'il vous plaît. L'arrêt du gyrotron est dû à un léger problème de machinerie. Nos techniciens sont déjà à l'œuvre, veuillez ne pas paniquer. Restez attachés sur vos sièges. Vous ne courez aucun danger.

Heureusement, l'atmosphère resta joyeuse et il n'y eut aucun drame. On garda confiance, car les techniciens accourus sur les lieux étaient les plus qualifiés… Une bonne cinquantaine de personnes se trouvaient prisonnières au point le plus élevé du parcours. Pendant trois heures et demie, les naufragés, héroïques, disciplinés, prenant leur mal en patience, restèrent accrochés dans les airs. Pendant ce temps, Myriam ne cessait de penser à Maguy qui devait se ronger les sangs, toute seule à la maison. Enfin, on les libéra. Aussitôt qu'ils eurent mis pied à terre, reporters, journalistes et curieux assaillirent les héros du jour, les interrogeant à qui mieux mieux, car l'incident valait le reportage :

– Vous avez certainement eu la peur de votre vie…, demanda l'un d'entre eux, micro en main, en s'adressant aux rescapés.

– Pas du tout, c'était très excitant ! Magnifique ! Nous avons surtout eu faim ! déclarèrent Myriam et Laurent.

D'un commun accord, ils ajoutèrent :

– Nous avions une vue imprenable !

– Comme si on avait été des oiseaux ! ajouta Myriam.

Les passagers furent unanimes : l'aventure était extraordinaire. Lorsqu'ils rentrèrent à la maison, il se faisait déjà tard. Maguy, inquiète et malheureuse de n'avoir aucune nouvelle, avait passé la soirée devant le poste de télévision à se morfondre et à boire, perdant la notion du temps.

Durant les deux premières semaines de l'Exposition, on ne parla plus que des incidents qui agrémentaient la une des quotidiens. Myriam et Laurent, avec leurs camarades, participèrent à toutes les activités et sillonnèrent les lieux. La jeunesse montréalaise avait l'impression de voguer dans une abondance de plaisirs et de découvertes, de se trouver propulsée à la pointe du progrès. On nageait dans l'optimisme. On entrait de plain-pied dans la société de consommation. Les principes rigides transmis par les anciennes générations étaient ébranlés par une multitude d'idées nouvelles. Tout changeait, et à toute vitesse ! Les médias étaient envahis par des courants de pensée qui déconcertaient. *La Patrie*, le quotidien des familles, inaugurait cette mode « nouvelle vague » en affichant des titres surprenants : « Le tabou de l'éducation sexuelle est en voie de disparaître de nos écoles. Finie, l'ère du mutisme puritain ! » Dans ce Québec très catholique, on assistait à une révolution dont le clergé subissait lui aussi les effets. Les prêtres et les religieuses, gagnés par le modernisme, abandonnaient soudain la soutane et le voile pour des tenues de ville, tête découverte, espérant sans doute par ce biais ramener les fidèles dans des églises qui se vidaient de plus en plus. Des religieuses relevées de leurs vœux quittaient leur communauté avec la bénédiction des autorités. Jusqu'où irait le balancier du mouvement perpétuel, incapable de s'immobiliser au centre d'un équilibre parfait ?...

Au milieu de tous ces jeunes gens, partisans du changement, Myriam, elle, flottait sur un nuage. Son futur mariage, sa passion amoureuse pour Laurent, elle les envisageait comme un bonheur ultime que rien ne pourrait surpasser.

*

Les semaines filaient et la cérémonie approchait. Philippe et Maguy étaient d'accord au moins sur un point : ils voulaient offrir à leur fille, et à Laurent, une noce mémorable. La liste des invités, que l'on avait pourtant triés sur le volet, ne comptait pas moins de trois cent cinquante personnes. La messe de mariage serait célébrée à l'église Saint-Viateur d'Outremont et suivie d'une grande réception comportant un cocktail, un banquet et un bal, qui aurait lieu dans les salons du Ritz-Carlton. Pour une fois, Philippe accepta de payer sans se faire tirer l'oreille ni émettre le moindre commentaire. Noblesse oblige! Comme il fallait veiller à un grand nombre de préparatifs, Myriam et Laurent avaient pris la direction des opérations, car Maguy était incapable de tout coordonner, avec ses malaises qui devenaient de plus en plus fréquents. La future mariée se démenait sans cesse, s'occupant des moindres détails, et la liste était longue! Durant la journée, on passait coup de fil sur coup de fil pour s'assurer que toutes les commandes seraient prêtes à temps, le soir on vérifiait si l'on n'avait rien oublié. Myriam, accompagnée de Maguy, était déjà allée faire les essayages de la robe nuptiale, mère et fille ayant trouvé sans difficulté un modèle qui rehaussait la silhouette et l'élégance naturelle de la future mariée, Myriam ayant une taille de mannequin. Elles avaient choisi les toilettes de tout le cortège afin de les harmoniser avec celles des mariés et de la famille. Plusieurs fois par jour, on courait après des gants perlés ou après un ruban pour la coiffe d'une des demoiselles d'honneur. On arpentait toutes les boutiques. On avait sélectionné les chants pour l'office, commandé les fleurs pour décorer l'église et offert un don important au curé Drainville afin d'avoir la plus belle célébration. Maguy voulait que l'on fasse des photographies tout au long de la cérémonie et de la réception. Il lui fallait garder un souvenir de chaque moment. On avait déjà posté les cartons d'invitation et les cadeaux arrivaient, accompagnés des vœux de bonheur du Tout-Montréal. On laissait les boîtes s'empiler en attendant que Myriam et Laurent prennent possession de la ravissante maison sur laquelle ils avaient jeté leur dévolu, après de nombreuses visites, à Notre-Dame-de-Grâce. Il y avait déjà deux services de vaisselle au complet, quatre nappes brodées, plus de six coffrets de coutellerie! Chaque fois qu'elle ouvrait un paquet, Myriam s'exclamait:

– Maman, maman, c'est magnifique! Ce vase-là ira à merveille avec les meubles du salon...

Ou bien quelquefois:

– C'est dommage, j'ai déjà trois ou quatre services de verres à liqueur! Et puis ceux-ci sont laids. Regarde comme ils sont affreux!

– Ce n'est pas grave, Myriam, tu les donneras aux bonnes œuvres.

Tout comme l'an passé, Myriam avait le trac. Cette fois-là, elle serait la seule actrice en scène, au bras de son père, puis de Laurent Dagenais...

*

En entendant le petit bruit familier du courrier qui tombait dans la boîte aux lettres, Fleurette s'en approcha. Il était abondant, ce matin-là... Elle en fit le tri et jeta immédiatement les circulaires dans la corbeille à papier. Certaines lettres envoyées au docteur Langevin portaient la mention « Personnel »; elle les plaça bien en vue sur son bureau. Sans doute s'agissait-il de remerciements de patients satisfaits ou de requêtes de personnes désirant se faire soigner par le grand spécialiste lui-même. Il en arrivait presque tous les jours!

Elle décacheta les comptes et les mit dans le classeur pour les payer à la fin de la semaine. Une des enveloppes attira son attention. Elle venait de la Gendarmerie royale du Canada et elle était adressée au docteur Philippe Langevin, sans mention particulière.

Devait-elle l'ouvrir et en prendre connaissance? Elle la retourna dans ses mains en s'interrogeant. Finalement, elle la décacheta et y trouva un questionnaire, précédé d'une brève formule administrative:

D'après nos statistiques, il apparaît que le volume de solution cocaïnée utilisé par votre cabinet médical est nettement plus élevé que celui ordinairement utilisé par les autres spécialistes.

Vous trouverez ci-joint un questionnaire que vous devez remplir et nous renvoyer dans les plus brefs délais, après avoir répondu à toutes les questions.

Nous vous remercions de votre collaboration...

Dans le questionnaire qui accompagnait la lettre, on enjoignait le docteur Langevin d'expliquer quel usage il faisait du médicament, en précisant pour combien de patients il avait eu recours à la cocaïne, ainsi que les raisons médicales invoquées pour ces traitements. Son sang ne fit qu'un tour. Elle n'aimait pas cela, du tout, du tout! Qu'allait-il répondre? Fleurette savait que Philippe donnait régulièrement de la cocaïne à Maguy et ne voulait surtout pas être inquiétée à ce sujet. Elle feignait de l'ignorer et tremblait déjà en imaginant son patron soumis à un interrogatoire serré. On ne savait jamais jusqu'où pouvait aller une affaire comme celle-là! Lorsque Philippe arriva, elle lui remit les lettres:

– Docteur Langevin, il y a une lettre de la Gendarmerie royale du Canada qui vous est adressée.

Philippe fronça les sourcils et jeta un coup d'œil sur le questionnaire.

–Eh bien, garde, vous n'avez qu'à leur répondre! Vous savez bien que nous utilisons régulièrement la cocaïne pour toutes les résections sous muqueuses.

–Docteur, répondez si vous voulez, moi je ne répondrai pas à cette lettre-là!

–Mais voyons, garde, vous êtes donc bien peureuse!

Impossible de savoir s'il plaisantait ou non. Philippe n'avait rien perdu de son assurance et la regardait en riant sans manifester la moindre inquiétude. Cet homme-là, on aurait dit que rien ne lui faisait peur! Il avait presque toujours un visage imperturbable, impénétrable! Même en ce moment, celui-ci ne trahissait aucune émotion. Fleurette en était toute retournée et ressentait de la colère envers lui. Elle avait envie de le secouer et de lui crier: «Maudit! Réagissez donc!» Au lieu de cela, elle l'entendit lui répondre placidement:

–C'est bien, garde, si vous ne voulez pas y répondre, laissez-la donc sur mon bureau. Je vais m'en occuper moi-même.

L'incident était clos. Il ne revint jamais sur le sujet.

À la fin de la journée, lorsque Fleurette eut quitté le cabinet médical, Philippe s'assit et relut la lettre. Maintenant qu'il était seul, son visage plus pâle qu'à l'ordinaire laissait filtrer son désarroi. Prenant sa tête dans ses mains, il resta songeur quelques instants: «Bon, nous y voilà! Il fallait bien que ça arrive», pensa-t-il. Il ouvrit le deuxième tiroir de son bureau et en sortit son répertoire d'adresses personnelles. Ayant trouvé le nom qu'il cherchait, il composa le numéro de Paul Roy, son vieil ami de la Gendarmerie royale du Canada, qui dirigeait maintenant la section montréalaise.

–Paul?… C'est Philippe, comment vas-tu, mon vieux?

–Philippe? Quelle surprise! Pas mal, pas mal! Et toi, vieux lâcheur, que deviens-tu? On ne te voit jamais…

–Écoute, Paul, tu sais que je travaille comme un fou. Et puis ma fille se marie bientôt…

–Pas vrai, déjà… ça ne nous rajeunit pas! Quel âge a-t-elle donc?

–Vingt ans tout juste! Dis-moi, Paul, j'ai un service à te demander.

–Pas de problème, si je peux.

Philippe s'efforçait de garder un ton anodin:

–Je viens de recevoir un questionnaire assez embêtant concernant la solution cocaïnée qui passe par mon bureau.

–Ah bon, je sais qu'en ce moment on est assez sévère là-dessus… Il arrive que des spécialistes y prennent goût et le gouvernement a peur que la cocaïne devienne un peu trop à la mode! À part ça, nous avons de jeunes enquêteurs qui font du zèle.

Paul riait grassement:

–Tu sais ce que c'est, les jeunes, ils veulent avoir de l'avancement, hein? Alors, ils cherchent la petite bête.

–Ouais… En tout cas, qu'est-ce que je fais avec ça pour ne pas avoir d'ennuis?

–Tu le remplis, mon vieux, et tu viens me le remettre. Je m'en charge. Tu n'en entendras plus parler. Dors sur tes deux oreilles.

– Merci, Paul, je te revaudrai ça ! Prépare-toi pour la noce, je t'invite avec Madeleine !

– Ah oui, merci, ça va nous faire un immense plaisir, mon vieux ! Au fait, comment va Maguy ?

– Hmm, comme ci comme ça !

– J'espère que tu vas la soigner comme il faut ! Bye, mon vieux, apporte-moi ton papier.

– Bye, mon Paul, je passe d'ici deux jours.

C'était réglé. Il avait suffi d'un coup de fil.

*

Pierrette travaillait depuis plus de deux heures à la machine à coudre. Elle finissait de piquer des housses de coussins pour orner les sofas et le lit de Myriam. Minutieuse, elle avait déjà confectionné les rideaux qu'on accrocherait aux fenêtres du salon dans le tissu, d'un goût exquis, que sa chère petite avait choisi. Elle les avait déposés sur une chaise, soigneusement pliés ; c'était son cadeau à elle. Demain, Laurent irait les porter dans leur nid d'amoureux. Il restait si peu de temps avant le grand jour !... Maguy, qui descendait l'escalier, s'arrêta quelques instants auprès d'elle :

– C'est très joli, Pierrette, vous êtes une merveilleuse couturière !

– Oh, pas tant que ça, madame !

– Mais oui, je vous assure, Pierrette !

Spontanément, Pierrette faillit lui répondre que Kateri, elle, avait été une vraie bonne couturière, bien meilleure qu'elle ! Mais elle se mordit les lèvres et se tut. Ce n'était pas le moment d'aborder un sujet aussi épineux, avec la fébrilité qui régnait dans la maison ces jours-là.

– Pierrette, je m'en vais au bureau.

Pierrette releva la tête. Elle avait l'habitude. Comme chaque jour, madame Langevin sortait en traînant les pieds, l'air absent, et se rendait au cabinet médical. Quelle pitié, plus jamais elle ne s'assoyait à son piano... Pierrette avait l'impression que, pendant ces dernières semaines, son état avait empiré et elle songeait aux changements qui s'étaient opérés en elle depuis leur rencontre tant d'années auparavant. Maguy était alors une jeune mère comblée, si heureuse d'avoir adopté cette enfant. Elle était gracieuse, heureuse et généreuse. Depuis que Myriam était devenue une femme dont le bonheur faisait plaisir à voir, Maguy perdait pied. Et Myriam ressemblait tant à sa mère, sa vraie mère! Quelquefois, Pierrette était tentée de lui crier: « Myriam, tu ressembles à ta mère comme deux gouttes d'eau! » Mais aurait-elle compris? Certainement pas, car elle ne ressemblait en rien à Maguy... Pierrette eut un hochement de tête. En fait, c'était assez effrayant, ce qu'elle venait de penser: « Sa vraie mère! » Mais qui donc était sa vraie mère? Kateri ou bien Maguy? Laquelle des deux avait droit au titre de mère? C'est tout naturellement à Maguy que Myriam offrait son amour et sa reconnaissance, tout comme à Philippe qui était officiellement son père. Et c'est vrai qu'ils avaient été pour elle d'excellents parents!... D'ailleurs, la question ne se posait pas, car Myriam ne savait pas qu'elle avait été adoptée. Elle ignorait encore qui lui avait donné la vie et Kateri ne sortirait jamais de l'ombre où on l'avait maintenue de force. Ainsi, tout déchirement serait épargné à Myriam! Pierrette souhaitait que cela reste ainsi, afin que sa belle Myriam soit toujours à l'abri des crève-cœur qui minaient la pauvre madame Langevin.

Myriam, qui revenait de la piscine avec Monique et Christiane, entra en trombe et vint lui déposer un petit baiser sur la joue:

–C'est très joli, magnifique! Comme tu couds bien, ma chère Pierrette! Je n'oublierai jamais ton cadeau, puisque je vais l'avoir tous les jours sous les yeux.

Elle regarda sa montre et fit signe à ses deux amies, qui admiraient l'ouvrage:

–J'arrive, les filles!... Laurent n'a pas appelé?

–Non, pas encore.

–Où est maman?

–Elle est allée au bureau.

–Mais pourquoi va-t-elle tous les jours au bureau de papa? On a tant et tant de choses à préparer!

–Tu sais bien que ta maman est souffrante, Myriam.

–OK, mais je ne suis pas sûre que papa a ce qu'il lui faut!

Pierrette la regarda d'un drôle d'air.

–Eh bien, quoi, qu'est-ce que j'ai dit?

–Rien, rien.

Le téléphone sonna. C'était Laurent. Myriam, impatiente de le voir, sortit l'attendre sur le perron avec Monique et Christiane.

*

À peine trois jours avant la cérémonie, Myriam et Laurent, en émoi à l'approche du grand jour, se rendirent au presbytère afin de régler les derniers détails avec le curé. De gros nuages noirs roulaient au-dessus du clocher et obscurcissaient le ciel de l'avenue Laurier. Myriam leva la tête en soupirant :

– Comme il est vilain, ce ciel ! Qu'est-ce qu'on va faire s'il pleut ? Aïe, aïe, aïe ! s'écria-t-elle, contrariée par les caprices du ciel.

La météo en effet n'était pas très engageante. Lorsqu'elle pensait à tout cela, à sa robe de satin blanc avec la traîne et à son immense voile, le trac la reprenait ! Fébrilement, elle attrapa la main de Laurent, qui se tourna vers elle et la regarda en faisant la grimace. De l'autre main, il lui tira une oreille en souriant.

– Veux-tu arrêter de t'en faire, tout ira très bien !

– Tu as raison, comme toujours.

Alors, elle rit avec lui. C'en était fini de sa peur pour un moment... Mais le ciel, lui, ne l'entendait pas ainsi : une pluie violente avait commencé à se déverser sur les passants qui ouvraient leurs parapluies avec précipitation.

Le curé Drainville les attendait. On régla tout d'abord les problèmes pratiques, on passa en revue les gestes à faire au cours de la cérémonie... Méticuleux, le prêtre les accompagna jusque dans l'église pour les faire répéter, les abreuvant de conseils noyés dans un discours intarissable.

Lorsqu'ils montèrent les marches et pénétrèrent dans l'église, Myriam, qui délaissait régulièrement l'office dominical depuis la mort du Cardinal, fut saisie par le caractère imposant des lieux. Émue, elle pressa la main de son fiancé. Après avoir débité un long discours sur les devoirs des époux l'un envers l'autre, pendant lequel Laurent et Myriam restèrent patients

et souriants, le curé demanda aux fiancés de lui fournir leur certificat de naissance afin de consigner leur
état civil sur le registre des signatures, le jour du
mariage. En sortant de Saint-Viateur, Myriam dit à
Laurent :

– Je n'aurai jamais le temps d'aller chercher mon
certificat de naissance dans la journée de demain. J'ai
encore tant de choses à faire !

Laurent se rendait presque chaque jour au Palais
de justice où on conservait les registres de l'état civil.
Bien au fait de tout ce qui concernait les papiers et les
formalités, il n'hésita pas une seconde :

– Ne t'inquiète pas, je vais y aller pour moi et
pour toi. Ce sera vite fait…

En face de la place Jacques-Cartier, juste à côté
de la mairie de Montréal, se trouvait le Palais de justice, d'où l'on apercevait la colonne Nelson d'un côté,
et le centre-ville de l'autre. Au rez-de-chaussée de
l'imposant édifice, lorsqu'on avait gravi l'escalier du
lourd portique frontal et traversé le hall habillé de marbre, on accédait aux bureaux parmi lesquels se trouvait
le guichet de l'état civil. Laurent avait rempli les for-
mulaires nécessaires afin d'obtenir les deux certificats
de naissance, le sien et celui de sa fiancée Myriam
Langevin, née le 3 juin 1947. Il les tendit à l'employée, qui les examina rapidement, puis souleva ses
lunettes, se frotta les yeux et dit avec un grand sourire :

– Alors, vous vous mariez dans deux jours ? Félicitations !

C'était une personne toute ronde et toute joviale,
avec l'air enjoué d'une mère de famille nombreuse.
Elle alla consulter les registres. D'autres employées

allaient et venaient, occupées à remplir des papiers, et lui faisaient un petit signe de tête en passant. Laurent attendait patiemment. De toute façon, cela ne pouvait pas être bien long...

Par-dessus le comptoir, il voyait clairement les inscriptions en grosses lettres que la préposée suivait du doigt. Elle s'arrêta sur une ligne, vérifia les indications, imprima le timbre certifiant que les renseignements inscrits sur le certificat de Laurent étaient conformes aux indications fournies par le registre et le signa. Puis elle passa à la demande concernant Myriam. Laurent se pencha pour mieux observer. Naturellement curieux, il voulait tout voir et tout savoir et fronça les sourcils en apercevant une grosse ligne rouge au milieu de la dernière ligne :

– Dites-moi, madame, qu'est-ce que c'est, ce trait rouge, là ?

Elle eut l'air étonnée de sa question.

– Mais c'est évident, voyons...

– Qu'est-ce qui est évident, madame ?

– Mais c'est que votre fiancée a été adoptée...

– Il doit y avoir une erreur, c'est impossible ! Impossible, répéta-t-il, en agitant sa chevelure, sûr de lui.

Elle enleva ses lunettes et le regarda droit dans les yeux, en posant son stylo sur le registre.

– Il s'agit bien de Myriam Anne Louise Langevin ?

– Oui.

– Alors, il n'y a pas d'erreur. C'est une enfant adoptée.

Laurent était blême. Pourquoi Myriam lui avait-elle caché un fait aussi grave ?

– Approchez-vous, venez vérifier vous-même : elle a été adoptée le 3 juin 1947 par le docteur Philippe

Langevin et son épouse Marguerite, fille d'Albert et d'Anne Pellerin.

–Mais qui est sa mère?

–Ça, le certificat ne le mentionne pas. Si vous tenez à le savoir, il faudra entreprendre des recherches.

Il n'y avait aucun doute possible. Myriam n'était pas la fille naturelle des Langevin. Laurent devait avoir l'air de tomber de la planète Mars, car la secrétaire lui tendit le certificat en règle avec un petit sourire désolé et ajouta:

–Je vous comprends, on peut être très surpris. Mais il n'y a pas d'erreur, pas d'erreur possible!

Sous l'effet de la surprise, Laurent ne trouva rien à répondre. Impossible. Impossible. Ce mot tournait seul dans sa tête. Il prit le certificat, le plaça dans sa serviette et sortit comme un automate. Dans le hall, il croisa le juge Prévost, un vieil ami de son père, et ne lui rendit même pas son salut tant il était préoccupé. «Mais alors, d'où vient-elle? D'où vient-elle?» Cette affaire le mettait hors de lui. Laurent détestait les mensonges. Pourtant, le fait d'apprendre que Myriam soit une enfant adoptée ne changeait rien à son amour pour elle et sa fiancée aurait dû le savoir!... «Non, ce n'est pas ça, c'est plutôt le fait qu'elle ait manqué de confiance en moi. Cela, c'est horrible, impardonnable! Pourquoi toutes ces cachotteries?» La colère montait. Laurent, sentant qu'il perdait la maîtrise de lui-même, avait le goût de proférer des jurons. Tout d'abord, il resta quelques minutes dans sa voiture, en proie à toutes sortes d'émotions et de doutes, incapable de prendre le volant. Il voyait rouge. Ensuite, s'étant un peu calmé, il tourna la clef de contact et roula à vive allure jusqu'à Outremont, pressé de rencontrer Myriam et d'éclaircir cette histoire. La jeune femme l'attendait, parapluie en main. Dès qu'elle l'aperçut, elle lui fit un grand signe et descendit prestement les marches :

– Allô, mon beau fiancé !

– Bonjour.

Elle se pressa contre lui et lui donna une foule de petits baisers sur l'oreille. Gourmande, elle cherchait ses lèvres en riant, mais il détourna la tête. Myriam s'arrêta, toute penaude de sentir sa froideur :

– Oh, oh, qu'avez-vous donc, mon bel amour, pour refuser d'embrasser votre future épouse ?

Finalement, il lui rendit son baiser, mais avec un air que Myriam ne lui avait jamais vu.

– Viens, on va aller prendre un café quelque part, il faut qu'on parle.

– OK, mais n'oublie pas qu'on a encore toute une liste d'emplettes !... Mais qu'as-tu donc, Laurent ? Qu'est-ce qui te contrarie ?

Laurent conduisait vite, en serrant les dents. Il gara la voiture rue Sainte-Catherine.

– On va aux Délices ? proposa Myriam.

La pâtisserie n'avait pas changé. Toujours les mêmes odeurs appétissantes de gâteaux qui cuisent et de biscuits parfumés, les mêmes tables nappées de rose. Ils s'installèrent au fond de la boutique et commandèrent deux cappuccinos. Dès qu'ils furent attablés, Laurent entra dans le vif du sujet :

– Myriam, je reviens du Palais de justice. J'ai en main ton certificat de naissance et je sais tout.

Myriam le regardait, ébahie et intriguée par son air bourru.

–Quoi, tu sais tout, tout quoi?

–Myriam, ne fais pas l'innocente!

Soupe au lait, elle se mit à parler plus fort que lui. C'était elle, maintenant, qui se déchaînait:

–Innocente de quoi, veux-tu bien me le dire? Quelle mouche t'a piqué? Me prends-tu pour une idiote? Explique-toi, Laurent Dagenais!

Il se radoucit.

–Myriam, voyons, tu le sais, pourquoi ne m'as-tu jamais dit que tu avais été adoptée?

Elle poussa un cri. Le coup était si fort qu'elle devint blanche comme un linge et porta les deux mains à son visage. Laurent n'avait pas prévu pareille réaction et pareil désarroi; il était visible qu'elle ne simulait pas. Il y eut un long silence. Myriam, en état de choc, changeait de couleur et étouffait. Voulant faire oublier sa maladresse, Laurent lui passa un bras autour des épaules et la serra contre lui. Penaud, il était désarçonné par ce qui arrivait et craignait qu'elle n'ait un malaise. Elle réussit enfin à lui dire:

–Mais qu'est-ce que c'est que cette histoire? Mais qu'est-ce que tu viens me raconter là!

Puis elle se mit à sangloter.

–Mais voyons, Myriam, tu le savais!

–Jamais de la vie, jamais de la vie!

Devant des protestations d'une telle sincérité, Laurent fut bien obligé d'admettre qu'elle ignorait tout de son adoption. Myriam avait l'impression de perdre pied tout à coup. Un gouffre sans fond s'était ouvert devant elle, tout son univers basculait. La détresse avait envahi ses yeux. Machinalement, elle lui tendit les mains comme pour s'y raccrocher et Laurent les prit dans les siennes en les caressant. Elle était devenue si fragile, si vulnérable! La fière Myriam, l'invincible, la battante qu'il connaissait s'était transformée en l'espace de quelques secondes en une pauvre jeune fille qui tremblait comme une feuille.

– Je te crois, mon ange, pardonne-moi! J'étais sûr que tu me l'avais caché!

La tête sur l'épaule du jeune homme, Myriam pleurait. Toute son identité s'écroulait la veille de son mariage. Sans le vouloir, il lui avait enlevé son appartenance, ses racines et tout son système de références. Mais alors qui était-elle? Laurent la regardait tendrement, malheureux de lui avoir causé un tel chagrin, bien malgré lui. Honteux de son impulsivité, il voulait se racheter. Il aurait donné beaucoup pour revenir en arrière et lui éviter cette épreuve, au moins avant leurs noces! Mais il était trop tard... Il lui tendit son mouchoir.

– Viens, on va aller faire les achats. Tu vas arrêter de te tracasser et, dès qu'on sera mariés, on interrogera ton père et ta mère. Mais ne pleure plus, je t'aime. Pour l'instant, nous garderons la chose secrète, personne ne saura... Et de toute façon, ça ne change rien à rien.

– C'est toi qui le dis!

Dans la tête de Myriam, le mot «adoption» tournoyait comme un spectre, encore bien plus inquiétant que sept ans auparavant. La serveuse s'approcha d'eux discrètement, intriguée par les yeux rougis de sa cliente. Laurent régla l'addition et ils sortirent.

Chapitre XXV

La veille de son mariage, dans la maison sombre et silencieuse, Myriam entendait le tic-tac du réveil posé sur la commode, mais elle avait perdu la notion du temps. Depuis combien d'heures était-elle couchée? Depuis combien d'heures ou de minutes se retournait-elle dans son lit, essayant de trouver la fraîcheur qui lui permettrait de s'assoupir? Son esprit était si éveillé que son corps, obéissant à l'excitation, refusait de s'abandonner. Impossible de dormir. Le matin même, elle s'était livrée avec Pierrette et Maguy aux ultimes vérifications. Tout semblait fin prêt. Dans l'après-midi, pendant que Maguy était sortie, Myriam était restée un bon moment seule avec Pierrette:

– Dis-moi, Pierrette, je viens d'apprendre quelque chose qui me tracasse énormément...

– Oui, ma fille, qu'est-ce que tu veux savoir?

– Sais-tu que j'ai été adoptée?

Pierrette ne s'attendait pas à cette question-là! Elle essaya de se donner une contenance:

– Qu'est-ce qui te fait croire une chose pareille? dit-elle en pâlissant malgré elle.

– Pierrette, tu ne réponds pas à ma question!

– Ma chère enfant, pour quelle raison voudrais-tu que je sache quelque chose que tu ne sais pas toi-même?

Le premier moment de surprise passé, Pierrette reprit de l'assurance :

– Je n'en sais pas plus que toi.

Myriam la regardait droit dans les yeux.

– En es-tu bien sûre ?

Comment se dérober ? Pierrette se débrouilla comme elle put :

– Écoute-moi bien, ma chère enfant, je ne peux pas te parler de cela, crois-moi ! De plus, il n'est pas bon de te tracasser ainsi la veille du grand jour. Pourquoi gâcher ton bonheur avec des idées comme ça ? Demain, il faut que tu sois la plus belle. Je t'en prie, ma fille, ma chère fille, viens avec moi chez la modiste chercher la coiffure de ta maman et les rubans pour les demoiselles d'honneur.

À la suite de la réponse évasive de Pierrette, la détresse et la peine revinrent en force. Qu'avaient-ils donc tous à se liguer contre elle ? Devait-elle avoir honte de ne pas savoir comment elle était entrée dans la vie ? Soudées à son tourment, d'innombrables questions surgissaient et s'enchaînaient les unes aux autres. La jeune femme solide qu'elle était encore voilà deux jours se trouvait ébranlée par le fait qu'elle ne savait plus qui elle était. Après cette terrible découverte, les souvenirs défilaient. Elle se revoyait pensionnaire, vers l'âge de douze ou treize ans, alors que déjà ses compagnes lui posaient mille questions sur ses origines. Pourquoi Philippe et Maguy n'avaient-ils jamais répondu à ses interrogations légitimes ? Pourquoi avaient-ils soigneusement laissé dans l'ombre ce que la mémoire ordinaire ne peut restituer, c'est-à-dire les premiers jours et les premiers mois de la vie ? Pourquoi sœur Marie-Vincent avait-elle brusquement changé de discours après avoir conversé avec elle pendant des mois et des mois ? Avec le recul, elle comprenait enfin qu'on lui avait toujours menti. Pourquoi tout le monde l'avait-il laissée dans l'ignorance ? On la prenait sans doute pour une oie blanche, pour quelqu'un de superficiel qui ne chercherait jamais à savoir ! Ses parents l'avaient trahie. Pourquoi avaient-ils fait cela, puisque c'étaient eux ses vrais parents, eux qu'elle avait aimés chaque jour depuis vingt ans ?

Le lendemain, elle allait devenir madame Dagenais après avoir été mademoiselle Langevin. Mais, en réalité, elle n'était pas vraiment mademoiselle Langevin ! Elle avait envie de hurler de douleur et de rage, de mordre dans son drap. Disparaître sous terre. Faire disparaître tous les menteurs et tous les hypocrites qui vont et viennent avec la bénédiction de la société tout entière... Demain, Myriam allait encore jouer la comédie. Soit. Celle qu'on lui imposait. Tous les yeux seraient rivés sur elle, tandis qu'elle dirait oui au curé, et sur la signature qui scellerait sa promesse : « Mademoiselle Langevin est devenue madame Dagenais ! »

Tout à l'heure, Laurent était resté près d'elle, inquiet de la sentir à ce point troublée. Lorsque Philippe était rentré, elle avait pensé lui poser la question fatidique, mais non. La question était restée là, nouée dans sa gorge, inquiétante et dangereuse comme une épée suspendue au-dessus de sa tête. Alors, ils avaient bavardé comme si de rien n'était en dégustant un verre de cognac et Maguy s'était retirée dans sa chambre. Philippe, détendu, de bonne humeur, plaisantait avec le jeune couple, si bien que, tous les trois, ils avaient veillé tard, puis Laurent était reparti après avoir longuement serré Myriam dans ses bras. Ensuite, tournant en rond dans sa chambre, elle avait essayé vainement de chasser les questions lancinantes. Elle tentait de forcer sa mémoire, sans y réussir ! Une masse noire et opaque avait pris possession de son cerveau, bloquant l'accès à toute information. Blessée, vaincue par son impuissance, Myriam s'était effondrée sur son lit. Même si elle devait chercher pendant des années, elle saurait bien qui l'avait engendrée et qui l'avait portée dans son ventre durant neuf mois avant de lui donner naissance. Elle n'aurait plus de repos avant de crier à la face du monde d'où elle venait ! Rageusement, elle sortit du tiroir de son bureau quelques feuilles de papier et un stylo et se mit à écrire pour chasser son angoisse :

Ma chère sœur Marie-Vincent,

Dans votre dernière lettre, vous m'annoncez votre arrivée pour le mois de septembre et j'en suis bien heureuse. J'ai besoin de vous voir. Ce soir, je suis à la veille du plus beau jour de ma vie et je ne peux pas trouver le sommeil. La colère me bouleverse... pas à cause de mon mariage, Laurent est un amour et je sais qu'on va être très heureux tous les deux !

Mais mon vieux problème a resurgi, vous le reconnaîtrez, c'est toujours le même et, cette fois-ci, il m'a sauté à la figure : vous et moi, nous avions raison de nous poser des questions, je suis une enfant adoptée... adoptée... adoptée...

Comprenez-vous ce que cela m'a fait lorsque Laurent, qui croyait que j'étais au courant, m'a lancé cela à la tête en revenant du Palais de justice où il était allé chercher mon certificat de naissance ? Comprenez-vous ma peine ?

Je ne sais donc pas qui sont mes parents, ni où je suis née ni à quelle heure !

C'est réjouissant, non ?

Priez pour moi, ma chère sœur, car je crois que je vais exploser si on ne me dit pas la vérité. Comme j'ai hâte que vous soyez ici, avec moi !

Votre amie qui vous embrasse respectueusement et qui pense souvent à vous.

MYRIAM

Durant la nuit, quelques heures avant la cérémonie, Myriam s'était mise à genoux au pied de son lit et avait fait le serment de chercher, par tous les moyens, à savoir de qui elle était la fille, qui étaient son père et sa mère.

Elle n'était pas dévote. Pourtant, au moment où elle avait formulé sa promesse en y mettant toute sa conviction, elle avait senti une petite lumière s'allumer en elle, comme un petit éclair doré qui lui disait : « Sois sans crainte, tu finiras par connaître toute ton histoire et par te l'approprier puisqu'elle t'appartient. »

Réveillée par le martèlement des gouttes qui s'écrasaient contre la vitre, Myriam se leva aux aurores. Avait-elle dormi, ou bien s'était-elle seulement assoupie quelques minutes ? À cet instant, elle ne le savait plus... Son premier geste fut de courir vers la fenêtre et de soulever un coin du rideau afin d'observer la couleur du ciel. Malheureusement, les prévisions météorologiques, guère encourageantes depuis quelques jours, se révélaient des plus exactes. Il pleuvait encore ! La pluie était tombée sans relâche depuis le début de la semaine et le ciel ne semblait pas propice aux réjouissances prévues.

Quelle malchance ! Myriam pensait avec mélancolie : « Je vais me marier un jour de pluie et cela n'a pas la même signification que de se marier un jour de beau temps. Tout se met à l'unisson pour me dévoiler dans quelle ignorance et dans quelle insouciance j'ai vécu année après année. » Elle regarda dehors en soupirant. Tout était gris. Les fleurs repliées sur elles-mêmes semblaient pleurer autant que les nuages, et les feuilles ruisselaient en se plaquant aux branches des arbres.

Tout à coup, lassée des questions existentielles, elle se mit à penser à ses souliers blancs, à sa traîne et à son bouquet de fleurs. Comment préserverait-elle sa toilette et sa coiffure lorsqu'elle descendrait de la limousine et se rendrait jusqu'au portail de l'église ? Elle voulait être plus belle que jamais... L'impuissance qu'elle ressentait devant les caprices du ciel l'enrageait. Tout comme son impuissance devant le mystère de sa naissance... Elle avait beau chasser ces pensées obsédantes, celles-ci revenaient en sarabande.

Il n'était pas encore six heures. Désespérée par le temps qu'il faisait, elle descendit à la cuisine pour se faire un café bien chaud, à défaut d'avoir dormi. Ses parents étaient déjà levés. Philippe, qui ne pouvait rester sans travailler même le jour où il mariait sa fille, se préparait à aller donner sa consultation chez les Sœurs grises, afin de revenir à temps pour la conduire au pied de l'autel. Il lisait son journal, attablé devant un bol de

café au lait que Maguy lui avait préparé. Myriam, surprise de les trouver là de si bon matin, ne savait pas
comment les aborder. Depuis vingt ans, chaque matin
elle leur sautait au cou pour leur souhaiter une bonne
journée! Mais, à cet instant précis, on aurait dit qu'une
grosse barre de métal s'interposait entre elle et eux,
l'empêchant de se comporter encore comme une petite
fille, comme leur petite fille! Étonné de la froideur
inhabituelle de Myriam, Philippe mit son attitude sur
le compte du trac et l'accueillit en riant:

–Bonjour, Myriam! Oh, oh, on dirait que tu n'as
pas beaucoup dormi, toi… C'est dur, une dernière
nuit de jeune fille, hmm?

Il lui tendit une chaise.

–Bonjour, papa.

Devant son pâle sourire et son air hésitant, il
fronça les sourcils. Cette entrée en matière peu
enthousiaste ne ressemblait pas à Myriam, surtout un
jour comme celui-là! Maguy, debout près du comptoir, préparait des rôties et tendit sa joue à Myriam
qui l'effleura d'un baiser:

–Bonjour, maman.

–Pourquoi te lèves-tu si tôt, Myriam? Tu aurais
dû rester encore un peu au lit aujourd'hui. Je t'aurais
monté un café!

Myriam fit la moue.

–Impossible de dormir… Avez-vous vu ce temps
épouvantable? Jamais je ne pourrai me marier
aujourd'hui, c'est horrible!

Maguy se fit rassurante:

–Voyons, voyons, Myriam, ne te désole pas si
vite, d'ici trois heures, la pluie va s'arrêter, la météo
annonce un dégagement.

– Oh, j'espère, j'espère donc !

En disant cela, elle semblait très préoccupée. Non seulement Myriam était démoralisée par le mauvais temps, mais elle ne savait comment aborder le problème, bien plus important, qui tournoyait dans sa tête. C'était tellement absurde de se trouver face à eux quelques heures avant de quitter le nid familial et de ne pas pouvoir parler franchement de cette nouvelle qui venait de la frapper de plein fouet ! Ses parents affichaient la tranquille assurance de ceux qui ne pensent pas que le système puisse comporter des failles, ils n'imaginaient pas un seul instant qu'elle avait pu découvrir leur supercherie. Pendant vingt ans, ils lui avaient caché avec acharnement le fait qu'elle avait été adoptée et ils ne s'étaient pas inquiétés de savoir si les démarches préalables à son mariage n'exposeraient pas au grand jour le mensonge ! Manifestement, ils n'avaient aucune idée de ce qui la bouleversait !

Myriam les regardait, pensive, et leur enviait un peu cette sorte d'innocence qui leur avait fait oublier qu'il existait encore des traces de leur complot. Docilement, elle s'assit et laissa Maguy remplir sa tasse de café bouillant. Elle avait faim. Sa mère lui prépara des œufs brouillés avec du saumon fumé et de petits pains chauds qui sentaient bon. Même si elle était complètement révoltée de ce que ses « parents » avaient fait, Myriam aurait voulu leur dire au moins qu'elle les aimait… rien d'autre. Tout le reste, les doutes et les questions sur son ascendance, après tout, en cette journée, à quoi bon ? Quelle importance fallait-il accorder à des personnes et à des événements inconnus devant la tendresse dont on l'avait entourée depuis qu'elle était en vie?... Elle voulait absolument savoir, mais cela changerait-il quoi que ce soit? Si seulement ils pouvaient comprendre! Même cela, même ces mots si simples et si essentiels n'arrivaient pas à sortir de sa bouche. Elle eut comme une petite vague d'émotion qui fit trembler ses lèvres, puis elle essuya discrètement une larme rebelle au coin de son œil. Être encore, rien qu'une seconde, un tout petit enfant, et ne se douter de rien! Ou bien tout savoir, absolument tout, et se sentir invulnérable à cause de cela! Ambivalence. Philippe, qui ressentait son émoi, se leva de table, s'arrêta derrière elle et déposa un baiser rapide sur son front, puis il sortit en regardant sa montre :

– À bientôt, fais-toi belle et ne te tracasse pas! Le beau temps va revenir, torrieu! Je t'assure que je l'ai commandé!

Il pointait un doigt vers la fenêtre dégoulinante, essayant de faire peur au grand maître des nuages. Devant son autoritarisme bouffon, elle ne put s'empêcher de sourire. Dès qu'il fut sorti, Maguy, empressée, remplit à nouveau sa tasse et se mit à parler de la robe de Myriam, pour faire diversion. Quelques instants plus tard, Pierrette arrivait, matinale elle aussi. Elles avaient toutes les trois bien des choses à organiser avant l'heure du grand rendez-vous.

Finalement, vers une heure, la pluie cessa de tomber et, au moment de monter dans les voitures, on vit apparaître un timide rayon de soleil, comme pour exaucer les souhaits. Devant le parvis de Saint-Viateur, la procession des autos ne passait pas inaperçue et les curieux s'arrêtaient pour apercevoir, même de loin, les nouveaux mariés. Le coup d'œil était impressionnant dans l'église d'Outremont remplie de monde et fleurie de tous côtés. Debout devant les marches du chœur, Myriam et Laurent venaient de prononcer le oui sacramentel.

—Devant votre famille et vos amis ici présents, Laurent et Myriam, je vous déclare unis par les liens sacrés du mariage.

Les paroles du vieux curé résonnaient encore dans la nef lorsque les deux jeunes époux échangèrent le baiser qui scellait leur promesse. Myriam Langevin s'appellerait désormais madame Laurent Dagenais. Très émue, elle esquissa un gracieux sourire et releva son voile au moment où Laurent se penchait vers elle pour la serrer dans ses bras. Spontanément, ils levèrent leurs mains gauches entrelacées, heureux de montrer à tous les invités les anneaux sur lesquels brillait la marque indélébile de leur amour.

Dans la première rangée réservée aux parents des mariés, Maguy sentait l'émotion remplir sa poitrine et s'y déverser comme un flot incontrôlable, tandis que Philippe, l'air un peu las, gardait son allure digne des grands jours. Aussitôt que sa fille fut devenue l'épouse de Laurent, Maguy se mit à sangloter doucement, incapable de retenir le torrent sauvage qui avait raison d'elle. Elle sortit un petit mouchoir brodé et commença à tamponner ses paupières. Tant pis pour le savant maquillage qui menaçait de faire des ombres sur son visage bouffi! Elle avait tant redouté cette journée avec toutes ses contraintes… Quant à Philippe, contrarié par les démonstrations de sa femme, craignant qu'elle n'aille trop loin, il détourna la tête et reporta son attention sur les jeunes mariés, ne voulant pas avoir l'air d'approuver les débordements de son épouse.

Dans l'assistance, en tête du cortège, Monique, la première demoiselle d'honneur de la mariée, veillait sur le voile et sur la traîne, pendant que son cavalier, Marc Dagenais, un cousin de Laurent, la couvait des yeux ; dès qu'on la lui avait présentée, il avait été impressionné par sa blondeur et par son air angélique. Mireille, la sœur de Laurent, surveillait les deux petites filles du cortège qui sautillaient d'impatience en trouvant la cérémonie beaucoup trop longue... Pierrette, discrètement assise derrière les Pellerin, auprès de Gaétan et de leur grande famille, priait pour sa chère petite, craignant qu'elle ne soit de nouveau assaillie par les doutes. Fleurette, ravie d'être de la noce, était accompagnée par un veuf un peu plus âgé qu'elle, et tante Mimi, assise auprès de son mari, non loin de Maguy, pleurait encore plus fort que la mère de la mariée. Tous étaient touchés par la solennité du moment. Lorsque les mariés sortirent de Saint-Viateur aux accents de la marche nuptiale, ils avaient l'air glorieux de ceux qui ont conquis le monde.

Myriam s'était maîtrisée et réussissait fort bien à donner le change. Plus éclatante que jamais, elle sentait les regards admiratifs des invités qui convergeaient sur elle, se posant sur ses épaules et sur sa nuque comme de petits oiseaux légers et délicieux. Elle en frissonnait de plaisir. Jamais une mariée ne fut plus en beauté le jour de ses noces. Radieuse sous son voile diaphane, auréolée d'une délicate couronne fleurie, la jeune femme était transformée en créature de rêve. En la voyant si jolie, personne n'aurait pu imaginer quelle torture elle vivait intérieurement, torture qui l'avait tenue éveillée tout au long de la nuit précédant son mariage. Même ses proches ne pouvaient déceler sur ses traits la moindre trace de la bataille qui se livrait en elle. Partagée entre son bonheur de femme et le mystère entourant ses origines, Myriam Langevin-Dagenais savait qu'elle n'aurait plus de repos tant qu'elle ne saurait pas de qui elle était biologiquement la fille. Quant à Laurent, à cet instant il lui semblait qu'il tenait enfin le bonheur et que même ces fâcheuses histoires d'adoption ne pourraient lui ravir le cœur de celle qu'il aimait et qui était maintenant sa femme. Tout était bien. La vie s'ouvrait devant eux avec la promesse de tous les succès.

Après la messe, il y eut une magnifique réception au Ritz-Carlton. Myriam joua admirablement son rôle, répondant gracieusement aux vœux de bonheur des invités, tandis que Laurent, heureux à n'en pas douter, se laissait aller à prononcer ici et là des discours pleins d'enthousiasme sur l'avenir de Montréal. Robert Dagenais posait sur son fils et sur Myriam un regard à la fois fier et protecteur, persuadé que sa jeune et ravissante belle-fille apporterait à Laurent un soutien exceptionnel dans ses entreprises. Avec l'œil du politicien qu'il avait été, il voyait en elle un capital électoral important et il songeait en les voyant tous les deux : « Lorsqu'un homme politique arbore une pareille perle à son bras, tous les espoirs lui sont permis. Elle a vraiment beaucoup d'allure ! »

Madame Dagenais, un peu effacée, échangeait des recettes avec ses amies, qui se bourraient de petits fours sous les regards affables des serveurs. Cette dame de bonne famille aimait les rencontres en petit comité et elle aurait préféré qu'il y eût un peu moins de monde. En fait, elle détestait les réunions mondaines et surveillait de loin son mari, semblant lui dire à chaque instant : « Voyons, Robert, ne te laisse pas emporter ! Ne fais pas trop de discours ! » Celui-ci saisissait très bien le message et lui faisait de temps en temps un clin d'œil en levant son verre, de plus en plus jovial à mesure que les heures passaient…

Philippe allait et venait, ne tenant pas en place. Il faisait l'éloge de son gendre et accueillait avec fierté tous les compliments qu'on lui adressait sur sa fille. Maguy bougeait peu, se tenant auprès de monseigneur Aubin, le successeur du Cardinal, qui était de la fête. Celui-ci veillait paternellement à ce que Maguy ne manque pas de champagne, tout en lui faisant la conversation, étant lui-même grand amateur de Dom Pérignon… Ainsi chaperonnée, Maguy ne se gênait pas pour boire, d'autant plus que le champagne lui donnait une légère griserie, aussi légère que les bulles dorées qui pétillaient dans les coupes ; délicat, il ne précipitait pas dans les affres du scotch ou du cognac. C'était parfait. Les Pellerin au grand complet, qui n'avaient toujours pas pardonné à Maguy ses dernières incartades, se tenaient loin d'elle ; ils la boudaient sans en rien laisser paraître. Maguy n'était pas dupe de leur froideur. Il y avait entre eux un jeu cruel et muet dont personne, hormis les intéressés, ne s'apercevait. C'était une sorte de scénario étrange où les visages affichaient un masque souriant et où les mots prononcés, acides et moqueurs, disaient le contraire. Au début de la soirée, Jean-Paul avait sermonné sa sœur :

– Le mariage de Myriam te donne l'occasion d'être sur un piédestal, sois vigilante !

Étienne avait renchéri, sous l'œil narquois de Nicole qui la regardait comme si elle avait toujours eu l'âme d'une délinquante :

– Ma chère Maguy, la soirée sera dure pour toi si tu ne surveilles pas ce que tu mets dans ton verre!

– C'est bien ça, faites-moi donc la morale! avait marmonné Maguy entre ses dents.

Quel affront, même son petit frère s'y mettait! C'est Suzanne qui avait été la plus charitable, se contentant d'un compliment banal sur la toilette de Myriam et l'embrassant du bout des lèvres sur les deux joues. Elle avait proféré, avec son air hautain :

– La robe que ta fille a choisie est absolument ravissante! Quelle jolie mariée!

– Merci, Suzanne, elle est très en beauté en effet.

Et Suzanne s'était retirée bien vite, abandonnant Maguy au milieu de la cohue. Les jumeaux s'étaient contentés d'un :

– Bonjour, ma tante Maguy, tu vas bien?

Maguy avait envie de leur crier qu'aujourd'hui elle avait bien plus besoin de leur affection que de leurs airs hypocrites. Elle avait conscience qu'il fallait éviter tout faux pas au milieu des invités et de la belle-famille, et pour cela elle rassemblait toute son énergie. Philippe faisait mine de ne pas voir qu'elle buvait coupe sur coupe. Seules Pierrette, Fleurette, et de temps en temps Monique étaient venues lui faire un brin de causette lorsque monseigneur Aubin conversait avec une autre de ses ouailles.

Pourtant, au milieu de tous ces gens qui avaient bu plus que de raison, les excès de Maguy passaient presque inaperçus. Après le souper, les deux frères du marié, les cousins et les adolescents de la famille Pellerin constituèrent un groupe de joyeux lurons qui s'agitaient autour de la piste de danse, attendant impatiemment l'heure d'inviter les ravissantes demoiselles présentes dans l'assistance. Monique, le rose aux joues, avait l'air de s'amuser comme une folle, riant aux éclats avec Marc, qui ne la quittait pas d'une semelle. Myriam ne l'avait jamais vue si exubérante! Elle s'approcha de son amie et lui glissa à l'oreille:

–Ça te va bien, cet air-là!

–Quel air? répondit Monique en faisant l'innocente.

–L'air d'être en amour!

Pour toute réponse, Monique éclata d'un rire joyeux. Lorsque l'orchestre entama la première danse, Laurent et Myriam ouvrirent le bal, tournoyant au son de la valse et rayonnant de plaisir. Infatigables, ils s'accordaient à merveille pour enchaîner les booggies les plus endiablés, les twists et les cha-cha-chas, se quittant parfois pour faire danser tour à tour chacun des invités et des membres de la famille. Essoufflée, ayant depuis longtemps arraché son voile, Myriam vint donner un petit baiser à sa mère et tira son père par la manche:

–Tu viens, papa?

Philippe ne dansait jamais, mais il ne pouvait pas refuser ce plaisir à Myriam et à ses invités. Sous les applaudissements, il exécuta avec sa fille un galop que toute la salle reprit avec entrain. Lorsque Laurent et Myriam s'esquivèrent le plus discrètement possible, il ne leur restait pas grand temps pour dormir avant de filer en taxi vers l'aéroport. Paris les attendait et le beau temps était revenu sur Montréal. La soirée se termina fort tard. Ce fut un mariage inoubliable.

Dès qu'ils eurent mis le pied dans la capitale française, les deux jeunes mariés purent flâner comme ils le voulaient et voir tous les trésors dont la ville trépidante regorgeait à chaque coin de rue.

CHAPITRE XXVI

À l'aéroport de Dorval, Philippe, au milieu d'une foule disparate, feuilletait les revues du kiosque à journaux en regardant fréquemment sa montre. Tendu et nerveux, il attendait le vol qui ramenait Myriam et Laurent de leur voyage de noces. Que de temps perdu! Il n'aurait pas quitté le bureau si tôt s'il avait pu prévoir que l'avion aurait une heure de retard. Il s'approcha d'une cabine téléphonique et composa le numéro de la maison. Pas de réponse. Pourtant, Maguy devait s'y trouver. Elle était sans doute dans sa chambre, comme d'habitude! Il soupira. À moins qu'elle ne soit en train de préparer le repas… Malgré son piètre état de santé, elle s'était mise dans la tête de jouer au cordon-bleu pour accueillir sa fille et son gendre. Enfin, on entendit dans le haut-parleur une voix féminine qui semblait venir des nuages:

−Le vol en provenance de Paris vient d'atterrir. Les passagers sont attendus dans le hall d'arrivée…

Quelques personnes qui patientaient, assises sur les banquettes recouvertes de cuir rouge, se levèrent pour se rapprocher de l'aire d'arrivée. Au fond de la salle éclairée au néon, les énormes bouches des chutes à bagages vomissaient en vrac les valises qui arrivaient tout droit du ventre de l'avion, sur de longues tables où les voyageurs repéraient leur butin. Poussant des chariots surchargés, deux ou trois couples franchirent au bout de quelques minutes le poste des douaniers, puis quelques hommes à l'air pressé se hâtèrent vers la sortie, valise en main. Philippe surveillait. Enfin, vêtue d'une petite robe très parisienne, un immense chapeau de paille posé sur ses bagages, plaisantant et riant avec Laurent, Myriam apparut comme un rayon de soleil, puis elle agita la main vers son père et lui sauta dans les bras. Des yeux, elle cherchait Maguy, espérant l'apercevoir derrière Philippe, qui posait sur elle un regard admiratif :

—Oh, mais tu as l'air en pleine forme !... Et toi aussi, mon gendre !

—Maman n'est pas avec toi ?

Philippe serra la main de Laurent après avoir donné un baiser à sa fille, puis, voyant le visage inquiet de la jeune femme, il expliqua, l'air préoccupé :

—Myriam, je ne voudrais pas t'alarmer, mais ta mère ne va pas très bien ces jours-ci !

—Que se passe-t-il ?

—Je crains que son diabète ne s'aggrave et, de plus, ses poumons deviennent très fragiles, elle fait des crises d'asthme à répétition.

—Mais alors, que fait-on pour la soigner ? Est-ce que Pierrette est avec elle ?

Philippe esquiva la première question.

—Non, elle est seule. C'est que Pierrette doit maintenant prendre soin de sa mère et elle ne vient plus à la maison.

Myriam retint une exclamation de surprise. Décidément, l'atmosphère était plutôt lugubre à Montréal. La joie des retrouvailles en était un peu ternie. Ils arrivaient au stationnement. Laurent déposa les bagages dans le coffre avant de prendre place dans la voiture, puis les jeunes mariés se regardèrent, un peu assommés par ce qu'ils venaient d'apprendre. Philippe conduisait plus rapidement qu'à l'ordinaire, mais Myriam ne pouvait cacher son impatience :

–Dépêche-toi, papa ! Je n'aime pas savoir maman seule à la maison alors qu'elle est malade !

Dans la cuisine, Maguy s'efforçait de rassembler son courage. Ayant renoncé à accompagner Philippe jusqu'à l'aéroport, elle s'était habillée pour recevoir les enfants, ce qui avait exigé toute son énergie. Chancelante, elle tentait de mitonner une sauce pour accompagner le poulet qui cuisait au four. Elle y mettait son honneur de fine cuisinière, mais il lui semblait qu'elle avait perdu tout son savoir-faire et elle trouvait la tâche si ardue... Impossible de lier la sauce et les herbes qu'elle y avait ajoutées n'avaient aucun goût. Contrariée, à bout de forces, elle attrapa le moulin à poivre et saupoudra généreusement le contenu de la casserole. Le résultat fut immédiat. Sous l'effet révulsif et irritant de l'épice, Maguy se mit à tousser ! Seule dans la maison, en état de panique, elle eut cependant la présence d'esprit d'éloigner la casserole puis, en suffoquant, elle alla s'asseoir sur un des fauteuils du salon. Tant pis pour la sauce ! Le malaise augmentait. Maguy n'entendit même pas sonner le téléphone tellement elle était concentrée sur l'impératif du moment : faire circuler l'air dans sa poitrine, débloquer ses poumons incapables de produire leur mouvement naturel. Tout son thorax semblait figé dans une détresse respiratoire devenant seconde en seconde plus aiguë, plus dangereuse. « Comme j'ai hâte de voir arriver ma fille! » se dit-elle, à moitié étouffée, essayant d'aller chercher le flacon de sirop que le docteur Landry lui avait prescrit en cas de crise. Épuisée, elle renonça à monter jusqu'à l'étage, où se trouvait l'armoire à pharmacie, et retomba assise sur la première marche de l'escalier, appuyée aux barreaux de la rampe. Râlant, le visage congestionné marqué d'une vilaine couleur violacée, Maguy était persuadée qu'elle allait mourir d'un instant à l'autre.

Lorsque la porte s'ouvrit, il était grand temps qu'on lui vienne en aide. Philippe et Laurent restèrent bouche bée en la voyant ainsi. Myriam se précipita vers sa mère, la prit dans ses bras et desserra sa ceinture en lui massant la poitrine, tandis que Philippe montait quatre à quatre chercher le sirop. On l'allongea sur le sofa. Au bout de quelques minutes, ayant retrouvé son souffle et son calme, Maguy put enfin parler:

– Myriam, tu es bien chic! dit-elle à sa fille avec une lueur d'admiration dans les yeux.

La jeune femme tourna autour de sa mère comme un mannequin, en tortillant des hanches pour la divertir, sous l'œil amusé de Laurent qui appréciait l'élégance naturelle de sa jeune épouse.

– Racontez-moi ce voyage de noces. Vous avez l'air heureux tous les deux! Comment était-ce, Paris? demanda Maguy, impatiente de tout savoir.

– Oh, tellement beau, maman… Et puis on a eu un temps superbe!

Myriam sortit de son sac à main une pile de photographies qu'ils avaient prises dans les endroits les plus pittoresques et les étala sur la table. L'île Saint-Louis, Notre-Dame, les quais de la Seine avec l'extraordinaire enfilade des ponts, le Sacré-Cœur au sommet de Montmartre... et cette magnifique architecture qui donne à Paris une telle majesté entre la place de la Concorde et l'Arc de triomphe. Puis Versailles, le chef-d'œuvre classique que le monde entier rêve de visiter! Que de merveilles! Myriam et Laurent ne tarissaient pas d'anecdotes sur la France et sur les Parisiens, si différents des Montréalais.

−Tu sais, maman, disait Myriam tout excitée, les Parisiens ont un sens de l'humour assez particulier, ils crient et discutent sans cesse, et ça nous choque! On n'est pas habitués... Mais au bout de quelques jours, on comprend que toute cette agitation n'est que du théâtre...

Maguy tenait une photo dans ses mains, toujours aussi jolies; elle la tendit à Philippe en esquissant un pauvre sourire. Longtemps auparavant, elle était, elle aussi, allée là-bas en voyage de noces avec un jeune homme amoureux, devenu aujourd'hui si indifférent à sa détresse! Philippe regardait et ne bronchait pas. Mais le récit des vacances fut soudain interrompu par une odeur de brûlé... Une fumée âcre s'échappait du four. Myriam se précipita. Le poulet était immangeable, complètement calciné. Elle ouvrit toutes grandes les fenêtres pour chasser le nuage. Maguy était catastrophée:

−Quelle mauvaise cuisinière je suis! C'est impardonnable...

−Ne t'en fais donc pas, maman! Dis-moi, Pierrette ne vient plus depuis quelques jours?

−Non, Pierrette a eu des problèmes: sa mère est très handicapée. De plus, sa fille Johanne vient d'avoir un bébé, alors elle prend soin de sa famille.

– Mais, maman, tu ne peux pas rester ainsi. Il faut que quelqu'un s'occupe de toi et de la maison ! Papa, nous allons engager une infirmière pour maman, dit Myriam en se tournant vers son père.

Philippe n'eut pas le temps de réagir.

– Il n'en est pas question ! répondit Maguy avec une telle véhémence qu'il fallut la calmer avant qu'elle ait une nouvelle quinte de toux. Jamais je n'accepterai qu'une étrangère vienne ici, et de plus je ne suis pas si mal en point. Tous les jours, je vais jusqu'au cabinet de ton père, à pied ou en taxi, et je ne saigne pratiquement plus du nez…

– Mais tu ne peux pas te charger des repas et du ménage ! Tu dois te rétablir avant tout.

– Nous ferons livrer des repas par un traiteur ! Je ne veux pas qu'on vienne fouiller dans mes affaires et tout bousculer.

La réaction de Maguy était si vive que Myriam en fut stupéfaite. De quoi Maguy avait-elle peur ? Elle voyait défiler devant ses yeux les vêtements parfaitement alignés dans les armoires de sa mère. Maguy avait toujours été ordonnée et méticuleuse. Pourquoi semblait-elle ainsi hors d'elle ? N'était-il pas normal de se faire aider, dans son état ? Myriam, qui n'arrivait pas à comprendre la raison de ce refus, remit à plus tard sa réflexion. Philippe ne disait mot ; quant à Laurent, probablement affamé, il montrait d'imperceptibles signes d'impatience.

– Avez-vous faim ? interrogea Myriam.

– Une faim de loup, répondit Laurent.

Myriam attrapa le téléphone et commanda du poulet rôti pour tout le monde.

Lorsqu'ils rentrèrent chez eux pour leur première nuit dans la nouvelle maison, Laurent souleva Myriam dans ses bras et lui donna un baiser sur le bout du nez en riant.

–Voilà, madame, pénétrez enfin dans votre château!

Serrés l'un contre l'autre, les deux jeunes gens firent le tour de leur domaine. Laurent laissait éclater sa fierté et embrassait sa femme tous les trois pas. Il courut dans la cuisine, ouvrit la porte du réfrigérateur, en sortit la bouteille de champagne qu'il avait cachée là avant leur départ, puis revint dans le salon avec deux flûtes en cristal posées sur un plateau. Avant que Myriam se soit aperçue de quoi que ce soit, le bouchon avait sauté dans un claquement qui la fit tressaillir.

–Levons nos verres à toi et moi! clama-t-il en lui tendant une coupe et en lui passant un bras autour des épaules.

En plus des nombreux cadeaux qui leur avaient été offerts, Maguy avait donné à sa fille la plupart des meubles venant de ses parents, qu'elle avait gardés. Myriam avait organisé sa maison en mélangeant avec une fantaisie bien à elle des objets de style ancien avec d'autres, modernes à l'extrême. Haute en couleur, la décoration attirait l'œil par des détails ravissants et inusités qui traduisaient le bon goût de la maîtresse de maison. Les murs du salon étaient peints d'une teinte orange cuivré sur laquelle se découpaient les sofas blancs, entourant une table basse en laque de Chine incrustée de nacre. Des lampes élégantes donnaient un air d'intimité à la pièce, tout comme les tentures des fenêtres, blanches elles aussi, autour desquelles Myriam avait placé de gigantesques vasques en terre cuite garnies de fleurs séchées. En outre, elle avait rapporté de Paris quelques gravures anciennes qui, bien encadrées, donneraient la touche finale à ce bel agencement. La salle à manger était un héritage d'Anne et d'Albert, avec des chaises qu'elle avait fait retapisser de velours blanc et, dans la cuisine très dépouillée, posée sur les comptoirs, une collection de paniers de toutes sortes contrastait franchement avec les murs peints en bourgogne. Le long de la cage d'escalier courait une rampe aux barreaux gracieusement tournés qui se découpait sur un fond jaune et qui montait jusqu'aux trois chambres. Celle de Laurent et Myriam était vaste, bien éclairée et donnait sur le jardin. Myriam l'avait décorée dans les tons de bois naturel, avec des tentures couleur ficelle et d'énormes coussins revêtus de housses à ramages qui ressortaient sur le grand lit. Le plancher était recouvert d'une épaisse moquette pâle. Quant aux autres chambres, elles étaient encore en attente d'un style personnalisé. Myriam gratifia Laurent d'un petit bec dans le cou et dit d'un air satisfait:

–C'est bien, je suis contente de revoir l'ensemble. L'atmosphère de la maison me plaît beaucoup!

–Et les aménagements que tu as choisis sont très chouettes! répliqua Laurent en la soulevant pour la faire basculer sur le lit avant de se jeter sur elle pour lui voler un baiser.

–Dommage que maman soit malade, enchaîna Myriam après lui avoir rendu son baiser, je suis vraiment inquiète! Je ne l'ai jamais vue ainsi.

–Tu iras passer la journée de demain avec elle? interrogea Laurent en jouant avec ses cheveux. Moi, je vais avoir une semaine surchargée au bureau, je sens cela !

– Oui, il est important que je la raisonne pour qu'elle se fasse aider ! Je ne peux pas me résoudre à la laisser si mal en point.

Malgré sa tristesse, Myriam se blottit dans les bras de son mari, qui se mit à la caresser avec passion. Tout en l'embrassant fébrilement et en la serrant contre lui, il tirait les couvertures et lançait les coussins sur le sol, à l'aveuglette.

– Maintenant, madame Dagenais, on va faire de grandes choses ! Le monde entier entendra bientôt parler de nous, promis !

– Juré ! ajouta Myriam en se déshabillant et en détachant les vêtements de Laurent qui rejoignirent les coussins.

– L'heure est venue de prendre possession de notre avenir, lui murmura-t-il à l'oreille en passant lentement la main sur ses hanches.

Myriam ne répondit pas, trop occupée à savourer dans son corps les sensations de plaisir qui allumaient leurs étincelles. Sentant la chaleur envahir son ventre frémissant, elle passa les bras autour du cou de son mari et offrit sa bouche à la sienne, ouvrant ses jambes pour emprisonner lentement son sexe dressé, complètement abandonnée. Dans leur nouveau lit se répandait partout la chaleur voluptueuse de leurs ébats amoureux, tandis que la nuit les enveloppait, gardienne de leur intimité.

Le lendemain matin, Laurent ouvrit un œil aussitôt que le premier rayon de soleil impertinent vint lui caresser le visage et il se tourna vers Myriam en s'étirant, étonné d'avoir si bien dormi. Ils se levèrent en même temps, prêts pour leur nouvelle vie. Assise sur le lit, Myriam, qui regardait amoureusement Laurent sortir de la douche, revint sur le sujet qui la préoccupait:

– Si j'avais pu me douter que maman était dans cet état! Quand je pense que nous avions décidé de leur parler de mon adoption aussitôt arrivés! C'est raté…

– Tu attendras le moment propice, demain ou après-demain, dit philosophiquement Laurent en se frictionnant les cheveux avec sa serviette de bain, pendant que Myriam descendait dans la cuisine préparer du café et des rôties.

– De toute façon, ça ne changera rien, lui cria-t-il par-dessus la rampe d'escalier.

– Tu as raison, mais j'ai besoin d'éclaircir cette énigme le plus vite possible, ça presse! répondit-elle en criant elle aussi. D'ailleurs, cette nuit, j'ai encore rêvé de cette Indienne qui me tend les bras et qui me ressemble. Étrange, non?

– Qu'est-ce que tu en conclus?

– Pour l'instant, rien.

Il était à peine neuf heures lorsque Laurent déposa Myriam rue Wiseman. Maguy n'avait pas fermé l'œil de la nuit. Obsédée par le fait que sa fille ne viendrait plus dormir sous son toit, elle était en proie au désespoir. Pendant toute la nuit, sentant poindre la toux, buvant du sirop sans se soucier de la quantité qu'elle absorbait, elle avait tenté de renforcer l'effet du médicament par quelques rasades de scotch ajoutées à ses indispensables gouttes… et s'était bien gardée d'aller réveiller Philippe qui dormait dans la chambre à côté. D'ailleurs, pourquoi l'appeler à l'aide ? Pourquoi s'en remettre à son indifférence ? Le cocktail était explosif ! La cocaïne perturbait de plus en plus la fonction respiratoire.

Philippe, en se levant à son heure habituelle, avait jeté un coup d'œil professionnel à la malade, puis ouvert le tiroir de sa table de chevet et constaté que sa réserve de solution cocaïnée était à sec. Alors, il s'était retourné vers elle en haussant les épaules et, regardant sa montre, il était parti en lui disant :

– Myriam ne va pas tarder à arriver.

Pas un commentaire, pas une critique ! La guerre froide. La mise en quarantaine avait succédé depuis quelque temps aux reproches quasi continuels. Maguy avait honte. Honte d'elle-même et de la façon dont Philippe lui faisait ressentir qu'elle n'était plus rien. Cruel. Inhumain. Que lui restait-il après toutes ces années ? Autour d'elle, tout devenait flou et s'estompait, se noyait dans un marécage d'insatisfaction, de culpabilité et de dégoût. Seul le fait que Myriam n'allait pas tarder à arriver était présent à sa conscience.

Le bruit de la porte qui se refermait en claquant parvint à ses oreilles :

– Allô, maman, comment vas-tu ce matin ?

Myriam était déjà en haut de l'escalier, toute pimpante. Maguy s'assit en hâte et enfila machinalement son peignoir.

– Dis-moi, maman, quand as-tu vu le docteur Landry ?

– Oh, je crois que c'était la semaine dernière, mais, de toute façon…

– De toute façon, quoi, maman ?

– Rien du tout.

Myriam fronça les sourcils.

– Je trouve que tu n'as pas bonne mine. Il ne faut pas rester ainsi!

– Je vais aller prendre une douche, ça me redonnera du tonus! Ne t'inquiète donc pas.

Pendant que sa mère était dans la salle de bains, Myriam alla inspecter sa chambre de jeune fille, où rien n'avait changé, rien que pour sentir quel effet cela produisait de revenir visiter son ancien domaine... Ouvrant les tiroirs de la commode, elle sortit un ou deux chandails qu'elle y avait laissés et prit le livre de catéchèse offert jadis par le Cardinal. C'était si loin! Les images de ce moment lui revenaient comme si cela avait été hier. Songeuse, elle restait là, sensible à cette atmosphère douillette où naguère il était si simple d'être insouciante! Elle ferma les tiroirs et s'approcha de la porte, un ourson en peluche dans une main, le livre dans l'autre, refusant de sombrer dans une nostalgie qui ne mènerait nulle part. La page était tournée. Myriam la jeune fille avait fait place à une femme déterminée, impatiente d'aborder le sujet qui lui brûlait les lèvres et décidée à parler à l'un et à l'autre de ses parents. Le moment était venu, elle n'avait plus le choix. Elle soupira. Pendant qu'elle rassemblait ainsi son courage, elle entendit Maguy pousser une sorte de râle inquiétant et se précipita dans la salle de bains. Sa mère était tombée entre la baignoire et la toilette, les yeux révulsés et à moitié inconsciente.

– Maman, maman, t'es-tu fait mal?

Maguy tenta de répondre, mais aucune parole distincte ne sortait de sa bouche. Myriam voulut la relever. Impossible. Le poids de sa mère et le fait que son corps était mou et affaissé dans cet espace réduit où elle s'était comme enclavée l'empêchaient d'y parvenir seule. Incapable de la sortir de sa fâcheuse position, Myriam appela le cabinet médical en catastrophe :

—Papa, maman est tombée, je ne peux même pas la relever ! Je crois qu'elle s'est blessée en tombant. Pourrais-tu venir m'aider ?

—Myriam, je ne peux pas quitter ma consultation et je dois opérer dans un peu moins d'une heure. Je vais envoyer une ambulance.

—Enfin, papa, maman est dans une situation épouvantable et tu ne peux pas venir ? Tu veux envoyer des étrangers !… Papa !

—Ma chère Myriam, je te suis reconnaissant de prendre soin de ta mère, mais je tiens à te faire remarquer qu'elle n'a jamais voulu suivre mes conseils. Je vais faire préparer son admission à l'Hôtel-Dieu et demander au docteur Landry de veiller à son traitement, mais je décline toute responsabilité au cas où tu voudrais me faire des reproches. Torrieu, Myriam !

Il avait élevé la voix et parlait sur un ton cinglant.

—Il n'est pas question de cela, voyons, papa !

Myriam le supplia, mais il avait déjà raccroché. Elle resta quelques instants perplexe, partagée entre la colère et les sanglots. Pour la première fois, elle avait mis en cause l'attitude de son père concernant Maguy et il l'avait mal pris. Très mal pris.

Maguy resta quatre jours à l'hôpital, avec des ecchymoses sur le visage. Le docteur Landry passa la voir, l'examina, ordonna qu'on prenne quelques radiographies des poumons et la traita surtout pour son asthme. Mais l'état de la malade ne s'était guère amélioré lorsqu'on la renvoya chez elle sous prétexte que son mari était un éminent praticien et qu'il pouvait veiller à son rétablissement. Lorsque Myriam vint la chercher, Maguy, pressée de rentrer à la maison, lui dit d'un air exaspéré :

−Partons d'ici, et vite ! Leurs traitements ou rien du tout, c'est du pareil au même !

−Que veux-tu dire, maman ?

−Rien, rien du tout… Sinon qu'on ne s'occupe pas des vrais problèmes, comprends-tu ! Si au moins on m'amenait dans un autre hôpital que celui où pratique ton père !

Myriam avait essayé pendant plusieurs jours de convaincre sa mère qu'il lui fallait une infirmière et une femme de ménage. Peine perdue. Renonçant à faire accepter son idée, elle venait passer toutes ses journées avec elle. Tant pis pour l'université ! Quant à Philippe, il évitait de rencontrer sa fille, trouvant toujours le moyen de quitter la maison lorsque celle-ci arrivait. Leurs échanges se bornaient à quelques mots prononcés sur un ton banal, quand il leur arrivait de se croiser :

−Maman a-t-elle bien dormi ?

−Je ne l'ai pas entendue tousser. Bonne journée !

Un matin où Philippe s'était attardé un peu plus qu'à l'ordinaire, Maguy, très faible, attendait Myriam dans sa chambre avec des papiers entre les mains :

−Regarde, Myriam. Comme tu te sers souvent de ma voiture et qu'elle t'est plus utile qu'à moi, j'ai préparé un papier pour la faire mettre à ton nom. Tu n'auras plus qu'à signer ici et à faire officialiser le changement.

−Voyons, maman, ce n'est pas nécessaire ! Garde ton auto, tu me la prêteras au besoin, et c'est tout !

−Myriam, j'insiste ! Signe donc ici.

Myriam prit le stylo que Maguy lui tendait et signa. Juste à ce moment, Philippe entra dans la chambre et, jetant un coup d'œil sur le papier, lança sans préambule en direction de Myriam:

–Qu'est-ce que tu es encore venue soutirer à ta mère?

Myriam pâlit.

–Elle ne me soutire rien du tout, Philippe, je lui donne ma voiture.

–C'est bien ce que je disais!

Philippe, la mâchoire serrée, sortit en trombe sans se soucier de l'effet produit par ses paroles.

*

Laurent, en rentrant du bureau, laissa tomber sa serviette de cuir sur le plancher et desserra sa cravate avec un soupir de contentement:

–Allô, allô, y a-t-il quelqu'un?

Myriam était en pleurs sur le sofa du salon. Inquiet, il délaça ses chaussures, s'avança précipitamment et s'assit près d'elle, attendant qu'elle lui explique ce bouleversant désespoir. Il la prit dans ses bras, sortit de sa poche un grand mouchoir et essuya ses joues ruisselantes:

–Qu'est-ce qui te remue à ce point, ma pauvre chérie?

–J'ai parlé à maman. Elle nie complètement le fait que j'ai été adoptée et m'a dit que je la ferais mourir si je continuais à lui débiter pareilles sornettes. C'est dur à avaler, surtout dans l'état où elle est en ce moment.

Laurent se leva, alla chercher son paquet de cigarettes et alluma la première qui lui tombait sous la main, avant de se rasseoir en jetant son allumette dans les cendres du foyer. Il avait l'air songeur.

– C'est incroyable! Et ton père, que dit-il?

– Il nie lui aussi. Il a semblé très contrarié que je lui pose la question! D'ailleurs, je ne le comprends plus du tout. Depuis que j'ai insisté pour faire hospitaliser maman, il fait la tête, pas moyen de le voir desserrer les dents en ma présence. Je ne sais pas ce que je lui ai fait.

– Comment leur as-tu posé la question?

– Il me semble que je ne pouvais pas être plus claire: ai-je été adoptée, papa? Ai-je été adoptée, maman? Suis-je votre fille biologique? Ils me répondent invariablement: « Puisqu'on te dit que tu es notre fille! Non, non, tu n'as pas été adoptée. » Ne trouves-tu pas que c'est invraisemblable de s'entêter à ce point? Ils me font sentir que je leur manque de respect... Qui suis-je donc pour qu'on me mente ainsi?

En disant cela, Myriam éclata en sanglots.

– Leur as-tu dit ce qu'on avait découvert sur ton acte de naissance?

– Non, ç'aurait été inutile... ils sont si entêtés, ajouta-t-elle en reniflant.

*

Une tasse de café fumant devant lui, Laurent écoutait les nouvelles en beurrant des rôties. Myriam dormait si peu depuis une semaine qu'il s'était levé le plus discrètement possible pour la laisser se reposer. Prêt à partir pour le bureau, il passait son veston en se demandant s'il devait ou non aller réveiller sa femme lorsque le téléphone décida pour lui, déclenchant une sonnerie stridente qui le fit sursauter.

– Allô, Monique, un instant, Myriam descend !

Myriam, encore tout endormie, se frottait les yeux. Laurent lui tendit le récepteur en la gratifiant d'un baiser dans le cou et sortit. Les deux jeunes femmes, qui ne s'étaient pas vues depuis le mariage, en avaient long à se raconter, d'autant plus que Monique avait grande envie de parler, avec enthousiasme, de sa nouvelle relation amoureuse.

– Te rends-tu compte, Myriam, je suis en amour par-dessus la tête ! Et Marc veut des enfants lui aussi. On a plein de projets.

– Je suis tellement contente pour toi, Monique ! disait Myriam. J'ai tellement hâte que tu te maries toi aussi… Je le savais dès que je vous ai vus ensemble ! On va rester en famille !… Moi ? Oh, ça pourrait aller mieux ! Imagine-toi que la vieille histoire de mon adoption est ressortie la veille de mon mariage et que rien n'est réglé.

Les deux amies échangèrent commentaires et suppositions à n'en plus finir.

– Je n'en reviens pas. Alors, sœur Marie-Vincent avait raison ?

– Sans aucun doute.

Bref, parle parle, jase jase, les minutes s'écoulèrent. Myriam regarda soudain la pendule :

– Monique, rappelle-moi ce soir, il faut que je te quitte, maman doit m'attendre !

Après plus de trois semaines d'un temps résolument idyllique pendant lequel les jardins s'étaient asséchés, le gazon menaçant de se changer en foin si on ne l'arrosait pas tous les jours, les choses avaient changé du tout au tout. C'était une de ces journées où l'on doute que le soleil existe encore, où on croirait qu'il s'est noyé, qu'il a été englouti à jamais, submergé par le déluge. Lorsque Myriam arriva auprès de sa mère, Maguy, seule dans la maison, était tombée de son lit et gisait sur le tapis. Se sentant horriblement coupable, Myriam la releva et essaya, tant bien que mal, de l'aider à se recoucher.

– Maman, comment es-tu tombée ?

– J'allais chercher du sirop. Donne-moi du sirop, Myriam, j'ai peur d'étouffer !

Myriam courut jusqu'à l'armoire de toilette et fouilla nerveusement pour trouver le sirop. Les tablettes étaient pleines de tubes de crème de toutes sortes soigneusement alignés et, derrière la panoplie de produits de beauté, il y avait une quantité impressionnante de flacons vides. Intriguée, Myriam en prit un dans sa main, voulant savoir ce qu'ils avaient renfermé ; les étiquettes lui semblaient familières. Pourtant, rien n'y était inscrit, sinon le logo du laboratoire pharmaceutique. « Tiens, j'ai déjà vu ces étiquettes-là ! Qu'est-ce que c'était ? » Avant même que la réponse lui parvienne clairement à la conscience, ses jambes se mirent à trembler : « Ce sont les mêmes étiquettes que celle de la solution cocaïnée que j'ai vue au bureau de papa ! » En un instant, un déclic se fit dans son esprit et elle comprit le sens des informations qu'elle avait toujours refusé de prendre en considération. Myriam chavirait sous le choc de la découverte : « Maman se drogue… et c'est papa qui l'approvisionne !… Non, non ! » Sa stupeur était telle qu'elle se regardait dans le miroir sans bouger, sans savoir ce qu'elle faisait là. Ses tempes bourdonnaient, sa gorge était sèche.

–Myriam!

Maguy l'appelait d'une voix chevrotante; d'entendre ainsi son propre nom fit revenir Myriam brusquement à la réalité. Elle prit le sirop et referma l'armoire. Blanche, le visage décomposé, la bouteille dans les mains, elle retourna comme un automate auprès de sa mère. Pas question, étant donné les circonstances, d'aborder le problème. Il fallait en premier lieu donner des soins à Maguy, qui la regardait d'un air suppliant, le souffle court. Elle lui fit avaler deux cuillerées de sirop et demanda une ambulance avant de prévenir Philippe.

–Bon, Maguy fait encore une crise d'asthme. Je viens vous rejoindre à la réception, dit-il froidement.

Avant de partir pour l'hôpital, Maguy était très agitée:

–Viens ici, Myriam, vois-tu, il faut que je te dise. C'est toi mon héritière… et mon testament est là, en haut de l'armoire. N'oublie pas!

En disant cela sur un ton implorant, Maguy tendait le bras vers l'armoire bretonne, une antiquité venant d'Anne, qui n'avait jamais quitté sa chambre. Myriam, affolée, l'écoutait à peine.

–Maman, ne parle pas de cela! Tu m'expliqueras plus tard! L'ambulance arrive, il faut partir.

Le ciel était presque noir et il pleuvait à boire debout lorsque les ambulanciers hissèrent Maguy dans la fourgonnette qui lançait ses rais de lumière aveuglante. Myriam, qui avait rassemblé dans une mallette le peignoir, les mules et la trousse de toilette de sa mère, la suivit jusqu'à l'hôpital avec la voiture de celle-ci. Elle était si inquiète qu'elle ne vit même pas les voisines aux aguets derrière leurs rideaux…

À l'Hôtel-Dieu, on plaça immédiatement Maguy sous un masque à oxygène, dans une chambre privée. Elle était à bout de forces. Philippe arriva quelques minutes plus tard. Que lui dire ? Comment aborder la question des flacons de cocaïne ? Myriam, submergée par le chagrin et la tête prête à éclater sous l'afflux des questions, attira son père dans le corridor. Ce n'était pas l'endroit rêvé pour parler des problèmes de la famille.

–Papa, peut-être faudrait-il qu'on se parle... Maman va très mal, n'est-ce pas ?

Dans ce décor impersonnel qui lui était familier, Philippe avait un air étrange et lointain qu'elle ne lui connaissait pas. Intouchable. Inabordable. Les infirmières et les religieuses passaient devant lui en esquissant un salut auquel il répondait par un sourire affable, tout en écoutant sa fille d'une oreille très professionnelle.

–Son état est critique en effet, Myriam, mais je dois retourner à ma consultation ! Excuse-moi, l'horaire est surchargé aujourd'hui... Ne t'inquiète pas, elle est entre bonnes mains. Allons !

Myriam cherchait à capter son regard. Mais il faisait tout pour éviter de la regarder en face ! Pouvait-elle le croire ? Devait-elle lui faire confiance ? Philippe s'esquivait encore, comme s'il s'agissait de quelque chose de banal ! Durant un moment, il eut l'air désolé de la voir pleurer et, presque paternellement, il l'attira vers lui en lui passant la main dans les cheveux comme pour la rassurer ; ensuite, il s'éloigna. Au même instant, deux résidents et deux infirmières entrèrent dans la chambre de Maguy en s'inclinant respectueusement devant le docteur Langevin qui leur fit un petit salut :

– Je vous laisse vous occuper d'elle.

Avant d'avoir pu dire un mot de plus, Myriam se retrouva seule, désemparée, auprès de sa mère.

Lorsqu'elle quitta Maguy endormie pour aller retrouver Laurent, elle avait la mort dans l'âme. Une soirée plus triste que celle-là, la jeune femme, le cœur lourd d'un vilain pressentiment, n'en avait jamais vécu! Laurent alluma un feu dans l'âtre et l'aida à préparer le souper. Ayant passé un tablier de soubrette, il essaya de mettre un peu de fantaisie dans ses gestes et dans ses paroles pour alléger l'humeur de Myriam:

– Allons, allons! Chasse ces vilaines idées noires, ma femme, demain ta mère ira beaucoup mieux.

Lorsque les brindilles de bois sec se mirent à crépiter, répandant une bonne odeur dans toute la maison, Myriam vint s'asseoir devant le foyer, son assiette sur les genoux. Elle aurait voulu rester là sans bouger, oublier tout cet imbroglio familial, ne plus sentir sa peine et se contenter de regarder les flammes lécher les bûches. Se laisser engourdir. Ne penser à rien. Se réfugier dans les bras de Laurent et avoir chaud au cœur, y rester immobile pour toujours... Mais le téléphone n'arrêtait pas de sonner. Dans la famille, où régnait plus que jamais l'hypocrisie, après des mois de silence et de mise en quarantaine, on s'était donné le mot pour prendre des nouvelles de « cette pauvre Maguy » qu'Étienne était passé voir à l'hôpital.

– Comment se fait-il, demanda Laurent à Myriam, qu'ils n'appellent pas ton père?

– Personne n'arrive à le joindre, il paraît que depuis trois jours il n'est pas à la maison.

*

Pour la quinzième ou vingtième fois de la journée, Philippe, penché au-dessus du lavabo, les manches relevées, se savonnait soigneusement les mains et les poignets, accomplissant l'indispensable rituel du praticien. Il brossa ses ongles, qui étaient toujours impeccables et, par la porte entrouverte, appela Fleurette :

– Combien de patients reste-t-il, garde ?

– Quatre, docteur : deux cas d'amygdalite, une sinusite et une infection de l'oreille interne.

Fleurette lui tendit une serviette. Philippe reboutonna ses manches et ajouta en regardant ses mains :

– Bien, alors on commence tout de suite et on enchaîne. Ne prenez aucun autre patient pour aujourd'hui, je dois repasser par l'Hôtel-Dieu.

– Madame Maguy va-t-elle un peu mieux ?

Philippe répondit par un signe évasif.

– Dites-lui que j'irai la voir samedi.

– C'est gentil à vous, Fleurette, ça va lui faire plaisir.

Pendant que Fleurette préparait les dossiers des patients et bavardait un peu avec eux, Philippe se dépêcha de sortir de la pharmacie le bocal de solution cocaïnée. Il en remplit deux petits flacons qu'il rangea précipitamment dans sa serviette de cuir ; ensuite, il entra dans la première salle de soins et eut tôt fait de soulager son client. Après avoir vu tout le monde, il quitta Fleurette et prit le chemin de l'Hôtel-Dieu. Maguy, qui avait l'air terriblement lasse, ne sembla même pas heureuse de le voir. Elle gémissait. Philippe s'approcha de son lit, inspectant la feuille de soins :

– Le docteur Landry est venu te voir ? Bon, on continue le traitement.

Elle répondit par un imperceptible hochement de tête et ferma les yeux. Alors, il s'approcha d'elle:

— As-tu besoin de quelque chose, à part ce que je t'ai apporté?

Elle gémit encore pour toute réponse. D'un geste rapide, Philippe fit glisser le tiroir de la table de chevet et y déposa les deux flacons sans rien dire. Maguy, sensible au bruit, ouvrit les yeux et tourna la tête, complètement découragée. Sans un mot, Philippe sortit de la chambre et Maguy se mit à pleurer.

*

Diane Fortin arrivait à Mont-Royal, le coffre de sa voiture bourré de provisions. Depuis que Philippe venait souper tous les soirs, elle avait pris des cours de cuisine et acheté un grand nombre de livres de recettes; elle essayait de les réaliser bien qu'elle n'eût aucun talent culinaire. Quoi qu'il lui en coûtât d'efforts, il fallait bien que son amant trouve de quoi nourrir sa flamme, que ce soit à table ou bien dans son lit...

À cause de la maladie de Maguy, ils ne pouvaient plus se permettre de sortir ensemble dans les bons restaurants où le docteur Langevin était connu et où il risquait à chaque instant de rencontrer l'un ou l'autre de ses collègues... Philippe tenait à garder l'anonymat! Alors, il se réfugiait chez elle pour y passer des soirées d'amoureux. C'était bien ainsi. Elle déchargea la voiture et se mit à ranger les aliments selon leur catégorie, absorbée par la composition de son menu. Grimpée sur une chaise, elle essayait d'attraper la fécule de maïs et le poivre en grains lorsqu'elle poussa un cri et sursauta. Philippe était arrivé à pas de loup, bien plus tôt qu'à l'ordinaire, et lui enserrait les jambes dans ses bras.

– Oh, que tu m'as fait peur! Laisse-moi descendre!

– Si je veux! lui répondit-il, taquin, en la maintenant prisonnière.

– Ne fais pas l'enfant, lâche-moi!

Elle riait à gorge déployée et Philippe aimait cela. Il la déposa par terre et l'embrassa longuement. Leurs ébats étaient toujours aussi enflammés, ayant la saveur incomparable du fruit défendu.

– Comment va-t-elle? questionna soudain Diane, à brûle-pourpoint.

– Elle ne va pas bien, puisqu'elle fait toujours les mêmes erreurs. Elle continue à se détruire.

– C'est terrible, terrible…, murmura Diane. Tu ne peux rien faire pour elle?

– Absolument rien, répondit Philippe avec un hochement de tête professionnel. Qu'est-ce qu'on mange ce soir?

– Je me demandais si tu préférerais des côtelettes ou bien un steak…

– Je préférerais que tu ne te tracasses pas quand on est ensemble, ajouta-t-il. On va commander un repas et le faire livrer. J'ai apporté une bouteille de sancerre.

«Décidément, la vie avec Philippe sera des plus charmantes, il est plein d'attentions», se surprit à penser Diane, dont les rêves commençaient à prendre forme.

Myriam, inquiète, dormit très mal, se réveillant à chaque instant et se retournant dans tous les sens.

Des images de son enfance lui revenaient sans cesse, comme si elle revivait les années passées avec Maguy : les vacances au bord de la mer, la famille et les cousins, les jours de fête. Elle était si agitée que Laurent grogna une ou deux fois en tirant les couvertures vers lui.

– J'aurais peut-être dû rester auprès de maman, dit-elle à voix haute.

– Allons, allons, repose-toi, répondit Laurent en se collant contre elle.

Quelques minutes avant l'aurore, tandis que la clarté commençait à nimber l'encadrement de la fenêtre, comme elle était sur le point de s'assoupir, l'image de sa mère souriante lui apparut derrière ses paupières closes. Rassurante. C'était l'image d'une Maguy rajeunie, en pleine forme, qui lui disait : « Myriam, tu es ma fille... » C'était à n'y rien comprendre ! Myriam descendit dans la cuisine pour préparer le déjeuner et Laurent, les yeux encore pleins de sommeil, vint aussitôt se blottir derrière elle en l'entourant de ses bras :

– Tu n'as pas beaucoup dormi, toi... hein, ma chérie ?

– Non, j'ai pensé à maman toute la nuit. J'espère qu'elle va mieux !

Myriam arriva à l'Hôtel-Dieu si préoccupée et à ce point distraite qu'elle se trompa de chambre et pénétra d'un pas rapide dans celle d'un vieux monsieur qui râlait sur son lit. Deux femmes de service, qui étaient en train de changer les draps en le bousculant un peu, relevèrent la tête, étonnées. Confuse, s'apercevant de son erreur, la jeune femme ressortit en s'excusant avant de s'introduire dans la chambre de Maguy. Immobile, la malade gisait sur le lit, le regard fixe. Myriam laissa tomber son sac à main, se pencha précipitamment vers sa mère, lui prit la main en essayant de la faire réagir, affolée. Les jolis doigts aux ongles soigneusement laqués étaient froids et raides... Maguy était morte et personne ne lui avait fermé les yeux!

Myriam fit doucement descendre ses paupières l'une après l'autre et déposa un baiser sur la joue inerte. Étrangement, elle qui aurait voulu crier, agir selon son impulsivité habituelle, semblait clouée au sol. Tout cela s'était déroulé trop vite... Debout près du lit, Myriam, encore incrédule, ne pouvait détacher son regard de Maguy qui avait cessé de vivre, de Maguy qui avait depuis si longtemps renoncé à son rôle de femme et de mère, de Maguy qui s'était avouée vaincue, qui s'était laissé persuader de sa faiblesse et de son inutilité... La pauvre était demeurée toute sa vie une enfant effrayée de la vie et d'elle-même, coupable de donner trop de pouvoir à ses peurs. Elle s'était terrée dans un silence étouffant et avait fini par dépendre d'un paradis artificiel plus destructeur que tout. Maguy s'était toujours crue abandonnée, mais c'est elle qui avait fait porter à sa fille le fardeau pénible de l'abandon... Sa mère morte, seule sur un lit d'hôpital! Atterrée par la soudaineté de l'événement, Myriam s'approcha du corps et dit dans un élan:

–Ma petite mère, je sais que quelque part tu m'entends. Je n'ai jamais pris le temps de te dire combien je t'aimais. Aujourd'hui, même s'il est trop tard, je veux que tu le saches: je t'aime, Maguy, tu es ma maman à moi. Je t'aime même si je ne sais pas pour quelles raisons tu m'as caché la vérité. Je t'aime comme on aime une vraie mère. Je t'aime malgré toutes tes faiblesses, avec tout ce qui a été toi. Si je suis aujourd'hui celle que je suis, c'est grâce à toi, car depuis toujours tu m'as donné l'amour dont j'avais besoin, avec une générosité qui n'appartient qu'à toi, et je t'en remercie!

Machinalement, les yeux pleins de larmes, sans trop savoir ce qui la poussait à faire ce geste, voulant sans doute rassembler les papiers et objets personnels de Maguy qui se trouvaient là, elle ouvrit le tiroir de la table de chevet. Ce qu'elle vit la fit frissonner d'horreur: deux flacons de solution cocaïnée étaient là, aux trois quarts vides. Ce n'était certes pas sa mère qui les avait apportés en entrant à l'hôpital, puisqu'elle l'avait elle-même accompagnée jusqu'à l'ambulance! Ce n'était pas non plus le médecin de l'hôpital qui les lui avait fournis! La cocaïne lui avait été remise après son arrivée ici! Seul Philippe avait pu en être le pourvoyeur! Impossible de ne pas saisir ce qui s'était passé... Impossible. L'horrible histoire, si bien montée, avait abouti au décès de sa mère. Myriam se laissa tomber sur une chaise: «Morte d'une surdose de cocaïne!» Impossible de formuler l'horrible verdict. Elle referma le tiroir en laissant les flacons où ils étaient, espérant dans la naïveté de ses vingt ans que quelqu'un découvrirait le poison et donnerait l'alarme, que l'on ferait une enquête!

Pourtant, Myriam se sentait incapable d'accuser directement son père. Le respect qu'elle lui vouait depuis son enfance la paralysait et l'amenait à douter encore. D'ailleurs, quoi dire? Comment prouver quoi que ce soit? Était-elle sûre de ce qu'elle avait découvert ces dernières semaines ? N'étaient-ce pas des suppositions farfelues ? Qui la croirait ? Qui oserait accuser un médecin protégé par sa réputation et soutenu par sa confrérie, l'une des plus puissantes d'Amérique du Nord ? Ne pouvant répondre à ces questions, Myriam sonna pour appeler l'infirmière. Il valait peut-être mieux ne rien dire.

– Garde, ma mère est décédée, dit-elle d'une voix tremblante, à peine audible.

Elle faillit ajouter : « Et c'est mon père qui l'a amenée là, l'aidant à se droguer… », mais elle se mordit les lèvres. L'infirmière la regardait d'un air compatissant :

– Le docteur Langevin ne vous a pas prévenue ? Il était ici voici environ une demi-heure.

Myriam, secouée par les sanglots, n'arriva même pas à répondre. Avec difficulté, elle demanda :

– Garde, quand est-elle morte ?

– Juste avant que votre père arrive. À présent, on va faire sa toilette.

Deux religieuses entraient, poussant un chariot avec le nécessaire pour préparer le corps de la défunte.

– Nos condoléances, mademoiselle Langevin. Votre mère était une sainte femme.

Le docteur Landry n'était plus à son bureau lorsque Myriam demanda à le voir. Se souvenant tout à coup de ce qu'avait dit sa mère au sujet du testament juste avant de quitter la maison, elle prit en toute hâte le chemin d'Outremont, poussée par son intuition. En pénétrant dans la demeure déserte, rue Wiseman, Myriam avait l'impression de commettre un vol. Elle se rendit directement à la chambre de sa mère. Elle eut beau fouiller dans le haut de l'armoire, déplacer un à un les vêtements impeccablement pliés et alignés, chercher partout, sur le dessus du meuble, derrière les encoches ou dans les recoins, le testament de Maguy restait introuvable. Il avait disparu. Myriam appela immédiatement Laurent au bureau:

– Je ne peux pas y croire. As-tu pensé à demander une autopsie à l'hôpital?

– Impossible de voir le docteur Landry.

– Attends-moi devant la librairie, avenue Laurier, j'arrive.

Le soir même, Myriam et Laurent revinrent à l'Hôtel-Dieu. On avait enlevé le corps et, dans la chambre vide, l'oncle Étienne en costume noir, assis devant la fenêtre, les attendait, le regard larmoyant.

– Bonjour, mon oncle, il y a bien longtemps qu'on ne s'est vus.

– Je ne m'attendais certes pas à ce que ma sœur parte aussi vite! dit-il sur un ton pitoyable.

Myriam se mit à pleurer. Laurent s'approcha d'elle et lui passa un bras autour des épaules. Le médecin et la religieuse chargés de leur faire remplir les papiers officiels entrèrent à cet instant.

– Nous demandons une autopsie, réclamèrent les deux jeunes gens d'un commun accord.

– Voyons, vous n'allez pas faire cela à cette pauvre Maguy, leur dit Étienne, en gesticulant tout à coup. Pensez-y bien, cela serait inhumain!

Philippe arriva sur ces entrefaites, les lèvres tremblantes, l'air défait.

– Te rends-tu compte, Philippe? lui lança Étienne, toujours aussi indigné, sans finir sa phrase.

Myriam eut le courage de répéter:

– Papa, nous demandons une autopsie.

Philippe poussa un cri.

– Ah non, pas ça ! Torrieu, je ne suis pas capable de supporter cette idée monstrueuse ! C'est tout ce que vous avez imaginé pour ma pauvre Maguy ?

Il s'approcha tout près de Myriam, avant de se retourner vers son beau-frère :

– Crois-tu qu'elle aurait voulu une chose pareille, ta mère ? Vois cela avec eux, Étienne, moi je ne peux pas !

Ses yeux lançaient des éclairs en direction de Myriam et de Laurent, en même temps que son front se plissait et que sa bouche tremblait.

– Pauvre docteur Langevin, dit la religieuse d'une voix compatissante, son chagrin est terrible !

Philippe, l'air digne, sortit comme il était entré, en claquant la porte, accompagné par les hochements de tête de ceux qui s'apitoyaient sur son sort. Laurent et Myriam faisaient figure de vilains personnages, quasiment de bourreaux. Incrédule, Laurent pensait : « Quel comédien, non mais quel comédien ! Voici à peine quelques semaines, il nous entraînait presque chaque jour sur les manèges de Terre des Hommes, laissant Maguy seule, ne se préoccupant pas de son état, et, tout à coup, Maguy décédée est devenue sa "pauvre Maguy" ! Morte, on lui reconnaît des qualités extraordinaires ! »

Alors, influencés par Étienne qui leur fit un sermon, Myriam et Laurent abandonnèrent leur demande d'autopsie : afin de respecter la dépouille mortelle de Maguy et de ne pas occasionner davantage de chagrin à ce cher Philippe…

*

Myriam, Laurent et sœur Marie-Vincent étaient attablés devant une tasse de thé au restaurant français de l'Expo et, face au fleuve, au milieu d'un public bavard et cosmopolite, ils commentaient les événements des dernières semaines. Myriam avait beaucoup maigri en quelques jours. Vêtue d'une robe noire qui accentuait sa pâleur, elle venait de présenter son mari à la religieuse. Celle-ci, en vêtements de brousse, le visage bruni par le soleil, arrivait tout juste de l'aéroport et comptait rester pour un court séjour. L'île Notre-Dame était un lieu de rencontre tout indiqué, puisqu'ici on pouvait bavarder à l'aise, non loin du pavillon des Missions que sœur Marie-Vincent se devait de visiter. Myriam, si éprouvée qu'elle avait vécu les derniers jours comme un automate, enviait l'air épanoui de son amie, qui semblait encore plus sereine qu'elle l'avait été quelques années auparavant.

– Je vous admire, je trouve que vous avez du cran, déclara Myriam. J'ai été lâche, voyez-vous, aux funérailles de maman, je me suis comportée comme si tout avait été normal...

– Ne sois pas trop dure avec toi-même, tu n'avais pas le choix, répliqua Laurent.

Sœur Marie-Vincent sourit.

– Je ne vois pas ce que tu aurais pu faire de plus !

– Un scandale !

– Crois-tu que cela aurait donné quoi que ce soit ?

– Non, vous avez sans doute raison.

– Quant à nous, missionnaires, on n'a aucun mérite, on côtoie une telle pauvreté qu'il y a toujours un nouveau problème à régler. C'est une simple question de survie ! Là-bas, nos problèmes de riches paraissent bien futiles !...

Laurent se leva et toucha le cadran de sa montre en agitant sa chevelure :

– Sœur Marie-Vincent, je suis très heureux d'avoir fait votre connaissance.

– Moi aussi, cher Laurent.

– Il faut que je vous quitte. À tantôt, Myriam !

Il se pencha pour lui donner un baiser. Malgré l'intérêt de ce que sœur Marie-Vincent avait à raconter sur sa vie africaine, malgré la curiosité de Myriam pour ce qui se passait là-bas et malgré le fait que l'Exposition universelle, grouillante d'activités, continuait à changer le panorama de Montréal, les seuls sujets qui les préoccupaient toutes les deux étaient la découverte de Laurent concernant l'adoption de Myriam et les funérailles de Maguy, qui avaient eu lieu le jour précédent. Depuis qu'ils avaient osé demander une autopsie, Philippe ne leur avait plus adressé la parole ni à l'un ni à l'autre, et Myriam n'avait pas revu son père, hormis au moment de l'office, au milieu de la famille plus distante que jamais. Comment aurait-elle pu lui parler à ce moment-là ?

Les péripéties avaient été si nombreuses depuis le choc reçu la veille du mariage que la jeune femme n'avait pas eu le temps de reprendre son souffle et se demandait encore si tout cela était vrai, si elle n'avait pas fait quelque cauchemar dont elle allait bientôt se réveiller ! Au cours des derniers jours, Myriam avait perdu sa mère, et aussi son père. Philippe, qu'elle admirait et qu'elle aimait tout autant que Maguy, son père, qui lui avait transmis le sens du courage et le goût du travail bien fait, cet homme-là était devenu en quelques heures un étranger, pire, un ennemi ! S'en remettrait-elle ? En quelques jours, de jeune femme comblée et gâtée, elle était passée au rang d'orpheline. Elle qui se tracassait à l'idée d'avoir deux pères et deux mères, voilà qu'elle n'en avait plus aucun.

Sœur Marie-Vincent, qui écoutait attentivement Myriam, craignait quant à elle de la voir retomber dans cet état dépressif qu'elle lui avait déjà connu... Tandis qu'elles bavardaient, elle ne pouvait s'empêcher d'admirer la grâce de la jeune femme, tout comme son visage expressif et plein de caractère. Myriam parlait, se vidait le cœur et quêtait avidement d'autres renseignements, revenant sur les questions qu'elles s'étaient posées sept ou huit ans auparavant.

– Savez-vous, ce qui m'a toujours paru bizarre, c'est que vous ayez arrêté net de me parler de vos soupçons concernant mon adoption, comme si vous aviez changé d'idée du jour au lendemain! J'avais beau être encore une enfant et ne vouloir approfondir que ce qui m'arrangeait, cependant j'en garde un curieux souvenir...

– Et pourtant, Myriam, tu ne sais pas tout!

– Comment cela?

– Ce que je ne t'ai jamais dit, c'est qu'on m'avait menacée de me renvoyer de la communauté si je me mêlais encore de cette affaire. À l'époque, mère Camille m'avait même fait savoir que les ordres venaient de très haut, de très très haut!

– Vous voulez dire de mon père?

– Non, je ne pense pas qu'il s'agisse de Philippe Langevin... Bien sûr, tes parents voulaient protéger quelqu'un dans cette histoire, et c'est ce quelqu'un-là qui avait donné les ordres!

Dans la tête de Myriam, une petite lumière s'alluma soudain, sans qu'elle comprenne pourquoi. Qui donc était son père? Son père biologique? Elle regarda dehors. Le coucher de soleil cédait la place à la brunante et la ville s'allumait au-dessous des nuages ourlés de tons irisés. C'était magnifique. Au-dessus du Saint-Laurent qui reflétait le ciel à perte de vue, enjambé par ses trois larges ponts métalliques, un avion passa en clignotant, déployant son ronronnement et dessinant une courbe descendante dans la direction de l'aéroport.

Devant l'entrée du restaurant, deux silhouettes familières arrivaient en courant et en faisant de grands signes. C'étaient Monique et Christiane venues saluer sœur Marie-Vincent, dont les jours en ville étaient comptés.

*

À l'écart des bruits de la rue, par les fenêtres en forme d'arcade du luxueux bureau dominant la place d'Armes, on apercevait les lourdes portes de bois massif et le va-et-vient continuel des touristes venus visiter la basilique Notre-Dame. Assis sur des chaises tapissées de velours, face à de grands tableaux représentant des scènes de chasse à courre, Jean-Paul et Suzanne, Étienne et Nicole, vêtus de noir, se tenaient, silencieux, aux côtés de Philippe, de Myriam et de son mari. Tous se levèrent au moment où le notaire aux cheveux blancs entra dans la pièce, précédé par son clerc qui portait une pile de documents. Il vint serrer la main de Philippe et de Myriam. Ensuite, le clerc déposa son paquet au centre de la table, avant de se retirer, et le notaire s'assit sur son fauteuil à oreilles, disparaissant à moitié derrière son bureau sculpté. Il regarda sa montre de gousset, mit ses lunettes sur le bout de son nez après les avoir frottées avec son mouchoir et examina d'un air dubitatif les feuilles placées devant lui.

À ce moment-là, Myriam plongea ses yeux dans ceux de Laurent, qui lui fit un rapide et discret clin d'œil pour l'encourager.

– De par le testament de feue madame votre mère, qui m'a été remis par votre père monsieur Philippe Langevin, dit-il en s'adressant à Myriam, c'est monsieur Philippe Langevin, son époux, qui hérite de tous ses biens.

Dans le silence général, ce fut comme si une chape de plomb était tombée sur les épaules de la jeune femme. Laurent poussa discrètement Myriam du coude pour la faire réagir.

– De quand date ce testament, s'il vous plaît? hasarda Myriam, avec le sentiment que tous les regards étaient fixés sur elle.

Le notaire toussota et relut attentivement ses documents.

– Hmm, exactement... Voici, il a été rédigé en 1956, après la mort de votre grand-père, monsieur Albert Pellerin.

– Mais, maître, ce testament n'est pas valable! Avant de mourir, ma mère m'a parlé d'un autre testament plus récent.

Philippe, qui s'efforçait de ne pas regarder Myriam, avait les lèvres tremblantes et martelait le tapis du bout de son pied.

– Myriam, dans un pareil moment!

Le notaire, imperturbable, s'adressa à la jeune femme, la regardant par-dessus ses lunettes:

– Madame Dagenais, êtes-vous capable de produire le document dont vous venez de mentionner l'existence ?

– Malheureusement, je ne l'ai pas. Il m'a été impossible de le trouver malgré les indications que m'avait fournies ma mère.

Il y eut un long silence.

– Bien, alors je dois exécuter les volontés de la défunte selon les documents qui m'ont été remis par monsieur Philippe Langevin.

Le notaire toussota à nouveau et fit une pause :

– En conséquence, et sauf nouvel avis, monsieur Philippe Langevin hérite des biens mobiliers et immobiliers de feue madame Marguerite Langevin née Pellerin, c'est-à-dire un immeuble de dix-huit appartements mis en location, situé rue du Fort et dont j'ai ici le certificat de localisation, plus la maison familiale, rue Wiseman à Outremont, avec un terrain de trois mille pieds carrés, plus le montant de ses actions, obligations et compte en banque, qui s'élève à ce jour à la somme de un million huit cent cinquante-trois mille quatre cent douze dollars et vingt-sept cents. En outre, elle cède à sa fille, madame Myriam Langevin-Dagenais, son collier de perles et son bracelet-montre serti de diamants, plus sa bague de fiançailles. À ses frères, messieurs Jean-Paul et Étienne Pellerin ici présents, elle lègue des objets personnels ayant appartenu à monsieur Albert Pellerin, soit une montre de gousset en or dix-huit carats, sertie de diamants, ainsi qu'un briquet ciselé et un étui à cigares en argent, plus deux terrains à bâtir situés dans la paroisse de Saint-Bruno, d'une surface de douze mille pieds carrés.

Le notaire laissa son regard se promener longuement sur chacun des membres de la famille.

– Je dois ajouter que, si madame Dagenais retrouvait le plus récent testament de feue madame Langevin et que celui-ci change les dispositions annoncées par le présent, je devrais l'exécuter immédiatement.

Personne ne broncha dans l'assistance, même pas Philippe, qui eut seulement un petit éclair dans les yeux. Myriam se leva d'un bond. L'injustice lui déchirait le cœur. Au fond d'elle, une force sauvage se dressait, déchaînée et furieuse à la vue de tous ces masques visqueux, tournés du côté du plus fort. Elle aurait aimé avoir le courage d'arracher le vernis superficiel de leurs belles manières, plaqué sur leur peau comme un déguisement ridicule, les mettre à nu, dévoiler publiquement leur hideuse comédie, leur bassesse. C'était donc cela, sa famille! Des visages à double face…

Pour la première fois, son père lui apparaissait comme un être faible, incapable d'assumer son rôle, il se comportait comme un poltron réfugié derrière l'écran protecteur de son honorabilité. Un homme prêt à tout, sauf à avouer qu'il était comme les autres, plein de lacunes et de contradictions. Mais en même temps son père restait son père, un père qu'elle avait aimé et aimait encore, un père dont les qualités lui avaient servi de modèle et dont elle ne pouvait effacer l'influence en quelques jours. Même dans ces circonstances, l'amour qu'elle ressentait pour lui la freinait, l'empêchait de réagir. Myriam était déchirée. S'il est vrai que l'âme des individus se dévoile dans les moments difficiles, alors elle avait devant les yeux un spécimen étonnant. Meurtrie d'avoir été ainsi lésée, fragilisée par son deuil, la révolte à fleur de peau, elle se dirigea vers la porte, suivie de Laurent, pressée de quitter ce cercle névrosé. À ce moment-là, Suzanne Pellerin, toujours doucereuse, auréolée d'un nuage de parfum trop fort, s'interposa pour l'empêcher de sortir :

– Myriam, je voulais te dire…

– Quoi donc, ma tante ?

– Après tout, c'est normal que la plus grosse part revienne à Philippe, dit-elle, sur le ton de la confidence et en se penchant vers Myriam.

– Pardon ?

Myriam avait sursauté et Suzanne se rendit compte qu'elle en avait trop dit. Elle prit un air entendu et passa une main gantée sur son chapeau, comme pour le replacer. Alors Nicole, engoncée dans un tailleur de mauvais goût, arriva derrière elle en minaudant et, sur un ton mielleux, porta le coup de grâce :

– Tu n'étais pas leur fille, ma chère enfant, ils t'avaient adoptée !

Pour Myriam, ce fut un choc terrible. Sa vue s'obscurcit tout à coup. Elle n'apercevait plus que des éclairs… Laurent la soutint en la prenant par le bras et fusilla du regard les deux hypocrites. Philippe, qui s'entretenait avec le notaire, affirmant qu'il n'avait jamais eu connaissance d'un autre document, se retourna vers ses deux belles-sœurs. Inquiet, tendant l'oreille sans pouvoir comprendre ce qui se disait, il s'approcha du groupe et lança pour que tous l'entendent :

– Myriam, viens samedi après-midi à la maison, tu prendras ce que ta mère t'a légué et je te remettrai aussi son argenterie.

Chapitre XXVII

Philippe Langevin était un homme d'habitudes; sans transition, il recréa son univers quotidien. Le décès de Maguy représentait pour lui la fin d'un cauchemar. Depuis des années, ruminant sa déception conjugale, il avait accéléré le processus destructeur, incapable de mesurer les conséquences de ses actes, persuadé qu'il se libérerait en poussant Maguy vers l'issue fatale. Puis, craignant de voir s'écrouler le piédestal sur lequel reposait sa notabilité, il avait banni de sa vie la personne qui le gênait le plus, c'est-à-dire Myriam.

Était-il satisfait du résultat, content de lui-même? Pouvait-il l'être? Certes, il n'avait songé qu'à lui-même, sans penser que, Maguy disparue, Myriam aurait encore plus de raisons de le croire coupable et qu'elle resterait le témoin gênant de sa conduite peu scrupuleuse. Lorsqu'il s'était rendu compte que ses agissements comportaient des risques qu'il n'avait pas entrevus, alors, ne pouvant reculer, il avait écarté de son chemin la seule personne susceptible de s'opposer à lui, sa fille, et du même coup son gendre. Depuis toujours, Philippe s'était imaginé que, le moment venu, Myriam se fierait aux apparences et blâmerait Maguy, laissant intacte l'honorabilité de son père. S'appuyant sur son jugement et sur sa réputation sans faille, il n'avait pas envisagé que leur fille tenterait de rendre justice à sa mère, lui portant par là un coup inattendu. S'étant lui-même placé dans une impasse, il n'avait plus d'autre possibilité que de l'écarter de son chemin en l'intimidant. De plus, amoureux de la fortune de Maguy bien plus que d'elle-même, il n'avait pu se résoudre à laisser échapper l'héritage qui selon toute logique était destiné à Myriam. Désormais insensible aux remords qu'il refoulait sans cesse avec une volonté de fer, Philippe essayait de trouver le bonheur qu'il n'avait pas atteint avec Maguy en épousant Diane. En changeant de femme, il faisait table rase de son passé et s'imaginait avec une naïveté étonnante qu'il pourrait reconstruire sa vie sur ce genre d'artifice.

En février, période pendant laquelle le docteur Langevin prenait tous les ans des vacances, et après six courts mois de deuil qui fermaient la porte au qu'en-dira-t-on, Philippe et Diane se marièrent dans l'intimité, avant de s'envoler pour la Floride en voyage de noces. Myriam n'avait pas été invitée à la cérémonie, elle n'avait même pas été prévenue de l'événement...

Le matin du mariage, Diane, qui sortait des mains de son coiffeur, accrochait un bouquet de fleurs à son corsage, en s'assurant qu'elle présentait une image impeccable. Penchée devant son miroir, elle promenait un doigt inquiet autour de ses paupières, dessinant lentement le contour des quelques ridules qui commençaient à poindre. Le passage des ans l'effrayait... Voilà quelque temps, ce genre de tracasserie ne la dérangeait guère, mais depuis peu elle surveillait avec angoisse le moindre changement sur sa peau et sur son corps. Connaissant l'importance que Philippe accordait à l'apparence, elle voulait tout faire pour lui plaire, multipliait les soins de beauté de façon presque compulsive et s'affublait de nombreux bijoux comme pour afficher sa valeur. Depuis qu'elle était sûre d'épouser Philippe, Diane avait perdu son assurance ! C'était à la fois étrange et subtil. Elle n'était plus la Diane décidée à conquérir, mais une femme dont le besoin d'approbation devenait constant, une sorte de satellite gravitant autour de son soleil, menacée de tomber dans un trou noir s'il ne l'entraînait plus dans sa course à lui…

Elle chassa ces pensées. Qu'allait-elle donc s'imaginer ? Pourquoi s'engager dans pareille supposition le jour de son mariage ? Pourquoi avait-elle peur de perdre ce qu'elle avait si justement acquis ? Reculant un peu sur sa chaise, elle se repoudra et soupira de soulagement en pensant qu'elle serait définitivement à l'abri de toute forme de tracas matériel. Elle sortit de son coffret à bijoux un bracelet, qu'elle ajouta aux chaînettes cliquetant déjà à son poignet.

Aussitôt qu'elle exprimait le désir d'acquérir un objet, Philippe le lui offrait généreusement, ce qui rendait sa vie très facile ! Il était tout le contraire de son premier mari ! Dans l'ensemble, sa silhouette lui plaisait. La minijupe faisant fureur, elle avait choisi de porter une robe au-dessus du genou avec un manteau court, et aujourd'hui, effrayée de son audace, elle avait hâte de voir la réaction de Philippe, ne sachant pas trop s'il apprécierait ce genre de folie, plus acceptable pour les très jeunes femmes, d'autant plus qu'on était en plein hiver ! D'en bas lui venaient les éclats de rire de ses parents et de ses frères et sœurs qui attendaient impatiemment de la voir apparaître, mais Diane ne voulait pas descendre avant que Philippe soit monté la chercher. Le jour de son mariage, on peut se livrer à quelques caprices!

Philippe, arrivé sans bruit, la fit frissonner en posant une main sur son épaule:

– Viens, descendons! dit-il en se reculant un peu pour l'admirer de son œil connaisseur.

Inquiète, elle guettait sa réaction. Il fronça légèrement les sourcils lorsque ses yeux se posèrent sur ses jambes un peu trop découvertes, mais s'abstint de tout commentaire. Ce fut exactement à ce moment-là que Diane aperçut les cernes qui creusaient son visage.

Dans la limousine qui les amenait de la basilique Notre-Dame jusqu'au restaurant où ils avaient réservé, au milieu des rues encore enneigées de la tempête de la veille, la nouvelle madame Langevin, blottie contre son mari qui n'était pas d'humeur bavarde, pensait aux invités:

– C'est dommage que ta fille nous fasse la tête, fit-elle à brûle-pourpoint, j'aurais aimé faire sa connaissance!

Philippe eut un léger tressaillement:

– Que veux-tu, elle s'est imaginé je ne sais quelle histoire et ne comprend pas combien j'ai souffert avec sa mère, dit-il sur un ton pathétique, tout en lui prenant la main.

Diane hocha la tête d'un air compatissant. Alors, il ajouta:

– Chez le notaire, elle a failli faire un esclandre devant toute la famille et je ne tiens pas à ce que cela se reproduise... Surtout un jour comme aujourd'hui.

Il baisa la main de sa femme et soupira.

–En fait, elle est assez ingrate, n'est-ce pas? Étant donné qu'elle a été adoptée, renchérit-elle comme pour le disculper, en raccrochant une de ses boucles d'oreilles.

–Oui, c'est exactement cela, très ingrate. N'en parlons plus, veux-tu?

*

Le nez collé au hublot dans l'avion qui les ramenait de Fort Lauderdale, Diane et Philippe, confortablement installés en première classe, sirotaient une coupe de champagne. Au-dessus des nuages, ils admiraient le disque solaire, resplendissant face à la mer de coton blanc qui s'étalait à perte de vue sous la carlingue. Leur voyage de noces avait été une succession de jours inoubliables, pendant lesquels ils s'étaient baignés et avaient joué au golf tous les jours, par un temps exceptionnel…

–Regarde, on se croirait au paradis, fit Diane, qui ne pouvait se détourner du spectacle. À notre nouvelle vie! ajouta-t-elle en levant son verre et en regardant son nouvel époux avec admiration.

Philippe sourit: la remarque teintée de poésie ne ressemblait pas à ses propos habituels. À son tour, il porta un toast:

–À toi et moi!

Le commandant de bord annonça alors: «Mesdames et messieurs, nous amorçons la descente vers l'aéroport de Dorval, que nous atteindrons dans un peu moins de vingt minutes. La température au sol est actuellement de moins vingt et un degrés Celsius. Nous espérons que vous avez fait un excellent voyage.»

– Brrr, heureusement que j'ai demandé à Daniel de venir nous chercher et d'apporter nos manteaux !

Changeant tout à coup de propos, Diane dévisagea Philippe.

– Notre séjour a été trop court.

– Veux-tu dire que trois semaines ne t'ont pas suffi ? Torrieu, Diane, tu es bien gourmande ! répondit-il en riant.

– Non, non, ce que je veux dire, c'est qu'on dirait que tu n'as pas pu te reposer suffisamment pendant les vacances, tu as la mine de quelqu'un de surmené.

– Je me suis reposé, Diane, mais je pense déjà à demain ! Je pense à ce qui m'attend à l'Hôtel-Dieu. Depuis que le gouvernement s'est mis en tête de voter une loi sur la gratuité des soins médicaux, nous, les médecins, nous sommes pris entre le marteau et l'enclume ! La qualité de notre pratique va s'en ressentir, et nos honoraires également ! S'il y a une chose qui n'a aucun bon sens, c'est bien celle-là, torrieu ! Je n'envisage pas les années à venir de façon très optimiste avec l'assurance-maladie ! La médecine étatisée perdra ses meilleurs praticiens, ceux qui ont la vocation. Les médecins deviendront avant tout des fonctionnaires rémunérés à l'acte, on ira probablement jusqu'à faire des traitements inutiles pour gonfler les factures…

Philippe s'enflammait en évoquant l'avenir de sa profession et son visage reprenait des couleurs. Ses yeux brillaient. Diane l'écoutait religieusement, submergée par ce flot de paroles dont elle ne saisissait pas bien le sens.

– Sans compter que, selon le diagnostic posé, chaque cas sera traité d'après des normes établies ; non pas en fonction du patient, mais d'après des normes, avec une grille type! Te rends-tu compte? Un système mathématique où la personne perdra sa place. La médecine, dont la vocation est de soulager, est en voie de devenir une industrie à la chaîne, régie par un système bureaucratique!

Philippe semblait soucieux en évoquant ces éventualités. Un monsieur qui lisait son journal de l'autre côté de l'allée centrale leva les yeux, d'accord avec la justesse de ces paroles, et fit un signe de tête affirmatif.

–Que veux-tu dire? demanda poliment Diane qui, de toute façon, n'entendait pas grand-chose à la stratégie des politiques sociales.

C'était la première fois qu'elle entendait Philippe se plaindre de ses conditions de travail.

–Je veux dire que je vais être obligé de me démener, avec mes collègues, pour faire entendre notre point de vue, et que cette perspective ne me sourit pas.

–Ah, d'accord, dit-elle en regardant ses bagues, ne trouvant rien de plus précis à ajouter.

L'avion atterrissait, si bien que leur conversation fut interrompue. Philippe se pencha vers elle pour vérifier si elle avait bien bouclé sa ceinture, puis, après une descente rapide durant laquelle leur cœur se serra un peu, l'énorme machine toucha le sol en tremblant de toute sa carcasse, avec un bruit de freins assourdissant.

Dès leur retour de vacances, Philippe, qui avait emménagé chez Diane à Mont-Royal, mit en vente la maison d'Outremont, ne voulant trébucher sur aucun souvenir. Cela mis à part, le quotidien s'organisait agréablement. Diane était une compagne parfaite. Ignorant presque tout, ne sachant que ce qu'avait bien voulu lui dire Philippe et n'étant de toute façon guère curieuse, elle évitait de poser des questions qui auraient porté sur le premier mariage de Philippe. Ce qui agaçait toutefois celui-ci, c'est qu'elle faisait de moins en moins la cuisine et se contentait, lorsqu'il rentrait du bureau, de mettre sur la table des plats qu'il détestait, dans le genre pâté chinois ou hamburgers. Invariablement, dans ces cas-là, Philippe l'emmenait manger au restaurant. Diane était alors soulagée...

*

Après avoir tourné le bouton de la radio pour trouver une musique agréable, Fleurette se mit à l'ouvrage. Les trois semaines de vacances du docteur Langevin avaient passé avec la rapidité de l'éclair. Malgré elle, ses pensées revenaient à cette pauvre Maguy! Cette année, pas d'appel venant de Fort Lauderdale... Qui aurait pu imaginer une fin aussi triste et aussi rapide? À peine cinquante-trois ans... S'apercevant qu'elle tournait en rond, Fleurette se répétait la liste des choses à faire, mais elle n'arrivait pas à se concentrer. Elle commençait une chose, s'apprêtait à en faire une autre, et puis hop! subitement, elle ne savait plus où elle en était! Quelle distraction! C'était comme si, à tout instant, elle avait perdu le fil. Ce genre d'inattention était plutôt rare chez elle, mais depuis un certain temps, en fait depuis que madame Langevin était morte, Fleurette ressentait quelque chose de bizarre et de nouveau: elle n'avait plus envie de travailler.

« Pauvre femme, pauvre Maguy ! se disait-elle. D'après moi, elle est morte intoxiquée par la cocaïne. Quelle misère ! Le docteur lui en a fourni bien trop ! » Comme pour se donner raison, elle s'approcha de la pharmacie, fit tourner la petite clé dans la serrure et ouvrit la porte vitrée pour jeter un coup d'œil au niveau du grand bocal. En hochant la tête, elle constata que le volume de la solution cocaïnée était quasiment au maximum. Tout en s'occupant des préparatifs habituels, Fleurette guettait le téléphone. Chaque fois que la sonnerie retentissait, elle pensait entendre la voix du docteur Langevin au bout du fil, mais c'était un patient. « C'est étonnant qu'il ne m'ait pas appelée », se disait-elle encore au moment de fermer le bureau, lorsque Philippe apparut dans l'entrée, accompagné d'une femme que Fleurette n'avait jamais vue.

– Ah, docteur Langevin, avez-vous passé de belles vacances ?

– Bien, bien ! Et ici, quoi de nouveau, garde ?

La dame se tenait immobile et promenait son regard tout autour d'elle, attendant que Philippe fasse les présentations. Sans en avoir l'air, Fleurette remarqua les bijoux trop clinquants qui ornaient les oreilles et le cou de l'inconnue. Des bijoux fantaisie manquant de discrétion… Philippe détacha lentement son manteau et son écharpe, avec un mouvement d'hésitation qui ne lui ressemblait pas, puis il s'avança :

– Garde Dupuis, je vous présente madame Langevin, madame Diane Langevin…

Il ajouta d'un air embarrassé :

– Nous nous sommes mariés la veille de notre départ en Floride.

N'ayant pas été prévenue, Fleurette reçut une sorte de coup au cœur et ne put cacher sa surprise. Levant les yeux vers lui sans rien dire, elle dévisagea lentement la nouvelle venue. Il y eut un silence. S'apercevant qu'elle était impolie, Fleurette Dupuis rougit, pâlit, puis dit :

– Bon, eh bien, bonjour, madame. Enchantée…

Impossible d'ajouter les félicitations qui s'imposaient. La nouvelle madame Langevin lui tendit sa main gantée sans un sourire.

– Mon mari m'a parlé de vous.

Hésitante, Fleurette fut bien obligée de serrer la main tendue. L'atmosphère était à couper au couteau. Personne ne savait comment amorcer la conversation, même par quelque banalité.

– Garde, annonça maladroitement Philippe pour briser la glace, je reviens de l'Hôtel-Dieu. Il se peut que je sois en retard demain, mes collègues et moi, nous déclenchons un mouvement de grève.

Fleurette le regarda d'un air ahuri et remarqua ses traits tirés. Ses pensées se bousculaient : « Il revient de voyage de noces avec une mine épuisée que je ne lui ai jamais vue. Elle ne doit pas être reposante ! Une grève par-dessus le marché. C'est tout ce qui manquait pour que la situation devienne invivable. S'il pense que je vais lui faire des courbettes à celle-là, alors que madame Maguy est à peine enterrée ! »

Le docteur mit un bras autour de la taille de sa nouvelle épouse, fit quelques pas et passa avec elle devant Fleurette, qui était raide comme un piquet. Madame Langevin visita rapidement les lieux. Ensuite, Philippe lui ouvrit galamment la porte et ils sortirent dans un courant d'air glacial, sous le regard critique de

Fleurette qui enfilait son manteau et ses bottes en marmonnant: «Son mari! C'est bien le comble!»

*

L'hiver interminable sentait sa fin venir. Les jours avaient allongé à pas de géant et la nuit, presque éternelle quelques semaines plus tôt, faisait place à une clarté bienfaisante qui venait réveiller les bêtes et les hommes. Sur les immenses territoires appartenant aux Cris, loin au nord de Chibougamau, il neigeait. Bien que la terre se soit déjà réchauffée, bien que la rivière soit déjà gonflée par la crue printanière, la neige, compagne familière et constante de ces contrées immenses, tombait encore en flocons ramollis et mouillés.

Sous la vaste tente qui gardait le parfum âcre du feu de bois, loin du village aux maisons préfabriquées utilisées depuis quelque temps par un grand nombre d'autochtones, un petit clan familial, irréductible, vivait encore selon le mode de vie des ancêtres. Le sol, soigneusement tapissé de branches d'épinette, était jonché de peaux de bêtes tout autour de l'espace central, réservé à la truie qui ronronnait de chaleur. Sur le poêle était posée une haute marmite noircie. Deux femmes aux cheveux de jais étaient assises sur le sol, pauvrement vêtues et le visage souriant; elles préparaient le ragoût de porc-épic en échangeant quelques plaisanteries, pendant qu'un jeune enfant tournait une cuiller de bois dans le fond d'un bol émaillé en s'esclaffant. Tout en bavardant, les femmes découpaient les morceaux de viande avec un long couteau, puis les jetaient sans se déplacer dans le chaudron bouillant qui gargouillait comme un creuset de sorcière. L'une d'elles se leva, prit doucement la cuiller en bois des mains du petit garçon, ramassa une poignée d'herbes qu'elle jeta dans la marmite en brassant le mélange pendant quelques instants et rendit aussitôt la cuiller à l'enfant, avec un grand sourire. Sa compagne remit quelques bûches dans le fourneau.

Sur ces entrefaites, trois hommes et deux enfants d'une dizaine d'années, le visage caché sous leur capuchon bordé de fourrure, pénétrèrent dans la tente d'un air vainqueur, riant et plaisantant, avec des yeux brillants de plaisir. Malgré la neige, ils avaient pris au collet deux porcs-épics et pêché quelques truites qui leur permettraient de faire bombance pendant les jours à venir. Ils brandirent leur butin sous l'œil ravi des deux cuisinières, puis enlevèrent leurs manteaux et leurs bottes, que la neige mouillée avait trempées. Deux d'entre eux étaient de petite taille, trapus, avec la peau cuivrée, et il se dégageait d'eux quelque chose de joyeux et de doux à la fois. Les enfants placèrent soigneusement leurs vêtements sur quelques bouts de corde tendus dans un coin, au-dessus de la chaleur du tuyau.

–Nous avons rencontré un troupeau de rennes qui remontait vers les plateaux au-dessus du lac Sauvage !

Le plus vieux des trois imitait le vacarme des sabots que font les troupeaux lorsqu'ils s'élancent au galop sur la berge avant de traverser un gué. Les enfants riaient eux aussi et tapaient des pieds pour imiter le bruit.

–Et puis nous avons croisé un vol de canards en chemin !

– La belle saison arrive !

Les visages exprimaient l'allégresse. On allait bientôt parcourir la toundra à la recherche des baies et du gibier.

– Les bourgeons des saules commencent à frémir ! La sève monte…

– Mes amis, je vais bientôt vous quitter, dit Gaby.

L'une des deux femmes leva vers lui un visage sur lequel passa tout à coup une grande tristesse qu'elle réprima instantanément.

– Pourquoi veux-tu nous quitter, mon mari ? lui dit-elle avec douceur. Nous n'avons jamais manqué de rien dans les montagnes, mais toi, tu vas nous manquer à moi et à tes fils !

L'enfant, qui tenait toujours la cuiller, se réfugia sur les genoux de sa mère et chercha son sein sous la chemise. Elle dégrafa son vêtement de laine et le laissa attraper goulûment le mamelon. Gaby s'approcha d'elle, passa la main dans ses cheveux et dans ceux de leur enfant. Il avait l'air grave :

– Tu sais bien, Ida, que je reviendrai vous chercher, toi et nos deux fils ! Je veux vous emmener vivre dans un endroit plus confortable !

Ida tendit la main vers lui et tira en riant le col de son chandail, faisant mine d'être féroce et de le chicaner.

– Mon mari, n'es-tu pas à l'aise ici, au milieu de ceux qui t'aiment ? Manques-tu de quelque chose ?

L'un des garçonnets vint les rejoindre. Les enfants riaient et s'amusaient devant cette scène de ménage improvisée.

– C'est vrai, ma femme, tu as raison. Je n'ai pas besoin de plus que ce que nous avons ! Mais un mari est quelquefois heureux de s'éloigner des remontrances de son épouse! dit-il en plaisantant à son tour. Et puis j'ai eu un songe voici deux nuits... Tu le sais bien, ma femme, je me suis caché longtemps parmi vous, mais maintenant je dois retourner à Kanesataké! Après toutes ces années, je ne peux pas oublier ma promesse! Je dois laisser mes pas redescendre vers la grande ville du Sud pour retrouver la fille de Kateri. Ma mère et ma sœur, qui me parlent durant mes rêves, me l'ont dit. Il faut que j'y retourne, il faut que je la retrouve!

Ida hocha la tête, ne pouvant ni contester le pouvoir d'un rêve ni s'opposer à une promesse faite à une mère! D'autant plus qu'on lui avait rapporté les paroles de Wanda: «La fille de ma fille est le maillon qui relie deux mondes.» Mais Ida n'aimait pas l'idée de rester sans homme pendant plusieurs mois, même si elle avait auprès d'elle ses frères et sa belle-sœur. Une femme sans homme est vulnérable dans ce dur pays où chacun est indispensable à la survie du clan.

– Mon mari, reviendras-tu vraiment? N'aurai-je pas à me repentir d'avoir épousé un homme qui vient de loin? N'aurai-je pas à pleurer le restant de mes jours?

– Ma femme, si mon songe a dit vrai, avant la saison froide je serai revenu te chercher, toi et les enfants.

Il s'approcha d'elle et, dans un geste plein de tendresse, frotta doucement son visage contre la joue de sa femme. Tous les autres s'étaient retournés par pudeur et faisaient mine de n'avoir rien vu, selon la coutume. Alors, on s'assit tous en cercle et on commença à raconter les histoires de la journée, en attendant que le repas soit prêt. Les enfants parlaient du petit siffleux qui s'était dressé sur ses pattes au milieu du pré, des chasseurs du village voisin qu'on avait aperçus en haut de la falaise et du vent qui tournoyait, faisant se courber les épinettes et s'envoler les corbeaux. Il y avait toujours des choses passionnantes à raconter pour agrémenter la vie au jour le jour.

Mais de mauvaises nouvelles, dont on n'osait pas trop parler parce qu'elles vous mettaient des idées moroses plein la tête, étaient arrivées du Sud. Dans les villes des Blancs, on voulait construire de nouveaux barrages et changer le cours de la grande rivière, sans se soucier des Indiens qui vivaient là depuis longtemps, coupés du reste du monde, faisant corps avec la nature. On n'avait aucun scrupule à préparer l'engloutissement des villages qui les forcerait à s'expatrier de la terre sacrée où étaient enterrés les ossements de leurs ancêtres. Que leur resterait-il ? Où donc la folie allait-elle s'arrêter ?

Pendant la nuit, si courte à l'approche de la belle saison, un peu avant l'aurore, Gaby sortit silencieusement de la tente où tous dormaient encore, chaudement recouverts de fourrures, près du poêle qui ronronnait. Il prit une grande respiration en levant la tête vers le ciel et sentit l'air vif pénétrer dans sa poitrine. Les étoiles clignotaient dans l'immensité. Il aimait ce pays grandiose, ces contrées âpres et difficiles où les êtres humains savent encore vivre selon la loi du cœur. Comment ne pas s'y attacher, comment ne pas céder à la mélancolie au moment de quitter ces étendues de collines, de lacs et de fleuves à perte de vue, où la forêt aux arbres rabougris grouille de vie dans ses moindres recoins ? Gaby ne verrait pas la saison chaude cette année, et plût au Grand Esprit qu'il trouve sur sa route celle qu'il cherchait... Alors qu'il contemplait la voûte étoilée, debout et solitaire, dans une sorte de prière intense et muette qui remplissait tout son être, il vit soudain les nuées s'embraser de lueurs vertes et rouges, et l'aurore boréale aux formes mouvantes prendre possession du ciel tout entier. Jamais un tel spectacle n'avait laissé un homme insensible et nul ne pourrait se déclarer pauvre s'il jouissait autour de lui d'une pareille féerie.

Gaby se remit à marcher sur la terre qui sentait le dégel, parcourant rapidement les deux kilomètres qui le séparaient du village; lorsqu'il arriva en vue des premières maisons, il fut accueilli par une horde de chiens au poil touffu qui remuaient la queue et jappaient en tournant autour de lui. Hormis leurs cris, tout était silencieux dans la rue bordée de baraques préfabriquées, au-dessus desquelles les volutes de fumée se dispersaient en silence. Il contourna la dernière maison, longea encore un peu la route, jusqu'à son terme, et s'approcha du vieux camion rouge. La porte était gelée. Avec précaution, il détacha plusieurs glaçons, tira à nouveau et réussit enfin à l'ouvrir. Cherchant la clef dans sa poche, il mit le contact et appuya sur l'accélérateur. Le camion toussa deux ou trois fois, puis le moteur s'étouffa dans un vilain borborygme. Gaby attendit encore un peu et recommença plusieurs fois l'opération.

– Allez, démarre donc, mon vieux, démarre ! dit-il en caressant d'une main le volant.

Le moteur se mit à ronronner. Sauvé ! Dans quelques jours, il pourrait partir. Il prit le temps de dégager le pare-brise de son givre et fit le tour du village pour recharger la batterie, jetant un regard attendri sur la petite église blanche où il s'était rendu tant et tant de fois depuis son arrivée. Gaby n'avait pas renié ses croyances, mais il avait fréquenté l'église pour apprendre d'un Blanc, et qui plus est d'un religieux, les choses utiles que celui-ci pouvait lui montrer, c'est-à-dire lire et écrire. Le père Drouin, qui s'était pris d'amitié pour lui, souhaitait baptiser depuis longtemps ce sympathique rebelle. Peine perdue !

– Jamais, lui disait Gaby en riant, je ne viendrai adorer ton Dieu en boîte ! Le Dieu que je prie est celui qui a fait la Terre, le Soleil et les saisons, celui que mes ancêtres m'ont appris à reconnaître en toute chose, celui qui fait frémir les nuages, les lacs et les bois, celui qui sait pourvoir à notre bonheur lorsqu'on vit en harmonie avec notre mère, la Terre sacrée !

– Mais ton Dieu est semblable au mien, qui a envoyé son fils parmi les hommes ! rétorquait le curé. Prie donc Jésus, le fils de Dieu, lui qui est mort sur la croix pour racheter nos péchés !

– Si Jésus est mort pour nous, voulez-vous donc nous faire tous mourir comme lui ? Pourquoi l'avez-vous tant fait souffrir, ce Jésus qui vous enseignait l'amour ? Cloué sur une croix... D'après moi, ça n'a pas grand bon sens, je ne comprendrai jamais la logique de ton peuple !

Le pauvre curé ne savait pas quoi répondre. La philosophie qu'on lui avait enseignée était très compliquée, contrairement à celle des Cris qu'il essayait de convertir, mais c'était un homme bon. Solitaire, ayant l'esprit de sacrifice, poussé par une vocation sincère, il était sensible à la misère humaine et se tenait à l'écart des jeux de pouvoir auxquels s'adonnait le haut clergé des villes. Les habitants du village allaient à l'école et à l'office du dimanche par amitié pour lui, et aussi parce qu'ils bénéficiaient de nombreux avantages lorsqu'ils étaient baptisés, mais cela ne les empêchait pas de conserver dans leur cœur la tradition léguée par les ancêtres. Tout comme aux enfants et aux femmes, le missionnaire avait patiemment enseigné à Gaby le mystère des mots et des lettres, qui désormais n'avaient plus aucun secret pour son élève, et il lui prêtait des livres que celui-ci dévorait avidement.

Pourtant, rien n'aurait pu convaincre Gaby de devenir chrétien ! Il aurait pu se livrer à tout un réquisitoire contre la religion des Blancs et, fidèle à son sang indien, il aurait préféré mourir plutôt que de perdre sa dignité en reniant l'âme de ses ancêtres.

Ayant assez roulé, satisfait de l'état de son bon vieux camion, il remit l'engin à sa place auprès des autres. Le jour s'était levé, les maisons s'éveillaient. Les portes s'ouvraient et des gamins emmitouflés s'ébrouaient déjà dehors. Deux hommes qui enfourchaient leur motoneige pour aller relever les collets lui firent un grand signe et s'arrêtèrent près de lui :

– Tu t'en vas dans le Sud ?... Ha, ha !

– Vas-tu devenir fou toi aussi, Gaby ? lui dirent-ils en riant à gorge déployée, découvrant leurs dents blanches et plissant leurs paupières.

*

Fin mai, 1968. Immobile et désœuvrée depuis le matin, Myriam essayait vainement de concentrer son attention sur les manchettes du journal. Tandis qu'à Paris les étudiants en colère avaient pris possession du Quartier latin, à Montréal les grèves et les protestations des médecins hospitaliers opposés au projet d'assurance-maladie se poursuivaient. Bien sûr, elle pensa à son père. Sur la photo présentée en première page du *Montréal-Matin*, parmi un groupe de praticiens, la silhouette de Philippe Langevin lui sauta aux yeux. Elle soupira et laissa tomber le journal au moment même où un rayon de soleil résolument indiscret vint se poser sur ses mains et sur son visage, illuminant dans sa course la forme rebondie d'un vase en cristal posé sur la table. Fulgurante, l'étincelle lui fit cligner des paupières, et c'est à cet instant-là qu'il se passa quelque chose... Myriam, sortant de sa torpeur comme un ours sort de sa tanière, se leva, ouvrit la fenêtre et prit une grande respiration. La douceur de l'air vint caresser sa poitrine et son ventre de future mère, lui faisant tout à coup reprendre ses esprits. Il faisait si beau dehors! Elle sentit en elle comme une montée de sève, en même temps qu'une voix familière lui disait fermement: «Avance, Myriam, ne reste pas ainsi à te détruire. Tu as encore beaucoup à faire!» Étonnée, elle se retourna... personne. «J'ai probablement rêvé», pensa-t-elle. Elle allait se rasseoir lorsque la voix, impérative, lui dit à nouveau: «Avance, Myriam, avance! Ta vie ne sera satisfaisante que si tu avances!» Myriam, éblouie par le soleil, ferma les yeux. Le visage de la femme qu'elle avait déjà vue plusieurs fois en rêve était là, derrière ses paupières closes, et lui souriait. Spontanément, elle tendit la main:

– Attends... dis-moi au moins qui tu es, murmura-t-elle.

Mais l'autre avait déjà disparu. Déçue, elle se pencha au-dehors. Le printemps était déjà bien installé. Les feuilles avaient poussé aux arbres, les fleurs sortaient de terre et elle, qui était restée enfermée depuis si longtemps, perdant le goût de tout, n'avait rien vu de tout cela! Maguy avait été enterrée neuf mois auparavant, et l'hiver qui avait suivi sa disparition avait été terrible. Pendant les longues semaines de froid et de détresse, écrasée sous le poids du destin, ne mangeant presque plus, dormant à peine, Myriam avait tenté jour après jour de comprendre ce qui lui était arrivé, réagissant comme un animal blessé et pris au piège. Depuis la rencontre chez le notaire, où elle avait été reniée et déshéritée sans raison, elle n'avait plus revu Philippe, resté sourd à toute tentative de rapprochement.

Laurent et elle avaient commencé à rédiger une requête décrivant les circonstances dans lesquelles Myriam avait été lésée, mais le papier était resté au fond d'un tiroir... Fallait-il étaler en cour ce drame strictement familial? Pouvait-on, pour contrer une injustice, porter atteinte à la mémoire de Maguy en dévoilant qu'elle avait été cocaïnomane devant des notables bien-pensants et des journalistes à l'affût du scandale? Maguy aurait-elle voulu cela? Autre question lancinante: pourquoi son père lui avait-il caché si soigneusement et pendant vingt ans son adoption, pour lui lancer subitement au visage qu'elle n'était plus sa fille, qu'elle ne l'avait jamais été? Myriam, assaillie par la succession rapide des coups qui lui étaient portés, s'était contentée de souffrir et de bloquer sa révolte comme on immobilise un véhicule en le mettant au point mort. Depuis, elle avait perdu le sens de la réalité et du temps qui passe. Quel était donc ce déclic qui s'était produit tout à l'heure, entraînant soudain les mécanismes d'un changement? Qu'est-ce qui l'avait poussée, l'espace d'un instant, à percevoir autrement sa situation? Était-ce cette belle Indienne, devenue amie, qui lui apparaissait régulièrement? Peu importe, une sorte de réveil avait eu lieu au moment où Laurent, Monique, Pierrette et tante Mimi, désespérés de la voir se résigner au malheur, commençaient à craindre pour sa santé. Pendant tout l'hiver, presque chaque jour, tante Mimi, qui se faisait vieille, lui avait téléphoné, répétant patiemment, avec sa gentillesse habituelle:

– Allons, allons, ma belle Myriam, je sais que ta peine est bien plus grande que la mienne, mais vois-tu, il ne faut pas te laisser abattre! Tu as un mari charmant et qui t'aime! Il faut profiter de la vie. N'attends donc pas le bonheur de ceux qui te le refusent. Amuse-toi, Myriam, car ta maman, si elle vivait encore, voudrait te voir heureuse et épanouie! Allons, allons, si tu t'ennuies, appelle-moi! Et puis venez donc à la maison dimanche, je vous ferai un bon petit souper.

Chère tante Mimi, toujours aussi adorable avec ses cheveux blancs comme neige et ses yeux rieurs! Mais rien n'y faisait, Myriam ne sortait pas de son abattement. De son côté, Pierrette, clouée à la maison par le handicap de sa mère, prenait souvent des nouvelles elle aussi et s'inquiétait, non sans raison, pour sa chère petite qui se traînait, mélancolique.

– Ma chère Myriam, lui avait-elle encore demandé la veille, dis-moi ce que je pourrais faire pour t'aider?

– Rien, Pierrette, tout ce que je voudrais savoir, c'est ce qu'on t'a dit sur ma naissance!

– On ne m'a rien dit, ma petite, je n'ai fait que supposer.

– Alors, c'est vrai, j'ai été adoptée ?

– Tu me mets dans l'embarras, ma chère fille, mais je crois que c'est vrai, avait fini par avouer Pierrette, avec un brin d'hésitation.

Aujourd'hui, tout à coup, il fallait que Myriam bouge, que quelque chose change, c'en était fini du malheur ! La femme-rêve avait raison… Myriam enfila une veste légère, sortit sa voiture et passa par le centre-ville pour aller jusqu'au marché Atwater. La rue Sherbrooke grouillait de promeneurs, les automobiles avançaient au ralenti dans un intense brouhaha. Rue Sainte-Catherine, les vitrines des magasins alignés porte à porte attiraient les passants avec des annonces de soldes. Un peu plus bas se dressait la Place Ville Marie avec ses tours ultramodernes récemment sorties de terre, et l'autoroute du centre-ville était en chantier sur plus de deux kilomètres. La métamorphose de Montréal s'accélérait, propulsée par le vent de l'Expo. C'est exactement ce qu'il fallait à Myriam. Sentir la vie. Participer au mouvement perpétuel qui pousse les êtres et les choses à bouger, à changer, à aller de l'avant. En avant, Myriam ! Une nouvelle vie allait naître. Elle caressa son ventre où l'enfant avait commencé à se développer et sourit en songeant à Laurent qui attendait avec impatience que ses rondeurs de femme enceinte arrivent à leur terme. Il était si heureux depuis qu'elle lui avait annoncé la nouvelle !… Elle conduisait vite. Sa voiture lui semblait avoir des ailes. Myriam avait retrouvé sa vraie nature.

Elle laissa l'auto tout près du marché et commença à flâner avec délices devant les étalages. Enfin, après avoir pleuré pendant des semaines et des mois, elle n'avait plus de larmes. Elle était prête à regarder tout ce qui est beau, prête à voir les mouvements et les formes des choses les plus simples, celles qui enchantent le quotidien. Tout lui paraissait somptueux... À l'entrée du marché, les pépiniéristes avaient sorti les boîtes à fleurs; les annuelles formaient des tapis de couleurs éclatantes, comme les notes d'une symphonie fantastique. Le long de l'allée principale, même les légumes avaient un air guilleret! Les salades entassées en montagnes vert tendre, les petites carottes à l'air délicat, bien alignées, les navets de toutes les grosseurs, les choux rebondis, les radis voisinant avec l'ail et le persil, les champignons en casseaux bien rangés sur l'étal des maraîchers, tout lui donnait envie de croquer, de dévorer! Joyeuse, imprégnée par ce parfum de belle saison qui se répandait dans l'air, communiquant la bonne humeur aux passants, elle aperçut les premières fraises de la saison, rouges et brillantes, délicieusement tentantes. Rien qu'à les regarder, Myriam élaborait des recettes de desserts fous. L'eau lui venait à la bouche. Ayant déjà faim, elle en croqua une et choisit deux casseaux, en donnant un billet au vendeur.

–Myriam!... Si je m'attendais à te rencontrer ici!

Ainsi interpellée, la jeune femme faillit laisser échapper ses fraises, tant la surprise était grande. Fleurette, en compagnie de sa sœur, la regardait en riant, son sac à provisions posé sur le sol, et lui tendait les bras. Myriam l'embrassa sur les deux joues comme une vieille amie et serra la main d'Yvette. Fleurette recula d'un pas et admira son ventre:

–Eh, quelle surprise! Je ne savais pas, c'est pour quand, la naissance?

–D'ici cinq à six semaines!

L'endroit n'était pas propice aux confidences; même si Myriam en avait long à raconter à Fleurette, la présence d'Yvette l'obligeait à rester discrète. Elles firent quelques pas ensemble.

–Fleurette, mon père t'a-t-il dit qu'il refuse de me parler ou de me voir?

Fleurette poussa un cri de surprise, l'air désolé.

–Ma pauvre petite! Non, il ne m'a rien dit. Tu sais, il n'a jamais été très bavard, ce n'est pas son genre de parler de ses problèmes! De plus, je dois te dire que j'ai donné ma démission voilà bientôt deux mois. L'atmosphère n'était plus la même, surtout après le décès de ta maman et depuis que...

–Depuis que quoi?

Fleurette ne voulait pas commettre un impair en formulant des commentaires désobligeants sur la nouvelle épouse du docteur Langevin. Elle éluda la question.

–Il faudrait qu'on prenne le temps de parler. J'ai beaucoup de choses à te dire, mais ici ce n'est pas l'endroit rêvé!

Elles se dirigèrent vers la voiture de Myriam, qui les déposa toutes les deux devant chez Fleurette.

–Myriam, je suis tellement contente de t'avoir rencontrée!

–Moi aussi, Fleurette.

–Aimeriez-vous ça, venir souper chez moi, ton mari et toi? Samedi, la semaine prochaine, ça vous va?

–Merci, j'accepte avec grand plaisir!

Maintenant qu'elle avait retrouvé le goût de vivre, Myriam était ravie de compter Fleurette au nombre de ses amies.

*

Depuis la fameuse journée où le hasard lui avait fait rencontrer Fleurette au marché Atwater, Myriam avait repris goût à la vie et retrouvé son rire. Même si rien n'avait changé, du jour au lendemain on aurait dit qu'il s'était fait un grand ménage à l'intérieur d'elle-même. Au fond, c'est elle qui avait changé. Au lieu de se ronger les sangs et de se laisser accabler, elle avait accepté ce à quoi elle ne pouvait remédier. Elle sentait grandir une lucidité et une sérénité nouvelles, surgissant de l'ombre après des mois de confusion et lui insufflant une nouvelle énergie. La dépression faisait place à l'action. Elle ne pouvait passer sa vie à se plaindre : il était temps d'agir et de devenir adulte, de laisser derrière elle cette enfance choyée et protégée, qui lui avait tout de même donné le goût du bonheur. Il était temps que naisse non seulement son bébé, mais une nouvelle Myriam ! Vivre intensément l'instant présent et préparer celui qui venait. Larguer les amarres qui la retenaient prisonnière de son passé !

Philippe avait cru lui ravir ce qui était pour lui le plus important, l'argent, mais il n'avait pu lui enlever l'essentiel : son intelligence, son courage et sa détermination. Myriam se sentait libérée de toutes ces entraves qui, au lieu d'offrir une sécurité à quelqu'un, le rendent esclave, créant des attentes et des besoins. Le luxe et l'opulence peuvent réduire une personne à une fraction de ce qu'elle pourrait être, un petit morceau d'elle-même! Myriam n'étant pas de la race des personnes soumises, Philippe lui avait rendu service, il lui avait permis d'être libre, de se retrouver tout entière! Elle avait encore beaucoup de choses à analyser et à comprendre, certes, mais, guidée par son instinct, elle saurait filtrer, épurer ce qu'elle vivait, dans un passionnant processus alchimique.

*

Il faisait chaud. Un de ces dimanches de début juillet où la chaleur transforme la ville en une fournaise qui pousse les Montréalais à se rapprocher du fleuve. Laurent, bras dessus, bras dessous avec Myriam qui devenait de plus en plus ronde, se promenait pieds nus sur la plage d'Oka longeant le lac des Deux-Montagnes, où une eau d'un bleu éclatant scintillait à perte de vue.

– Quel endroit magnifique, je ne connaissais pas cette plage! dit Myriam, admirative.

– Tu vois, expliqua Laurent en montrant la berge, là-bas vers l'ouest, il y a une marina, et puis le village d'Oka avec les terres de Kanesataké.

Ils marchèrent un moment en silence pour mieux admirer l'horizon, heureux de jouir ensemble de cette belle journée. Devant eux, quelques bateaux blancs au nez aiguisé tournaient à toute vitesse en mugissant et faisaient naître de longs sillons bleutés qui venaient mourir sur la bande sablonneuse. D'autres, sans moteur, glissaient silencieusement au gré du vent, gonflant leur voile et louvoyant pour atteindre une lointaine balise. Laurent, enthousiaste, rêvait déjà d'acheter un bateau:

–Myriam, l'année prochaine, on fait du voilier avec le petit!... Mais tu as l'air songeuse, dit-il en l'observant, soudain inquiet de son air absent et de son pas qui ralentissait.

–Je me demande si papa est heureux, s'interrogea-t-elle tout haut, rafraîchissant ses pieds nus dans les petites flaques ondulantes. Son attitude reste vraiment un mystère pour moi!... Qu'il se soit remarié sans même m'en faire part, je n'arrive pas à le comprendre. Fleurette prétend qu'elle a démissionné parce qu'il a beaucoup changé depuis qu'il a épousé cette Diane qu'elle n'aime pas. Même si elle n'ignorait pas les faiblesses de maman, Fleurette connaissait aussi ses qualités et elle l'aimait beaucoup. Maman était très humaine, trop d'ailleurs! ajouta-t-elle avec une pointe de chagrin.

–Peut-être aurions-nous dû intenter ce recours contre ton père...

Myriam fit un signe de tête négatif.

–Peut-être que oui, mais peut-être que non! Je trouve bien difficile d'avoir à aller en cour contre mon propre père, même si rien ne justifie ce qu'il a fait. Peut-être que nous avons eu tort, mais je préfère avoir tort plutôt que d'entendre parler de ces histoires malpropres tous les jours pendant des années. Je préfère oublier que la fortune de maman est passée aux mains d'une étrangère! Si grand-papa voyait ça...

–J'admire ton côté philosophe, ça doit faire partie de ton bagage génétique! plaisanta-t-il en la serrant contre lui. De toute façon, la fortune, on a toute la vie pour la rebâtir!

Le visage de Myriam s'était soudain assombri.

–Qu'est-ce que j'ai dit?

–Tu as parlé de mon « bagage génétique » ! Te moques-tu de moi, Laurent Dagenais ? Je ne te trouve pas drôle...

Son ventre devenait lourd. Myriam eut un léger élancement dans le bas du dos et s'assit sur l'herbe du talus, à la limite du sable fin. Les grands saules projetaient leur ombre devant le magnifique plan d'eau où était aménagée depuis peu une baignade publique de plus en plus fréquentée. Par ce beau dimanche ensoleillé, les promeneurs arrivaient sur la plage par familles entières, et des groupes d'adolescents s'élançaient dans des canots au milieu du lac. Un petit bout de chou, haut comme trois pommes, tirant sa bouée multicolore, passa en courant et en éclaboussant tout le monde avec des cris de plaisir, sous le regard attendri de Myriam.

–Veux-tu te baigner ? proposa Laurent.

–Oh non, je suis bien trop grosse ! Vas-y toi, je vais t'attendre ici...

Laurent, qui nageait comme un poisson, eut vite fait d'enfiler son maillot de bain et de disparaître au loin dans les vagues, tandis que Myriam pensait à Maguy, à son enfance et au mystère de son bagage génétique. Elle s'apprêtait à retomber dans une anxiété insidieuse lorsque son attention fut attirée par un attroupement qui s'était formé depuis quelques minutes devant le mirador du maître nageur. La foule de plus en plus nombreuse s'agitait en scrutant un point sur l'eau. Son sang ne fit qu'un tour : s'il était arrivé quelque chose à Laurent ? Elle s'approcha et fut bien vite rassurée. Le canot de sauvetage ramenait sur la plage deux adolescents, le maître nageur et le sauveteur.

–Si c'est pas malheureux! disait un vieux monsieur. Se retrouver au milieu du lac sans savoir nager!

–Le courant est dangereux là-bas, avec les tourbillons et les contre-courants, disait un autre en agitant sa canne.

–Et l'eau est bien, bien glacée, ajoutait une dame, les poings sur les hanches.

–Heureusement qu'ils sont tombés sur un gars comme lui, y sont chanceux!

Tous les spectateurs désignaient avec admiration le héros de l'incident, qui revenait avec les rescapés. Le maître nageur et le sauveteur ruisselant allongèrent les deux garçons un peu nauséeux sur des serviettes. Des secouristes aidèrent à donner les premiers soins en écartant les curieux qui menaçaient de piétiner les deux malheureux, comme s'ils n'avaient pas été assez mal en point comme cela... Deux policiers dispersèrent rapidement les badauds. Les jeunes imprudents l'avaient échappé belle! On se racontait l'histoire de bouche à oreille, avec moult détails.

Myriam s'approcha pour mieux voir. L'homme qui avait empêché les jeunes gens de se noyer les avait maintenus à la surface pendant un long moment sur ses épaules, témoignant d'une énergie peu ordinaire. Où avait-il trouvé la force de les tirer tous les deux en attendant l'arrivée du canot de sauvetage? C'était un vrai miracle... Myriam, en l'observant, avait l'impression de reconnaître une silhouette familière. Trapu, les muscles bien découpés, avec un visage aux traits indiens marqués, il se tenait modestement à l'écart, sans se soucier des félicitations qu'on lui adressait. Myriam connaissait cet homme, elle en était sûre! Cherchant dans sa mémoire où elle avait bien pu le rencontrer, elle était si préoccupée qu'elle ne vit pas Laurent sortir de l'eau et s'approcher d'elle.

–Il a fait du beau travail, hein? s'exclama-t-il en désignant l'inconnu.

–Ah, tu m'as fait peur. Je le connais, lui... Ah, oui, ça y est!

Tout dégoulinant, Laurent attrapa sa serviette et donna un petit baiser dans le cou de Myriam, qui s'approcha de l'inconnu:

–Gaby?

Étonné, Gaby tourna la tête vers Myriam. La stupeur l'immobilisa pendant quelques instants. Cette jeune femme qui l'appelait par son nom ressemblait trait pour trait à Kateri...

–Tu me connais? interrogea-t-il, en proie à une terrible émotion.

–Souviens-toi, chez Pierrette et Gaétan, il y a si longtemps! J'étais là, avec ma mère.

Lorsque Myriam prononça ces mots, Gaby, troublé, s'approcha d'elle et de Laurent. Il se souvenait... À cette époque-là, il avait remarqué cette petite fille aux traits harmonieux, mais il ne s'était pas attardé à la ressemblance qui le frappait aujourd'hui. La scène refaisait surface dans sa mémoire! «Avec sa mère, elles étaient parties si vite. Si la personne qui l'accompagnait était sa mère, elle ne peut pas être celle que je cherche! Pourtant, quelque chose me dit que c'est bien elle!» Pour l'instant, il ne quittait plus Myriam des yeux. On aurait dit qu'il était hypnotisé par son visage, à tel point que la jeune femme commençait à en être gênée. Brusquement, coupant court à ses souvenirs, il demanda:

–Êtes-vous d'ici, vous autres?

–Nous venons de Montréal.

Myriam le regardait en souriant, tendrement appuyée au bras de son mari, observant à la dérobée les quelques mèches argentées sur ses tempes ainsi que la puissance qui se dégageait de tout son corps. Gaby ne savait plus où il en était. S'adressant à des Mohawks ou à des Cris, il serait allé droit au but, mais dans ce cas-là, que faire? La jeune femme était une amie de Pierrette! Que savait-elle donc? Que devait-il dire, ne pas dire? Il valait mieux attendre encore un peu, en parler avec Pierrette et éviter les gaffes. Après un silence, il ajouta:

–Moi, je suis de Kanesataké, je suis venu jusqu'ici à la nage.

–Oh, ça fait un grand bout, ça! Si tu veux, on peut te reconduire, proposa Laurent, admiratif.

–C'est d'accord.

Dans la voiture, Laurent et Myriam posaient des questions sur la vie de la communauté et du village. Myriam découvrait un monde dont on ne lui avait jamais appris l'existence.

–Un avocat et une future avocate? Quelle chance, ma communauté aura bientôt grand besoin de toi! dit Gaby, en se tournant vers Myriam et en plantant ses yeux dans les siens.

Myriam riait.

–Je viens de commencer mes études! C'est lui l'avocat, dit-elle en désignant Laurent qui pouffa de rire.

–Je ne plaisante pas, on en reparlera! C'est toi qui seras notre avocate. Souviens-toi de ça!

Ils déposèrent Gaby devant une petite maison à l'orée de la pinède. Les marches avaient l'air branlantes et, sous l'angle de la galerie, des hirondelles avaient construit leur nid. Quelques bardeaux mal entretenus s'étaient détachés, cédant à l'usure des ans, sur les murs qui avaient pris la couleur du vieux bois.

– Merci, revenez donc avec le bébé dans quelques semaines! Ma femme sera ici avec mes enfants. Et puis amenez aussi Pierrette et Gaétan.

– C'est ça, à bientôt... Ça nous a fait plaisir!

Laurent tendit sa carte à Gaby, après y avoir griffonné leur numéro de téléphone. Il était l'heure de rentrer, mais ils firent une grande balade en auto, car Laurent voulait voir la trappe d'Oka, le rang du Milieu et les nouveaux bâtiments du conseil de bande. Myriam s'égayait de sa curiosité tout en examinant les alentours, touchée par la pauvreté des habitations, n'ayant jamais imaginé que, tout près de la métropole, des gens vivaient encore dans pareil dénuement.

– Pourquoi donc tiens-tu à visiter tout cela? C'est très pauvre.

– Curiosité professionnelle! Le dossier des Mohawks est arrivé sur mon bureau la semaine dernière avec les revendications du conseil de bande de Kanesataké.

– Quel hasard!

– Leur cause est très complexe et exige sans aucun doute de longues études, avec une recherche approfondie en droit autochtone...

– Tout comme la recherche concernant ma famille biologique, dit Myriam en riant. Je ne sais pas encore exactement pourquoi, mais lorsque tu parles de cette communauté et de ses problèmes, cela m'intéresse. Je trouve que Gaby a l'air sympathique et j'aimerais l'entendre parler des autochtones. Puisqu'il nous a invités et qu'il me prédit un avenir professionnel ici, on reviendra! Je vais raconter tout cela à Pierrette.

Tout en conduisant, Laurent regardait d'un air amusé le ventre de Myriam qui se déformait pendant qu'elle parlait, le bébé voulant sans doute exprimer son opinion sur ce sujet d'importance.

–C'est beau ici, n'est-ce pas? Quel site magnifique! remarqua Laurent, en arrêtant la voiture devant la charmante petite église.

Trois ou quatre véhicules étaient déjà alignés, attendant la venue du bac qui les amènerait jusqu'à Hudson, de l'autre côté du lac. La fin de la journée s'annonçait, baignée par une lumière douce et contrastée à la fois. Dans le ciel, des goélands tournaient en cherchant leur pâture et toute une famille de canards en file indienne s'ébrouait joyeusement dans les roseaux qui longeaient la rive.

*

Pendant les jours qui suivirent, Myriam organisa la venue du petit, passant en revue tout ce qui lui manquait pour assurer le bien-être de l'enfant. Elle avait réquisitionné Monique pour aller avec elle acheter ce qui se faisait de plus pratique. Toutes deux couraient les magasins en riant... Ayant décidé qu'elle retournerait à l'université aussitôt après la naissance du bébé, Myriam avait fait appel à Pierrette:

–Pierrette, tu sais que je ne confierais pas mon bébé à n'importe qui...

–Alors, tu voudrais que je le garde? avait gentiment proposé Pierrette. C'est d'accord, je garde aussi les petits de Johanne, je peux bien faire ça pour toi!

Cette brave amie, n'ayant plus à s'occuper de sa mère récemment décédée, se dévouerait encore pour ce bébé-là. Ainsi, la dynamique Myriam irait à ses cours l'esprit tranquille. Plus les jours passaient et plus la future mère avait hâte d'accoucher, suivant régulièrement les cours de préparation à la naissance qui se donnaient à Sainte-Justine. Quelquefois, il lui revenait malgré tout une certaine appréhension : dans son cas, il y avait toujours une inconnue, celle de son bagage génétique ! Lorsque le gynécologue lui avait demandé comment s'étaient passés la grossesse de sa mère et l'accouchement, Myriam avait été bien en peine de lui répondre. Quels étaient ses antécédents ? On butait toujours sur les mêmes écueils. Quoi lui dire ? Elle en avait assez de répéter :

– Je ne sais pas, docteur, je ne peux pas le savoir, j'ai été adoptée !

À la maison, elle faisait face à un autre genre d'interrogatoire, car Laurent, de plus en plus sollicité par ses dossiers, l'implorait :

– Es-tu bien sûre que tu veux entreprendre des études de droit, avec le petit ? Ne serait-ce pas mieux pour toi, lui et moi, que tu restes à la maison, au moins pour quelques années ?

Les paroles de Laurent l'agaçaient d'autant plus qu'ils avaient déjà maintes fois fait le tour de la question. Pourtant, il insistait, convaincu de lui faire un magnifique cadeau en lui offrant la possibilité d'être une femme au foyer, ce que Myriam ne voulait à aucun prix.

– Tu sais bien que nous n'aurons pas de problèmes financiers, car avec mes honoraires, disait-il, nous serons très à l'aise !

Myriam restait sur ses positions. Même si faire carrière était apparemment une sorte de superflu, il n'était pas question de rester à la maison et de dépendre de Laurent. Cette idée la mettait hors d'elle! Elle ne voulait sous aucun prétexte suivre la route qui avait mené sa mère à l'autodestruction. Maguy n'avait pas été un cas isolé au sein de cette génération silencieuse. Soumise, passant de l'autorité du père à celle du mari, pétrie de l'esprit de sacrifice, après avoir été cloîtrée dans une cage dorée, comme bien d'autres elle avait appartenu à l'homme qui régnait sur sa personne. Myriam, elle, voulait mener sa vie librement, exprimer ses idées et s'épanouir dans la société. Être reconnue à sa juste valeur et partager ses découvertes avec l'homme de sa vie dans un rapport égalitaire. Tout un défi pour la nouvelle génération!

–Non, Laurent, pas question de rester à la maison! Je veux devenir avocate.

–Essaie au moins de m'expliquer pourquoi tu veux travailler à tout prix! Si seulement je te comprenais! Ne crois-tu pas que ce bébé-là aimerait avoir sa mère toute à lui?

Laurent était contrarié et Myriam se rebellait de plus en plus.

–Ce bébé-là aura le meilleur de nous deux, lui dit-elle un jour en touchant son ventre. Au moins, il saura d'où il vient! Tu oublies que je n'ai pas réussi à mener à bien la recherche sur mon ascendance! Je ne sais pas par où commencer, mais il est grand temps que je m'y mette! On dirait que tout s'est ligué pour faire traîner mes investigations. D'après moi, Pierrette ne m'a pas dit tout ce qu'elle sait...

Le dimanche suivant, la tête pleine de projets, Myriam donnait une dernière touche à la chambre du bébé, en compagnie de Monique, pendant que Laurent et Marc étaient allés faire un peu d'équitation, laissant leurs « blondes » jouer à la maman. Comme il ne restait que peu de jours avant la naissance, les deux jeunes femmes avaient placé les meubles et les objets de circonstance autour du petit lit tout blanc, prenant un plaisir fou à organiser dans les moindres détails un paradis enfantin rempli de ce qui se faisait de plus moderne.

– Comme j'ai hâte de pouponner avec toi, disait Monique, invitée à tenir le rôle de marraine.

– Bientôt, ça sera ton tour ! annonça Myriam, faisant tourner dans ses mains le gobelet en argent dans lequel elle avait bu pendant des années.

Monique, toujours aussi sensible, rougit de plaisir, tandis que Myriam continuait :

– C'est étrange, hein ? Les objets familiers portent en eux quelque chose des êtres auxquels ils ont appartenu ! Tu vois, ce gobelet, je ne pouvais pas boire sans lui ! Maman le mettait toujours sur la table devant moi, j'ai bu dedans chaque jour, même à l'âge d'aller à l'école. Je l'aimais tellement ! J'espère que mon bébé l'aimera autant que moi.

– Pas sûr, répliqua Monique.

– Pourquoi dis-tu cela ?

– Parce que, d'une génération à l'autre, les choses changent beaucoup. Et parce que nous-mêmes, nous sommes bien différentes de nos mères.

– C'est toi, Monique, qui me tiens ce discours ? Toi qui refuses de faire carrière pour pouvoir élever une nombreuse famille ?

–Ça n'empêche pas que je veux être différente de ma mère, je veux exprimer les choses à ma façon, vivre avec mon temps. C'est fini, les gobelets en argent, on est à l'âge des gobelets multicolores. Finies les dentelles sur les bavoirs, on habille nos bébés avec du tissu éponge et on leur met des couches jetables! dit-elle en dépliant une adorable petite grenouillère pleine de couleurs.

–Tu as raison! On n'était pas toujours à l'aise dans nos vêtements en dentelle. Ce que je trouve le plus chouette, c'est qu'on n'est plus sous l'influence de la religion comme nos mères! Les religieuses se retirent des hôpitaux et les écoles sont envahies par des professeurs laïques, une vraie révolution dans la province catholique!

Myriam eut un léger pincement au ventre qui la força à s'asseoir.

–Je crois bien qu'il ne tardera pas, celui-là!

On entendit dans l'entrée un joyeux remue-ménage. Laurent et Marc, encore tout excités, revenaient de leur promenade, portant sur eux l'odeur tenace de l'écurie.

–On a faim! cria Laurent en mettant ses mains en porte-voix. On vous emmène au restaurant. Préparez-vous! Le temps d'enlever nos bottes et d'enfiler une chemise propre.

Monique dévala l'escalier et sauta dans les bras de Marc, pendant que Myriam, freinée par son lourd abdomen, descendait plus lentement. Laurent, assis sur une marche, cramponné à la rampe, tentait de retirer sa botte gauche rivée à son pied, en lançant quelques mots d'impatience hauts en couleur. Myriam se pencha pour l'aider. Accomplir cette opération délicate était toujours une gymnastique éreintante, d'autant plus qu'on oubliait toujours d'acheter un tire-botte! Au bord du fou rire, les quatre jeunes gens s'en donnaient à cœur joie, si bien que la botte finit par céder, quand soudain Laurent poussa un cri:

– T'es-tu fait mal? demanda Myriam.

– Non, regarde, c'est toi, que se passe-t-il?

Une petite flaque d'eau gisait entre les jambes de Myriam.

– Oh, j'ai perdu les eaux!

– J'ai l'impression qu'on peut oublier le restaurant, dit Laurent. Direction Sainte-Justine, et vite!

*

À Kanesataké, dans la Longue Maison, la réunion du conseil de bande était houleuse. Le grand chef Ben Williams, appuyé par deux membres du conseil, les chefs Ruth et Gaby, tentait depuis plus de trois heures de convaincre les autres, qui étaient au nombre de six:

– Mes amis, nous devons travailler avec nos frères mohawks d'Akwesasné. Vous savez que les chefs ont commencé à s'organiser là-bas. Ici, depuis huit ans, nous avons tout tenté, envisagé toutes les possibilités. Malgré cela, les Blancs conservent leur projet d'agrandissement du terrain de golf. Pourtant, ce terrain nous appartient et c'est là que nos ancêtres ont été enterrés. Nous n'acceptons pas de céder. La nation mohawk doit rassembler ses forces et faire renaître les coutumes ancestrales afin de former un gouvernement indien. Nous n'avons rien en commun avec le gouvernement des Blancs, nous n'avons rien en commun avec les modes de fonctionnement auxquels on nous soumet. Et pourtant, lorsque nous engageons des avocats pour nous défendre, ce sont des Blancs! Parmi nos frères de race, personne ne comprend rien aux lois.

Les autres, hormis Ruth et Gaby, baissaient la tête en entendant les paroles de Ben. L'un des chefs, Jim, le plus jeune du groupe, répliqua avec véhémence:

– Tu sembles oublier, Ben Williams, que nous n'avons pas les moyens nécessaires pour accomplir de tels changements. Les Blancs sont les plus forts et ils resteront les plus forts, en nombre et en richesse. S'il est vrai que nous sommes un peuple, il est vrai aussi que nous nous sommes laissé envahir et que nous avons perdu peu à peu notre terre. Nous n'avons plus d'autre possibilité que celle de nous intégrer à la machine blanche! Je ne crois pas au rêve des traditionalistes. Nous ne voulons plus rêver, nous avons assez rêvé! Le rêve nous a conduits dans une ornière.

Jim s'était fait le porte-parole du groupe progressiste, constitué de ceux qui voulaient que les autochtones s'intègrent dans la société occidentale.

– C'est pour toutes ces raisons que le groupe des traditionalistes vient de fonder le North American Travelling College. C'est l'outil qui nous permettra d'éveiller les consciences de nos frères! répliqua Ben.

– Tu oublies de mentionner qu'un groupe de militants traditionalistes vient de bloquer le pont de Cornwall, exigeant que le gouvernement permette de nouveau aux autochtones d'être exemptés des taxes sur les biens et services. Comment crois-tu que le gouvernement d'Ottawa va réagir? La riposte est prévisible.

Jim était en colère.

– Tout cela va mal finir, les jeunes s'échauffent la tête avec leurs idées et avec la bière…

– Nous agirons de manière non violente, affirma Ben.

– C'est impossible! Nous ne voulons pas d'affrontement, encore moins de guerre civile! Ben, si les traditionalistes vont plus loin, il y aura de la violence, c'est inévitable, et nous n'en voulons à aucun prix!

– Tout ce qu'on nous a fait subir depuis plus de quatre cents ans, tu n'appelles pas cela de la violence, toi? Notre âme est douloureuse, nos cœurs ne savent plus où se réfugier. On nous a fait croire que nous n'étions rien. On nous a déportés, on a séparé les familles, on nous a réduits à vivre sur des terres encerclées par des barbelés en nous montrant du doigt et en nous appelant «sauvages». On nous a inculqué la honte de nous-mêmes!

– Peut-être, mais nul ne peut revenir en arrière! Convoquons une grande réunion publique dans la communauté et donnons la parole à tous, afin de décider de ce que nous devons faire!

Gaby se taisait, ne voulant pas être mis en avant. Il n'avait aucune intention de devenir grand chef; pourtant, chacun savait que, par ses sages conseils, c'est lui qui influençait Ben le débonnaire. Gaby soupira et alluma une cigarette. La vie avait policé son tempérament, arrondi les angles trop aigus de sa révolte. Il était devenu patient malgré lui. Ici, les choses étaient encore bien plus compliquées que dans le Nord! Même les Mohawks ne savaient plus où était leur avenir. Déracinés, ils se laissaient facilement corrompre. Ils avaient laissé diluer leur sens de l'honneur.

Le vrai danger, c'est que, n'étant plus des guerriers, ils pourraient devenir des délinquants! Sa femme et ses enfants lui manquaient, devait-il aller les chercher pour les ramener à Kanesataké? Fallait-il rester là-haut? Où se trouvait la voie du cœur et de la sagesse? Gaby avait hâte de retourner dans la cabane de Wanda. Seul devant la truie qui ronronnait, entendrait-il les réponses à ses questions? Entendrait-il la voix qui le guidait depuis si longtemps?

Évidemment, il fallait revoir cette jeune femme que le destin avait mise sur sa route, et savoir qui elle était! Si, comme il le pressentait, Myriam était la fille de Kateri, Gaby savait qu'il avait pour mission de lui transmettre le message de sa mère et de sa grand-mère.

*

Son bébé dans les bras, Myriam, radieuse, revenue de la clinique depuis quelques heures, posait pour Laurent qui tenait à immortaliser le premier sourire de leur fils Guillaume. Étant donné que le bébé n'était pas bien gros, la mère avait peu souffert de l'accouchement, qui s'était déroulé rapidement. Et quel joli bébé! Heureuse et attendrie, la jeune maman déposa délicatement l'enfant dans son berceau pendant que Laurent continuait à le photographier sous toutes les coutures. Guillaume poussa quelques petits soupirs sous les éclairs du flash et serra le doigt de sa mère.

– Tu lui fais mal aux yeux avec ton appareil, Laurent, il est temps de le laisser dormir, dit Myriam en adressant une petite moue à Laurent et en recouvrant Guillaume avec soin.

Incorrigible, le jeune père voulait aller au bout de sa pellicule, si bien qu'il se faisait déjà tard lorsqu'il descendit au salon, laissant Myriam bercer leur fils pour l'endormir. D'une main, elle poussait le berceau tout en lisant un manuel de droit constitutionnel, surveillant son trésor du coin de l'œil, à demi éclairée par une discrète lampe de chevet.

« Tout de même, pensait Laurent, pourquoi s'acharner à étudier avec un bébé à la maison ? C'en est presque ridicule ! » Le téléphone se mit à sonner, interrompant sa réflexion. Laurent appela Myriam par-dessus la rampe d'escalier.

– C'est pour toi, Myriam !

Le bébé se retourna en grognant. Myriam éteignit la lumière et descendit à pas de loup.

– Mon oncle Étienne ? Si je m'attendais ! dit-elle en faisant à Laurent un clin d'œil qui se transforma tout à coup en grimace. Comment ça, papa est bien malade ?

– Depuis huit jours, il n'est pas allé au bureau, expliquait Étienne en prenant sa voix chevrotante des mauvais jours. Sa femme m'a appelé pour me demander de lui envoyer un spécialiste. Tu devrais aller le voir, je crois que c'est sérieux.

– Tu sais bien, mon oncle, que papa a refusé de me voir et de me parler chaque fois que j'ai tenté de communiquer avec lui !

– Oui, Myriam, mais il souffre d'un cancer du pancréas, ses jours sont comptés...

Myriam reçut la nouvelle comme un choc violent.

– Un cancer du pancréas ! Est-ce lui qui t'a demandé de me prévenir ?

– Non, Myriam, je te préviens de ma propre initiative, car après tout tu es sa fille !

–C'est bien de t'en apercevoir, mon oncle! J'aurais préféré que tu t'en rendes compte un peu plus tôt!

Étienne fit mine de ne pas avoir entendu.

–Enfin, je t'ai transmis la nouvelle, Myriam, j'ai la conscience en paix. Je te dis bonsoir... et félicitations à toi et à ton mari!

–Merci de m'avoir prévenue. Ah, peux-tu me donner l'adresse?

Abasourdie, Myriam se tourna vers Laurent, qui lui tendit un papier et un crayon, et elle griffonna fébrilement le nom de la rue ainsi que le numéro.

*

Il faisait gris, humide et chaud à la fois, bien que le ciel ne fût pas menaçant. Une moiteur triste, avec un ciel sans soleil et pas un souffle d'air. Myriam avait décidé de confier le bébé à Pierrette; elle le déposa dans ses bras et lui remit un grand sac contenant les objets nécessaires. En écoutant les recommandations de Myriam tout en cajolant le poupon, Pierrette se mordait les lèvres pour ne pas dire tout haut ce qu'elle pensait: «La série de catastrophes ne s'arrêtera donc jamais?» Mais ce n'était pas le moment... Myriam avait l'air bouleversée et elle se blottit un instant contre l'épaule de sa vieille amie pour se rassurer avant de prendre le chemin de Mont-Royal.

–Bonne chance, Myriam!..., lui lança Pierrette en croisant les doigts.

Cœur battant, jambes tremblantes, Myriam sortit de sa voiture, vérifia le numéro inscrit au-dessus de la porte et s'avança jusqu'à l'entrée de la maison. Après une seconde d'hésitation, elle appuya sur la sonnette. Voilà, les dés étaient jetés. Qu'allait-elle dire à Philippe? Qu'allait-il se passer? Trois secondes interminables. La porte de bois verni tourna silencieusement sur ses gonds. Diane se tenait devant elle, l'air sévère et le regard froid, barricadée derrière le noir qui soulignait ses yeux et le rouge trop rouge de ses lèvres. En apercevant Myriam, elle eut un mouvement d'hésitation.

—Bonjour, madame, je m'appelle Myriam Langevin, je viens voir mon père.

—Entrez, dit seulement Diane, qui la regardait comme s'il était impossible que Myriam soit une Langevin, comme si elle ne s'attendait pas à la voir un jour…

Elle lui fit signe de la suivre. Myriam était si émue qu'elle ne voyait rien. Absolument rien. Chaque pas lui semblait être une traversée du désert. Tout ce que ses sens étaient capables d'enregistrer, c'est qu'il faisait terriblement triste dans cette maison, qu'il n'y avait aucune trace de fantaisie. Comment son père, qui avait vécu au milieu de belles choses, pouvait-il se sentir à l'aise dans une pareille morosité, alors que même les murs affichaient une grisaille sans nom? Elle pénétra dans la chambre avec un serrement de cœur et, maladroitement, s'empêtra dans le tapis. Philippe était dans un grand lit antique et sombre, la tête appuyée sur une pile d'oreillers. Amaigri, plus blanc que ses draps et les yeux creusés par d'immenses cernes noirs. Méconnaissable. Myriam s'approcha, les larmes aux yeux, et se pencha vers lui. Diane avança une chaise. Philippe ne bougea pas, ne réagit pas en la voyant.

—Papa…

– Que veux-tu ?

Les mots se bousculaient dans la tête de Myriam, mais la question tranchante l'arrêta net. Interloquée, elle reprit son souffle :

– Papa, je voulais te dire que tu as un petit-fils et qu'il s'appelle Guillaume.

Silence. Philippe, immobile, avait les yeux fermés. Ne sachant quoi ajouter, Myriam fit un ultime effort :

– Je voulais te dire aussi… que… je t'aime.

C'était si dur à dire ! Mais il fallait le dire, il fallait qu'il sache ! Philippe ne pouvait pas partir en ignorant que sa fille l'avait aimé, malgré tout… Ces mots simples étaient chargés de tant de sentiments divers qu'elle ne voyait plus rien au travers de ses larmes et que de les prononcer représentait un tour de force, car ils dévoilaient ce qu'il y avait de plus profond et de plus vulnérable en elle. Incapable d'aller plus loin, ayant tout exprimé dans ces quelques mots, elle posa sa main sur celle de Philippe, qui tourna la tête et dit, exactement comme lorsqu'elle était petite :

– Ta main est froide.

Philippe allait mourir quelques heures plus tard, il le savait. Myriam était venue. Une véritable explosion avait lieu à l'intérieur de lui. Au milieu de ce cataclysme souterrain, prisonnier de sa rigidité qui ne pouvait plier même en cet instant, Philippe aurait voulu crier : « Ma fille, ma petite fille, moi aussi je t'aime, pardonne-moi. Je n'avais pas compris, je ne savais pas. Pardon, Myriam, pardon ! » Mais il était incapable de prononcer la moindre de ces paroles, comme il avait toujours été incapable d'extérioriser ses sentiments ou ses remords.

Dans l'encadrement de la porte ouverte, Diane surveillait la scène. Terre à terre, craintive, sachant bien vers quelle issue on se dirigeait, elle voyait d'un très mauvais œil ce dernier rapprochement: «Si cette Myriam allait maintenant s'approprier une partie de l'héritage? C'est bien cela, elle est venue uniquement pour l'héritage!» Elle tremblait en déplaçant nerveusement quelques bibelots, peut-être pour manifester stupidement sa présence. Philippe ouvrit les yeux. Ce tapage le fatiguait. Il avait mal. Alors, Myriam se retourna. Le regard glacial de Diane la priait de sortir. Elle fit un signe de tête et s'inclina pour saluer celui qui avait été un père aimant pendant vingt ans. Tandis qu'elle sortait de la chambre, Philippe, épuisé, la suivit des yeux en silence. Il était trop tard.

*

Trois jours plus tard, Myriam, en ramassant le courrier, reçut un faire-part:

Vous êtes prié d'assister aux obsèques du docteur Philippe Langevin, décédé le 4 août 1968 des suites d'une longue maladie. Il laisse dans le deuil son épouse Diane, ainsi que leur fils Daniel Fortin.

Diane avait atteint son but. Myriam avait été exclue encore une fois...

Tenant son bébé dans ses bras, la jeune maman allait et venait, gazouillant de petits mots d'amour. L'enfant riait avec elle et agitait ses mains potelées. Ayant des cours toute la journée, elle s'était levée bien avant Laurent pour préparer les couches, les biberons et le linge de rechange qu'elle emporterait chez Pierrette en allant lui confier Guillaume. Depuis qu'elle était allée à Mont-Royal voir Philippe, Myriam dormait mal. Ses plaies, qui n'étaient pas complètement cicatrisées, menaçaient de se rouvrir et elle ne voulait pas patauger de nouveau dans toute cette tristesse. Elle se dépêcha de mettre une dernière touche à son maquillage, se brossa les cheveux et choisit des vêtements confortables qu'elle enfila rapidement. Puis elle déposa son fils, qui protesta un peu, dans son couffin.

– Tu as les yeux bien cernés, fit remarquer Laurent en lui prenant le menton entre les mains. Je n'aime pas te voir ainsi.

Il se pencha vers Guillaume, qui riait aux anges. Dans son joli panier posé sur le tapis, le bébé, sensible à l'attention de son père, remuait ses petites pattes en faisant des discours. Myriam prit le couffin avec l'enfant et l'emporta sous son bras, comme un paquet...

– Je me dépêche, sinon je vais rater mon premier cours !

Laurent la suivit du regard en regrettant toutes ces complications.

– OK, bye ! Bonne journée, ma blonde, bonne journée, mon fils !

Il les accompagna jusqu'à la voiture et plaça l'enfant sur la banquette arrière, avant de s'engouffrer dans son propre véhicule. On courait de plus en plus à mesure que les années passaient. Chacun courait à ses multiples activités. Se dépêcher était devenu le verbe que tout le monde conjuguait à plein temps.

– Faites attention à vous ! ajouta-t-il en se retournant et en envoyant un baiser à Myriam.

– Toi aussi, bye...

Il faisait beau. Les enfants de Johanne jouaient dehors, sur le tapis que Gaétan avait installé tout le long de la galerie. On y avait placé les jouets. Pierrette, devenue grand-mère, tricotait en surveillant les ébats des tout-petits. Elle se leva aussitôt qu'elle aperçut Myriam.

–Entre quelques minutes, Myriam. Dis-moi, comment était ton père lorsque tu l'as vu ?

Myriam se pencha pour déposer le bébé et s'assura qu'il n'avait pas froid.

–Papa est décédé, Pierrette, je viens tout juste d'avoir le faire-part.

Pierrette, debout derrière elle, la regardait avec une insistance peu coutumière. Myriam, qui sentait son regard posé sur elle, se releva lentement.

–Myriam, je sais que c'est triste pour toi. Vois-tu, il y a des choses que j'aimerais te dire…

Myriam leva la tête. Livide. Elle savait très bien de quoi Pierrette allait lui parler.

–Veux-tu qu'on en parle ce soir ?

–Non, Pierrette, tout de suite !

–Mais tes cours ?

–Tant pis pour mes cours d'aujourd'hui, je les rattraperai. Dis-moi tout ce que tu sais !

–Myriam ! Ta maman, madame Langevin, m'avait fait jurer le secret le plus absolu ! Maintenant qu'elle et ton père sont décédés, je me sens déliée de ma promesse…

–Je sais, Pierrette, dis-moi ! Qui est ma mère ?

Myriam s'était assise à côté de Pierrette sur une chaise berçante, les mains sur les genoux, comme une petite fille sage, regardant sans les voir les salades et les pieds de tomates bien alignés dans le jardin. La bonne Pierrette, les lunettes sur le bout du nez, se demandait comment sa chère petite allait supporter ce qu'elle avait à lui dire. Un petit vent frais et délicat faisait frémir les feuilles des arbres, qui bruissaient doucement. Pierrette prit une grande respiration.

– Ta mère était ma meilleure amie, ma chère fille ! Nous étions ensemble lorsque je travaillais au couvent avant mon mariage, elle était couturière comme moi et d'origine...

– ... indienne ?

– Comment le sais-tu ?

– L'intuition, dit Myriam, qui réprima un cri en mettant la main devant sa bouche.

Cette apparition qui lui revenait continuellement, était-ce elle, sa mère biologique ? Une petite voix lui criait : « Oui, Myriam, c'est exactement cela ! C'est bien cela ! »

Pierrette, terriblement émue, se leva et entra dans la maison. Elle sortit d'un tiroir une petite bourse en cuir perlé qu'elle mit dans les mains de la jeune femme. Celle-ci regardait, médusée, le gracieux objet qu'elle avait déjà vu quelque part. Était-ce en rêve ?

– Tiens, ma chère enfant, je l'ai toujours gardée pour toi. C'est Kateri qui l'a faite !

– Kateri... Kateri... Mais comment se fait-il ? Pourquoi ai-je été adoptée ?

– Vois-tu, c'est une longue histoire. Maintenant, je vais te la raconter depuis le début.

Pierrette prit les mains de Myriam et, tandis que les enfants jouaient avec quelques petites voitures en se traînant à leurs pieds, elle commença l'incroyable récit.

– Et mon père ?

–Tu vas tout savoir, chère…

Pierrette tendit à Myriam une petite photo un peu jaunie. C'était la photo qui avait été prise dans sa chambre d'hôpital lorsque le Cardinal lui avait rendu visite. C'était si loin! Quel rapport avait cette photographie avec le mystère de sa naissance? Myriam ne comprenait pas. Tout à coup, le voile se déchira. Tout devenait clair. Elle eut un sursaut:

–Mais alors, le Cardinal?

Pierrette hocha la tête:

–Vois-tu, la vie a parfois des inventions inimaginables, ma chère enfant! Tu dois comprendre pourquoi le Cardinal ne pouvait avouer sa paternité. Et pourquoi il s'est arrangé pour te placer dans la meilleure famille, la plus proche de lui!

–Mais il a détruit ma mère. Il lui a enlevé la vie d'une façon si peu charitable!

Myriam pleurait en silence, et ses larmes lavaient les douleurs endurées pendant tant d'années à cause du terrible silence, le silence mortel des convenances. Elle était l'enfant du silence. Soudain, elle se mit à trembler.

–Ma mère biologique a subi le même sort que ma mère adoptive. Elle aussi, elle a été détruite. Pierrette, je sais maintenant pourquoi je ne serai jamais une femme soumise au désir d'un autre! Je sais pourquoi je veux que mes enfants et mon mari sachent tout de moi et pourquoi je ne laisserai rien dans l'ombre! Je veux connaître mes véritables origines et aller à Kanesataké, je veux voir les photos de Kateri, tout savoir d'elle. Je veux être fière de dire que j'ai du sang indien.

–Ton oncle Gaby te cherche depuis des années! Depuis des années, il attend le moment où il pourra te raconter toutes ces choses. Et je ne pouvais rien lui dire, je devais moi aussi me conformer au secret.

– Quelle histoire! Je comprends pourquoi il m'a sollicitée pour les Mohawks! Alors, je suis née d'une Indienne et fille de la Terre. Mon père était un prince de l'Église et je suis également fille de la grande bourgeoisie par mes parents adoptifs. Un beau mélange!

– Tu veux dire un feu d'artifice!

Un éclair de tristesse passa dans le regard de Myriam.

– J'ai été déshéritée, j'en ai beaucoup souffert, j'en souffre encore!

Elle s'interrompit et s'approcha du couffin où Guillaume souriait aux anges en agitant ses petits pieds. Maternellement, elle caressa le fin duvet qui recouvrait le crâne de l'enfant et, fermant les yeux, se laissa entraîner vers les images heureuses de sa future vie de famille. Elle se voyait aux côtés de Laurent, sereine dans son rôle de mère, entourée de deux ou trois bambins et comblée par ses activités professionnelles. L'ère de la collaboration véritable entre les hommes et les femmes allait-elle advenir? Elle fut tirée de sa rêverie par la voix joyeuse de Pierrette, qui semblait lire dans ses pensées:

– À toi de garder ce que tu veux de tes deux pères et de tes deux mères pour bâtir ton avenir...

Myriam riait maintenant à travers ses larmes et Pierrette riait avec elle.

– Au fond, c'est mieux ainsi, si j'avais su tout cela trop tôt, j'aurais été écartelée entre ces deux mondes, écrasée par tout ce qui a pesé sur mon destin!

Cet ouvrage composé en Sabon corps 10 a été achevé d'imprimer au Québec
le dix-sept juin deux mille dix sur papier Enviro 100 % recyclé
pour le compte des Éditions Typo.